सुभद्रा कुमारी चौहान ग्रंथावली

सुभद्रा कुमारी चौहान ग्रंथावली

(भाषण तथा कहानियाँ)

2

संकलन व संपादन

रूपा गुप्ता

स्वराज प्रकाशन
नई दिल्ली

स्वराज प्रकाशन
4648/1, 21, अंसारी रोड, दरियागंज, नई दिल्ली—110002
दूरभाष : 011-23289915
Email : swaraj_prakashan@yahoo.co.in

प्रथम संस्करण : 2015

मूल्य : ₹ 2495

सम्पूर्ण सेट (दो खण्डों में)

ISBN : 978-93-83513-68-0

ISBN : 978-93-83513-69-7 (सम्पूर्ण सेट)

अजय मिश्रा द्वारा स्वराज प्रकाशन, 4648/1, 21, अंसारी रोड, दरियागंज,
नई दिल्ली—110002 से प्रकाशित तथा ओम ऑफसेट, जगतपुरी
शाहदरा, दिल्ली-110032 में मुद्रित

प्यारी छोटी मौसीजी

श्रीमती राजकुमारी गुप्ता

के

लिए

अनुक्रम

भूमिका

भारतीय स्वाधीनता आंदोलन की पहली महिला सत्याग्रही सुभद्रा कुमारी चौहान का जन्म 16 अगस्त 1904 ई. (श्रावण शुक्ल नागपंचमी संवत् 1961) को इलाहाबाद के पास निहालपुर गाँव में हुआ था। निहालपुर में आ बसने के पहले उनके दादा ठाकुर महिपाल सिंह कड़े मानिकपुर के पास बसे लोंहदा गाँव के सम्पन्न जमींदार थे, जिन्होंने 1857 के प्रथम स्वाधीनता संग्राम में भागते हुए कुछ अंग्रेजों को छिपने की जगह न देकर दंडस्वरूप अपनी जमींदारी गंवा दी थी। उनकी जमींदारी उनके ही घर में इन अंग्रेजों को छिपा देने वाले अहीर को दे दी गई। ठाकुर महिपाल सिंह ने इन आश्रय मांगते अंग्रेजों के प्राण नहीं लिये थे। उन भागते हुए अंग्रेजों ने शरण न दिया जाना याद रखा, प्राण दान उन्हें याद नहीं रहा फलतः ठाकुर महिपाल सिंह विस्थापित हो पुनः जीवन संग्राम में कूदे। इन्हीं के बड़े पुत्र रामनाथ सिंह का 28 वर्ष की आयु में 9 वर्ष की धिराजकुँवर से विवाह हुआ। इन्हीं रामनाथ सिंह और धिराजकुँवर की आठवीं संतान थीं सुभद्रा कुमारी चौहान। सुभद्रा कुमारी चौहान कुल आठ भाई-बहन थे—रामऔतार, रामप्रसाद, महादेवी (बिट्टी), राजबहादुर (रज्जू), राजदेवी (रानी), सुंदर, कमला और सुभद्रा।

सुभद्रा कुमारी चौहान के पिता का व्यवसाय ठेकेदारी का था। उस समय की संयुक्त परिवार व्यवस्था में आर्थिक दायित्वों के सभी द्वारा बाँटे जाने की अनिवार्यता न होने के कारण एक बार विदा हुई सम्पन्नता फिर नहीं लौटी। परिवार ने बहुत-सी मृत्युओं का दुर्वह भार भी सहा। विशेषकर बड़े पुत्र रामअवतार सिंह की, जिन्हें अपनी बहनों को पढ़ाने का अद्भुत शौक था, प्लेग में मृत्यु का धक्का मर्मांतक रहा। इस धक्के का सर्वाधिक बोझ राजबहादुर सिंह को उठाना पड़ा। छोटे होते हुए भी रज्जू भैया का परिवार का मुखिया बनना बहनों के पक्ष में गया क्योंकि उन्हें भी अपनी बहनों को शिक्षित करने का रोग था जिसके लिए उन्हें कई प्रकार की बाधाओं का सामना करना पड़ा। इस प्रकार सुभद्रा कुमारी

चौहान को प्रयाग के क्रास्थवेट गर्ल्स कॉलेज में कक्षा नौ तक पढ़ने का 'सौभाग्य' मिला। बड़े भैया के सौजन्य से मिला यह 'सौभाग्य' सचमुच बहुत बड़ा था क्योंकि बीसवीं शताब्दी के दूसरे दशक में अभी भारतीय महिलाएँ महात्मा गाँधी के असहयोग आंदोलन की छाया में घर से बाहर नहीं निकली थीं। पाँच-छः वर्ष की लड़की का घर से निकलना बंद हो जाता था। पर्देदार इक्के में अंगरक्षक बनकर रज्जू भैया अपनी बहनों को स्कूल छोड़ने और लेने जाते थे। यूँ तो परिवार लड़कियों के पढ़ने के पक्ष में नहीं था पर राजदेवी के अल्पायु में विधवा हो जाने के कारण जीवन-निर्वाह का एकमात्र उपाय शिक्षा थी। फिर भी आसपास के लोगों की दुरभि संधियाँ चलती रहीं जिनका प्रतिकार कर इन लड़कियों को स्कूल भेजा जाता रहा किंतु पर्दे की व्यवस्था की कड़ाई में कोई ढील न थी। पाँच-छः वर्ष की सुभद्रा और उनकी चचेरी बहन गोमती को घर के पास सुनसान दोपहर में इमली के पेड़ पर झूला झूलने की सजा रामप्रसाद सिंह (छुटके भैया) ने उन दोनों के सिर आपस में भिड़ा-भिड़ा कर दी। इसी प्रकार सुनार से बहनों और अपनी पत्नी के कान छिदवा लेने पर वे उन सबों को गोली मार देने पर उतारू थे, माँ-पिता के बचाव करने पर अपने प्राण लेने पर तुल गए। घर की लड़कियाँ-बहुएँ छत पर नहीं जा सकती थीं, दरवाजे के पास खड़ी नहीं हो सकती थीं। घर का स्वामित्व पूर्णतः पुरुषों के पास था, स्त्रियों के पास बात-बेबात पिटने का अधिकार था फिर भी घर की परिस्थितियों के कारण उन्हें कभी-कभी अपनी योग्यता दिखाने का अवसर मिल जाता था।

सुभद्रा कुमारी के रज्जू भैया दूसरी मिट्टी के बने थे। अतः पढ़ने में कुशाग्र अपनी इस बहन के लिए उन्होंने अपना मेधावी साथी चुना। 1919 ई. में 15 वर्ष की आयु में सुभद्रा कुमारी चौहान का विवाह खंडवा निवासी ठाकुर लक्ष्मण सिंह से हुआ। लक्ष्मण सिंह स्वतंत्र विचारों के व्यक्ति थे, किंतु ससुराल पहुँचने पर सुभद्रा कुमारी चौहान को दरवाजे पर डंडा लिये जेठ मिले कि बहू घूँघट करने के बाद ही घर में घुस सकती है। 15 वर्ष की वधू ने मुख पर घूँघट खींच लिया।

मिडिल परीक्षा में सारे प्रांत में आठवें और लड़कियों में पहले स्थान पर रही सुभद्रा कुमारी चौहान के विवाह की बात चलने पर उनकी प्रधान शिक्षिका मिस मानकर ने उनका विवाह न कर उन्हें आगे पढ़ाने की सलाह दी थी। विवाहोपरांत लक्ष्मण सिंह ने भी उन्हें आगे पढ़ने के लिए प्रोत्साहित किया। वे बनारस के थियोसोफिकल स्कूल पढ़ने गईं पर 1919 ई. में गाँधीजी के असहयोग आंदोलन के कारण उन्होंने 1920 ई. में पढ़ाई छोड़ दी। दोनों पति-पत्नी स्वतंत्रता आंदोलन में जीवन भर सक्रिय रहे।

सुभद्रा कुमारी चौहान उन विरल साहित्यकारों में से एक हैं जिन्हें उनकी एक रचना ही अमर कर देती है। यद्यपि सुभद्रा कुमारी चौहान की वात्सल्य की कुछ कविताएँ भी खूब लोकप्रिय हुईं, किन्तु इन कविताओं की कवयित्री का नाम जानते ही पहली बात मन में कौंधती है, ओहो! "खूब लड़ी मरदानी...।" सुभद्रा कुमारी चौहान का नाम लेते ही "खूब लड़ी मरदानी वो तो झाँसी वाली रानी थी" कविता कानों में बज उठती है। सन् 1930 के बाद सुभद्रा कुमारी चौहान के पति लक्ष्मण सिंह चौहान सिवनी जेल में कैद थे। इसी जेल में नेताजी सुभाष चंद्र बोस भी थे। सुभद्रा कुमारी सुभाष चंद्र बोस से मिलने जेल गईं। उनका नाम सुनकर नेताजी ने कहा था, 'कौन सुभद्रा? वह 'खूब लड़ी मरदानी वह तो झाँसी वाली रानी थी' वाली सुभद्रा।' उनका पर्याय बन चुकी इस कविता के अतिरिक्त उनके 'मुकुल' (1930), 'त्रिधारा' (1935), 'सभा का खेल' (बालकाव्य) (1932) नामक काव्य संग्रह तथा 'बिखरे मोती' (1932), 'उन्मादिनी' (1934) और 'सीधे-साधे चित्र' (1947) कथा संग्रह हैं।

युगानुकुलता साहित्य की लोकप्रियता का एक महत्वपूर्ण कारक होती है, विशेषकर वीर रस की कविता। वीर रस की कविता के पात्र, बिंब और देशकाल भले ही अतीत से लिये जा सकते हों किन्तु उसका वर्तमान से सघन सम्बन्ध होता है। अक्सर इस रस की कविता के ओज की तात्कालिक आवश्यकता होती है। कारण चाहे जो भी हो राज्याश्रयी होने के कारण राजा की स्तुति से लेकर देश की पराधीनता के विरुद्ध खड़े होने का आह्वान पराधीन वर्तमान के स्वाधीन भविष्य के संघर्ष का आह्वान है। वात्सल्य और शृंगार बिना ऐसी किसी ऐतिहासिक आवश्यकता के भी साहित्य सृजन का कारण बने रह सकते हैं। संभवतः इसीलिए वीरता और ओज की कविताएँ काल विशेष में लिखी गई हैं। यह और बात है कि उनकी लोकप्रियता सर्वकालिक रही है।

सुभद्रा कुमारी चौहान के साहित्य सृजन की प्रतिभा जितनी जन्मजात है उसकी प्रेरणा उतनी ही समयानुकूल। गाँधीजी के इस देश के राजनैतिक परिदृश्य में अपनी उपस्थिति बनाने से पहले कांग्रेस का एक नरम अध्याय समाप्त हो चुका था। नागपुर के झंडा आंदोलन में जेल जाकर पहली महिला सत्याग्रही सुभद्रा कुमारी चौहान में इसकी स्पष्ट समझ थी। 22 सितम्बर 1937 ई. को सुभद्रा कुमारी चौहान एम.एल.ए. ने प्राइम मिनिस्टर द्वारा कांस्टीटयुएट एसेम्बली (विधान निर्माण समिति) का प्रस्ताव प्रस्तुत किए जाने पर अपने भाषण में इस दौर की स्पष्ट चर्चा की थी—"सारा मुल्क और उसकी कौमें कांग्रेस के जरिए अपना आत्मनिर्णय का अधिकार माँग रही हैं जिसके लिए पिछले महायुद्ध के समय बहुत

शोर-गुल मचाया गया था। स्वर्गीय लोकमान्य तिलक ने हमें सिखलाया है कि स्वराज्य हमारा जन्मसिद्ध अधिकार है और हम उसको लेकर रहेंगे। महात्मा गाँधी ने उसी अधिकार के लिए हमें गोलियों की बौछार के बीच हँसते-हँसते बलिदान होना सिखलाया है। हमने अपना ध्येय पूरी आजादी तय किया है, और उसको हासिल करने के लिए हमने, जैसा कि पिछले सत्रह सालों के राष्ट्रीय युद्ध से जाहिर है—बलिदान हो जाने की अपनी उत्कट भावना भी दिखा दी है।'' यह भाषण 1937 ई. में 'कर्मवीर' (2 अक्टूबर, पृष्ठ संख्या 8) में छपा था। इस भाषण से सुभद्रा कुमारी चौहान की राष्ट्रीय आंदोलन सम्बन्धी समझ ही नहीं बल्कि अन्तर्राष्ट्रीय राजनीति की समझदारी भी स्पष्ट होती है।

भारतीय राष्ट्रीय स्वाधीनता संग्राम के विस्तृत ब्यौरे में जाए बिना सुभद्रा कुमारी चौहान के राजनैतिक जीवन का चित्रण थोड़ा असहज कार्य है। 1919 ई. में नागपुर के झंडा आंदोलन से राष्ट्रीय संग्राम से जुड़ीं सुभद्रा कुमारी आजीवन एक जुझारू कार्यकर्ता रहीं। 1919 से 1948 ई. में गाँधीजी की मृत्यु के समय उनकी अस्थि यात्रा के बाद उनके फूल सिराए जाने के सथान पर सामान्य जनता के जाने पर रोक लगाए जाने पर प्रशासन को उसका निर्णय बदलने के लिए मजबूर करने तक। यहाँ यह उल्लेखन करना अप्रासंगिक न होगा कि गाँधी जी की मृत्यु के ठीक 15 दिनों बाद 15 फरवरी 1948 ई. में उनकी परम अनुयायिनी सुभद्रा कुमारी चौहान का बसंत पंचमी के दिन देहान्त हो गया। 44 वर्षों के जीवन की इस मृत्यु का कारण लंबे राजनैतिक जीवन के संघर्ष की कठोरता और अनदेखी से रोग-जर्जरित शरीर ही नहीं, सपने की स्वाधीनता मिलने के बाद देश में छाया साम्प्रदायिक उन्माद और उस उन्माद की एक बहुत बड़ी कीमत गाँधी जी हत्या भी थी। महात्मा गाँधी की मृत्यु ने उन्हें निविड़ उदासी से भर दिया। उनकी पुत्री सुधा चौहान ने लिखा है, ''इसके बाद तो उनके भीतर जो थोड़ी बहुत जीवनी शक्ति या जिजीविषा बची भी थी, वह जैसे एकदम बुझ-सी गई। उनके मित्र और परिचित दुःखी होने पर उनके पास आते थे कि उनसे बात करके उनके साथ बैठकर उनका मन हल्का हो जाएगा, अब वे स्वयं ऐसी पीड़ा की प्रतिमूर्ति बन गई थीं कि अपने बच्चों को, अपने घर के लोगों को अपरिचित-सी लगने लगी थीं।'' (मिला तेज़ से तेज़)

गाँधीजी का सुभद्रा कुमारी चौहान एवं उनके पति लक्ष्मण सिंह पर अत्यन्त गहरा प्रभाव था। अपने विवाह के तुरन्त बाद से ही वे राजनैतिक जीवन में सक्रिय हो गई थीं। सन् 1921 के अहमदाबाद में हुए कांग्रेस अधिवेशन में सम्मिलित होने गए पति-पत्नी बा-बापू के दर्शन हेतु साबरमती आश्रम गए थे।

सुभद्रा के एकदम सादा वेश को देखकर गाँधीजी ने पूछा था कि क्या वे अकेली आई हैं। सुभद्रा कुमारी के यह बताने पर कि वे पति के साथ हैं। गांधी दंपत्ति ने उन्हें उनके वेश पर मीठी फटकार लगाई और चूड़ी, सिंदूर तथा किनारेदार साड़ी के उपयोग के बाद मिलने आने को कहा। भारतीय स्वाधीनता संग्राम की बाद की घोर निराशाजनक परिणति से उस युग की चरम आदर्शवादी दृढ़ता का अनुमान असंभव-सा जान पड़ता है। अपना सम्पूर्ण जीवन और प्राणों को होम कर देने वालों की गाथाएँ सुदूर अतीत की कपोल-कल्पित कथाएँ प्रतीत होती हैं। अपने दुधमुँहे बच्चों को निराश्रित निस्सहाय छोड़कर देश की स्वाधीनता के लिए जेल चले जाने वाले पति-पत्नी अब कल्पनीय ही तो हैं। जो वकालत कभी ठीक से की ही नहीं उसे तथा माँ-पत्नी बच्चों को छोड़कर तीन-तीन, चार-चार वर्षों के लिए जेल जाने वाले लक्ष्मण सिंह चौहान उस युग में विरले नहीं थे। ऐसे ही चरम त्यागी देशभक्तों के हर प्रकार के बलिदानों से देश को पराधीनता से मुक्ति मिली। हृदय के ये चरम उद्‌गार भावनात्मक शुद्धता के चरम उत्कर्ष के बिना असंभव है। इसलिए झाँसी की रानी को ही नहीं सुभद्रा कुमारी चौहान ने सामान्य स्त्रियों को भी उसी ओज से ललकारा--

पंद्रह कोटि असहयोगिनियाँ
दहला दे ब्रह्मांड सखी
भारत-लक्ष्मी लौटने को
रच दें लंका कांड सखी

पद्य में जो भाव तेजस्वी भाषा में अभिव्यक्त हुए हैं गद्य के क्षेत्र में वे सुचिन्तित विचार बन गए हैं अपने पूर्वोक्त भाषण में उन्होंने पद्य में कहा था, ''बहुत से देशों की कांस्टीटयुएन्ट एसेम्बलियों के इतिहास का लंबा चित्रण करके यह बहस हमारे सामने आई है कि सन् 1931 और 1932 की राउन्ड टेबिल कांफ्रेंसों की बनावट में कांस्टीटयुएन्ट एसेम्बली के मूल सिद्धान्तों का समावेश ही नहीं था। फ्रांस की क्रान्ति के इतिहास से मैं एक अवतरण देने की इजाज़त चाहती हूँ। फ्रांस की राष्ट्रीय एसेम्बली ने जो मनुष्य तथा नागरिक अधिकार तय किए हैं उनमें यह ऐलान किया गया है कि, ''वास्तव में सारी राजसत्ता का मूल स्रोत राष्ट्र ही है। राष्ट्र जाहिर तौर से जो अधिकार नहीं देना वह अधिकार किसी व्यक्ति को या व्यक्तियों के समूह को हासिल नहीं हो सकता।''

स्वाधीनता संग्राम की लंबी लड़ाई में अपना सर्वस्व फूँककर जेल, लाठियाँ, गोलियाँ, कुर्की सहते स्वतंत्रता सेनानी सुधार के रास्ते से ऊब चुके थे। आधी सदी

से सुधार के रास्ते पर चल रहे हिन्दुस्तान के हाथ ''गवर्नमेंट ऑव इंडिया एक्ट'' ही लगा था। सुभद्रा कुमारी इस जाल को भली-भाँति पहचान रही थीं—''इसी बीच ब्रिटिश सरकार के कारखाने में हमारे लिए फेडरेशन की बेड़ियाँ तैयार की जा रही है और हमारे समझदार सलाहकार और हमारे सावधान सलाहकार हमें यह सलाह देते हैं कि उसे पहन लो, पहनकर एक बार देखा तो सही, कौन जाने एक बार पहनने के बाद वह कोई जेवर ही साबित हो। ऐसे सलाहकारों को हमारा उत्तर यही है कि बस अब बहुत हो चुका। अब हम इस रूपहले फंदे में नहीं फँसेंगे। अब हम ऐसा शासन विधान नहीं चाहते जिसमें ''मेड इन इंग्लैंड की छाप लगी हो।''

भारत का स्वाधीनता संग्राम सुधार के निवेदनों-ज्ञापनों-प्रार्थनापत्रों पर लंबी अवधि फूँक चुका था और सुधारों की आशा में अधमरा हो चुका था। लंबे समय तक बिना परिणाम के कार्य करना ऊब उत्पन्न करता है। 'मा फलेषु कदाचन' अगर कठिन न होता तो उपदेश भी न होता। क्रान्तिकारियों की इसमें कोई आस्था न थी और सुधार की भूलभुलैया में पर्याप्त भटकने के बाद भारतीय स्वाधीनता संग्राम ने इससे किनाराकशी का फैसला किया। सुभद्रा कुमारी चौहान इस नीति को इस प्रकार व्यक्त करती हैं, ''इस प्रस्ताव का विरोध करने वालों की दलीलों में क्रान्ति के मुकाबले सुधार की भावना अधिक पाई जाती है। उनको कांस्टीटयुएन्ट एसेम्बली के नतीजे का डर है। उनकी तरक्की के रास्ते पर 'खबरदार रहो', 'सावधान रहो' की बड़े-बड़े अक्षरों वाली तख्तियाँ लगी हैं। लेनिन ने अपने एक सोने के महत्त्व सम्बन्धी लेख में सुधार के रास्ते को भूल-भुलैया कहा है। आपने उसके अंदर प्रवेश किया नहीं कि फिर आपको बाहर निकलने का रास्ता नहीं मिलता और न आप अपने निर्दिष्ट स्थान तक ही पहुँच सकते हैं।''

आधुनिकता और गणतंत्र अब केवल औपनिवेशिक शासकों के अपने देश की थाती नहीं थे। मानवता के राग को तार सप्तक में गाने वाले इंग्लैंड की रागिनी अपने शासितों के प्रति जिस कर्कशता से भरी हुई थी उसकी सराहना करते रहना अब कठिन हो गया था। अब भारतवासियों की घोषणा थी, ''हमें तो हिन्दुस्तान में बनाया हुआ हिन्दुस्तानियों के द्वारा बनाया हुआ और हिन्दुस्तानियों के हित ही के लिए ही बनाया गया हो ऐसा शासन-विधान चाहिए। सच बात तो यह है कि हिन्दुस्तान की आत्मा विदेशी सत्ता के खिलाफ अब क्रान्ति कर बैठी है। सुधारवादियों की मीठी-मीठी और लुभावनी दलीलों का अब उस पर कोई असर नहीं पड़ता।'' गाँधीवादी कांग्रेसी सुभद्रा कुमारी चौहान के इस वक्तव्य की तार्किक परिणति सन् 42 के 'करो या मरो' के नारे में देखी जा सकती है।

चूँकि धर्म के आधार पर विभाजन की राजनीति इस देश में अपनी जड़ें

जमाने लगी थी और अंग्रेज हिंदू-मुसलमान के बीच की हर दरार को चौड़ी खाई में बदलने के हर संभव प्रयास में लगे थे। स्वाधीनता की कामना पर अल्पसंख्यक बहुसंख्यक के आँकड़ों का काला साया मंडराने लगा था। धर्म के आधार पर इंसान-इंसान के बीच फर्क न मानने वालों की परीक्षाओं का दौर आरंभ हो चुका था। अंग्रेजी कूटनीति विष बीज बो चुकी थी, अंकुर फूटने लगे थे, विषवृक्ष की बृहदता की भयावहता आशंकित करने लगी थी। हिन्दुओं-मुसलमानों ने जहरीला चारा निगल लिया था, उसकी अनुगूँज ठोस होने लगी थी। सुभद्रा कुमारी चौहान ने गाँधीजी के विचारों को ही अपने इस अभिभाषण में स्वर दिया ''इस प्रस्ताव पर जो संशोधन पेश हुए हैं, उनकी मंशा सिर्फ यही मालूम होती है कि कम तादाद वाली कौमों के हकों, धर्मों और संस्कृति की रक्षा की जावे। परन्तु वे भूल जाते हैं कि यह तो हमारा घरू मामला है। उसे हम आपस में ही समझकर निबटा सकते हैं और निबटा भी लेंगे। हमारे कम तादाद वाले भाई इस बात का विश्वास रखें कि अब देश के राजनैतिक शासन की बागडोर कांग्रेस के हाथ में है। उनके अधिकारों के साथ लापरवाही कभी भी नहीं हो सकती। मैं अपने इन संशोधन पेश करने वाले माननीय भाइयों से निवेदन करती हूँ कि इस समय जबकि आजादी की जंग में हम अपने विरोधियों से लड़ रहे हैं। और इस जंग को जारी रखने को और भी जी-जान से तैयारी कर रहे हैं, ऐसे वक्त वे विजय के बाद मिलने वाले अधिकारों के बँटवारे के तरीकों में ही उलझ न जावें। बल्कि हमारे कंधे से कंधा मिलाकर इस आजादी की लड़ाई में उतर आएँ और राष्ट्रीय झंडे को ऊँचा करके आगे बढ़ें।''

सत्ता के हाथ में आते ही कांग्रेस में सुभद्रा कुमारी चौहान और लक्ष्मण सिंह चौहान जैसे लोग हाशिये पर धकेल दिए गए और सत्ता की चाभी उन छद्मवेशियों के पास चली गई जो आजादी के संघर्ष में नाखून कटाकर शहीद बने थे। आजादी का स्वप्न देख उसके लिए सब कुछ न्यौछावर करने वाले दूसरे थे तथा इस स्वप्न के सफल होने पर इसे फोड़-फोड़कर खाने वाले दूसरे ही अवसरवादियों की बाढ़ थी।

सुभद्रा कुमारी की कथनी और करनी में कोई भेद न था। उन्होंने जाति, धर्म के भेद को कभी नहीं माना। उनके लिए मनुष्य और उसकी मनुष्यता सर्वोपरि थी। वे तत्कालीन रूढ़ियों के विरुद्ध मुसलमानों और भंगियों की बस्ती में बेहिचक जाती थीं। उनके यहाँ खाने-पीने में भी उन्हें कोई संकोच नहीं था किन्तु गो हत्या के प्रश्न पर उन्होंने कविता लिखी थी। गो-वध से उनकी भावनाएँ आहत होती थीं। सागर जिले के रतौना नामक गाँव में सरकार द्वारा कसाईखाना खोले जाने पर

उन्होंने लिखा–

"उधर गो-भक्त कहाता देश,
इधर ये लाखों गायें कटें।
उधर करातीं वैतरणी पार
इधर ये हाय छुरी से कटें।"

अगर देश में गो हत्या बंद नहीं हो सकती तो फिर कृष्ण स्मरण की रीति कैसे चलेगी–

"उधर तुम कहलाते गोपाल
इधर ये गौएँ दिन-दिन कटें
कहो, तुम ही कह दो गोपाल
तुम्हें अब कौन नाम से रटें?
अभी भी यहाँ बहुत से कंस
मचाते हैं नित अत्याचार।
नष्ट होता प्यारा गो-वंश
बढ़ा जाता पृथ्वी का भार॥

सामान्यतः 'हिन्दीवालों' को दो बिन्दुओं पर साम्प्रदायिकतावादी घोषित किया जाता रहा है। एक गो रक्षा दूसरा हिन्दी के प्रश्न पर बोलना। इस देश में हिन्दी के पक्ष में बोलने वाला "हिन्दी फैनेटिक" है और अन्य किसी भी भाषा के पक्ष में बोलने वाला मातृभाषा प्रेमी। सुभद्रा कुमारी चौहान भी 'हिन्दी फैनेटिक' हैं। 'मातृ मंदिर' कविता में वे अपनी मातृभाषा को नमन करती हैं–

"जिसको तुतला-तुतला करके,
शुरू किया था पहली बार।
जिस प्यारी बोली में हमको
मिला हमारी माँ का प्यार।"

किन्तु हिन्दी की विवश स्थिति उनसे छिपी हुई नहीं है। हिन्दी समारोह उन्हें चकित कर रहा है, हिन्दुस्तान के हिन्दुओं की यमुना का सम्मान उन्हें मुदित कर रहा है–

"उस हिन्दू जन की गरीबिनी
हिन्दी, प्यारी हिन्दी का।

प्यारे भारतवर्ष-कृष्ण की
उस प्यारी कालिन्दी का॥

इस गरीबिनी हिन्दी को सजाने-समृद्ध करने में उन्हें सुख मिलता है। उन्हें विश्वास है कि सभी भाषाओं की सरताज हिन्दी में ही स्वाधीनता का सूर्योदय होगा, देश में हृदयों को मिलाने की भाषा हिन्दी ही होगी–

"मेरे लिये बड़े गौरव की
और गर्व की है यह बात।
तेरे ही द्वारा होवेगा,
भारत में स्वातंत्र्य प्रभात॥
तू होगी व्यवहार, देश के
बिछड़े हृदय मिलाने में
तू होगी अधिकार, देश भर
को स्वातंत्र्य दिलाने में।"

अपने विश्वास और निश्चय पर दृढ़ता से अटल सुभद्रा कुमारी चौहान ने यथोचित स्थान पर ईश्वर की भी गुहार लगाई है। अछूतों के मंदिर प्रवेश के निषेध पर उन्होंने लिखा–

"प्रभु तुम मेरे मन की जानो
मैं अछूत हूँ मंदिर में जाने का मुझको अधिकार नहीं है।
किन्तु देवता यह न समझना तुम पर मेरा प्यार नहीं है।
तुम सबके भगवान कहो मंदिर में भेदभाव कैसा?
हे मेरे पाषाण पसीजो बोलो क्यों होता ऐसा?
कह देता किन्तु पुजारी यह तेरा भगवान नहीं है।
दूर कहीं मंदिर अछूत का और दूर भगवान कही हैं॥
मैं सुनती हूँ, जल उठती है मन में यह विद्रोही ज्वाला।
यह कठोरता, ईश्वर को भी जिसने टूक-टूककर डाला॥
यह निर्मम समाज का बंधन और अधिक अब सह न सकूँगी।
यह झूठा विश्वास प्रतिष्ठा झूठी इसमें रह न सकूँगी॥
ईश्वर भी दो हैं, यह मानूँ मन मेरा तैयार नहीं है।
किन्तु देवता यह न समझना तुम पर मेरा प्यार नहीं है।"

जिसे मन न माने उसे मत बनाने को सुभद्रा कुमारी तैयार नहीं है। विचार

सम्बन्धी यह दृढ़ता और स्पष्टता ही उन्हें सुभद्रा कुमारी चौहान बनाती है।

सुभद्रा कुमारी चौहान की सबसे प्रसिद्ध रचना 'झाँसी की रानी' के सम्बन्ध में भदंत आनंद कौशल्यायन ने कहा था, ''मेरी यह अभिलाषा थी कि हाथों में कड़े पहनकर और एक लकड़ी से उन कड़ों को बजाते हुए 'खूब लड़ी मर्दानी वह तो झाँसी वाली रानी थी'—गाते हुए गाँव-गाँव घूमूँ वैसे ही जैसे वहाँ के लोकगीत गायक अपने गीतों को गाते हुए घूमते हैं, सुभद्रा जी ने यदि यही एक कविता लिखी होती और कुछ न लिखा होता तो भी वे अमर हो जातीं।''

प्रथम भारतीय स्वाधीनता संग्राम की विफलता से भी भारतीय जनता के हृदय से उसके नायकों का संघर्ष और बलिदान धूमिल नहीं हुआ था। इस संग्राम के सेनानी विशेषकर वीरांगना महारानी लक्ष्मीबाई जन हृदय की धरोहर बन गए। बीसवीं शताब्दी की राष्ट्रीयता ने इन्हें ही अपना आदर्श चुना। भारत के क्रान्तिकारी आंदोलन ने भी इस संग्राम और इसके नायक-नायिकाओं को अपना प्रेरणा स्रोत बनाया।

'झाँसी की रानी' कविता के वैशिष्ट्य में सबसे उल्लेखनीय इसकी लय और इसका ओज गुण है। कविता में केवल राष्ट्रीयता और देशप्रेम के स्वर ही नहीं पूरा इतिहास बोलता है। व्यापारी बनकर आए अंग्रेजों के बढ़ते प्रताप से लेकर रानी लक्ष्मीबाई के बलिदान तक का पूरा इतिहास—

'अनुनय विनय नहीं सुनता है, विकट फिरंगी की माया,
व्यापारी बन दया चाहता था जब वह भारत आया,
डलहौजी ने पैर पसारे अब तो पलट गई काया,
राजाओं नव्वाबों को भी उसने पैरों ठुकराया।

अंग्रेज एक-एक कर रियायतें हड़पते गए। अपनी अन्यायपूर्ण नीति से पूरा देश हड़प लिया—

''छिनी राजधानी देहली की, लिया लखनऊ बातों-बात,
कैद पेशवा था बिठूर में हुआ नागपुर का भी घात,
उदैपुर, तंजोर सितारा, करनाटक की कौन बिसात,
जबकि सिंध, पंजाब, ब्रह्म पर अभी हुआ था ब्रज-निपात,
बंगाले, मद्रास आदि की भी तो वही कहानी थी।''

इसमें रानी लक्ष्मीबाई की संक्षिप्त जीवन यात्रा तो वर्णित है ही स्वतंत्रता के महायज्ञ में काम आए वीर—नाना धुँधुपंत तात्या टोपे, अजीमुल्ला, अहमद शाह

मौलवी, ठाकुर कुँवर सिंह आदि का भी उल्लेख है। भीषण आर्थिक शोषण और परदेसियों के हाथ नीलाम होती प्रतिष्ठा ने इस महायज्ञ की ज्वाला सुलगाई–

"कुटिया में थी विषम वेदना, महलों में आहत अपमान,
वीर सैनिकों के मन में था, अपने पुरखों का अभिमान
महलों ने दी आग, झोंपड़ों ने ज्वाला सुलगाई थी,
यह स्वतंत्रता की चिनगारी, अन्तरतम से आई थी।

सुभद्रा कुमारी चौहान इसे कुछ सामन्तों के स्वार्थपूर्ण संघर्ष के रूप में नहीं बल्कि पूरे देश की अन्तरात्मा से उपजा आन्दोलन मानती हैं–

"झाँसी चेती, दिल्ली चेती, लखनऊ लपटें छाई थीं,
मेरठ, कानपुर, पटना ने भारी धूम मचाई थी,
जबलपुर, कोल्हपुर में भी कुछ हलचल उकसानी थी

कविता रानी लक्ष्मीबाई के रण कौशल और उनके द्वारा लड़े गए युद्ध का भी पूरा ब्यौरा प्रस्तुत करती है। आरंभ में विजयी होती रानी भारतीयों की आपसी फूट से पराजित हुई। ग्वालियर के सिंधिया की भूमिका से सुभद्रा कुमारी चौहान अपरिचित नहीं हैं–

"रानी बढ़ी कालपी आई कर सौ मील निरन्तर पार,
घोड़ा थक कर गिरा भूमि पर, गया स्वर्ग तत्काल सिधार,
यमुना-तट पर अंग्रेजों ने फिर खाई रानी से हार,
विजयी रानी आगे चल दी, किया ग्वालियर पर अधिकार
अंग्रेजों के मित्र सिंधिया ने छोड़ी राजधानी थी।"

वे रानी लक्ष्मीबाई को स्वाधीनता संग्राम की पथ प्रदर्शिका के रूप में चिह्नित करती है–

"मिला तेज से तेज, तेज की वह सच्ची अधिकारी थी,
अभी उम्र कुल तेइस की थी, मनुज नहीं अवतारी थी,
हमको जीवित करने आई बन स्वतंत्रता नारी थी,
दिखा गई पथ, सिखा गई हमको जो सीख सिखानी थी।"

चार-पाँच पृष्ठों की इस कविता में विस्तृत इतिहास, स्मृति प्रेरणा, ओज और

कृतज्ञता-ज्ञापन सब कुछ है।

"जाओ रानी याद रखेंगे हम कृतज्ञ भारतवासी
यह तेरा बलिदान जगावेगा स्वतंत्रता अविनाशी
होवे चुप इतिहास, लगे सच्चाई को चाहे फाँसी
हो मदमाती विजय, मिटा दे गोलों से चाहे झाँसी
तेरा स्मारक तू ही होगी तू खुद अमिट निशानी थी।"

आग उगलती यह रचना प्रतिबंधित होने से बच गई क्योंकि उस समय मध्य प्रान्तीय सरकार के प्रकाशन विभाग में दो अनुवादक थे, एक मरहठी में निपुण था और दूसरा उर्दू में, हिन्दी जानने वाला कोई न था। इसी से कवयित्री तथा कविता कदाचित् बच गई।

उनके जीवन काल में ही यह कविता लोकप्रियता के शीर्ष पर पहुँची। सैकड़ों लोगों ने इसे छापा-बेचा। सस्ते कागज पर छपी यह कविता मेलों में भी बिकती थी।

लोकछंद में लोककथा शैली में पिरोई गई यह कविता रिकार्ड होकर जन-जन तक पहुँची। 'कर्मवीर' के शुक्ल 2 संवत् 1994 मिति आषाढ़ (10 जुलाई, 1937) अंक में पृष्ठ 31 पर "बेलगाँव की चिट्ठी" शीर्षक से यह समाचार छपा—'खूब लड़की मर्दानी' की रेकार्डिंग हो रही है। समस्त हिन्दी संसार को यह जानकर हर्ष होगा कि हिन्दी संसार की प्रसिद्ध कवियत्री सुभद्रा कुमारी चौहान की प्रसिद्ध रचना 'खूब लड़ी मर्दानी वो तो झाँसी वाली रानी थी" का आजकल हिज मास्टर्स व्हाइस द्वारा रेकार्डिंग हो रहा है। श्रीमती सुभद्रा कुमारी जी चौहान तथा श्री ठाकुर लक्ष्मण सिंह जी चौहान धन्यवाद के पात्र हैं जो उन्होंने इसके लिए सहर्ष मंजूरी दे दी। हिज मास्टर्स व्हाइस के प्रतिनिधि श्री कामेटकर बधाई के पात्र हैं जो वे यह आयोजन कर रहे हैं। इस कविता का रेकार्डिंग होगा; खंडवा के प्रसिद्ध तरुण श्री बलराम पगारे द्वारा। श्रीयुत पगारे जी पिछले कई दिनों से महाकोशल के युवकों और कुछ प्रतिष्ठित सज्जनों के द्वारा इस दिशा में उत्साहित किए जा रहे थे। हमें विश्वास है कि इस रिकार्ड के उतरते ही बाजार में और हिन्दी संसार में धूम मच जाएगी।

—एक जानकार"

उनकी कविता ने देशप्रेम की ध्वजा ऐसी फहरा दी थी कि दिनकर जैसे कवि ने उनका अनुकरण करना चाहा था और किया भी। लगभग 22 वर्ष की सुभद्रा ने 23 वर्ष की समवया लक्ष्मीबाई की अमरता को सिक्केबंद कर दिया। कवयित्री

सुभद्रा कुमारी चौहान ने महारानी लक्ष्मीबाई की उस वीरता और सूझ-बूझ को लोक स्मृति में उसकी अपनी शैली में सदा-सदा के लिए सुरक्षित कर दिया।

यही नहीं अपनी इस इतिहास प्रसिद्ध कविता में 'मर्दाना' शब्द के लिए प्रचलित स्त्रीलिंग 'मर्दानी' को नया अर्थ दिया। सुभद्रा कुमारी चौहान द्वारा इसके प्रयोग के बाद इस शब्द का मर्दवादी प्रभाव निरस्त्र हो जाता है क्योंकि रानी लक्ष्मीबाई का वीरतापूर्ण नारीत्व इतना चाक्षुष रहता है वीरता स्त्रीलिंग में भी स्वाभाविक हो जाती है। पुरुष के लिए आरक्षित वीरता, मर्दाना, पौरुष का भाव उस पर हावी नहीं हो पाता। इस हावी न होने पाने का सबसे बड़ा प्रमाण सामाजिक परिवर्तन हेतु और अपने-अपने कार्यक्षेत्रों में अन्याय के विरुद्ध लड़ती स्त्री को झाँसी की रानी तो रानी लक्ष्मीबाई के आधार पर कहा जाता है किंतु उसी के साथ 'खूब लड़ी मर्दानी...' जोड़ दिया जाना स्त्री वीरता को अकुंठ स्वीकारोक्ति है। झाँसी की रानी लक्ष्मीबाई की वीरता का सामान्य नारियों तक इस प्रसार का श्रेय सुभद्रा कुमारी चौहान को ही जाता है। यह 'लड़ना' बदलने के लिए है और यह 'मर्दानी' शब्द परिवर्तन के लिए और अन्याय के विरुद्ध कटिबद्ध और सक्षम स्त्री के लिए है जो इतने भर सें कायर या कमजोर नहीं कि वह स्त्री है। यह आरोप लग सकता है कि है तो यह अन्ततः मर्दवादी भाषा का प्रयोग ही अतः उन्हें नया शब्द गढ़ना चाहिये था। पर चूँकि युद्ध भूमि स्त्री का क्षेत्र बिल्कुल भी न थी अतः इससे सम्बद्ध स्त्रीलिंग शब्द का अभाव उन्होंने कविता के लय के अनुसार 'मर्दानी' शब्द से पूरा किया। इसलिए सुभद्रा कुमारी चौहान द्वारा प्रयुक्त यह 'मर्दानी' शब्द 'मर्द' का स्त्रीलिंग मात्र नहीं है बल्कि स्त्री की वीरता और जुझारुपन की नतीजा है। हमने अपने समय में 'महापुरुष' के लिए कौन-सा स्त्री शब्द गढ़ लिया है।

सुभद्रा कुमारी चौहान का काव्य वैविध्य उल्लेखनीय है। "झाँसी की रानी" जैसी ओजपूर्ण कविता लिखने वाली ने प्रेम की मादकता की मीठी और स्पष्ट उद्घोषणा की—"मैं जिधर निकल जाती हूँ। मधुमास उतर आता है।" यद्यपि इसकी कम चर्चा हुई है किन्तु उनमें केवल वात्सल्य और तेज ही नहीं शृंगार भी है। शृंगार भी सीधा-सादा अपनी अभिव्यक्ति में निष्कपट—प्रियतम के स्वागत में सजने को आतुर प्रिय के 'स्वागत साज' में ऊषा से लाली और कली से खिल उठने की कला माँगती है। फूलों से उसकी माँग है उनके वैभव की। आज उसे सर्वश्रेष्ठ दिखना है—

"हे प्रसून-दल! अपना वैभव
बिखरा दो मेरे ऊपर

मुझ-सी मोहक और न कोई
कहीं दिखाई न दे भू पर।"

प्रिय के स्वागत के लिये मीठी-मधुर वाणी चाहिए—

"अरी विहंगिनी! गर्वीली
ओ ऋतुपति के प्राणों की प्राण
हे कलकंठ! सिखा दे पल भर
के ही लिये मुझे कल गान।"

जिस प्रिय के स्वागत के लिये प्रिया सजी थी उसके चले जाने की बेला भी आ पहुँची। उसे "चलते समय" अनुमति किस हृदय से दे—

"तुम मुझे पूछते हो जाऊँ?
मैं क्या जवाब दूँ तुम्हीं कहो!
'जा...' कहते रुकती है ज़बान
किस मुँह से तुमसे कहूँ रहो!"

प्रेम के इस विरह में केवल बिछड़ने का दुःख ही नहीं, साथ के समय की गई भूलों का पछतावा भी है—

"मैं सदा रूठती ही आई,
प्रिय! तुम्हें न मैंने पहचाना।
वह मान बाण-सा चुभता है,
अब देख तुम्हारा यह जाना।"

इस जाने वाले की राह मे जो काँटे बिछे हैं उससे भी हृदय काँपता है, यह सोचकर कवयित्री का मन थर्रा जाता है कि "मेरे पथिक" की राह में अब घात-प्रतिघात, निराशा-लांछना-अपवाद, विकलता-भ्रान्ति ही मिलेंगे, अशान्ति उसकी चिर सहचरी होगी। अब तक प्यार पाने वाला सुकुमार सरस हृदय संसार की चालाकियों की लू में झुलस जाएगा।

जीवन ने इतने आघात दिए कि उसमें "जीवन फूल" का मुरझा जाना अवश्यम्भावी था। अपने पवित्र प्रेम के ऐसे उपहास और निष्ठुर निराशाओं की मनमानी के उपरांत भी बस एक ही कामना बची है—

हे विधि इतनी दया दिखाना मेरी इच्छा के अनुकूल।
उनके ही चरणों पर बिखरा देना मेरा जीवन-फूल॥

सुभद्रा कुमारी चौहान के 'उनके' पारलौकिक या आध्यात्मिक नहीं हैं। उन्होंने अपने दाम्पत्य प्रेम को सीधे-सीधे अभिव्यक्त किया है। स्त्री के प्रेम का ऐसा सीधा निवेदन उसी के द्वारा उसी की भाषा में ऐसी सहजता के साथ अन्यत्र दुर्लभ है। तुम्हें मुझसे प्यार था--डंके की चोट पर किस कवयित्री ने ऐसा कहने का दुस्साहस किया है? दाम्पत्य प्रेम में भी लज्जा आड़े आती रही है किन्तु सुभद्रा कुमारी चौहान ने अनेक स्थानों पर ऐसे भाव प्रगट किए हैं--

"मैं थी उज्ज्वल स्फूर्ति, पूर्ति
थी प्यारी अभिलाषाओं की।
मैं ही तो थी मूर्ति तुम्हारी
बड़ी-बड़ी आशाओं की।"

उनमें उससे भी बढ़कर हिन्दी साहित्य में अनुपस्थित आत्मविश्वास से भरा वह सख्य भाव है जो प्रेम को पूर्णता देता है--

"आओ, चलो, कहाँ जाओगे,
मुझे अकेली छोड़ सखे!
बँधे हुए हो हृदय पाश में,
नहीं सकोगे तोड़ सखे!"

ऐसा नहीं है कि दास्य भाव की अभिव्यक्तियाँ नहीं हैं। वे भी हैं चरण हैं, रज है, साधना है, बलिहारी जाना है, पूजा है, अर्चना है। सब है किन्तु उल्लेखनीय है यह सहज प्रेम और उससे भी अधिक उल्लेखनीय है उसकी सहज अभिव्यक्ति। बिना किसी लाग-लपेट के शिशिर समीर से निवेदन है कि उन्हें अकेले में मेरा संदेसा दे देना--

"कहना किसी तरह वे सोचें
मिलने की तदबीर सखी।
सही नहीं जाती अब मुझसे
यह वियोग की पीर सखी।"

लज्जा के बट्टे-खाते में डाल दी गई स्त्रियाँ कैसे प्रेम की घोषणा कर सकती हैं? उनका अधिकार क्षेत्र लज्जा है, संकोच है, त्याग है मनोभावना पर नियंत्रण है। सुभद्रा कुमारी चौहान इस बेकार की लज्जा-वज्जा के चक्र में न पड़ सीधे-सीधे प्रेम की मधुरिमा को अभिव्यक्ति कर देती हैं--

"हुई प्रेम-विह्वल मैं उनके
चरणों पर बलिहार गई।
बदले में प्रिय का चुम्बन पा
जीत गई या हार गई।।
उस शाबाशी से, कृतज्ञता से
तस्वीर खिंचाने से।
हुई खुशी से मैं पागल-सी
प्रिय का चुम्बन पाने से।"

यह व्यक्तिगत प्रेम निखरा तो खिलकर विश्व प्रेम बन गया। छोटे से हृदय में अखिल विश्व का प्रेम समा गया—

"मैं प्रसन्न थी, पर प्रसन्नता
मेरी आज निराली थी।
मैं न आज मैं थी यह कोई
विश्व प्रेम मतवाली थी।"

इस विश्व प्रेम ने प्रेमी युगल का नीड़ सूना कर दिया। संसार की पीड़ा इनकी पीड़ा बन गई। पति-पत्नी में अनबन अबोला हुआ तो कवयित्री प्रियतम से बोल पड़ी—

बहुत दिनों तक हुई परीक्षा
अब रूखा व्यवहार न हो।
अजी, बोल तो लिया करो तुम
चाहे मुझ पर प्यार न हो।"

प्रिय का रूखा व्यवहार प्रिया को गहरे तक आहत कर गया। फिर भी 'आहत की अभिलाषा' यही है—

"जीवन का न्यौछावर करके तुच्छ सुखों का लेखा।
अर्पण कर सब कुछ चरणों पर तुममें ही सब देखा॥
अपना तुमको समझ समझती थी, हूँ सखी तुम्हारी।
तुम मुझको प्यारे हो, मैं तुम्हें प्राण-सी प्यारी॥
दुनिया की परवाह नहीं थी, तुममें ही थी भूली।
पाकर तुम-सा सुहृद, गर्व से फिरती थी मैं फूली॥"

सुभद्रा कुमारी चौहान का स्थायी भाव प्रेम, विश्वास, सरसता, वीरता, ओज और तेज है। निराशा कभी आती भी है तो छँट जाती है। उन्होंने हँसना सीखा है, पीड़ा से उनका परिचय नहीं। उत्साह, उमंग, उल्लास, आशा उनकी जीवन प्याली को खाली नहीं होने देते—

कहते हैं होती जाती
खाली जीवन की प्याली
पर मैं उसमें पाती हूँ
प्रतिपल मदिरा मतवाली।
सुख भरे सुनहले बादल
रहते हैं मुझको घेरे।
विश्वास, प्रेम, साहस है
जीवन के साथी मेरे।।

सुभद्रा कुमारी चौहान का विश्वास और प्रेम उनके पति लक्ष्मण सिंह चौहान के रूप में साकार हो गया।

उन्हें देखने-समझने में लक्ष्मणसिंह के मन में भी कोई दुविधा नहीं थी। सुभद्रा कुमारी चौहान की स्मृति में उनके जँवाई अमृत राय ने अपने लेख 'याद में' ठाकुर लक्ष्मण सिंह चौहान की 'मैं और तुम' कविता उद्धृत की है। वह पूरी कविता यहाँ देख लेने में कोई हर्ज नहीं है—

मैं और तुम

वह ठिठक अड़ैली चंचल थी, ज्यों प्रीति लाज में घुली हुई।
थी हँसी रसीले होंठों की, नवरूप सुधा से धुली हुई॥
वह अजब छबीली चितवन थी, थी तरल वेग पर तुली हुई।
उन घनी लचीली पलकों में, कुछ छिपी हुई कुछ खुली हुई॥
है याद मुझे, मैं चौंक पड़ा, बज उठी हृदय की बाँसुरिया।
वह दृष्टि तुम्हारी गाती थी, "मैं राधा हूँ तुम साँवरिया"॥
ये शब्द कहाँ? पद वाक्य कहाँ? बस भाव सुनाई देता था।
था राग अहा अनुराग बना, साकार दिखाई देता था॥
पूर्णेन्दु उगा, नवपुष्प खिले, हाँ लगी कुहकने कोयलिया।
यों पूजा का सामान जुटा, मैं राधा था तुम साँवरिया॥
दो एक हुए स्वच्छंद बने, मिल गई राह आजादी की।
जग-मंदिर मंजुल गूँज उठा, सुन पड़ी बधाई शादी की॥

आलोक हुआ, भ्रमलोप हुआ, क्या दीख पड़ा मैं था तुम थीं।
मैं विश्व बना तुम विश्वात्मा, मैं तुममें था, मुझमें तुम थीं॥''

लक्ष्मण सिंह की इस कविता में सुभद्रा कुमारी चौहान सजीव हो गई हैं। उन्होंने स्त्री जीवन की हर भूमिका को भरपूर जिया–बेटी, बहन, पत्नी, माँ, सखी आदि रूपों में तो वे जीवन्त रही, नए युग की नई जागृत नारी के रूप में भी भली-भाँति पहचानी गईं। सुभद्रा कुमारी चौहान में नारी के किसी भी रूप को लेकर कोई कुंठा नहीं है तो बस उल्लास, उत्कंठा, तृप्ति, सौन्दर्य और अबाध प्रवाह जीवन के हर रस का उन्होंने भरपूर आनन्द उठाया। अपने बाल्यकाल, कैशोर्य दाम्पत्य का प्रत्येक क्षण उन्होंने बड़ी निष्ठा से प्रेम पगे भाव से जिया। इस पूर्णता ने उन्हें कभी रिक्त न होने दिया। और माँ बनने के पश्चात् तो मानों उन्हें सातों सुख मिल गए। वे मातृत्व पर पुलकित भर नहीं हैं, उसका सजीव चित्रण करती हैं। सूरदास के पश्चात् सामान्य गृहस्थ के जीवन में वात्सल्य पर ऐसी सजीव हर्षित और सरस रचना भारतीय साहित्य में दुर्लभ है। अपने जा चुके बचपन को बार-बार याद कर वापस बुलाती सुभद्रा कुमारी चौहान उसे अपनी पुत्री में पा लेती हैं। उनका मुदित भाव देखते ही बनता है–

''मैं बचपन को बुला रही थी
बोल उठी बिटिया मेरी।
नन्दन वन-सी फूल उठी
यह छोटी-सी कुटिया मेरी॥''

स्वयं मिट्टी खाती यह नन्हीं बालिका माँ के खाने के लिए भी थोड़ी-सी मिट्टी लाई है। इस 'बालिका का परिचय' माँ यों देती है–

''यह मेरी गोदी की शोभा
सुख सुहाग की है लाली।
शाही शान भिखारिन की है
मनोकामना मतवाली॥
मेरा मन्दिर, मेरी मसजिद
काबा-काशी यह मेरी।
पूजा-पाठ, ध्यान-जप-तप है
घट-घट वासी यह मेरी॥

अपने नीरस दिल की इस 'सुधा' धार पर माँ का स्नेह अविरल छलकता है।

उसका रोना सुनकर और चाहे कोई खीझे पर माँ को अभिमान होता है। इस छोटी सी बालिका में उसे कृष्ण चन्द्र की क्रीड़ाओं, कौशल्या के मातृमोद, प्रभु ईसा की क्षमाशीलता नबी मुहम्मद का विश्वास और क्षमाशीलता, गौतम-महावीर का दया भाव सभी मिल जाते हैं। हर बात पर अपनी माँ पर निर्भर इस बालिका के करुणापूर्ण रुदन से केवल माँ का नाता है। सुभद्रा कुमार चौहान गर्व पूर्ण घोषणा करती हैं–

"मैं हूँ उसकी प्रकृत संगिनी
उसकी जन्म-प्रदाता हूँ
वह मेरी प्यारी बिटिया है
मैं ही उसकी माता हूँ।"

बेटी की माँ होने के गौरव का जैसा वर्णन सुभद्रा कुमारी चौहान के यहाँ है वैसा और कहीं नहीं मिलता। बेटी को भी गोदी की शोभा समझना और कहना उनके स्वाधीन और समदर्शी हृदय की पहचान है। रोती हुई बिटिया पर रीझकर माँ कहती है–

"ये नन्हे से ओंठ और
यह लम्बी-सी सिसकी देखो।
यह छोटा-सा गला और
यह गहरी-सी हिचकी देखो॥"

इक्कीसवीं शताब्दी में जब गाँव हो या महानगर हर जगह इस हिचकी को जन्म से पहले ही घोंटा जा रहा हो, ऐसे में सुभद्रा जी की पंक्तियाँ रास्ता दिखाती हैं। आचरण अपने-आपमें सबसे बड़ा प्रमाण है।

हिन्दी साहित्य में बाल-साहित्य की कमी को भी उन्होंने पूरा किया है। अपने बच्चों के लिए वे कहाँ-कहाँ से कहानियों-कविताओं की पुस्तकें खोज-खोजकर लाती थीं, उन्हें पढ़-पढ़कर सुनाती थीं। उनकी 'कदम्ब का पेड़' कविता केवल काव्य दृष्टि से ही नहीं भाव की दृष्टि से भी अद्वितीय है। बच्चों के मन की ऐसी समझ मानो बालक ही कविता लिख रहा हो। उन्होंने बच्चों के लिए 'कोयल', 'रामायण की कथा', 'पानी और धूप', 'खिलौनेवाला', 'पतंग', 'बाँसुरी वाला', 'मुन्ना का प्यार', 'अजय की पाठशाला', 'कुट्टी', 'सभा का खेल' और 'नटखट विजय' आदि कविताएँ लिखीं। सभी कविताओं में बाल-मन और उनकी क्रीड़ाओं की गहरी समझ तथा सरल अभिव्यक्ति है। उनकी अधिकांश बाल-कविताएँ 'बाल सखा' पत्रिका में छपी थीं। 'अजय की पाठशाला' अक्टूबर 1933 ई. में 'अजय का

पाठशाला जाना' शीर्षक से छपी थीं।

सुभद्रा कुमारी चौहान दो पुत्रियों और तीन पुत्रों की माँ थीं किन्तु उनके छोटे पुत्र की मृत्यु हो गई। संतान की मृत्यु पर वेदना से फट रहे उनके हृदय से 'पुत्र वियोग' कविता निकली। शोक कातर माँ को पुत्र की स्मृतियाँ विकल कर देती हैं—

''शीत न लग जाए, इस भय से नहीं गोद से जिसे उतारा।
छोड़ काम दौड़कर आई 'माँ' कहकर जिस समय पुकारा॥
थपकी दे-दे जिसे सुलाया जिसके लिये लोरियाँ गाईं।
जिसके मुख पर जरा मलिनता देख आँख में रात बिताई॥
जिसके लिए भूल अपनापन पत्थर को भी देव बनाया।
कहीं नारियल, दूध, बताशा, कहीं चढ़ाकर शीश नवाया।''

पुत्र की मृत्यु की वेदना शब्दों में नहीं ढाली जा सकती। संसार की किसी विधि से माँ को ढाँढस नहीं बँधाया जा सकता। भाई बहन यहाँ तक कि एक बार पिता भी गए बालक को भुलाने में सफल हो जाए किन्तु—''बड़ा कठिन है बेटा खोकर माँ को अपना मन समझाना'' उनका यह पुत्र सदैव उनकी स्मृति में बना रहा।

21 अक्टूबर 1939 ई. में अखिल भारतीय हिंदी साहित्य सम्मेलन के अध्यक्षीय भाषण में सुभद्रा कुमारी चौहान ने महिलाओं को बाल-साहित्य लिखने को कहा था। प्रेम और बाल क्रीड़ा को स्त्रियों का अधिकार क्षेत्र मानते हुए माता और संतान के अविच्छिन्न सम्बन्ध की इस प्रगाढ़ता पर माँ से अच्छा साहित्य और कौन रच सकता है—कविता को हृदय प्रधान मानते हुए उसमें स्त्री-पुरुष का कोई भेद न करते हुए भी उनका कहना है—''अभी तक स्त्रियों में शिक्षा का अभाव था। इसलिए पुरुषों को ही स्त्रियों की मनोभावनाओं, उनके हृदयों के उद्वेगों, उनके प्रेम और विरह, उनकी आकांक्षाओं और भय को वाणी देनी पड़ी है।'' इसमें संदेह नहीं कि सुभद्रा कुमारी चौहान की काव्य प्रतिभा की सहज सामर्थ्य और रचनात्मकता जितनी उज्ज्वलता के साथ प्रमाणित है, उनके समर्थ कथाकार होने का तथ्य उतना ही अल्पविदित है। हम देख सकते हैं कि पद्य जैसी सहज प्रवाहपूर्ण शैली उनके गद्य की भी है, किन्तु इसे कम ही जाना गया है। क्या इसे संयोग मान लिया जाए कि वे कवयित्री रूप में इतनी प्रसिद्धि पा गईं कि उनका गद्यकार-कहानीकार रूप आलोचकों की दृष्टि से ओझल रहा? क्या हम स्वीकार कर लें कि यह आकस्मिक ही था कि हिन्दी की दो बड़ी कवयित्रियों—सुभद्रा कुमारी चौहान और महादेवी वर्मा के गद्य पर अब से पहले किसी का ध्यान नहीं गया? या इन्हें केवल कवयित्री

रूप में चित्रित करना आलोचकों की मान्यता के लिए सुविधाजनक था? पर एक क्षण के लिए यदि संयोग 'फैक्टर' को अस्वीकार कर दिया जाए तो प्रश्न उठ खड़ा होता है कि प्रेमचंद की समकालीन (और बाद में समधिन भी) और समर्थ कहानीकार सुभद्रा कुमारी चौहान का गद्यकार रूप क्यों अविवेचित रह गया। सन् 2004 सुभद्रा कुमारी चौहान का जन्म शतवार्षिकी वर्ष था। उनकी मृत्यु के 65 वर्षों बाद उनके साहित्य-कर्म के समग्र विश्लेषण की ओर समुचित ध्यान अपेक्षित है।

चूँकि सुभद्रा अपने युग की दूसरी बहन-बेटियों से इस अर्थ में भाग्यशालिनी थीं कि नवजागरण से उठी स्त्री-शिक्षा की लहर उनके पिता के घर भी पहुँची थी और उनके पिता और भाई स्त्री-शिक्षा के समर्थक थे। उससे भी विरल संयोग यह कि उनके पति केवल उदार विचारों के नहीं थे उनके व्यक्तित्व का सम्मान भी करते थे—केवल पत्नी रूप में नहीं एक व्यक्ति के रूप में भी, इसीलिए श्रीमती सुभद्रा कुमारी चौहान, पति श्री लक्ष्मण सिंह चौहान, केवल अच्छी पत्नी और पाँच बच्चों की माँ ही नहीं साहित्यकार, राजनैतिक कार्यकर्त्री समाज सुधारक, विधान सभा सदस्या और अपने बूते पर गृहस्थी संभालने वाली ठोस गृहिणी जैसी परस्पर विरोधी कई भूमिकाओं का सफलतापूर्वक निर्वाह कर सकीं।

उनका पहला कहानी संग्रह 'बिखरे मोती' 1932 ई. में आया जिसमें एक वर्ष के अंतराल में लिखी गई कहानियाँ थीं। 1934 में में 'उन्मादिनी' दूसरा कथा-संग्रह और 1947 में 'सीधे-साधे चित्र' आया। सुभद्रा कुमारी चौहान ने कुल 46 कहानियाँ लिखीं। 1943 ई. में सुभद्रा कुमारी चौहान की सभी कहानियाँ 'सीधे साधे चित्र' शीर्षक से हंस प्रकाशन, इलाहाबाद से प्रकाशित हुईं। सुभद्रा कुमारी चौहान की कहानियों की पृष्ठभूमि उनके राजनैतिक और सामाजिक जीवन की सक्रियता और स्पन्दन से बनती है। अपनी पढ़ाई छोड़ गाँधी के आह्वान को स्वीकारने वाली सुभद्रा कुमारी चौहान कई बार जेल गईं। राजनैतिक गतिविधियों के कारण पति-पत्नी को अपनी कच्ची गृहस्थी को अक्सर बेसहारा छोड़कर लंबा समय जेल में बिताना पड़ा, उनका यह अकल्पनीय साहस ओज बनकर उनकी कविता में फूटा पर उसकी वेदना का सस्वर पाठ गद्य में हुआ, विशेषकर कहानियों में।

यहाँ यह उल्लेखनीय है कि छायावाद की वेदना की साकार प्रतिमा महादेवी वर्मा और सुभद्रा कुमारी चौहान प्रयाग के एक ही स्कूल में पढ़ती थीं और आजीवन बड़ी अच्छी सहेलियाँ रहीं। फिर भी अपने काल की सबसे प्रबल छायावादी प्रवृत्ति से सुभद्रा कुमारी अछूती हैं। उनकी करुणा उनकी कहानियों में छलकती है। दोनों सहेलियों ने गद्य-पद्य में संभवतः अदला-बदली कर ली थी। महादेवी का ओजपूर्ण गद्य पढ़कर कोई अनुमान नहीं कर सकता कि "विरह का

जलजात जीवन'' इन्हीं का है।

सुभद्रा कुमारी चौहान के कथा लेखन पर उनके रचनात्मक दबाव के अतिरिक्त और दो महत्त्वपूर्ण कारक रहे—सुनने में अच्छा नहीं लगता किन्तु पहला कारण आर्थिक था। नौ वर्ष की आयु से 'मर्यादा' में छप रही कवयित्री को यश तो पर्याप्त मिला किंतु पति-पत्नी के सक्रिय राजनैतिक जीवन ने किसी ठोस जीवन-वृत्ति का आधार न बनने दिया। घर गृहस्थी न कविताओं से चलती है न आदर्शवादी राजनीति से। उस समय कहानी लिखने पर पारिश्रमिक दिया जाता था।

यह कहा जा सकता है कि सुभद्रा कुमारी चौहान प्रेमचंद स्कूल की कथाकार हैं या सावधानी बरतते हुए कह सकते हैं कि जिस परंपरा के कथाकार प्रेमचंद हैं वही परंपरा सुभद्रा कुमारी चौहान की भी है। उनकी कहानियों में शिल्प की गढ़न का रंच मात्र प्रयास नहीं है वह सहज, स्वाभाविक, अबाध, जीवन्त है। अपने रचनाकाल के आरंभिक दिनों में अपने सच के आग्रह के कारण उन्होंने अपनी कहानियाँ श्री पदुमलाल पुन्नालाल बख्शी के पास भेजी थीं कि वे इनमें आवश्यक सुधार कर दें तब वे उन्हें छपवाएँगी। 'बिखरे मोती' के 'आत्मनिवेदन' में उन्होंने यह संकोच प्रकट भी किया है—''मुझे किसी के सामने इन्हें उपस्थित करने में संकोच ही होता था पर श्रद्धेय श्री पदुमलाल पुन्नालाल जी बख्शी के आग्रह और प्रेरणा ने मुझे प्रोत्साहन देकर उन्हें प्रकाशित करा ही दिया, किन्तु साथ ही डरती भी हूँ कि कहीं मेरा यह प्रयत्न हास्यास्पद न सिद्ध हो।'' श्री बख्शी ने उन्हें सुझाव दिया कि वे उनमें कैसा भी संशोधन न करें क्योंकि शैली से व्यक्तित्व प्रगट होता है।

कुंठाहीन, तेजस्विनी, मृदुल किन्तु दृढ़ व्यक्तित्व की स्वामिनी सुभद्रा कुमारी चौहान की गद्य शैली भी उनकी ओजस्विनी प्रवहमान काव्य शैली की तरह कोई अर्गला नहीं मानती। सुभद्रा कुमारी चौहान की कहानियों का केन्द्र बिन्दु स्त्री है। अपने आसपास बिखरे अनगिनत पात्रों ने विशेषकर स्त्रियाँ, उनका शोषण, पर्दे की समस्या, पढ़ी-लिखी स्त्री का समाज में दुश्चरित्र समझा जाना, विधवा विवाह, वेश्या प्रश्न, स्त्री-पुरुष मैत्री सम्बन्ध, कन्याओं के स्वयं वर चुनने का प्रश्न, देशप्रेम, साम्प्रदायिक सौहार्द और वात्सल्य में सराबोर चरित्रों ने उनकी कहानियों को सिरजा। उनकी घटना प्रधान और वर्णनात्मक शैली की कहानियाँ किसी पात्र को सघन रूप से बुनती-गढ़ती नहीं है बल्कि 'जैसा है' के भाव से प्रस्तुत कर देती हैं।

चूँकि पारम्परिक समाजों की संरक्षणशीलता का लगभग सारा भार विडम्बनापूर्ण ढंग से व्यक्तिवविहीन स्त्री स्वयं उठाती है अतः अपने लिए पूर्व निर्धारित पत्नी और माँ की भूमिका में ही वह पूरी तरह चुक जाती है। सुभद्रा कुमारी चौहान स्त्री

की इस पीड़ा को बार-बार सामने रखती हैं। बीसवीं सदी के मध्य तक विवाहोपरान्त स्त्री की रचनाशीलता का अवश्यम्भावी रूप से संकटापन्न होना उनकी 'भग्नावशेष' कहानी के शीर्षक से ही प्रगट हो जाता है। अति प्रतिभाशालिनी, लज्जामयी संकोची स्वभाव की करुणा से ओत-प्रोत रचनाएँ करने वाली युवती कवयित्री के पिता के देहांत के बाद उसके मामा उसे एक अधेड़ पुरुष से ब्याह देते हैं। ऐसी युवतियों से भारतीय समाज को यह प्रश्न कि "आपने कविता लिखना क्यों छोड़ दिया?" पूछने की आवश्यकता ही नहीं पड़ती। कोई पूछने की हिमाकत कर ही बैठे तो कहानी उत्तर देती है–"लिखने पढ़ने की बात अब आप मुझसे कुछ न पूछो।"

वह अपना वाक्य पूरा भी न कर पाई थीं कि वे महापुरुष कड़क उठे–चलो भी परिचय फिर हो लेगा।"

उन्होंने मेरी तरफ एक बड़ी ही बेधक दृष्टि से देखा दृष्टि में न जाने कितनी करुणा कितनी विवशता और कितनी कातरता भरी थी। वे अपने पति के पीछे-पीछे चली गईं।

प्लेटफार्म पर खड़ा मैं सोचता हूँ कि–"ये वही हैं या उनका भग्नावशेष।" "देखा मुझे उस दृष्टि से जो मार खा रोई नहीं।" पत्थर तोड़ती मजदूरनी से अधिक आर्थिक सम्पन्न संभ्रान्त महिलाएँ उससे अधिक अधिकार संपन्न नहीं हैं। बीसवीं शताब्दी के तीसरे दशक में अपने आसपास की ऐसी ही स्त्रियों के भग्नावशेष को रूप दिया है सुभद्रा कुमारी चौहान ने।

कहानियाँ वे पहले से ही लिख रही थीं। प्रथम संकलन 'बिखरे मोती' 1932 ई. में छपकर आया। इस संग्रह की कहानियाँ एक वर्ष के भीतर लिखी गई थीं।

उनकी आरंभिक कहानियों में एक छोटी-सी कहानी है 'होली'। शराबी, व्यसनी, दुराचारी पति की अधर्म की कमाई से करुणा को अपने खून की होली खेलनी पड़ती है। उन्होंने बड़े दुःख झेलती सामान्य असहाय स्त्री को विषय वस्तु के केन्द्र में रखा।

अपनी अनगिनत जेल यात्राओं में से जबलपुर जेल यात्रा में उन्हें अपनी बेटी की हत्या के आरोप में पकड़कर लाई गई 'रूपा' मिली। माँ बेटी को लेकर कुएँ में कूद पड़ी थी, बेटी मर गई मां बच गई। मां को हत्या के आरोप में आजीवन कारावास मिला।

क्यों मार डाला उसने अपनी बेटी को! सभी उसे दुत्कारते हैं, किंतु यह पत्थर हृदय! किसी को कोई उत्तर नहीं देती। अंत में वह कथा-वाचिका को उस नन्हीं सी बच्ची के साथ कूदने का कारण बताती है, उसकी बच्ची बोलने में हकलाती

थी। इस दोष से पीड़ित अपनी बेटी की दुर्दशा से आशंकित वह 'हत्यारिन' अपनी संतान की जीवन लीला समाप्त करने के कुकर्म को तैयार हो गई–"इधर मैं अकेली और जरा-सी गोपा, जहाँ मेहनत-मजदूरी को जाती वहीं बच्चे और कभी बड़े-बड़े लोग तक गोपा के साफ न बोलने पर चिढ़ाया करते...पैसों की तंगी होने लगी इधर बच्चे गोपा को और ज्यादा चिढ़ाकर तंग करने लगे। सोचा अभी छोटी है, समझती कम है, जब बड़ी होगी तब गोपा को कितना बुरा लगेगा, मेरी गोपा दुःखी हो जाया करेगी और कहीं मैं मर गई तो...फिर बहिन जी! मेरे मरने के बाद गोपा की जो दुर्दशा होगी उसे सोचकर मैं पागल हो गई और उस दुर्दशा तक गोपा न पहुँच सके, इसलिए..."। जहाँ मध्यवर्गीय स्त्री की यह अवस्था हो वहाँ निर्धन स्त्री के वात्सल्य की विवशता किसे समझ में आएगी?

सामाजिक हृदय हीनताओं के एक से एक घिनौने प्रकार देखने को मिलते हैं। उनमें से एक जाति व्यवस्था है। सुभद्रा कुमारी चौहान छुआछूत नहीं मानती थीं। उनका जाति विभाजन में कोई विश्वास नहीं था–वे परमात्मा की बनाई मनुष्य की दो ही जातियाँ मानती थीं–एक पुरुष और दूसरी स्त्री। जाति व्यवस्था की सहज शिकार स्त्री पर उन्होंने विशेष ध्यान दिया।

सुभद्रा कुमारी चौहान की नायिकाएँ अगर कहीं विद्रोह करती भी हैं तो वह गाँधीवादी शैली में, मौन, मूक। उनके प्रतिरोध का स्वर मुखर नहीं है। उनकी कहानियों का संयम गाँधी के सत्याग्रह और प्रतिरोध, उनके नैतिक अनुशासन और संवेदना से सधा हुआ है। चूँकि उनकी कहानियाँ स्त्री केन्द्रित है अतः उनमें स्त्री विमर्श देखा जाना बड़ा स्वाभाविक है। इस ओर सुमन राजे इस प्रकार संकेत करती हैं–"सुभद्रा कुमारी की अधिकांश कहानियाँ शिक्षित बहुओं की समस्याओं को आधार बनाकर लिखी गई हैं वे प्रामाणिक भी हैं और यथार्थ भी परन्तु उनके चरित्र में ऐसी भीतरी शक्ति या विद्रोह भावना नहीं पाई जाती जो समाज की इस निर्दयता पूर्ण व्यवस्था को अस्वीकार कर सके।" हर युग का रचनाकार अपने आदर्श अपनी कालावधि से चुनता है। भविष्य में होने वाली आलोचनाओं से बेखबर। इसलिए सुभद्रा कुमारी चौहान का स्त्री विमर्श अपने आसपास की देखी हुई स्त्री के उन असह्य दुखों से आरंभ होता है जो किसी को चौंकाता नहीं। समाज इन अन्यायों का इतना अभ्यस्त है कि उसे नैसर्गिक मान बैठा है। नैसर्गिक और चिरन्तन। और इसमें बाहर से परिवर्तन कैसा! चिरन्तन में परिवर्तन का प्रश्न कैसा! हाँ नैसर्गिक बदल सकता है तो उसे स्वयं बदलना होगा। इसलिए समाज ने स्त्री की दुर्दशा के लिए स्त्री को संपूर्ण रूप से उत्तरदायी ठहराकर उसकी शिक्षा के आरंभ से उपजे जागरण में ही स्त्रियों के लिए उपदेशों का पिटारा खोल दिया

गया। 'क्या करें' और 'क्या ना करें' की पहले से सुनिश्चित और सुव्याख्यायित उपदेशमालिका शिक्षा की तनिक-सी सुविधा के साथ स्त्री को पुनः थमायी गयी, इस बार थोड़ी भिन्न और आधुनिक दिखने वाली भाषा में। सुभद्रा कुमारी चौहान की स्त्री चिंता में परिवर्तन की यह सूक्ष्म धमक इस रूप में है कि उनके यहाँ स्त्रियों को उपदेश नहीं दिए गए हैं बल्कि उनकी स्थितियों और उनके जीवन से जुड़े हर पक्ष पर प्रश्न उठाए गए हैं। देश की तेजी से बदलती परिस्थितियाँ स्त्रियों के पक्ष में भी बदल रही थीं। सुधा चौहान ने तत्कालीन स्थितियों में अपनी माँ सुभद्रा कुमारी चौहान का अत्यंत सटीक विश्लेषण किया है..."देश का राजनैतिक आंदोलन शिथिल हो गया था।...लेकिन आंदोलन के शिथिल होने पर समाज की बुराइयाँ और कार्यकर्ताओं के चरित्र का कर्दम सिर उठाने लगता है।...सत्याग्रह आंदोलन के शिथिल होने पर समाज की जो कुठाएँ थीं वे फिर उभरने लगीं। सुभद्रा सामाजिक कार्यकर्ता के रूप में जेल जा चुकी थीं, पर्दा छोड़ चुकी थीं, छुआछूत नहीं मानती थीं, पुरुषों के साथ कंधे से कंधा मिलाकर काम करती थीं और जहाँ उनकी स्त्री मित्र थीं वहाँ पुरुष मित्र भी थे। स्पष्ट ही है कि आज से 40-50 साल पहले इस प्रकार के नारी रूप को कितनी भर्त्सना, कितना लांछन न सहना पड़ा होगा।...उसकी चोट और उसका अनुपात तो उनके हृदय को व्यथित करता ही था। उस पीड़ा को वे कब तक मन में सँजोए रखतीं? अंत में उस प्रताड़ित नारी मन ने अपनी अभिव्यक्ति कहानी के माध्यम से पाई।"

सुभद्रा कुमारी चौहान की कहानियों की पीड़ाभिव्यक्ति की यह सोद्देश्यता उन्हें मध्य और अभिजात वर्गीय निरुद्देश्य कलाविलासी कहानीकारों की पंक्ति से विलगाती है। उनकी कहानियों की उद्देश्यपरकता गाँधी की मृदु दृढ़ता से संचालित होती है। पुरुष के स्वार्थ, कलुष और लोलुपता से पिसते नारी समाज के अंतर्मन के हाहाकार को सामने लाने के लिए उन्होंने 'बिखरे मोती' समेटे। अपने इस प्रथम कहानी-संग्रह के 'आत्मनिवेदन' में वे स्पष्ट कर देती हैं—"रूढ़ियों और सामाजिक बंधनों की शिलाओं पर अनेक निरपराध आत्माएँ प्रतिदिन ही चूर-चूर हो रही हैं। उनके हृदय बिंदु जहाँ-तहाँ मोतियों के समान बिखरे पड़े हैं... । मेरे इस प्रयत्न में कला का लोभ है और अन्याय के प्रति क्षोभ भी। सभी मानवों के हृदय एक से हैं। वे पीड़ा से दुखित, अत्याचार से रुष्ट और करुणा से द्रवित होते हैं।...समाज और गृहस्थी के भीतर जो घात-प्रतिघात निरन्तर होते रहते हैं उनकी यह प्रतिहर्ता मात्र हैं।"

तो उनकी कहानियाँ उन औरतों, शोषितों, वंचितों की हैं जिन्हें देखते-सुनते तो सभी हैं पर उस तरह 'हृदय तंत्री' से नहीं जोड़ पाते। 'बिखरे मोती' में ये दो पंक्तियाँ छपी थीं—

जिनकी आशा-अभिलाषा है चूर-चूर होकर सोती
उनके ही दृग-जल से धुलकर निखरे ये बिखरे मोती।

सुभद्रा कुमारी चौहान उस भारतीय समाज की कहानियाँ कहती हैं जहाँ आठ-नौ वर्ष की लड़की से भी पर्दा करवाया जाता था। इसलिए 'थाती' की अल्हड़ विवाहिता पति के अतिरिक्त किसी और से हँसने-बतियाने के अधिकार से वंचित है और पूछ रही है कि दर्द की यह थाती किसे सौंपूँ? वस्तुतः उसे अपनी यह थाती, दर्द की ही सही किसी को सौंपने का भी अधिकार है क्या!

ससुराल में विवाहित स्त्री की स्थिति और विधवा की दुर्दशा उनकी कई कहानियों का विषय है। आर्थिक रूप से परावलम्बी स्त्री के सभी गुण मिट्टी हो गए। उसे 'नागरिक' होने अधिकार मिलने तो दूर, 'गृहस्वामिनी', 'गृहलक्ष्मी' की पदवियों के छलावों के साए भी नहीं मिले। उनकी अपनी इच्छा, विचार और स्वातंत्र्य तो दूर उनके मनुष्य होने तक को नकारा गया। स्त्री के व्यक्तित्व और स्वातंत्र्य की मौलिक माँग को सुभद्रा कुमारी चौहान ने 'उन्मादिनी' के निवेदन में सामने रखा—''मनुष्य की आत्मा स्वतंत्र है, फिर चाहे वह स्त्री के अंदर निवास करती हो चाहे पुरुष शरीर के अंदर। इसी से पुरुष और स्त्री का अपना-अपना व्यक्तित्व अलग रहता है। स्त्री के हृदय को पहचानो और उसको चारों ओर फैलने और विकसित होने का अवसर दो, यह न भूल जाओ कि उसका अपना भी एक व्यक्तित्व है।'' सुभद्रा कुमारी चौहान के ''सीधे-सादे चित्र'' में विकसित व्यक्तित्व वाले कुछ नारी पात्र आए भी हैं। उनकी नायिकाएँ प्रतिकूल सामाजिक परिस्थितियों में विजयिनी नहीं होतीं। हालांकि वे उपरोक्त निवेदन में प्राचीन रूढ़ियों पर आधारित स्त्री-पुरुष संबंधों की नींव हिलने की चेतावनी देती है किंतु यह 'हिल-डुल' शायद बहुत धीमी है। संभवतः इसीलिए सुभद्रा कुमारी चौहान की विधवाएँ सुयोग पाकर भी पुनर्विवाह नहीं करतीं और संस्कृति द्वारा सुझाया गया तपपूर्ण जीवन स्वीकार कर लेती हैं। 'कल्याणी' के पास विवाह न करने का एक तर्क है कि वह दूसरी स्त्री के अधिकारों का हनन करना नहीं चाहती। स्त्री होकर वह स्त्री के कष्टों का कारण बनना नहीं चाहती। अन्य विधवाओं द्वारा पुनर्विवाह न कर तप-त्यागमय जीवन को चुनने का उत्तरदायित्व उस समय की संवेदना पर छोड़ देना उचित होगा। इस प्रश्न को प्रेमचंद तक ने अधिक नहीं छेड़ा था। प्रेम करने वाली विधवा को उन्हें भी मार देना पड़ा।

उच्च तथा मध्यवर्ग की स्त्रियों की वैषम्यपूर्ण स्थितियों पर लिखी गई इनकी कहानियों में एक अत्यंत महत्त्वपूर्ण कहानी है 'बड़े घर की बात'। राजेन्द्र यादव के उपन्यास 'सारा आकाश' का आरंभ और और उसकी पृष्ठभूमि यहीं से लिए

गए मालूम होते हैं। विधुर मनोहर की दूसरी मैट्रिक पास शिक्षिता पत्नी फूल अपने संकोच के कारण विवाह की रात ही अपने पति के आँखों में खटक गई–"फूलशय्या के दिन फूल और मनोहर में तनातनी हो गई। फूल स्वभाव से ही कम बोलने वाली और लजीली थी। उधर मनोहर ऐंग्लों इंडियन छोकरियों के साथ सिनेमा थियेटर देख चुके थे, उनकी उच्छृंखलता और उद्दण्डता के आदी थे, वे सपना देखते थे कि उनके कमरे में पैर रखते ही नववधू मुस्कराती हुई 'हल्लो डार्लिंग' कहकर बिठाएगी, उनसे घुल मिलकर प्रेम की बातें करेंगी...। ये आशाएँ उन्होंने नववधू से इसलिए की थीं कि वह मैट्रिक पास थी और उसने अपने छोटे से जीवन के अधिकांश दिन बोर्डिंग हाउस में ही बिताए थे।"

किन्तु नववधू चुपचाप एक पुस्तक के पन्ने पलटती मिलती है, पति को देख कोने में सिमट जाती है। उपन्यास में समर जो सोच कर रह गया था मनोहर कह देता है, "क्या स्कूल और घर में यही शिक्षा मिली है कि आए हुए पति की तरफ पीठ करके खड़ी हो जाओ...मैंने तो समझा था पढ़ी-लिखी है तो कुछ अकल भी होगी लेकिन वही गँवार की गँवार।...मनोहर गुस्से से 'शकल चुड़ैलों की नखरे परियों के' कहते-कहते सीढ़ियों से नीचे उतर गए; फूल चुपचाप आँसू बहाती हुई खड़ी रही।" उपन्यास में प्रभा की ससुराल की गली में किसी ने आत्महत्या की है, कहानी में फूल से पहले मनोहर की पहली पत्नी कुमुद जहर खाकर आत्महत्या कर चुकी है। "बड़े घर की बात बाहर कहाँ आती है। हार्टफेल हो जाने से मृत्यु हो गई कहकर मामला रफा-दफा कर दिया गया।" फूल का भी यही परिणाम होता है, बस इस अंतर के साथ कि वह पति के नाम माफी का पत्र लिखती हुई पति द्वारा ही प्रताड़ित होती है। इतनी प्रताड़ित होती है कि उसे भी क्रोध आ जाता है। पत्नी का मामूली क्रोध मनोहर को उसे तब तक मारने के लिए उकसाने को पर्याप्त है जब तक वह मर न जाये। "दूसरे दिन अचानक मोहल्ले भर में यह हवा फैल गई कि मनोहर की दूसरी स्त्री का भी हार्ट फेल हो गया। अर्थी के साथ बहुत से लोग थे जो असली वाकये से वाकिफ थे मगर शहर के इतने बड़े और पायेदार आदमी के खिलाफ जबान खोलने की किसे हिम्मत थी। उँह मर गई तो मर भी जाने दो, स्त्री ही तो थी। कल तीसरी आ जाएगी।" यह कहानी सीधी चोट करती है। इसका सशक्त कथ्य ही इसका शिल्प है।

सुभद्रा कुमारी चौहान ने अपनी कहानियों ही नहीं कविताओं में भी स्त्री प्रश्न को तनिक भिन्न कोण से सम्बोधित किया है। उनके 'दृष्टिकोण' की इस भिन्न राधा और मीरा का असीम समर्पण भारतीय राधिकाओं को अत्यंत आकर्षित करता रहा है, उनको भी करता है–

थीं मेरा आदर्श बालपन से
तुम मानिनी राधे
तुम सी बन जाने को मैंने
व्रत नियमादिक साधे

किंतु यह साधना कृष्ण आचरण पर संदेह पैदा होने से नहीं रोक सकती, इसलिए वे राधा से पूछती हैं–

तुम्हें छोड़कर बन बैठे जो
मथुरा नगर निवासी
कर कितने ही ब्याह हुए जो
सुख सौभाग्य विलासी
जीवन का न्यौछावर हा हा
तुच्छ उन्होंने लेखा
गए, सदा के लिए
फिर भी न मुड़कर देखा

हिंदी साहित्य में मैथिलीशरण गुप्त की यशोधरा, उर्मिला का स्मरण और चरित्र-चित्रण तो खूब हुआ है किंतु राधा का प्रश्न बहुत बाद में बस धर्मवीर भारती ने पूछा–"इतिहास में गूँथने से क्यों हिचक गए प्रभु।" राधा-बालपन से भले ही सुभद्रा कुमारी चौहान का आदर्श रही हो पर कृष्ण का आचरण उन्हें संताप देता है–

ले आदर्श तुम्हारा रह-रह
मैं मन को समझाती हूँ
किंतु बदलते भाव न मेरे
शांति नहीं पाती हूँ

प्रश्नों के उठ खड़े होने की यह अशांति ही सुभद्रा कुमारी चौहान की कहानियों और उसके प्रश्न विशेषकर स्त्री प्रश्नों को महत्त्वपूर्ण बनाती है। उनका भिन्न 'दृष्टिकोण' इस बात की पड़ताल करता है कि कैसे समाज स्त्री और पुरुष के चरित्र से सम्बन्ध में अलग-अलग दृष्टिकोण रखता है तथा जीवन साथी के रूप में घोषित दो प्राणियों में से पत्नी नामक साथी का घर पर और घर में कितना अधिकार है–अबला असहाय बाल विधवा बिट्टन के गर्भवती हो जाने पर उसे कोई सहारा नहीं देता। उसकी बहन निर्मला जब यह दुस्साहस करना चाहती है तब उसे

पता चलता है कि निर्मला जिसे अपना ही घर समझती है उस पर उसका कोई अधिकार नहीं है। उसका पति ही स्वामी है। निर्मला झगड़ती है, जब तुम अपने चरित्रहीन पुरुष मित्रों की आवभगत कर सकते हो तो मैं असहाय बिट्टन को आसरा क्यों नहीं दे सकती। क्या इस घर पर मेरा कोई अधिकार नहीं है? प्रश्न के बदले में वह पति से थप्पड़ खाती है। कहानी के अंत में निर्मला का 'दृष्टिकोण' बदल जाता है–"वह बहुत बच-बचकर घर का काम कर रही थी। उसके चेहरे पर कोई विशेष परिवर्तन न था, न तो यही प्रगट होता था कि खुश है और न यह कि नाराज है। हाँ उसमें एक परिवर्तन था कि अब उसके व्यवहार में हुकूमत की झलक न थी। वह अपने को उन्हीं दो-तीन नौकरों में से एक समझती थी, जो घर में काम करने के लिए होते हैं मगर जिनका कोई अधिकार नहीं होता।"

स्त्री-विमर्श का यह प्रश्न कि औरत का घर कहाँ है बड़ा पुराना है। एक पुरुष को 'होमलेस' (गृहविहीन) कहने और एक स्त्री को 'होमलेस' कहने में अंतर है। मध्य और उच्च वर्ग की इस 'होमलेस' स्त्री से भी विकट समस्या वेश्याओं की है। कांग्रेस में शामिल किए जाने और बाद में बोलने का अधिकार मिलने पर महिलाओं ने सबसे पहले वेश्याओं का प्रश्न उठाया था। एक दूसरे के सामने भयंकर स्पर्द्धा में खड़ी कर दी गई 'सती' और 'वेश्या' का प्रश्न स्त्री को 'मानवी' समझने वालों को बेचैन कर देने वाला था। उनके द्वारा इस प्रश्न पर लिखना स्वाभाविक था। इस प्रश्न की मार्मिकता को और स्पष्ट करने के लिए सुभद्रा कुमारी चौहान ने वेश्या को नहीं 'वेश्या की लड़की' को चुना है। पूरी कहानी में स्त्री के सतीत्व को प्राथमिकता दी गई है। कहानी की नायिका छाया अपनी माँ से इसलिए संबंध तोड़ लेती है कि उसकी माँ मंदिर में गाती है। अपने प्रेमविवाह के बाद छाया अपने पति के चरणों पर प्राण लुटा देने के सारे यत्न करती है। उसके पति ने भी अपने माता-पिता परिवार को छोड़कर उससे विवाह कर एक क्रांतिकारी कदम उठाया है पर...।

धीरे-धीरे पति समाज की प्रभावी विचारधारा की गिरफ्त में आ जाता है कि वेश्या की लड़की सती नहीं हो सकती। उसकी रगों में बहता वेश्या का खून उसे पतिता ही बनाएगा। यहाँ पर यह कहानी स्त्री के पक्ष में एक सशक्त बयान देती है। सुभद्रा कुमारी चौहान प्रश्न करती हैं कि क्या स्त्री समाज द्वारा निर्धारित चारित्रिक परिभाषाओं से ही अनन्त काल तक पहचानी जाएगी? छाया स्वयं को मिटाकर इस प्रश्न का उत्तर देती है कि वेश्या की लड़की भी सीता सावित्री हो सकती है। छाया के बलिदान से केवल एक हृदय परिवर्तित होता है--उसके पति प्रमोद का जो उसकी आत्महत्या के बाद अपना मानसिक संतुलन खो देता है।

किंतु छाया जैसियों को मरने से नहीं बचाया जा सकता। सुभद्रा कुमारी चौहान की कहानियों में स्त्री के दुःखदायी परिणामों पर आचार्य हजारी प्रसाद द्विवेदी का 'कल्पलता' में कहना है, ''ऐसे प्रसंगों में सर्वत्र एक दुःख पूर्ण स्वर कहानी का परिणाम होता है जो चरित्र के भीतरी विकास से नहीं सामाजिक बाह्य परिस्थितियों के साथ दुःखी व्यक्ति के असामंजस्य के कारण होता है।''

सुभद्रा कुमारी चौहान की बहुत सी कहानियाँ शिक्षित बहुओं की समस्याओं पर लिखी गई हैं जिनके प्रामाणिक और सच्चे होने में किसी को संदेह नहीं। हालाँकि उसमें जैनेन्द्र की नारी की तरह भीतरी शक्ति या विद्रोह से इस समाज की अन्यायपूर्ण व्यवस्था को संपूर्ण रूप से अस्वीकारती नायिका नहीं है। उनकी कहानियों में नैतिकता का नकार भी नहीं है। ये कहानियाँ स्त्री और पुरुष के लिए भिन्न नैतिक मानदंडों को ईश्वरीय विधान माने जाने पर प्रश्न उठाती कहानियाँ हैं। सुभद्रा कुमारी चौहान कहने से नहीं हिचकतीं कि ''जिस नारी ने पति को परमेश्वर माना है उस पति परमेश्वर ने नारी को सदा दबाया है, जानवरों से भी बीता समझा है।'' इसके साथ ही उनकी कहानियाँ इक्कीसवीं सदी की नारी द्वारा पुरुष की तर्ज पर नैतिकता के नकार यानी एक बेईमानी का दूसरी बेईमानी से प्रतिकार करती कहानियाँ भी नहीं हैं।

रामविलास शर्मा ने लिखा है ''उनके राजनैतिक विचार उलझे हुए थे किंतु उनकी संवेदना सुलझे विचार वालों से बहुत गहरे स्तर की थी।'' इसी गहरी संवेदना से वे स्त्री-पुरुष मैत्री का प्रश्न बार-बार उठाती हैं। क्या स्त्री-पुरुष में मैत्री संभव है या उनका रिश्ता आग और घी जैसा है? एक दूसरे को बौद्धिक और मानसिक वृद्धि और संतुष्टि देने वाली नैतिक मित्रता दोनों के बीच क्यों कर स्वीकार्य नहीं है? सुभद्रा कुमारी चौहान ने इस प्रश्न को कई बार उठाया है। जोखिम उठाकर कहा जा सकता है कि अच्छा-खास पाठ तैयार होने के बाद भी बाद का स्त्री-विमर्श न इस प्रश्न का गुरुत्व समझ सका है और न ही उस तीखेपन से पूछ सका है—क्या स्त्री और पुरुष मित्र नहीं हो सकते हैं? पढ़ी-लिखी औरतें जब से घर बाहर पुरुषों के कंधे से कंधा मिलाने निकलीं तो साहचर्य का बंधुत्व में बदलना स्वाभाविक था। इधर भारतीय परंपरा के पास कृष्ण और द्रौपदी की मित्रता के अतिरिक्त अन्य कोई दृष्टान्त नहीं था, तिस पर भी कृष्ण अवतार थे। अतः अपनी कहानी 'पवित्र ईर्ष्या' में राखी बंद भाई के माध्यम से इस मैत्री की समस्या को उठाकर उन्हें अपनी कहानी 'मंझली रानी' में साफ-साफ कहना पड़ा—''वो मेरे कौन थे? मैं क्या बताऊँ? वैसे देखा जाए तो ये मेरे कोई भी न होते थे। होते भी तो कैसे? मैं ब्राह्मण वे क्षत्रिय, मैं स्त्री वे पुरुष। फिर न तो रिश्तेदार

हो सकते थे और न मित्र। आह! यह क्या कह डाला मैंने! मित्र? भला किसी स्त्री का कोई पुरुष मित्र भी हो सका है? और यदि हो भी तो क्या समाज इसे बर्दाश्त करेगा? यहाँ तो किसी पुरुष का किसी स्त्री से मिलना-जुलना या किसी प्रकार का व्यवहार रखना ही पाप है। और यदि कोई स्त्री किसी पुरुष से किसी प्रकार का व्यवहार करती है, प्रेम से बातचीत करती है तो वह स्त्री भ्रष्टा है, चरित्रहीन है, नहीं तो पर-पुरुष से मिलने-जुलने का और मतलब ही क्या हो सकता है?''

इस कथन में सुभद्रा कुमारी चौहान के 'भोगे हुए यथार्थ' को निश्चयपूर्वक देखा जा सकता है। स्वानाभूति सहानुभूति की कलापूर्ण अभिव्यक्ति बन गई है।

सुभद्रा कुमारी चौहान ने अपने अकुंठ स्वभाव जैसी सीधी-सादी सरल भाषा का प्रयोग किया। उनकी कर्मभूमि जबलपुर उनकी कहानियों का घटना केंद्र है। उस समय मध्यप्रदेश का छोटा-सा शहर जबलपुर केवल सुभद्रा कुमारी चौहान के कार्यक्षेत्र के रूप में नहीं पूरे हिंदुस्तान के सामाजिक, सांस्कृतिक और ऐतिहासिक इकाई के रूप में प्रयुक्त है। उनकी जबलपुर की जेल यात्राओं ने उन्हें कहानी के पात्र ही नहीं दिए बल्कि सत्याग्रह के दिनों में कहानी लिखने के लिए अतिदुर्लभ एक महीने का अवकाश भी दिया जिसमें वे पंद्रह कहानियाँ लिख पाई थीं। एक कथा लेखिका की निजी परेशानियों और समयाभाव की आपबीती को उन्होंने 'चढ़ा दिमाग' कहानी में दर्शाया भी है। देशप्रेम और वात्सल्य उनकी कहानियों के अन्य मूल बिंदु हैं। 'हींगवाला में यह वात्सल्य और सांप्रदायिक सौहार्द्र घुले-मिले हैं।

''बिखरे मोती में उन्होंने अपने कहानी लेखन का लक्ष्य स्पष्ट किया—'मेरे बिखरे मोती' भारतीय मानवता के उत्थान में कुछ भी सहायक हो सके, ध्वंस होती हुई भारतीय संस्कृति और विचार-आदर्शों का विश्वव्यापी जन आंदोलन को तनिक भी गति और सामयिकता दे सकें अथवा नव-भारत-स्वाधीन भारत के पुनर्निर्माण को लेशमात्र भी क्रियाशील कर सके मैं समझूँगी मैं और मेरे 'बिखरे मोती' कृतकृत्य हुए।''

सुभद्रा कुमारी चौहान अपने जीवन में सदा अन्याय, अविचार और असंगतियों के विरुद्ध मुखर रहीं। जीवन के प्रति उनका उत्कट प्रेम उन्हें विशिष्ट बनाता है। 44 वर्ष के अपने छोटे से जीवन में समाज को बदलने के लिए वे आजीवन धारा के विरुद्ध जूझती रहीं।

जुझारू होना एक गुण है और लगातार सारी उम्र जुझारू बने रहना अन्याय का विरोध करना, वह अन्याय चाहे कहीं भी हो किसी पर भी हो, एक विरल विशेषता है। सुभद्रा कुमारी चौहान ने अपने इस जन्मना गुण को गाँधी के सम्पर्क

में और निखारा। उनके जीवन के आखिरी दिनों तक उनका यह दुर्लभ गुण उनके साथ रहा।

इस समग्र की एक उपलब्धि सुभद्रा कुमारी चौहान के भाषण हैं जिनसे उनके ओजस्विनी वक्ता रूप का परिचय मिलता है। सुभद्रा कुमारी चौहान समग्र की योजना और उसके क्रियान्वयन के लिए अजय जी को विशेष धन्यवाद–

रूपा गुप्ता
प्रोफेसर, विभागाध्यक्षा
हिन्दी विभाग
वर्द्धमान विश्वविद्यालय
गुलाब बाग
वर्द्धमान(पश्चिम बंगाल)

भाषण

अखिल भारतवर्षीय महिला कवि सम्मेलन की सभा नेत्री के रूप में सुभद्रा जी के भाषण के महत्त्वपूर्ण अंश

"साहित्य में कवि का स्थान बहुत ऊँचा है। वह दार्शनिक, इतिहासकार, समाजशास्त्री तथा धर्माचार्य के सिद्धांतों को सुंदर ढाँचे में ढालकर जनसाधारण के हृदय में स्थापित करता है। उनके प्रति हमारी भक्ति उत्पन्न करता है। यहाँ तक कि हम उनको पूजने लगते हैं। इसी प्रकार जगत की उत्पत्ति और विनाश की जटिल समस्या, कारण, कार्य और परिणाम की उलझन, पुनर्जन्म या नितान्त विनाश का दुरुह प्रश्न, उसी प्रकार प्रकृति और माया का विकटजाल ये सब कवि की जादू भरी लेखनी के द्वारा इतने सरल और ग्राह्य हो जाते हैं कि हम उन्हें स्वयंसिद्ध समझने लगते हैं। कवि संसार को शिक्षा देता है, इतिहासकार का क्रूर सत्य या धर्माचार्य का उग्र दंड विधान दिखाकर नहीं, किन्तु उसका मन बहलाकर, हँसाकर और मृदुलता पूर्वक रुलाकर। वह उँगली के इशारे से नहीं कहता कि यह करो और वह मत करो। वह एक छोटी सी कहानी कह देता है और हम समझ सकते हैं कि हमको क्या करना चाहिये। यही तो कारण है कि संसार के प्रायः सभी धर्म प्रवर्तकों ने अपने नवीन सिद्धांतों को जनसाधारण के हृदय में प्रविष्ट कराने के लिए कवि की कल्पना का सहारा लिया है और छोटी-छोटी कहानियों की सृष्टि की है। गौतम बुद्ध ने यही किया, ईसा मसीह ने, यही किया, मुहम्मद ने यही किया और आधुनिक दयानन्द या रामकृष्ण ने भी यही किया है। न केवल धर्माचार्यों ने ही किन्तु भारतवर्ष में तो स्मृतिकार, इतिहासकार, ज्योतिषी, योगी, दार्शनिक सबने अपने सिद्धांतों और विद्या का प्रचार करने के लिए कविता का सहारा लिया है। यहाँ तक कि गणितज्ञ जो बावन तोला पाव रत्ती की नपी तुली बात करता है, वह भी Mensuration को लीलावती का शृंगार चढ़ाकर पार्थिव पदार्थों की नाप-तौल

करता है। आधुनिक गणितशास्त्री इस बात को स्वीकार करते हैं कि लीलावती की शैली आजकल की जामेट्री और मेंसुरेशन से कहीं अधिक मनोहर है इनमें रूखापन है और लीलावती में सरसता।

इस प्रकार कवि भिन्न-भिन्न विधाओं का शृंगार विशारद (Toilet Expert) है जिसके हाथ में पड़कर सबका रूप निखर आता है। वह सबमें नई स्फूर्ति और नवजीवन का संचार भी करता है। वह सत्य और सुंदर और प्रिय बना देता है। 'सत्यं ब्रूयात प्रियं ब्रूयात न ब्रूयात सत्यमप्रियम।' और वह अपने इस सिद्धांत का मानवीय मस्तिष्क की प्रत्येक क्रिया में अक्षरक्षः पालन करता है।

साहित्य में जिस प्रकार कवि का स्थान ऊँचा है उस प्रकार कवियों में भी मेरा विश्वास है, स्त्री कवियों का स्थान पुरुष कवियों की अपेक्षा ऊँचा रहेगा। कविता प्रायः भाव प्रधान रहती है—और स्त्रियों के समान भावुकता पुरुषों में नहीं मिल सकती।

नारी हृदय की तुलना हम वायु मापक यंत्र (Barometer) से कर सकते हैं जिसमें छोटे से छोटा परिवर्तन दृष्टिगोचर होने लगता है। स्त्री हृदय की कोमल वृत्तियाँ अत्यधिक सजग और सजीव रहती हैं। उनकी हृदय वीणा का प्रत्येक तार इतना कसा और खिंचा रहता है कि वह वातावरण के सूक्ष्मातिसूक्ष्म आघात से निनादित हो उठता है। शरीर और मनोविज्ञान के पंडितों का कहना है कि स्त्रियों का शरीर, रचना और मन पुरुषों की अपेक्षा कहीं अधिक परिष्कृत हैं।

प्रेम और बलिदान मनुष्य को पशु की श्रेणी के उठाकर देवत्व के पद पर पहुँचाते हैं। पारस वह है जो लोहे को भी सोना बना देता है—और वह हमको मिलेगा विशेष मात्रा में स्त्रियों के अंदर। स्त्रियों के समान प्रेम और बलिदान किसने किया है। इतिहास इसका साक्षी है, वे दिन और रात प्रत्येक घड़ी पल-पल जीवन भर बलिदान करती हैं—मुस्कराते हुए। संसार में बड़े से बड़े कर्मयोगी, योद्धा, विद्वान और कवि ने स्त्रियों की स्फूर्तिदायिनी शक्ति को मुक्त कंठ से स्वीकार किया है। विश्व विजयी नेपोलियन सदा अपना माता के गुणगान करता रहा। अमर कवि द्रांते ब्रिटिश अपनी प्रेयसी का आभारी है। तुलसीदास की रामभक्ति की प्रेरिका उनकी पत्नी थी। लंका की विजयकामना सीताजी के कारण रामचंद्र जी के मन में हुई थी और वह राधिका का ही निष्काम प्रेम था, जिसने 'गीता' का तत्व श्रीकृष्ण को सिखलाया था। समस्त मानव जाति स्त्रियों की गोद में पली है और उसकी उँगली के सहारे खड़ा होना और चलना सीखा है। पुरुषों ने ही यह घोषित कर रखा है कि स्त्रियाँ वास्तव में देवी है, जिन्होंने इस मृत्युलोक को स्वर्ग बना रखा है।

(प्राप्ति 'नर्मदा' पावस अंक, वर्ष-9, अंक-2, 2002)

अखिल भारतीय हिंदी साहित्य सम्मेलन के बनारस अधिवेशन में महिला साहित्य सम्मेलन की अध्यक्ष पद से दिया गया भाषण
21 अक्टूबर, 1939

महिलाएँ बाल साहित्य लिखें

अभी तक स्त्रियों में शिक्षा का अभाव था। इसलिए पुरुषों को ही स्त्रियों की मनोभावनाओं, उनके हृदय के उद्वेगों, उनके प्रेम और विरह, उनकी आकांक्षाओं और भय को वाणी देनी पड़ी है। इसमें संदेह नहीं है कि यह कार्य उन्होंने आशातीत सफलता के साथ किया है। किन्तु अब स्त्रियाँ इस योग्य हो चली है कि वे अपने हृदय के गीतों को अपने ही शब्दों में गा सकें। अब हमें अपनी मनोभावनाओं की अभिव्यक्ति के लिये पुरुष की लेखनी की आवश्यकता नहीं रह गई है। यह मैं मानती हूँ कि कवि में स्त्री पुरुष का भेद नहीं है। कविता का संबंध हृदय से है जो स्त्री पुरुष के भेद से परे है। फिर भी स्त्री के हृदय में विशेषताएँ हैं। जिनका अनुभव करने के लिए पुरुषों को विशेष प्रयत्न करना पड़ेगा। स्त्री की स्वभाव सिद्ध कोमलता पुरुषों के लिये यदि अप्राप्य नहीं तो दुष्प्राप्य अवश्य है ठीक वैसे ही जैसे कि पुरुष सुलभ प्रखर भावनाएँ स्त्रियों के लिये दुष्प्राप्य हैं। स्त्रियों के प्रेम और उत्सर्ग की पराकाष्ठा को व्यक्त करने के लिये पुरुष कवि को भी स्त्री की ही वाणी में बोलना पड़ता है। यही कारण है कि प्रेम और विरह के गीत गाने में उस राजसी प्रेमिका मीरा से कोई आगे नहीं बढ़ सका है। मीरा के पास शब्दों का बाहुल्य नहीं था पाण्डित्य नहीं था, कोमलकांत पदावली नहीं थी किन्तु मीरा के पास मीरा का हृदय था और आत्मिक चरित्र था, जिसकी अमर छाप उसके गीतों पर लगी हुई है।

प्रेम के अतिरिक्त एक और क्षेत्र है जिसे स्त्रियों का अधिकार क्षेत्र कहा जा सकता है वह है बाल क्रीड़ा का। नन्हें-नन्हें बच्चे स्त्रियों के ही चरणों में रेंगकर चढ़ते हैं उन्हीं के सहारे खड़े हाते हैं वे अपनी पहली बोली माताओं से ही सीखते

हैं। माताओं और बच्चों का इतना नैसर्गिक और प्रगाढ़ संसर्ग रहता है कि बच्चों के मन को माता ही सबसे अच्छा विश्लेषण कर सकती है। माता अपने बच्चे के मन की बात अपने मन से समझ जाती है, उसे समझने के लिए सार्थक शब्दों की आवश्यकता नहीं। अबोध और तुतलाते बालक के पास सार्थक शब्द कहाँ? परन्तु बच्चे की ऐसी कौन-सी मनोभावना और आवश्यकता है जिसको माता नहीं ताड़ लेती और नहीं समझ लेती। बच्चे सबको प्यारे और सुन्दर लगते हैं। परन्तु माता अपने बच्चे के प्यार और सुन्दरता की खूबियों को जितना पहचानती है उतना कोई दूसरा व्यक्ति नहीं पहचान सकता। माता और बच्चे का पारस्परिक विश्वास, प्रेम और तादात्म्य कहाँ मिल सकता है? इसलिए मेरी तो धारणा है कि माताएँ यदि शिशु साहित्य पर लिखने लगें तो उससे हमारे साहित्य की सुन्दरता बढ़ जावे। निस्संदेह पुरुषों ने बाल साहित्य पर बहुत कुछ लिखा है परन्तु उनके द्वारा रचना को प्रधानता मिली है। जिस दिन स्त्रियाँ इस साहित्य में सृजन करने लग जावेंगी उस दिन अनुभूति को भी वाणी मिलेगी और तभी वह साहित्य सम्पूर्ण हो सकेगा।

अभी तक स्त्रियों ने गृहस्थी और गृह को सुन्दर बनाया। अब वे समाज, साहित्य और राजनीति में भी पर्दापण कर रही है। सेठ सीताराम सेकसरिया जी ने जो सेकसरिया पारितोषिक रखा है उसको भी इस प्रोत्साहन का बहुत सा श्रेय है। सेकसरिया पारितोषिक नाना लेखिकाओं के लिए बड़े गौरव की बात मानी जाने लगी है। उसका आर्थिक मूल्य केवल 500/- है, किन्तु उसका साहित्यिक मूल्य हमारे अपने छोटे से दायरे में नोबेल पुरस्कार से कम नहीं है यह कहते हुए मुझे गर्व होता है कि हमारी कुछ बहिनों की साहित्य कला इतनी उच्च कोटि की है कि वह पुरुष लेखकों की स्पर्धा की वस्तु बन रही है। साहित्य के क्षेत्र में स्त्रियों की बढ़ती हुई संख्या को देखकर हृदय प्रसन्न हो जाता है। उन सबका विवेचनात्मक उल्लेख इस छोटे के भाषण में नहीं किया जा सकता किन्तु उनका सर्वथा उल्लेख न करना भी अनुचित होगा।

आजकल गीति काव्य का युग है। इसके प्रवर्तकों में महादेवी वर्मा को प्रमुख स्थान प्राप्त है। महादेवी की आध्यात्मिक प्रेमाभिव्यंजना हमारे वर्तमान साहित्य की एक विशेषता है। यह एक ऐसी विशेषता है जो उनके गीतों को अपने माधुर्य और विचार सूक्ष्मता के कारण किसी भी भाषा के साहित्य के लिए गौरव की वस्तु बन सकती है। साहित्य के पंडित महादेवी के गीतों में रहस्यवाद देखते हैं। परन्तु वास्तव में वे गीत इतने स्पष्ट हैं कि जितने कि उनमें गुंथे हुए तारे, संध्या, रजनी, इन्द्र, धनुष, कलिका, पुष्प, प्रभात और चंद्रमा।

हिन्दी भाषा को गीतों द्वारा माँजकर महादेवी ने उसमें अत्यधिक कोमलता

और मधुरता उत्पन्न कर दी है। उसी प्रकार महादेवी द्वारा प्रचलित छन्द आज हिन्दी में अधिकांश कवियों द्वारा अपनाया जा रहा है। गीति काव्य महादेवी के गीतों के अन्दर जैसे अपनी पूर्णता में छलक सा उठा है—

"जाने किस जीवन की सुधि ले
लहराती आती मधु बयार।"
"एक बार आओ इस पथ में
मलय अनिल बना दे चिरचंचल।"
"बीन भी हूँ, मैं तुम्हारी
रागिनी भी हूँ।"
"शून्य मंदिर में बनूँगी
आज मैं प्रतिमा तुम्हारी।"

आदि गीतों में सम्पूर्ण स्त्री हृदय का जो कि प्रेम का प्रतीक है उज्ज्वल चित्र खिंच गया है। सूर और मीरा के बाद प्रेम की आध्यात्मिक अभिव्यक्ति, भावों की कोमलता और भाषा की सरलता महादेवी में उसी तीव्रता से संगीतमय हो उठी है।

हर्ष का विषय है स्त्रियाँ चित्रकला की ओर भी बढ़ रही हैं। स्वयं महादेवी ने अपने सांध्य गीत में चित्रकला का प्रशंसनीय आरम्भ किया है। श्रीमती तोरन देवी लली, प्रियवंदा देवी, राजकुमारी चौहान, तारा देवी पांडेय, रामेश्वरी देवी चकोरी, रामेश्वरी गोयल, राजराजेश्वरी नलिनी, रत्न कुमारी, हीरा देवी चतुर्वेदी, होमवती, सूर्यदेवी दीक्षित, गोपाल देवी, कमला कुमारी, राज देवी, शकुन्तला श्रीवास्तव, शकुन्तला देवी खेर, विष्णु कुमारी मंजू आदि ने भी हमारे साहित्य की अभिवृद्धि की है और कर रही हैं। मैं स्थानाभाव के कारण केवल उनका नामोल्लेख करके ही संतोष करती हूँ।

गद्य काव्य में भी स्त्रियाँ पिछड़ी नहीं हैं। दिनेश नन्दिनी चोरइया के गद्य गीत हमारे वर्तमान नवीन साहित्य में अपना महत्त्वपूर्ण स्थान रखते हैं। रामेश्वरी गोयल ने भी गद्य गीत प्रारंभ किये थे परन्तु उनकी मर्म भेदी भावनाएँ उनके आकस्मिक निधन के कारण पूर्णता को प्राप्त नहीं हो सकीं जिसका हमें खेद है। गोयल के समान रामेश्वरी चकोरी की अकाल मृत्यु ने हमें एक प्रतिभा संपन्न कवयित्री से वंचित कर दिया।

उपन्यास और कहानियों के क्षेत्र में भी स्त्रियों ने अपनी लेखनी उठाई है और वे सफल हुई हैं। उषा देवी मित्रा, शिवरानी देवी, निर्मला मित्रा, सुशीला डागा होमवती आदि इस क्षेत्र में प्रमुख हैं। इसी प्रकार साहित्य के अन्य क्षेत्रों में भी

स्त्रियों ने सफलतापूर्वक पुस्तकें लिखी हैं। श्रीमती चन्द्रावती लखनपाल, गोपाल देवी, ज्योतिर्मयी ठाकुर आदि की चिकित्सा स्वास्थ्य पाक विज्ञान तथा मनोविज्ञान सम्बन्धी पुस्तकें प्रसिद्ध हैं।

श्रीमती शन्नो देवी, सीता देवी आदि देवियाँ प्रशंसनीय ढंग से पत्रों का सम्पादन कर रही हैं।

खेद है कि समयाभाव के कारण मैं ऐसी बहुत सी बहनों का नामोल्लेख नहीं कर सकी हूँ, जो कि साहित्य की सेवा में संलग्न हैं। मैं इस कमी के लिए उनसे हृदय से क्षमा माँगती हूँ।

सर्वत्र स्त्रियों में सर्वांगीण जागृति के शुभ लक्षण दिखाई दे रहे हैं और वे सरस्वती की आराधना में तत्पर हैं। मेरी ईश्वर से यही प्रार्थना है कि हमारी उत्तरोत्तर उन्नति हो तथा हम हिन्दी के साहित्य को सम्पूर्ण करने में समर्थ होवें।

कांस्टीटयुएन्ट एसेम्बली में एम.एल.ए. के रूप में दिया गया भाषण, 'फेडरेशन की बेड़ियाँ ज़ेवर नहीं हैं' 22 सितंबर 1937

श्रीमती सुभद्रा कुमारी चौहान एम.एल.ए.

अध्यक्ष महोदय

प्राइम मिनिस्टर साहब ने जो कांस्टीटयुएन्ट एसेम्बली याने विधान निर्माण समिति का प्रस्ताव पेश किया है, मैं उसका समर्थन करती हूँ। विद्वान डाक्टरों ने आनरेबल और आनरेरी डॉक्टरों ने उसके पक्ष में और खिलाफ भाषण दिएं हैं। कानून के बनाने वाले और शासन को चलाने वाले विद्वानों ने अपना इस विषय का ज्ञान हमें समझाने में खर्च किया है। ऐसी हालत में मुझे तो शक होता है कि मैं इस बहस मुबाहसे में किसी प्रकार की सहायता पहुँचा सकूँगी या नहीं। इतिहास की रूपरेखा और शासन विधान के बारे में सदियों का अनुभव निचोड़ कर हमें रास्ता दिखाने के लिए रोशनी तैयार की गई है। हम जल्दी-जल्दी में कहीं ठोकर खाकर गिर न पड़ें, उसके लिए सावधान भी किया गया है। परन्तु अभी तक प्रस्ताव के विरुद्ध जितनी बातें कही गई हैं वे बहुत कुछ अतार्किक और काल्पनिक ही जान पड़ती है।

सारा मुल्क और उसकी कौमें कांग्रेस के जरिए अपना आत्म निर्णय का अधिकार माँग रही हैं। जिसके लिए पिछले महायुद्ध से समय बहुत शोरगुल मचाया गया था। स्वर्गीय लोकमान्य तिलक ने हमें सिखलाया है कि स्वराज्य हमारा जन्मसिद्ध अधिकार है और हम उसको लेकर रहेंगे। महात्मा गाँधी ने उसी अधिकार के लिए हमें गोलियों के बौछारों के बीच हँसते-हँसते बलिदान होना सिखलाया है। हमने अपना ध्येय पूरी आजादी तय किया है, और उसको हासिल करने के लिए हमने, जैसा कि पिछले 17 सालों के राष्ट्रीय युद्ध से जाहिर है बलिदान हो जाने की अपनी उत्कट भावना भी दिखा दी है। आज कम से कम सात सूबों में और उनके अलावा दूसरे सूबों में और सेंट्रल असेम्बली में भी

कांस्टीटयुएन्ट एसेम्बली की माँगे बड़े जोरों के साथ गूँज रही है। इसका सबूत इससे अधिक क्या हो सकता है कि उसकी माँग यहाँ भी मौजूद है और उसे पूरा करना ही पड़ेगा।

बहुत से देशों की कांस्टीटयुएन्ट एसेम्बली के इतिहास का लम्बा चित्रण करके, यह बहस हमारे सामने आई है कि सन् 1938 की राउंड टेबिल कांफ्रेंसों से कांग्रेस अधिवेशन का असली मतलब हल हो जाता है। परन्तु वही इतिहास हमको यह भी बतलाता है कि उन राउंड टेबिल कांफ्रेंस की बनावट में कांस्टीटयुएन्ट एसेम्बली के मूल सिद्धांतों का समावेश ही नहीं था। फ्रांस के क्रांति के इतिहास से मैं एक अवतरण देने की इजाजत चाहती हूँ। फ्रांस की राष्ट्रीय असेम्बली ने जो मनुष्य तथा नागरिक अधिकार तय किए हैं उनमें यह ऐलान किया गया है कि "वास्तव में सारी राज सत्ता का मूल स्रोत राष्ट्र ही है। राष्ट्र जातीय तौर से जो अधिकार नहीं देता वह अधिकार किसी व्यक्ति को या व्यक्तियों के समूह को हासिल नहीं हो सकता।"

संयुक्त राज्य अमेरिका की स्वतंत्रता घोषणा और वर्जीनिया की अधिकारों की घोषणा में राष्ट्र के अंदर रहने वाली राज सत्ता के सिद्धांत को स्वीकार किया गया है। उसी सिद्धांत के मुताबिक विलायत की राउन्ड टेबल कांफ्रेंसों को हिन्दुस्तान के लिए शासन-विधान बनाने का कोई भी स्वाभाविक या नैतिक अधिकार नहीं था।

इस प्रस्ताव का विरोध करने वालों की दलीलों में क्रांति के मुकाबले सुधार की भावना अधिक पाई जाती है। उनको कांस्टीटयुएन्ट एसेम्बली नतीजे का डर है। उनकी तरक्की के रास्ते पर 'खबरदार रहो' 'सावधान रहो' की बड़े-बड़े अक्षरों वाली तख्तियाँ लगी हैं। लेनिन ने अपने एक सोने के महत्त्व सम्बन्धी लेख में सुधार के रास्ते को भूल भुलैया कहा है। आपने उसके अंदर प्रवेश किया नहीं कि फिर आपको बाहर निकलने का रास्ता नहीं मिलता और न आप अपने निर्दिष्ट स्थान पर ही पहुँच सकते हैं।

हिन्दुस्तान सुधार के रास्ते पर प्रायः आधी शताब्दी से चल रहा है। और इतने समय तक चलते रहने पर भी यह अभी गर्वनमेंट आफ इंडिया एक्ट की मंजिल तक ही पहुँच पाया है और उसी के जाल में आजतक हम सब घिरे पड़े हैं, किसी प्रकार बाहर निकलने के लिये छटपटा रहे हैं। इसी बीच ब्रिटिश सरकार के कारखाने में हमारे लिए फेडरेशन की बेड़ियाँ तैयार की जी रही है, और हमारे समझदार सलाहकार और हमारे सावधान सलाहकार हमें यह सलाह देते हैं कि उसे पहन लें, पहन के एक बार देखो तो सही कौन जाने एक बार पहनने के बाद वह

कोई जेवर ही साबित हो। ऐसे सलाहकारों को हमारा उत्तर यही है कि बस अब बहुत हो चुका। अब हम इस रुपहले फन्दे में नहीं फँसेंगे। अब हम ऐसा शासन विधान नहीं चाहते जिसमें 'मेड इन इंग्लैंड' की छाप लगी हो। हमें तो हिन्दुस्तान में बनाया हुआ हिन्दुस्तानियों के द्वारा बनाया हुआ और हिन्दुस्तानियों के हित ही के लिए बनाया गया हो ऐसा शासन विधान चाहिये। सच बात तो यह है कि हिन्दुस्तान की आत्मा विदेशी सत्ता के खिलाफ अब क्रान्ति कर बैठी है। सुधारवादियों की मीठी-मीठी और लुभावनी दलीलों का अब उस पर कोई असर नहीं पड़ता।अब तो सारा राष्ट्र कबीर के शब्दों में पुकार-पुकार कर कह रहा है—

कबिरा खड़ा बजार में
लिये लकुटिया हाथ।
जो घर फूंके आपना।
चले हमारे साथ॥

उसका कहना है कि बहस मुहाबसे बंद करो। अब कुछ काम करो जिससे वह आग धधक उठे जिसमें सारा पुराना कचरा जल कर क्षार हो जावे और आजादी के सुनहले प्रकाश के साथ हिन्दुस्तान चमक उठे और उसी प्रकाश में हम अपनी स्वतंत्र भारत माता का दर्शन करें।

इस प्रस्ताव पर जो संशोधन पेश हुए हैं उनकी मंशा सिर्फ यही मालूम होती है कि कम तादाद वाली कौमों के हकों, धर्मों और संस्कृति की रक्षा की जावे। परन्तु वे भूल जाते हैं कि यह तो हमारा घरू मामला है। उसे हम आपस में ही समझकर निबटा सकते हैं और निबटा भी लेंगे। हमारे कम तादाद वाले भाई इस बात का विश्वास रखें कि अब देश की राजनैतिक शासन की बागडोर कांग्रेस के हाथ में है उनके अधिकारों के साथ लापरवाही कभी भी नहीं हो सकती। मैं अपने इन संशोधन पेश करने वाले माननीय भाइयों से यह निवेदन करती हूँ कि इस समय जबकि आजादी की जंग में हम अपने विरोधियों से लड़ रहे हैं और इस जंग को जारी रखने को और भी जीजान से तैयारी कर रहे हैं ऐसे वक्त वे विजय के बाद मिलने वाले अधिकारों के बँटवारे के तरीकों में ही उलझे न जावें। किन्तु हमारे कंधे से कंधा मिलाकर इस आजादी की लड़ाई में उतर आएँ और राष्ट्रीय झंडे को ऊँचा करके आगे बढ़ें।

कहानियाँ

भग्नावशेष

न मैं कवि था न लेखक, पर मुझे कविताओं से प्रेम अवश्य था। क्यों था, यह नहीं जानता, परंतु प्रेम था, और खूब था। मैं प्राय: सभी कवियों की कविताओं को पढ़ा करता था, और जो मुझे अधिक रुचतीं, उनकी कटिंग भी अपने पास रख लेता था।

एक बार ट्रेन सफ़र कर रहा था। बीच में मुझे एक जगह गाड़ी बदलनी पड़ी। वह जंक्शन तो बड़ा था, परंतु स्टेशन पर खाने-पीने की सामग्री ठीक न मिलती थी: इसलिए मुझे शहर जाना पड़ा। बाजार में पहुँचते ही मैंने देखा कि जगह-जगह पर बड़े-बड़े पोस्टर चिपके हुए थे जिनमें एक बृहत् कवि-सम्मेलन की सूचना थी, और खास-खास कवियों के नाम भी दिये हुए थे। मेरे लिए तो कवि-सम्मेलन का ही आकर्षण पर्याप्त था, कवियों की नामावली को देखकर मेरी उत्कंठी और भी अधिक बढ़ गयी।

दूसरी ट्रेन से जाने का निश्चय कर, जब मैं सम्मेलन के स्थान पर पहुँचा तो उस समय कविता-पाठ प्रारम्भ हो चुका था और उर्दू के एक शायर अपनी जोशीली कविता मजलिस के सामने पेश कर रहे थे। दाद भी इतने जोरों से दी जा रही थी कि कविता का सुनना भी कठिन हो गया था। खैर, मैं भी एक तरफ चुपचाप बैठ गया, परन्तु चेष्टा करने पर भी आँखे स्थिर न रहती थीं; किसी को खोज में वे बार-बार विह्लल-सी उठती थीं। कई कवियों ने अपनी-अपनी सुंदर रचनाएँ सुनायीं। सब के बाद एक श्रीमतीजी भी धीरे-धीरे मंच की ओर अग्रसर होती दीख पड़ी। उनकी चाल-ढाल तथा रूपरेखा से ही असीम लज्जा एवं संकोच का यथेष्ट परिचय मिल रहा था। किसी प्रकार उन्होंने भी अपनी कविता शुरू की। अक्षर-अक्षर में इतनी वेदना भरी थी कि श्रीतागण मंत्र-मुग्ध से होकर उस कविता को सुन रहे थे। वाह-वाह और खूब-खूब की तो बात ही क्या, लोगों ने जैसे साँस लेना बंद कर दिया था। मेरा रोम-रोम उस कविता का स्वागत करने के लिए उत्सुक हो रहा था।

एक बार इस मूर्तिमती प्रतिभा का परिचय प्राप्त किये बिना उस नगर से चले जाना अब मेरे लिए असंभव-सा हो गया। अत: इस निश्चय के अनुसार मैंने अपना

जाना फिर कुछ समय के लिए टाल दिया।

उनका पता लगाकर, दूसरे ही दिन लगभग आठ बजे सवेरे मैं उनके निवास-स्थान पर जा पहुँचा और अपना विजिटिंग कार्ड भिजवा दिया। कार्ड पाते ही एक अधेड़ सज्जन बाहर आये, और मैंने उनसे उत्सुकता से पूछा, 'क्या श्रीमती...जी घर पर है?'

'जी हाँ। आइए, बैठिए।'

आदर प्रदर्शित करते हुए मैने कहा--कल के सम्मेलन में उनकी कविता मुझे बहुत पसंद आयी। क्या एक साहित्य-प्रेमी के नाते मैं उनसे मिल सकता हूँ?

एक कुर्सी पर बैठालते हुए वह बोले--वह मेरी लड़की है, मैं अभी बुलवाये देता हूँ।

उन्होंने तुरंत नौकर से भीतर सूचना भेजी और उसके कुछ ही क्षण बाद वे बाहर आती हुई दीख पड़ीं।

परिचय के पश्चात् बड़ी देर तक अनेक साहित्यिक विषयों पर उनसे बड़ी ही रुचिकर बातें होता रहीं। चलने का प्रस्ताव करते ही, उन्होंने संध्या-समय भोजन के लिए निमंत्रण दे डाला। इसे अस्वीकृत करना भी मेरी शक्ति के बाहर था। अतः दिन भर वहीं उनके साथ रहने का सुअवसर प्राप्त हुआ। और इन थोड़े से घंटों में ही उनकी असाधारण प्रतिभा देखकर मैं चकित हो गया। अब तक का मेरा आकर्षण सहसा भक्तियुक्त आदर में परिणत हो गया। भोजन के उपरान्त मुझे अपनी यात्रा प्रारंभ करनी ही पड्डी। परंतु मार्ग भर मैं कुछ ऐसा अनुभव करता रहा जैसे कहीं मेरी कोई वस्तु छूट-सी गयी है।

घर लौटकर मैंने उन्हें दो-एक पत्र लिखे, पर उत्तर एक का भी न मिला। विवश था, चुप ही रहना पड़ा। किंतु उनकी कविताओं की खोज निरंतर ही किया करता था।

इधर कई महीनों से उनकी कविता भी देखने को नहीं मिली। न जाने क्यों, एक अज्ञात आशंका रह-रहकर मुझे भयभीत बनाने लगी। अंत में एक दिन उनसे मिलने की ठानकर घर से चल ही तो पड़ा। चलने के साथ ही बायीं आँख फड़की, और बिल्ली रास्ता काट गयी। इन अपशकुनों ने मेरी अनिश्चित आशंका को जैसा किसी भावी अमंगल का निश्चित रूप-सा दे दिया। वहाँ पहुँच कर देखा, मकान में ताला पड़ा है। हृदय धक् से हो यगा। पता लगाने पर ज्ञात हुआ कि कई महीने हुए उनके पिता का देहान्त हो गया है; उनके मामा आकर उन्हें अपने साथ लिवा ले गिये। बहुत खोज करने पर भी मैं उनके मामा के घर का पता न पा सका। इस प्रकार वे, एक हवा के झोंके की तरह, मेरी जीवन में आयीं और चली भी गयीं; मैं उनके विषय

में कुछ भी न जान सका।

दस वर्ष बाद–

एक दिन बाद फिर मैं सफर में जा रहा था। बीच में एक बड़े जंक्शन पर गाड़ी बदलनी थी। वहाँ पर दो लाइनों के लिए ट्रेन बदलती थी। मैं अपने कम्पार्टमेन्ट से उतरा, ठीक मेरे पास के ही, पर थर्ड-क्लास के एक डिब्बे से एक स्त्री उतरी। उसका चेहरा सुंदरा, पर मुरझाया हुआ था; आँखे बड़ी-बड़ी, किंतु दृष्टि बड़ी ही कातर थी। कपड़े साधारण और कुछ मैले-से थे। गोद में एक साल भर का बच्चा था, आस-पास और भी दो-तीन बच्चे थे। मैंने ध्यान से देखा, यह वे ही थीं! मैं झपटकर उनके पास गया। अचानक मुँह से निकल गया 'आप! यहाँ इस वेश में!!'

उन्होंने मेरी तरफ देखा, उनके मुँह से एक हल्की-सी चीख निकल गयी, बोलीं–क्या! आप हैं?

मैंने कहा–हाँ, हूँ तो मैं ही, पर आपने कविता लिखना क्यों छोड़ दिया?

अब उनके संयम का बाँध टूट गया। उनकी आँखों से न जाने कितने बड़े-बड़े मोती बिखर गये। उन्होंने रुँधे हुए कंठ से कहा–लिखने-पढ़ने की बात अब आप मुझसे कुछ न पूछें।

इतने ही में एके तरफ से एक अधेड़ पुरुष आये। और आते ही शायद, उनके पास का मेरा खड़ा रहना उन सज्जन को न सुहाया। इसीलिए उन्हें बहुत बुरी तरह से झिड़ककर बोले–यहाँ खड़ी-खड़ी बातें कर रही हो, कुछ ख्याल भी है?

वे बोलीं–ये मेरी पिताजी के...वह अपना वाक्य पूरा भी न कर पायी थीं कि वे महापुरुष कड़क उठे–चलो भी, परिचय फिर हो लेगा।

उन्होंने मेरी तरफ एक बड़ील ही बेधक दृष्टि से देखा। दृष्टि में न जाने कितनी करुणा, कितनी विवशता, और कितनी कातरता भरी भी। वे अपने पति के पीछे-पीछे चली गयीं।

प्लेटफार्म पर खड़ा मैं सोचता हूँ कि मैं वे वही हैं या उनका भग्नावेश!

होली

—कल होती है।

—होगी।

—क्या तुम न मनाओगी?

—नहीं।

—नहीं?

—न।

—क्यों?

—क्या बताऊँ क्यों?

—आखिर कुछ सुनूँ भी तो।

—सुनकर क्या करोगे?

—जो करते बनेगा।

—तुमसे कुछ भी न बनेगा।

—तो भी।

—तो भी क्या कहूँ? क्या तुम नहीं जानते, होली या कोई भी त्योहार वही मनाता है जो सुखी है। जिसके जीवन में किसी प्रकार का सुख नहीं, वह त्योहार भला किस बिरते पर मनाये?

—तो क्या तुमसे होली खेलने न आऊँ?

—क्या करोगे आकर?

सकरुण दृष्टि से करुणा की ओर देखते हुए नरेश साइकिल उठाकर घर चल दिया। करुणा अपने घर के काम-काज में लग गयी।

नरेश के जाने के आध घंटे बाद ही करुणा के पति जगत प्रसाद ने घर में प्रवेश किया। उनकी आँखें लाल थीं। मुँह से शराब की तेज बू आ रही थी। जलती हुई सिगरेट की एक ओर फेंकते हुए, वे कुरसी खींचकर बैठ गये। भयभीत हिरणी की तरह पति की ओर देखते हुए करुणा ने पूछा—दो दिन तक घर नहीं आये, क्या कुछ

तबियत खराब थी? यदि न आया करो तो खबर तो भिजवा दिया करो। मैं प्रतीक्षा में ही बैठी रहती हूँ।

उन्होंने करुणा की बातों पर कुछ भी ध्यान न दिया। जेब से रुपये निकालकर मेज पर ढेर लगाते हुए बोले--पंडितानी जी की तरह रोज ही सीख दिया करती हो कि जुआ न खेलो, शराब न पियो, यह न करो, वह न करो। यदि मैं जुआ न खेलता तो आज मुझे इतने रुपये इकट्ठे कहाँ से मिल जाते? देखो, पूरे पंद्रह सौ हैं। लो, इन्हें उठाकर रखो, मुझसे बिना पूछे इसमें से एक पाई भी खर्च न करना, समझीं!!

करुणा जुए में जीते हुए रुपयों को मिट्टी समझती थी। गरीबी से दिन काटना उसे स्वीकार था, परंतु चरित्र को भ्रष्ट करके धनवान बनना उसे प्रिय न था। वह जगत प्रसारद से बहुत डरती थी; इसलिए अपने स्वतंत्र विचार वह कभी भी प्रकट न कर सकती थी। उसे इसका अनुभव कई बार हो चुका था। अपने स्वतंत्र विचार प्रकट करने के लिए उसे कितना अपमान, कितनी लांछना और कितना तिरस्कार सहना पड़ा था! यही कारण था कि आज भी वह अपने विचारों को अंदर ही अंदर दबारक दबी जबान से बोली--रुपया उठाकर तुम्हीं न रख दो? मेरे हाथ तो आटे में भिड़े हैं।

करुणा के इस उत्तर से जगत प्रसाद क्रोध से तिलमिला उठे और कड़ी आवाज़ से पूछा-- क्या कहा?

करुणा कुछ न बोली, नीची नज़र किये हुए आटा सानती रही। इस चुप्पी से जगत प्रसाद का पारा 110 पर पहुँच गया। क्रोध के आवेश में रुपये उठाकर उन्होंने फिर जेब मे रख लिये--यह तो मैं जानता ही था कि तुम यही करोगी। मैं तो समझा था इन दो-तीन दिनों में तुम्हारा दिमाग ठिकाने आ गया होगा। ऊटपटाँग बातें भूल गयी होगी, परंतु सोचना व्यर्थ था। तुम्हें अपनी विद्वत्ता का घमंड है तो मुझे भी कुछ है। लो, जाता हूँ। अब रहना सुख से! कहते-कहते जगत प्रसाद कमरे से बाहर निकलने लगे।

पीछे से दौड़कर करुणा ने उनके कोट को सिरा पकड़ लिया और विनीत स्वर में बोली-- रोटी तो खा लो! मैं रुपये रखे लेती हूँ। क्यों नाराज होते हो?

एक जोर के झटके के साथ कोट को छुड़ाकर जगत प्रसाद चल दिये। झटका लगने से करुणा पत्थर पर गिर पड़ी और सिर फट गया। खून की धारा बह चली, साड़ी और जाकेट लाल हो गयी।

संध्या का समय था। पास ही बाबू भगवतीप्रसाद जी के सामने वाली चौक से सुरीली आवाज़ आ रही थी :

होली कैसे मनाऊँ?

सैयाँ बिदेस, मैं द्वारे ठाढ़ी, कर मल-मल पछताऊँ।

होली के दीवाने भंग के नशे में चूर थे। गानेवाली नर्तकी पर रुपयों की बौछार हो रही थी। जगत प्रसाद को अपनी दुखिया पत्नी का खयाल भी न था। रुपया बरसानेवालों में उन्हीं का सबसे पहिला नंबर था, इधर करुण भूखी-प्यासी, छटपटाती हुई चारपाई पर करवटें बदल रही थी।

'भाभी, दरवाजा खोलो'-किसी ने बाहर से आवाज दी। करुणा ने कष्ट के साथ उठकर दरवाजा खोल दिया। देखा तो सामने रंग की पिचकारी लिये हुए नरेश खड़ा था। हाथ से पिचकारी छूटकर गिर पड़ी। उसने साश्चर्य पूछा-भाभी, यह क्या?

करुणा की आँखे छलछला आयीं। उसने रुँधे हुए कंठ से कहा-यही तो मेरी होली है, भैया!

पापी पेट

आज सभा में लाठी चार्ज हुआ। प्राय: पाँच हजार निहत्थे और शान्त मनुष्यों कर पुलिस के पचास लोहबन्द लाठियाँ लिए हुए टूट पड़े। लोग अपनी जान बचाकर भागे; पर भागते-भागते भी प्राय: पाँच सौ आदमियों को सख्त चोटें आयीं और तीन तो बेहोश होकर सभी-स्थल में ही गिर पड़े। तीन-चार प्रमुख व्यक्ति गिरफ्तार करके जेल भेज दिये गये।

पुलिस ने झंडे के विशाल खम्भे को काटकर गिरा दिया और आग लगा दी। तिरंगा झंडा फाड़कर पैरों से रौंद डाला गया। सबसे हृदय में सरकार की सत्ता का आतंक छा गया।

प्रकट रूप से विजय पुलिस की हुई। उनके सामने सभी लोग भागते हुए नजर आये। और यदि किसी ने अपनी जगह पर खड़े रहने का साहस दिखलाया तो वह लाठियों की मार से धाराशायी कर दिया गया। परन्तु इस विजय के होते हुए भी उनके चेहरों पर विजय का उल्लास नहीं था, प्रत्युत् ग्लानि ही छायी थी। उनकी चाल में आनंद का हलकापन न था, वरन् ऐसा मालूम होता था कि जैसे पैर मन-मन भर के हो रहे हों। हृदय उछल नहीं रहा था, वरन् एक प्रकार से दबा-सा जा रहा था।

पुलिस लाइन में पहुँचकर सिपाही लाठी चार्ज की चर्चा करने लगे। सभी को लाठी चार्ज करने, निहत्थे-निपराध व्यक्तियों पर हाथ चलाने का अफसोस हो रहा था। सिपाही रामखिलावन ने अपनी कोठरी में जाकर अन्दर से दरवाजा लगा लिया और लाठी चूल्हे में जला दी। उसकी लाठों के वार से एक सुकुमार बालक की खोपड़ी फट गयी थी। उसने मन में कहा, बिचारे निहत्थे और निरपराधों को कुत्तों की तरह लाठी से मारना! राम, राम, यह! किसके लिए? पेट के लिए? इस पापी पेट की तो जानवर भी भर लेते है। फिर हम आदमी होकर इतना पाप क्यों करें? इस बीस रुपट्टी के लिए यह कसाईपन? न, अब तो यह न हो सकेगा। जिस परमात्मा ने पेट दिया है वह अन्न भी देगा। लानत है ऐसी नौकरी पर।

और दूसरे दिन नौकरी से इस्तीफा देकर वह अपने देश को चला गया।

थानेदार बरकतउल्ला लाठी चार्ज के समय चिल्ला-चिल्लाकर हुक्म दे रहे थे 'मारे सालों को, आये हैं स्वराज्य लेने', लगे खूब कस-कसके। परन्तु अपने क्वार्टर्स में पहुँचते-पहुँचते उनका जोश ठंडा पड़ गया। वे जबान के खराब अवश्य थे, पर हृदय के इतने खराब न थे। दरवाजे के अन्दर पैर रखते ही उनकी बीबी ने कहा—देखो तो यह गफूर कैसा फूट-फूटकर रो रहा है। क्या किया है आज तुमने? बार-बार पूछने पर भी यही कहता है कि अब्बा ने गोपू को जान से मार डाला है। मेरी तो समझ में ही नहीं आता कि क्या हुआ?

सुनते ही थानेदार साहब पर थामकर बैठ गये। गोपाल बहुत सीधा और स्नेही लड़का था। थानेदार का लड़का और गोपाल एक ही कक्षा में पढ़ते थे और दोनों में खूब दोस्ती थी। थानेदार और उनकी बीबी दोनों ही गोपाल को अपने लड़के की ही तरह प्यार करते थे। थानेदार को बड़ा अफ़सोस हुआ, बोले—आग लगे ऐसी नौकरी में। गिरानी का जमाना है, वरना मैं तो इस्तीफ़ा देकर चल देता। पर करूँ तो क्या करूँ? घर में बीबी-बच्चे हैं, बूढी माँ है—इनका निर्वाह कैसे हो? नौकरी बुरी जरूर है पर पेट का सवाल इसके भी बुरा है। आज 60) माहवार मिलते हैं। नौकरी छोड़ने पर कोई बीस रुपट्टी को भी न पूछेगा—पापी पेट के लिए नौकरी तो करनी ही पड़ेगी। पर हाँ, इस हाय-हत्या से बचने का एक उपाय है। तीन महीने की छुट्टी बाकी है। तीन महीने बहुत होते हैं। तब तक यह तूफ़ान निकल ही जायगा।

यह सोचकर उन्होंने छुट्टी को दरख्वास्त कर दूसरे ही दिन दे दी।

उधर कोतवाल बख्तावरसिंह का बुरा हाला था। मारे रंज के उनका सिर दुखने लगा था। बख्तावर सिंह राजपूत थे। उन्होंने टांड का राजस्थान पढ़ा था। राजपूतों की वीरता की फड़कानेवाली कहानियाँ उन्हें याद थीं। चित्तौड़ के जोहर, जयमल और फत्ता के आत्म-बलिदान और राणा प्रताप की बहादुरी के चित्र उनके दिमाग़ में रह-रहकर चमक उठते थे। साचेते थे कि मैं समस्त राजपूत जाति की वीरता का वारिस हूँ। उनका सदियों का संचित गौरव मुझे प्राप्त है। मेरे पूर्वजों ने कभी निहत्थों पर शस्त्र नहीं चलाये, मैंने आज यह क्या कर डाला? ऐसे मारने से तो मर जाना अच्छा। पर पापी पेट जो न कराये सो थोड़ा!

इसी संकल्प-विकल्प में पड़कर उन्होंने रात को भोजन भी नहीं किया। आखिर भोजन करते भी तो कैसे? उस घायल बच्चे का रक्तरंजित कोमल शरीर, उसकी करुण चीत्कार और उसकी हृदय को हिला देनेवाली निर्दोष, प्रश्नपूर्ण दृष्टि का चित्र उनकी आँखों के सामने रह-रहकर खिंच जाता था। उसकी याद उनके हृदय को

टुकड़े-टुकड़े डालती थी। इस प्रकार दुखते हुए हृदय को दबाकर वे कब सो गये, कौन जाने?

सबेरे उठने पर उन्हें याद आयी कि कल ही जो उन्हें तनखाह के तीन सौ रुपये मिले थे, उसे वे कोट की जेब में ही रखकर सो गये थे। कहीं किसी ने निकाल न लिये हों, इस खयाल से झटपट उन्होंने कोट की जेब में हाथ डाला और नोट निकालकर गिनने लगे। एक-एक करके गिने, सौ-सौ के तीन नोट थे। उन पर सम्राट् की तसवीर बनी थीं और गवर्नमेंट की तरफ से किसी के हस्ताक्षर पर यह लिखा हुआ था कि मैं माँगते ही एक सौ रुपये देने का वायदा करता हूँ रुक्का इन्दुल तबल प्रॉमिसरी नोट–' माँगते ही एक सौ रुपये! इस प्रकार एक, दो, तीन, एक ही महीने में तीन सौ! एक वर्ष में छत्तीस सौ, तीन हज़ार छै सौ...तीस वर्ष में एक लाख आठ हजार...हर साल तरक्की मिलेगी...फिर तीस साल के बाद पेन्शन और ऊपर से!! इसी उधेड़बुन में थे कि इतने ही में टेलीफोन की घंटी बजी। वह चट से टेलीफोन के पास गये, बोले 'हल्लो।' उधर से आवाज़ आयी, 'डी० एस० पी०, और आप कौन हैं?' उन्होंने कहा 'शहर कोतवाल।' शहर कोतवाल का अधिकारपूर्ण शब्द उनके कानों में गूँज गया। उधर से फिर से आवाज आयी, 'अच्छा तो कोतवाल साहब! आज 11 बजे जेल के भीतर कल के गिरफ्तार-शुदा कैदियों का मुकदमा होगा। उसमें आपकी गवाही होगी। आप ठीक 11 बजे जेल पर पहुँच जाइए।' कोतवाल साहब ने कहा, 'बहुत अच्छा।'

अब कोतवाल साहब अपने दफ्तर के काम में लग गये। आफ़िस पहुँचते ही उनका रोज की ही तरह कुड़कुड़ाना शुरू हो गया। कोतवाली में काम बहुत रहता है। बड़ा शहर है, दिन भर काम करते-करते पिसे जाते हैं। एड़ी-चोटी का पसीना एक हो जाता है। खाने तक की फुरसत नहीं मिलती। चौबीसों घंटे गुलामी बजानी पड़ती है, तब कहीं तीन सौ रुपट्टी मिलते हैं। तीन सौ में होता ही क्या है? आजकल तो पाँच सौ से कम में इज़्ज़तदार आदमी रह ही नहीं सकता। इसी के लिए झूठ-सच, अन्याय-अत्याचार क्या-क्या नहीं करना पड़ता? पर उपाय भी तो कुछ नहीं है। इस छै फुट के शरीर को क़ायम रखने के लिए पेट में तो कुछ झोंकना ही पडेना। क्या ही अच्छा होता, यदि भगवान पेट न बनाता।

इन्हीं विचारों में समय हो गया और कोतवाल साहब ठीक 11 बज गवाही देने के लिए जेल को चल दिये।

लाठी चार्ज का हुक्म देने के बाद ही मजिस्ट्रेट राय साहब कुन्दनलाल जी को बड़े साहब का एक अर्जेन्ट रुक्का मिला। साहब ने उन्हें फौरन बँगले पर बुलाया था। इधर लाठी चार्ज हो ही रहा था कि उधर वे मोटर पर सवार होकर बड़े साहब

के बँगले पहुँचे। काम की वातों के समाप्त हो जाने पर, उन्हें लाठी चार्ज कराने के लिए धन्यवाद देते हुए, बड़े साहब ने इस बात का भी आश्वासन दिया कि राय बहादुरी के लिए उनकी सिफ़ारिश अवश्य की जायगी। बड़े साहब का उपकार मानते हुए राय साहब कुन्दनलाल अपने बँगले लौटे। उन निहत्थों पर लाठी चलवाने के कारण उनकी आत्मा उन्हीं को कोस रही थी। हृदय कहता था कि 'यह बुरा किया। लाठी चार्ज बिना करवाये भी तो काम चल सकता था। आखिर सभी हो ही जाती तो अमन में क्या खलल पड़ जाता? वे लोग सभा में किसी से मारपीट करने तो आये न थे। फिर मैंने ही उन्हें लाठी से पिटवाकर कौन-सा भला काम कर डाला?' किन्तु दिमाग़ ने उसी समय रोककर कहा–'यहाँ भले-बुरे का सवाल नहीं है, तुमने तो अपना कर्तव्य पालन किया है। स्वयं भगवान् कृष्ण ने कर्तव्य के लिए निकट सम्बन्धियों तक को मारने का उपदेश अर्जुन को दिया था, फिर तुम्हारा कर्तव्य क्या है? अपने अफ़सर की आज्ञा का पालन करना। आतंक जमाने के लिए लाठी चार्ज कराने का तुम्हें हुक्म था। तुम सरकार का नमक खाते हो, उसकी आज्ञा का उल्लंघन नहीं कर सकते। आज्ञा मिलने पर उचित-अनुचित का विचार करने की जरूरत ही नहीं। आज्ञा मिलने पर उचित-अनुचित का विचार करने को जरूरत ही नहीं। स्वयं धर्म-जाति के ज्ञाता पितामह भीष्म ने दुर्योधन का नमक खाने के ही कारण अर्जुन का पक्ष सत्य होते हुए भी, दुर्योधन का ही साथ दिया था। इसी प्रकार तुम्हें भी अपना कर्तव्य करना चाहिए, नतीजा बुरा हो चाहे भला।'

पर फिर उनके हृदय ने काटा, 'न जाने कितने निरपराधों के सिर फूटे होंगे?' दिमाग ने कहा, 'फूटने दो। जब तक सरकार की नौकरी करते हो तब तक तुम्हें उसकी आज्ञा का पालन करना ही पड़ेगा, और यदि आज्ञा का पालन नहीं कर सकते हो तो ईमानदारी इसी में है कि नौकरी छोड़ दो। माना कि आखिर ये लोग स्वराज्य के लिए झगड़ रहे हैं। उनका काम परमार्थ का है; सभी के भले के लिए है, पर किया क्या जाय? नौकरी छोड़ दी जाय तो इस पापी पेट के लिए भी तो कुछ चाहिए? हमारे मन में क्या देश-प्रेम नहीं है? पर खाली पेट देश-प्रेम नहीं हो सकता। आज नौकरी छोड़ दें, तो क्या स्वाज्यवाले मुझे 600) दे देंगे? हमारे पीछे भी तो गृहस्थी लगी है, बाल-बच्चों का पेट तो पालना ही होगा।' इसी प्रकार सोचते हुए वे अपने बँगले पहुँचे।

घर पहुँचने पर मालूम हुआ कि पत्नी अस्पताल गयी है। लाठी-काण्ड में लड़के का सिर फट गया है। उनका कलेजा बड़े वेग से धड़क उठा। उनका एक ही लड़का था। तुरन्त ही मोटर बढ़ायी, अस्पताल जा पहुँचे। देखा कि उनकी स्त्री गोपू को गोद में लिये बैठी आँसू बहा रही है। गोपू के सिर में पट्टी बँधी है और उसकी

आँखें बन्द हैं। उन्हें देखते ही पत्नी ने पीड़ा और तिरस्कार के स्वर में कहा–यह है तुम्हारे लाठी चार्ज का नतीजा।

उसका गला रुँध गया और आँसू और भी वेग से बह चले। राय साहेब कुन्दनलाल के मुँह से एक शब्द भी न निकला। इतने ही में डाक्टर ने आकर उन्हें सांत्वना देते हुए कहा–कोई खतरा की बात नहीं है। घाव गहरा जरूर है, पर इससे भी गहरे-गहरे घाव अच्छे हो जाते हैं, आप चिन्ता न कीजिए।

राय साहेब ने पत्नी से पूछा–आखिर तुमने इसे वहाँ जाने ही क्यों दिया?

पत्नी ने कहा–तो मुझसे पूछ के ही तो वहाँ गया था न?

रात भर गोपू बेहोश रहा और दूसरे दिन भी बेहोशी दूर न हुई। दूसरे दिन 11 बजे दिन से जेल में मुकद्दमा होने वाला था। परन्तु न्यायाधीश ठीक समय पर न पहुँच सके। आज उन्हें तुम्हें एक मामले में, जो तीन महीने से उनकी अदालत में चल रहा था, सज़ा सुनानी थी। मामला था, एक तेरह साल की बालिका को बेचने के लिए भगा ले जाने का। जुर्म साबित हो चुका था। न्यायाधीश के द्वारा उसे छः महीने की सख्त कैद की सजा दी गयी थी।

फैसला सुनाकर न्यायाधीश महाशय जेल आये। कोतवाल और राय साहेब कुन्दनलाल की गवाही हो जाने पर अभियुक्तों में से एक को दो साल की सख्त कैद और 2000) जुर्माना, दूसरे को डेढ़ साल की सख्त कैद और 1500)जुर्माना, तीसरे को एक साल की सख्त कैद और 500) जुर्माना की सजा दे दी गयी। अभियुक्तों ने मुकद्दमे में किसी प्रकार का भाग नहीं लिया और न पेशी ही बढ़वायी, इसलिए मुकद्दमा करीब एक घण्टे में ही समाप्त हो गया।

तीनों अभियुक्त प्रतिष्ठित सज्जन थे और राय साहेब की जान-पहिचान के थे। मुकद्दमा खत्म हो जाने पर राय साहेब ने उनसे माफ़ी माँगते हुए कहा, 'क्षमा करना भाई, इस पापी पेट के कारण लाचार हैं, वरना क्या हमारे दिल में देश-प्रेम नहीं है?' यह कहकर उन्होंने अपनी आत्मा को कुछ सन्तोष दे डाला और जल्दी-जल्दी अस्पताल आये। गोपू की हालत और भी ज्यादा खराब हो गयी थी। उसकी नाड़ी क्षीण पड़ती जाती थी। राय साहेब के पहुँचने पर उसने पहिली ही बार आँखें खोलीं। उसकी मुँह पर हल्की-सी मुस्कुराहट थी। धीमी आवाज से उसने कहा, वन्दे मा... 'म्' की ध्वनि नहीं निकल पायी; 'म्' के साथ ही उसका मुँह खुला रह गया, और आँखें सदा के लिए बन्द हो गयीं। उसकी माता चीख मारकर लाश पर गिर पड़ी। राय साहेब के शून्य हृदय में बार-बार प्रश्न उठ रहा था, 'यह सब किसके लिए?' और मस्तिष्क से प्रतिध्वनि उसका उत्तर दे रहीं थी, 'पापी पेट के लिए।'

मँझली रानी

वे मेरे कौन थे? मैं क्या बताऊँ? वैसे देखा जाय तो वे मेरे कोई भी न होते थे। होते भी तो कैसे? मैं ब्राह्मण, वे क्षत्रिय; मैं स्त्री, वे पुरुष। फिर न तो रिश्तेदार हो सकते थे और न मित्र। आह! यह क्या कहा डाला मैंने! मित्र? भला किसी स्त्री का कोई पुरुष भी मित्र हो सकता है? और यदि हो भी तो क्या समाज इसे बर्दाशत करेगा? यहाँ तो किसी पुरुष का किसी स्त्री से मिलना-जुलना या किसी प्रकार का व्यवहार रखना ही पाप है। और यदि कोई स्त्री कि रखना ही पाप है। और यदि कोई स्त्री किसी पुरुष से किसी प्रकार का व्यवहार रखती है, प्रेम से बातचीत करती है तो वह स्त्री भ्रष्टा है, चरित्रहीन है, नहीं तो पर-पुरुष से मिलने-जुलने का और मतलब ही क्या हो सकता है? खैर, न तो मुझे समाज से कुछ लेना-देना है, न समाज से कुछ सरोकार। समाज ने तो मुझे दूध की मक्खी की तरह निकालकर दूर फेंक दिया है। फिर मैं ही क्यों समाज की परवाह करूँ?

मेरे माता-पिता साधारण स्थिति के आदमी थे। परिवार में माता-पिता के अतिरिक्त मुझसे बड़े मेरे तीन भाई और थे। मैं सबसे छोटी थी। छोटी होने के कारण घर में मेरा लालन-पालन बड़े लाड़-प्यार में हुआ था। मेरे दो भाई बनारस हिन्दू यूनिवर्सिटी में पढ़ते थे और दोनों से छोटा राजन मैट्रिक में पढ़ रहा था। मेरे पिता जी संस्कृत के पूरे पंडित थे और पुरानी रूढ़ियों के कट्टर पक्षपाती। यहाँ तक कि वे मेरा विवाह नौ साल की ही उमर में करके गौरीदान के अक्षय पुण्य के भागी बनना चाहते थे। कई लोगों के और विशेषकर मेरे भाइयों के विरोध के कारण ही वे ऐसा न कर सके थे।

जब मैं पाँचवीं अंग्रेजी में पढ़ रही थी और मेरी आयु चौदह साल के लगभग थी, तब मेरी माता-पिता को मेरे विवाह की चिन्ता हुई। वे योग्य वर की खोज में थे ही कि संयोग से ललितपुर के ताल्लुक़ेदार राजा राममोहन हमारे कस्बे में शिकार खेलने के लिए आये। कस्बे से लगा हुआ ही एक बड़ा जंगल था, जहाँ शिकार खेलने का अच्छा मौका था। उनका खेमा जंगल से बाहर क़स्बे के पास ही था।

क़स्बेवालों के लिए यह एक खासा तमाशा-सा हो गया था। उनके तंबू में कभी ग्रामोफोन बजता और कभी नाच-गाना होता। लोग बिना पैसे के तमाशा देखने को झुंड के झुंड जमा हो जाते। एक दिन मैं भी राजन और पिताजी के साथ राजा साहब के डेरे पर गयी। मेरे पिताजी की राजा साहब से जान-पहचान हो ही रही थी। हम लोग उन्हीं के पास जाकर कुर्सियों पर बैठ गये। रारजा साहब ने हमारा सम्मान किया। लौटते समय उन्होंने हम लोगों को अपनी ही सवारी पर भेजा और साथ में बहुत से फल, मेवे और मिठाई इत्यादि भी रखवा दो। कस्बे की कई लड़कियों और लड़कों ने मुझे राजा साहब की सवारी पर लौटते हुए उत्सुक नेत्रों से देखा। उस सवारी पर बैठकर मैं अनुभव कर रही थी कि जैसे मैं भी कहीं की रानी हूँ। मैंने उनकी ओर आँख उठाकर भी न देखा।

दूसरे दिन राजा साहब ने स्वयं पिताजी को बुलवा भेजा और उनसे मिलकर दो-तीन घंटे बाद जब पिता जी लौटे, तो इतने प्रसन्न थे कि उनके पैर धरती पर पड़ते ही न थे। ऐसा मालूम होता था कि वे सारे संसार की जीतकर आ रहे हैं। आते ही उन्होंने मेरी पीठ ठोंकी और वे माँ से बोले—लो, इससे अच्छा और क्या हो सकता था? तारा का विवाह राजा साहब के मँझले लड़के से तय हो गया।

माता-पिता दोनों ही इस सम्बन्ध से बड़े प्रसन्न हुए।

मेरे भाइयों ने जब सुना कि तारा का विवाह ताल्लुक़ेदार के विलासी लड़के से, जो मामूली हिन्दी पढ़ा-लिखा है, तय हुआ है, तो उन्होंने इसका विरोध किया। किन्तु उनके विरोध को कौन सुनता था। पिता जी तो अपना हठ पकड़े थे, उनकी समझ में इससे अच्छा घर और वर मेरे लिए कहीं मिल ही न सकता था। सबसे अधिक आकर्षक बात तो उनके लिए यह थी कि वर बहुत बड़े खानदान, बीस बिस्वे कनौजियों के घर का लड़का था। फिर राजा से रिश्तेदारी करके कस्बे में उनकी इज़्जत बढ़ न जायगी क्या? इसके अतिरिक्त, विवाह का प्रस्ताव भी तो स्वयं राजा साहब ने ही किया था। नहीं तो भला मामूली हैसियत के मेरे पिता जो यह प्रस्ताव कैसे ला सकते? सबसे बढ़कर बात तो यह थी कि दहेज के नाम से कुछ न देकर भी लड़की इतने बड़े घर में ब्याही जाती थी! फिर भला इन बड़े-बड़े आकर्षणों के होते हुए भी पिता जी इस प्रस्ताव को कैसे टाल देते?

पिताजी मेरी किस्मत की सराहना करके कहते, मेरी तारा तो रानी बनेगी।

रानी बनने की खुशी में मैं फूली-फूली फिरती थी। भाइयों का विरोध करना, मुझे अच्छा न लगता, किन्तु मैं उनके सामने कुछ कह न सकती थी। खैर, भाइयों के बहुत विरोध करने पर भी मेरा विवाह मँझले राजा मनमोहन के साथ हो ही गया।

फूलों से सजी हुईं मोटर पर बैठकर मैं ससुराल के लिए रवाना हुई। हमारे कस्बे

और ललितपुर के बीच में केवल सत्ताइस मील का अन्तर था; इसलिए बरात मोटरों से ही आयी और गयी थी। जीवन में पहली बार मोटर पर बैठी थी। मुझे ऐसा मालूम होता कि जैसे मैं हवा में उड़ी जा रही हूँ। सत्ताइस मील तक मोटर पर बैठने के बाद भी जी न भरा था। यही चाहती थी कि रास्ता लम्बा होता जाय और मैं मोटर पर घूमा करूँ। किन्तु यह क्या सम्भव था? आखिर को एक बड़े भारी महल के जनाने दरवाजे पर मोटर जाकर खड़ी हो गयी। सास तो थी ही नहीं, इसलिए मेरी जिठानी बड़ी रानी जी परछन कर मुझे उतार ले गयीं। मुझे एक बड़े भारी सजे हुए कमरे में बिठाल दिया गया, और स्त्रियाँ बारी-बारी से मुँह खोल के देखने लगीं। कोई रुपया, कोई छोटे-छोटे जेवर या कपड़े मेरी मुँह-दिखाई में दे-देकर जाने लगीं। मेरी जिठानी बड़ी रानी ने भी मेरा मुँह देखा, कुछ बोली नहीं, 'उँह' करके मेरी अँगुली में अँगूठी पहना दी।

मैंने सुना कि वे पास ही के किसी कमरे में किसी से रही थीं—देखा बहू को? क्या तारीफ के पुल बँध रहे थे। ससुरजी के कहने से तो बस यही मालूम होता था कि इन्द्र की अप्सरा ही होगी! पर न रूप न रङ्ग, न जाने क्यों सुन्दर कह-कह के कंगले की बेटी ब्याह के अपनी इज्जत हलकी की। रोटी-बेटी का व्यवहार तो अपनी बराबरीवालों ही में होता है, बिरजू की माँ! पर ससुरजी तो इसके रूप में बिलकुल लट्टू ही हो गये थे। मैं सुन्दर नहीं हूँ तो क्या मुझे सुन्दरता की परख भी नहीं है? न जाने कितनी सुन्दरियाँ देखी हैं, यह तो उनके पैरों की धूल के बराबर भी न होगी। मालूम होता है उमर के साथ-साथ ससुरजी की आँखें भी सठिया गयी है, मँझले राजा को डुबो दिया।

बिरजू की माँ उनकी हाँ में हाँ मिलाती हुई बोलीं—सुन्दर तो है रानी जी! जैसी आप लोग है वैसी ही है, पर अभी बच्चा है। जवान होगी तो रूप और निखर आयेगा।

बड़ी रानी तिलमिला उठीं और बोलीं—रूप निखरेगा पत्थर! होनहार बिरवान के होत चीकने पात। निखरनेवाला रूप सामने ही दीखता है।

फिर वे ज़रा विरक्ति के भाव से बोलीं— उँह, जाने भी दो, अच्छा हो या बुरा हमें करना ही क्या है?

जब मैं वहाँ अकेली रह गयी, सब औरतें चली गयीं तो मेरी माँ के घर की खवासन ने, सूना कमरा देखकर, मेरा मुँह खोल दिया। शीशा उठाकर मैंने एक बार अपना मुँह ध्यान से देखा, फिर रख दिया। ढूँढ़ने से भी मुझे अपने रूप-रंग में कोई ऐब न मिला।

पहली बार केवल पाँच दिन ससुराल रहकर मैं अपने पिता के साथ मायके आ

गयी। ससुराल के पाँच दिन मुझे पाँच वर्ष की तरह मालूम हुए। मैंने जो रानीपने की सुनहला सपना देखा था, वह दूर हो चुका था। ससुराल से लौटकर मैंने तो कुछ नहीं कहा, किन्तु खवासन न वहाँ के सब हाल-चाल बतलाये। माँ ने कहा-- तो क्या रानी केवल कहने ही के लिए होती हैं? भीतर का हाल हमारे घरों से भी गया-बीता होता है?

मैं अपनी माँ के साथ मुश्किल से महीना-सवा महीना ही रह पायी थी कि मुझे बुलाने के लिए ससुराल से सन्देशा आया। राजाओं की इच्छा के विरुद्ध तिलभर भी मेरे पिताजी कैसे जाते? न चाहते हुए भी, उन्हें मेरी बिदाई करनी ही पड़ी। इतनी जल्दी ससुराल जाना मुझे जरा भी अच्छा न लगा; परन्तु क्या करती, लाचार थी। सावन में जब कि सब लड़कियाँ ससुराल से मायके आती हैं, मैं ससुराल रूपी क़ैदखाने में बन्द होने चली। देवर के साथ फिर मोटर पर बैठी। इस बार मैंने अपना छोटा-सा हारमोनियम भी साथ रख लिया था।

फिर ससुराल पहुँची। पहली बार तो मेरे साथ माँ के घर की खवासन थी, इस बार उस हारमोनियम और थोड़ी-सी पुस्तकों को छोड़कर, कोई न थी। मेरा जी एक कमरे में चुपचाप बैठे-बैठे घबराया करता। घर में कोईं ऐसा न था जिससे घंटे-दो-घंटे बातचीत करके जो बहलाती। केवल छोटे राजा, मेरे देवर की बातें मुझे अच्छी लगती थीं। किन्तु वे भी मेरे पास कभी-कभी, और अधिकतर बड़ी रानी की नजर बचाकर ही आते थे। मैं सारे दिन पुस्तक पढ़ा करती, पर पुस्तकें थीं ही कितनी? आठ-दस दिनों में सब पढ़ डालीं। यहाँ तक कि एक-एक पुस्तक दो-दो, तीन-तीन बार पढ़ी गयी। छोटे राजा कभी-कभी मुझे अखबार भी ला दिया करते थे किन्तु सबकी आँख बचाकर।

घर में सब काम के लिए नौकर-चाकर और दास-दासियाँ थीं। मुझे घर में कोई काम न करना पड़ता था। मेरी सेवा में भी दो दासियाँ सदा बनी रहती थीं पर मुझे तो ऐसा मालूम होता था कि मैं उनके बीच में कैद हूँ, क्योंकि मेरी राई-रत्ती भी बड़ी रानी के पास लगा दी जाती थी। उन दासियों में से यदि मैं किसी को किसी काम से कहीं भेजना चाहती तो वे मेरे कहने मात्र से ही कहीं न जा सकती थीं, उन्हें बड़ी रानी से हुक्म लेना पड़ता था। यदि उधर से स्वीकृति मिल जाती तो मेरा काम होता, अन्यथा नहीं। इसी प्रकार हर माह मुझे 150) खज़ाने से हाथ-खर्च के लिए मिलते थे; किन्तु क्या मजाल कि उसमें से एक पाई भी महाराजा से पूछे बिना खर्च कर दूँ। भीतर के शासन की बागडोर बड़ी रानी के हाथ में थी, और बाहर की महाराजा मेरे ससुर के हाथ में थी। मेरे पति मँझले राजा, बड़े ही विलासप्रिय, मदिरा-सेवी, शिकार के शौकीन और न जाने क्या-क्या थे, मैं क्या बताऊँ! वे बहुत सुन्दर भी थे।

किन्तु उनके दर्शन मुझे दुर्लभ थे। चार छै दिन में कभी घंटे-आध घंटे के लिए वे मेरे कमरे में आ जाते तो मेरा अहोभाग्य समझो। उनकी रूप-माधुरी को एक बार जी-भर के पीने के लिए मेरी आँखें आज तक प्यासी हैं किन्तु मेरे जीवन में वह अवसर कभी न आया।

इस दिखावटी वैभव के अन्दर मैं किसी प्रकार अपने जीवन को घसीटे जा रहे थी। इसी समय मेरे अंधकारपूर्ण जीवन में प्रकाश की एक सुनहली किरण का आगमन हुआ।

छोटे राजा की उमर सत्रह-अठारह साल की थी। वे बड़े नेक और होनहार युवक थे। घर में पढ़ने-लिखने का शौक कवेल उन्हीं को था। छोटे राजा मैट्रिक की तैयारी कर रहे थे और एक मास्टर बाबू उन्हें पढ़ाया करते थे। घर में आने-जाने की उन्हें पूर्ण स्वतंत्रता थी। घर में स्त्रियों की आवश्यक वस्तुएँ बाहर से मँगवा देना भी मास्टर बाबू के ही जिम्मे था। इसलिए वे घर में सबसे खूब हो ज्यादा परिचित थे।

विवाह के बाद से ही बड़ी रानी मुझसे नाराज थीं। उन्हें मेरी चाल-ढाल, रहन-सहन ज़रा भी न सुहाता। हर बात में मेरे ऐब ही ढूँढ़ निकालने की फ़िराक में रहतीं। तिल का ताड़ बनाकर, मेरी ज़रा-ज़रा सी बात को वे परिचित या अपरिचित, जो कोई भी आता उससे कहतीं। शायद वे मेरी सुन्दरता को मेरे ऐबों से ढँक देना चाहती थीं। वहीं बात उन्होंने मास्टर बाबू के साथ भी की। वे तो घर में रोज ही आते थे, और उनसे मेरी शिकायत होने लगी। किन्तु इसका असर उल्टा ही हुआ। मैंने देखा, तिरस्कार की जगह मास्टर बाबू का व्यवहार मेरे प्रति अधिक मधुर और आदरपूर्ण होने लगा।

छोटे राजा को मेरा गाना बहुत अच्छा लगता। वे बहुधा मुझसे गाने के लिए आग्रह करते। मुझे तो अब गाने-बजाने को और कोई विशेष रुचि न रह गयी थीं; किन्तु छोटे राजा के आग्रह से मैं अब भी कभी-कभी गा दिया करती थीं। एक दिन की बात है। जाड़े के दिन थे किन्तु आकाश बादलों से फिर भी ढंका था। मैं अपने कमरे में बैठी एक मासिक पत्रिका के पन्ने उलट रही थी। इतने में छोटे राजा आये और मुझसे बोले, मँझली भाभी, कुछ गाकर सुनाओ।

मैंने बहुत टाल-मटोल की कन्तु छोटे राजा न माने, बाजा उठाकर सामने रख ही तो दिया। मैंने हारमोनियम पर गीत गोविन्द का यह पद छेड़ा—

बिहरत हरिरिंह सरस बसन्ते
नृत्यति युवति जनेन् समं विरहिजनस्य दुरन्ते।
ललित लवंक लता परिशीलन कोमल मलय समीरे।
मधुकर निकर करम्बित कोकिल कुंजन कुंज कुटीरे।

मास्टर बाबू भी न जाने कैसे और कहाँ से आये और पीछे चुपचाप खड़े हो गये। छोटे राजा की मुस्कुराहट से मैं भाँप गयी। पीछे फिरकर जो उन्हें देखा तो हारमोनियम सरकाकर मैं चुपचाप बैठ गयी। वे भी हँसकर वहीं बैठ गये, बोले—मँझले रानी! आप इतना अच्छा गा सकती हैं, मैंने आज ही जाना।

छोटे राजा—अच्छा न गाती होतीं तो क्या मैं मूर्ख था, जो इनके गाने के पीछे अपना समय नष्ट करता?

इधर यह बातें हो ही रहीं थीं कि दूसरी तरफ से पैर पटकती हुई बड़ी रानी कमरे में आयीं और क्रोध से बोलीं—यह घर तो अब भले ही आदमी का घर कहने लायक रह ही नहीं गया है। लाज-शरम तो सब जैसे धोके पी ली हो। बाप रे बाप! हद हो गयी! जैसे हल्के घर की है, वैसी ही हल्की बातें यहाँ भी करती है। पास-पड़ोस वाले सुनते होंगे तो क्या कहते होंगे? यही, न कि मँझले राजा की रानी रंडियों की तरह गा रही है। बाबा! इस कुल में तो ऐसी कभी नहीं हुआ, कुल को तो न लजवाओ देवी! बाप के घर जाना तो भीतर क्या, चाहे सड़क पर गाती फिरना। किन्तु यहाँ यह सब न होने पावेगा। तुम्हें क्या? घर के भीतर बैठी-बैठी चाहे जो कुछ करो, वहाँ आदमियों की तो नाक कटती है!

एक साँस में इतनी सब बातें कहके बड़ी रानी चली गयीं।

मैंने सोचा, शराब पीकर रंडियों की बाँह में बाँह डालकर टहलने में नाक नहीं कटती! ग़रीबी पर मनमाने जुल्म करने पर नाक नहीं कटती! नाक कटती है मेरे गाने से, सो अब मैं अब मैं बाजे को कभी हाथ ही न लगाऊँगी। उस दिन से मैंने फिर बाजे को भी कभी नहीं छुआ और न छोटे राजा ने कभी मुझसे गाने का आग्रह किया। यदि वे आग्रह करते, तब भी मुझमें बाजा छूने का साहस न था।

इस घटना के कई दिन बाद मास्टर बाबू छोटे राजा को पढ़ाकर ऊपर से नीचे उतर रहे थे और नीचे से ऊपर जा रही थी। आखिरी सीढ़ी पर ही मेरी उनसे भेंट हो गयी। वे ठिठक गये, बोले—कैसी हो मँझली रानी?

—जीती हूँ।

—खुश रहा करो। इस प्रकार रहने से आखिर कुछ लाभ?

—जी को कैसे समझाऊँ, मास्टर बाबू?

—अच्छी-अच्छी पुस्तकें पढ़ा करो। उनसे अच्छा साथी संसार मे तुम्हें कोई न मिलेगा।

—पर मैं अच्छी-अच्छी पुस्तके लाऊँ कहाँ से?

—लाने का ज़िम्मा मेरा।

—यदि आप अच्छी पुस्तकें ला दिया करें तो इससे अच्छी और बात ही क्या हो

सकती है?

—यह कौन बड़ी बात है मँझली रानी! मेरे पास बहुत–सी पुस्तकें रखी हैं। उनमें से कुछ मैं तुम्हें ला दूँगा।

इस कृपा के लिए उन्हें धन्यवाद देती हुई मैं ऊपर चली और वे बाहर चले गये। मैंने ऊपर आँख उठाकर देखा तो बड़ी रानी खड़ी हुई, तीव्र दृष्टि से मेरी ओर देख रही थीं। मैं कुछ भी न बोलकर नीची निगाह किये हुए अपने कमरे में चली गयी।

दूसरे दिन मास्टर बाबू समय से कुछ पहले ही आये। उनके हाथ में कुछ पुस्तकें थीं। वे छोटे राजा के कमरे में न जाकर सीधे मेरे कमरे में आये और बाहर से ही आवाज दी। किन्तु दोनों दसियों में से उस समय एक भी हाज़िर न थी। इसलिए मैंने ही उनसे कहा 'आइए मास्टर बाबू!' वे आकर बैठ गये। किताबों और लेखकों के नाम बतलाकर वे मुझे किताबें देने लगे "ये महात्मा गांधी की 'आत्मकथा' के दो भाग है। यह है बाबू प्रेमचंद की 'रंगभूमि' इसके भी दो भाग है। यह मैथिली बाबू का 'साकेत' और यह पंत जी की 'पल्लव'। इसके अतिरिक्त और भी बहुत–सी पुस्तकें हैं। इन्हें तुम पढ़ लोगी, तब मैं तुम्हें और ला दूँगा।"

इसके बाद वे 'साकेत' उठाकर, उर्मिला से लक्ष्मण की विदा का जो सुन्दर चित्र मैथिली बाबू ने अंकित किया है, मुझे पढ़कर सुनाने लगे। इतने ही में मुझे वहाँ बड़ी रानी की झलक दीख पड़ी और उसके साथ मेरे कमरे के दोनों दरवाजे फटाफट बन्द हो गये। मास्टर बाबू ने एक बारी मेरी तरफ, फिर दरवाजे की तरफ देखा और बोले—भाई, यह दरवाजा किसने बन्द कर दिया है? खोल दो।

जब कोई उत्तर न मिला दो मुझे क्रोध आ गया। मैंने तीव्र स्वर में कहा—यह दरवाजा किसने बन्द किया है? खोलो—क्या मालूम नहीं है कि मैं हम लोग भीतर बैठे है?

बड़ी रानी की कर्कश आवाज सुनायी दी—ठहरो, अभी खोल दिया जायगा। तुम लोग भीतर ही, यही दिखाने के लिए दरवाजा बन्द किया गया है। पर देखने वाले भी जरा आ जायें। यह नारकीय लीला अब ज्यादा दिन न चल सकेगी।

नारकीय लीला! मेरा माथा ठनका, हे भगवान! क्या पुस्तक पढ़ना भी नारकीय लीला है। इस प्रकार लगभग पन्द्रह मिनट हम लोग बन्द रहे। गुस्से से मास्टर बाबू का चेहरा लाल हो रहा था। उधर बाहर बड़े राजा, मँझले राजा और महाराजा जी की आवाज़ मुझे सुनायी दी और उसके साथ ही कमरे की दरवाजा खुल गया।

बड़ी रानी बोलीं—मेरी बातों पर तो कोई विश्वास ही नहीं करता था, अब अपनी आँखों देखों। आँखे धोखा तो नहीं खा रही हैं?

आज तक मैंने मँझले राजा की विलासी मूर्ति देखी थी। आज मैंने उनका रुद्र

रूप भी देखा। क्रोध से पैर पटकते हुए वे बोले–किरणकुमार, इस कमरे में तुम किसके हुक्म से आये?

मास्टर बाबू भी उसी स्वर में बोले–मुझे किस कमरे में जाने का हुक्म नहीं है?

बड़े राजा–मास्टर बाबू, अब यहाँ से चले जाओ, इसी में तुम्हारी कुशल है।

वे–मुझे ऐसी कुशल नहीं चाहिए। मैं पापी नहीं हूँ जो कायर की तरह भाग जाऊँगा। जाने से पहिले मैं आपको बतला देना चाहता हूँ कि मैं और मँझली रानी दोनों ही पवित्र और निर्दोष हैं। यह हरकत ईर्ष्या और ज़लन के कारण की गयी है।

बड़ी रानी गरज उठीं–उलटा चोर कोतवाल को डाँटे! चोरी की चोरी उस पर से सीनाजोरी। मैं! मैं ईर्ष्या करूँगी तुमसे? तुम ही किस खेत की मूली? मैं तुम्हें समझती क्या हूँ? तुम ही एक अदना से नौकर और यह है कल की छोकरी, सो भी किसी रईस के घर की नहीं। ईर्ष्या तो उससे को जाती है जो अपने बराबरी का हो।

फिर बड़े राजा की तरफ मुड़कर बोलीं–तुम इसे ठोकर मारके निकलवा क्यों नहीं देते? तुम्हारे सामने ही खड़ा-खड़ा जबान लड़ा रहा है, और तुम सुन रहे हो! पहिले ही कहा था कि नौकर-चाकर को ज्यादा मुँह न लगाया करो।

महाराज बड़े गुस्से से बोले–किरणकुमार चले जाओ!

इसी समय में जाने कहाँ से छोटे राजा आ पड़े और मास्टर बाबू को जबरदस्तों पकड़कर अपने साथ लिवा ले गये। वे चले गये तो मुझ पर क्या बीती होगी, कहने की आवश्यकता नहीं। समझ लेने की बात है। नतीजा सबका यह हुआ कि उसी दिन एक चिट्ठी के साथ सदा के लिए मैं विदा कर दी गयी। एक इक्के पर बैठालकर चपरासी मुझे माँ के घर पहुँचाने गया। चिट्ठी मेरे पिताजी के नाम थी, जिसमें लिखा था–'आपकी पुत्री भ्रष्टा है, इसने हमारे कुल में दाग लगा दिया है। इसके लिए अब हमारे घर में जगह नहीं है।' बात की बात में सारे मुहल्ले भर में मेरे भ्रष्टाचार की बात फैल गयी। यहाँ तक कि मेरे घर पहुँचने से पहिले ही यह बात घर तक पहुँच गयी थी।

जब मैं पिता जी के घर पहुँची, शाम हो चुकी थी। इस बीच माताजी को देहान्त हो चुका था। भाई भी तीनों, कालेज में थे। घर पर मुझे केवल पिताजी मिले। उन्होंने मुझे अन्दर न जाने दिया। बाहर दालान में ही बैठाला। चिट्ठी पढ़ने के बाद वे तड़प उठे, बोले–जब यह भ्रष्ट हो चुकी है तो इसे यहाँ क्यों लाये? रास्तें में कोई खाई-खन्दक न मिला जहाँ ढकेल देते? इसे में अपने घर रखूँगा। जाय, कहीं भी मरे। मुझे क्या करना है!

मैं पिताजी के पैरों पर लोट गयी। रोती-रोती बोली–पिताजी, मैं निर्दोष हूँ।

पिताजी दो कदम पीछे हट गये और कड़ककर बोले– दूर रह चांडालिन!

निर्दोष ही तू होती तो इतनी यह बवंडर ही क्यों उठता? उन्हें क्या पागल कुत्ते ने काटा था जो बैठे-बैठाए अपनी बदनामी करवाते? जा, जहाँ जगह मिले, समा जा। मेरे घर में तेरे लिए जगह नहीं है। क्या करूँ, अंगरेजी राज न होती तो बोटी-बोटी काटकर फेंक देता।

इस हो-हल्ले में समाज के कई ऊँची नाकवाले अगुआ और कई आस-पड़ोस वाले भी जमा हो गये। सबने मेरे भ्रष्टाचरण की बात सुनी और घृणा से मुँह बिचकाया।

एक बोला—नहीं भाई अब तो, यह घर में रखने लायक नहीं। जब ससुरालवालों ने ही निकाल दिया तो क्या पंडित रामभजन अपने घर रखकर जात में अपना हुक्का-पानी बन्द करवायेंगे।

दूसरे ने पिताजी पर पानी चढ़ाया— अरे भाई! घर में रक्खें तो रखने दो, उनकी लड़की है। पर हम तो पंडित जी के दरवाजे पर पैर न देंगे।

मैं फिर एक बार भीतर जाने के लिए दरवाजे की तरफ झुकी; किन्तु पिताजी ने एक झटके के साथ मुझे दरवाजे से कई हाथ दूर फेंक दिया। कुल में दाग़ तो मैंने लगा ही दिया था, वे मुझे घर में रखकर क्या जात-बाहर भी हो जाते? मैं दूर जा गिरी और गिरकर बेहोश हो गयी। मुझे जब होश आया तब मेरे का दरवाजा बन्द हो चुका था और मुहल्ले भर में सन्नाटा छाया था। केवल कभी-कभी एक-दो कुत्तों के भूँकने का शब्द का सुन पड़ता था। मैं उठी, बहुत कुछ सोचने के बाद स्टेशन की तरफ चली। एक कुत्ता भूँक उठा,जैसे कह रहा हो कि अब इस मुहल्ले में तुम्हारे लिए जगह नहीं है। जब मैं स्टेशन पहुँची एक गाड़ी तैयार खड़ी थी। बिना कुछ सोचे-विचारे मैं गाड़ी के एक जनाने डिब्बे में बैठ गयी। गाड़ी कितनी देर तक चलती रही, कहाँ-कहाँ खड़ी हुई, कौन-कौन से स्टेशन बीच में आये, मुझे कुछ पता नहीं; किन्तु सबेरे जब ट्रेन कानपुर पहुँचकर रुक गयी और एक रेलव कर्मचारी ने आकर मुझे उतरने को कहा तो मैं जैसे चौंक-सी पड़ी। मैंने देखा सारी ट्रेन यात्रियों से खाली हो गयी है, स्टेशन पर भी यात्री बहुत कम थे। ट्रेन पर से उतरकर मेरी समझ में ही नहीं आता था कि कहाँ जाऊँ। कल इस समय तक जो एक महल की रानी थी, आज उसके खड़े होने के लिए भी स्थान न था। बहुत देर बाद मुझे एकाएक खयाल आया कि सत्याग्रह-संग्राम तो छिड़ा ही हुआ है, क्यों न मैं भी चलकर स्वयंसेविका बन जाऊँ और देश-सेवा में जीवन बिता दूँ। पूछती हुई मैं किसी प्रकार कांग्रेस-दफ्तर पहुँची। वहाँ पर दो-तीन व्यक्ति बैठे थे, उन्होंने मुझसे पूछा कि मेरे पास किसी कांग्रेस-कमेटी का प्रमाण-पत्र है? मैंने कहा 'नहीं।' तो उन्होंने मुझे स्वयंसेविका बनाने से इनकार कर दिया। इसके बाद मैं इसी प्रकार कई

संस्थाओं और सुधारकों के दरवाजे-दरवाजे भटकी किन्तु मुझे कहीं भी आश्रय न मिला। विवश होकर मैं भूखी-प्यासी चल पड़ी, किन्तु जाती कहाँ? थक्कर एक पेड़ के नीचे बैठ गयी। मैंने अपनी अवस्था पर विचार किया। मैं आज रानी से पथ की भिखारिणी हो चुकी थी, मेरे सामने अब भिक्षावृत्ति को छोड़कर दूसरा उपाय ही क्या था। इसी समय न जाने कहाँ से एक भिखारिणी बुढ़िया भी उसी पेड़ के नीचे कई छोटी-छोटी पोटलियाँ लिए हुए आकर बैठ गयी। बड़े इतमीनान के साथ अपने दिन भर के माँग हुए आटे, दाल, चावल को अपने चीथड़े में अच्छी तरह बाँधकर बुढ़िया ने मेरी तरफ देखा। मैंने भी उसकी ओर देखा। दुःख में भी एक प्रकार का आकर्षण होता है जिसने क्षण भर में ही हम दोनों को एक कर दिया। भिखारिणी बहुत बूढ़ी थी, उसे आँख से भी कम दिख पड़ता था। भिक्षा-वृत्ति करने के लिए अब उसे किसी साथी या सहारे की जरूरत थी। मैं उसी के साथ रहने लगी।

कई बार मैंने आत्महत्या करनी चाही किन्तु उस समय ऐसा मालूम होता कि जैसे कोई हाथ पकड़ लेता हो। मैं आत्मघात भी न कर सकी। लगातार एक साल तक भिखारिणी के साथ रहकर भी मुझे भीख माँगना न आया। आता भी तो कैसे? अतएव मैं बुढ़िया का हाथ पकड़कर उसे सहारा देती हुई चलती, और भीख वही माँग करती। मैं जवान थी, सुन्दर थी, फटे-चीथड़े और मैले-कुचैले वेश में भी मैं अपने रूप न छिप सकती और मेरा रूप ही हर जगह मेरा दुश्मन हो जाता। अपने सतीत्व की रक्षा के लिए बहुत सचेत रहना पड़ता था और इसीलिए मुझे जल्दी-जल्दी स्थान बदलना पड़ता था।

मेरे बदन की साड़ी फटकर तार-तार हो गयी थी, बदन ढाँकने के लिए साबित कपड़ा भी न था। प्रयोग में माघी अमावस्या के दिन बड़ा भारी मेला लगता है। बुढ़िया ने कहा– वहाँ चलने पर हमें तीन-चार महीने भर के खाने को मिल जायगा और कपड़ों के लिए पैसे भी मिल जायँगे। मैं बूढ़ी के साथ पैदल ही प्रयोग के लिए चल पड़ी।

माँगते-खाते कई दिनों में हम लोग प्रयोग पहुँचे। यहाँ पूरे महीने भर मेला रहता है। दूर-दूर के बहुत से यात्री आते हैं। हम लोग रोज सड़क के किनारे एक कपड़ा बिछाकर बैठ जाते और दिन भर भिक्षा माँगकर शाम को एक पेड़ के नीचे अलाव जलाकर सो जाते। एक दिन इसी प्रकार शाम को जब हम दिन भर की भिक्षावृत्ति के बाद लौट रहे थे तब एक बग्घी निकली जिसमें कुछ स्त्रियाँ थीं। बुढ़िया एक पैसे के लिए हाथ फैलाकर गाड़ी के पीछे-पीछे दौड़ी। कुछ देर के बाद गाड़ी के अन्दर से एक पैसा फेंका गया। शाम के धुँधले प्रकाश में बुढ़िया जल्दी पैसा देख न सकी। वह पैसा देखने के लिए कुछ देर झुक रही। उसी समय, एक मोटर पीछे से और एक

सामने से आ गयी। बुढ़िया ने बचना चाहा, मोटरवाले ने भी बहुत बचाया, पर बुढिया मोटर की चपेट में आ ही गयी। उसे गहरी चोट और उसे बचाने की चेष्टा में मुझे भी काफी चोट आयी। जिस मोटर की चेपट हम लोगों को लगी थी, उस मोटरवाले ने पीछे मुड़कर देखा भी नहीं, किन्तु दूसरी मोटरवाले रुक गये। उसमें से दो व्यक्ति उतरे। मेरे मुँह से सहसा एक चीख निकल गयी।

कई दिनों तक लगातार बुखार के बाद जिस दिन मुझे होश आया, मैंने अपने आपको एक जनाने अस्पताल के परदा वार्ड के कमरे में पाया। एक खाट पर मैं पड़ी थी, मेरे पास ही दूसरी खाट पर भिखारिणी भी मरणासन्न अवस्था में पड़ी थी। मैं खाट से उठकर बैठने लगी, मास्टर बाबू पास ही कुर्सी पर बैठे कुछ पढ़ रहे थे। मुझे उठते देखकर पास आकर बोले– अभी आप न उठें। बिना डाक्टर की अनुमति के आपको खाट पर से नहीं उठना है।

'क्यों'? मैं पथ क भिखारिणी, मुझे से साफ़-सुथरे कपडे, ये नरम-नरम बिछौने क्यों चाहिए? कल से तो मुझे फिर वही गली-गली की ठोकर खानी पड़ेगी न?'

उनकी बड़ी-बड़ी आँखें सजल हो गयीं। वे बड़े ही करुण स्वर में बोले– मँझली रानी! क्या तुम मुझे क्षमा न करोगी? तुम्हारा अपराधी तो मैं ही हूँ न? मेरे ही कारण तो आज तुम राजरानी से पथ की भिखारिणी बन गयी हो।

जब मुझे उन्होंने 'मँझली रानी' कहकर बुलाया तो मैं चौंक-सी पड़ी। सहसा मेरे मुँह से निकल गया, 'मास्टर बाबू!'

दो-तीन दिन में मैं पूर्ण स्वस्थ हो गयी। परन्तु भिखारिणी की हालत न सुधर सकी और एक दिन उसने अपनी जीवन-लीला समाप्त कर दी। उसके अंतिम संस्कारों से निवृत्त होकर मैं मास्टर बाबू के साथ उनके बँगले में रहने लगी। किन्तु मैं अभी तक नहीं जान सकी कि वे मेरे कौन है? वे मुझ पर माता की तरह ममता और पिता की तरह प्यार करते हैं, भाई की तरह सहायता और मित्र की तरह नेक सलाह देते हैं, पति की तरह रक्षा और पुत्र की तरह आदर करते हैं। कुछ न होते हुए भी वे मेरे कुछ हैं। और सब कुछ होते हुए भी वे मेरे कुछ नहीं हैं।

परिवर्तन

ठाकुर खेतसिंह– इस नाम को सुनते ही लोगों के मुँह पर घृणा और प्रतिहिंसा के भाव जाग्रत हो जाते थे। किन्तु उनके सामने किसी को उनके खिलाफ़ चूँ करने की भी हिम्मत न पड़ती। प्रत्यक्ष या अप्रयत्क्ष, किसी भी रूप से कोई ठाकुर खेतसिंह के विरुद्ध एक तिनका न हिला सकता था। खुले तौर पर उनके विरुद्ध कुछ भी कह देना कोई मामूली बात न थी। दो-चार शब्द कहकर कोई ठाकुर साहब को तो कुछ बिगाड़ न सकता परन्तु अपनी आफत अवश्य बुला लेता था।

एक बार इसी प्रकार ठाकुर साहब के किसी कृत्य पर अफ़सोस ज़ाहिर करते हुए मैकू अहीर ने कहा कि 'हैं तो इतने बड़े आदमी पर काम ऐसे करते हैं कि कमीन भी करते लजायगा।' बस, इतना कहना था कि बात नमक-मिर्च लगकर ठाकुर साहब के पास पहुँच गयी और बेचारे मैकू की शामत आ गयी। दूसरे दिन ड्योढी पर मैकू बुलाया गया। दरवाजा बन्द करके भीतर ठाकुर साहब ने मैकू की खूब मरम्मत करवायी और साथ ही यह ताकीद भी कर दी गयी कि यदि इसको खबर जरा भी बाहर गयी तो वह इस बार गोली का ही निशाना बनेगा। मैकू तो यह जहर का-सा घूँट पीकर रह गया, किन्तु मैकू की स्त्री सुखिया से न रहा गया, उसने दस-बीस खरी-खोटी बककर अपने दिल के फफीले फोड़े ही। किन्तु यह असंभव था कि सुखिया दस-बीस खरी-खोटी सुना जाय और ठाकुर साहब को इसकी खबर न लगे।

नतीजा यह हुआ कि उसी दिन रात को मैके के झोपड़े में आग लग गयी और उसकी गेहूँ की लहराती हुई फसल घोड़ों से कुचलवा दी गयी। दूसरे दिन बेचारे मैकू को बोरिया-बधना बाँधकर वह गाँव ही छोड़ देना पड़ा।

ठाकुर खेतसिंह बड़े भारी इलाक़ेदार थे, सोलह हज़ार सालाना सरकारी लगान देते थे। दरवाजें पर हाथी झूमा करता। घोड़े, गाड़ी, मोटर और भी न जाने क्या-क्या उनके पास थी। दो संतरी किरच बाँधे चौबीसों घंटे फाटक पर बने रहते। जब बाहर निकलते सदा दस-बीस लठैत जवान साथ होते। उस इलाके में न जाने कितने बैठे-

बैठे मुफ्त खा रहे थे और न जाने कितने मटियामेट का आतंक इलाके भर में छाया हुआ। उनकी नादिरशाही को कौन नहीं जानता था? किसी की सुन्दर बहू-बेटी ठाकुर साहब के नज़र तले पड़ भर जाय और उनकी तबीयत आ जाय, तो फिर चाहे आकाश-पाताल एक ही क्यों न करना पड़े, किसी न किसी तरह वह ठाकुर साहब के जनानख़ाने में पहुँच ही जाती थी। स्टेशन पर भी उनक गुर्गे लगे रहते जो सदा इस बात की टोह में रहते है कि कोई सुन्दरी स्त्री यहाँ पर आ जाय तो वह किसी प्रकार बहकाकर, धोखा देकर ठाकुर साहब के ज़नानख़ाने में दाखिल कर दी जाय। इसके लिए उन्हें इनाम दिया जाता। उड़ाया हुआ माल जिस क़ीमत को होता, इनाम भी उसी के अनुसार दिया जाता था।

ठाकुर साहब के सब रिश्तेदार उनकी इन हरकतों से नाराज रहते थे। प्रायः उनके घर का आना-जाना छोड़-सा दिया था। किन्तु ठाकुर साहब अपनी वासना और धन के मद से इतने दीवाने हो रहे थे कि उनके घर कोई आवे चाहे न आवे उन्हें जरा भी परवाह न थी।

हेतसिंह ठाकुर साहब का चचेरा भाई था। छुटपन से ही वह ठाकुर साहब का आश्रित था। ठाकुर साहब हेतसिंह पर स्नेह भी सगे भाई की तरह रखते थे। वह बी० ए० फाइनल का विद्यार्थी था। बड़ा ही नेक और सच्चरित्र युवक था। ठाकुर साहब के इन कृत्यों से हेतसिंह को हार्दिक घृणा थी। प्रजा पर ठाकुर साहब का अत्याचार उससे सहा न जाता था। एक दिन इसी प्रकार किसी बात से नाराज होकर उसने घर छोड़ दिया। कहाँ गया, कुछ पता नहीं। ठाकुर साहब ने कुछ दिन तक तो उसकी खोज करवायी, फिर उन्हें इन व्यर्थ की बातों के लिए फुरसत ही कहाँ थी? वे तो अपना जीवन सफल कर रहे थे!

एक वर्ष बाद एक दिन फिर वह गाँव में आया। और उसी दिन ठाकुर साहब के यहाँ एक कुम्हार की नवविवाहिता सुन्दर बहू उड़ाकर लायी गयी थी। कुम्हार के घर हाय-हाय मची हुई थी। उसी समय हेतसिंह उधर से निकले। उन्हें देखते ही कुम्हार ने उनसे अपना दुखड़ा रोया। हेतसिंह का क्रोध फिर ताज़ा हो गया। इसी प्रकार के एक क़िस्से से नाराज़ होकर हेतसिंह ने घर छोड़ा था। कहाँ तो वह भाई से मिलकर पिछली नाराजगी को दूर करने आये थे, कहाँ फिर वही क़िस्सा सामने आ गया। वही प्रतिहिंसा के भाव फिर से हृदय से जाग्रत हो उठे। घृणा और क्रोध से उनका चेहरा लाल हो गया। जेब में हाथ डालकर देखा, रिवाल्वर भरा हुआ था। जब हेतसिंह घर पहुँचे उस समय ठाकुर साहब अपने मुसाहिबों के पास बैठे थे। हेतसिंह को देखते ही बड़े प्रसन्न होकर बोले--आओ भाई हेतसिंह, कहाँ थे अभी तक? बहुत दिनों में आये। बिना कुछ कहे-सुने ही तुम कहाँ चले गये थे?

हेतसिंह ने ठाकुर साहब को किसी बात का उत्तर नहीं दिया। वह तो अपनी ही धुन में था, बोला– भैया क्या मनका कुम्हार की बहू घर में है ? यदि हो तो आप उसे वापिस पहुँचवा दीजिए।

ठाकुर साहब को त्योरियां चढ़ गयीं। क्रोध को दबाते हुए बोले–हेतसिंह, तुम कल के छोकरे हो। तुम्हें इन बातों में न पड़ना चाहिए। जाओ, हाथ–मुँह धोकर कुछ खाओ-पियो!

हेतसिंह ने तीव्र स्वर में कहा– पर मैं क्या कहता हूँ!! मनका कुम्हार की बहू को आप वापस पहुँचवा दीजिए।

–मैंने एक बार तुम्हें समझा दिया कि तुम्हें मेरे निजी मामलों में दखल देने की ज़रूरत नहीं है।

– फिर भी मैं पूछता हूँ कि आप उसे वापस पहुँचावेंगे या नहीं?

खेतसिंह गंभीरता से बोले–मैं तुम्हारा किसी बात का उत्तर देना नहीं चाहता, तो मेरे सामने से चले जाओ।

हेतसिंह अब न सह सके, जब से रिवाल्वर निकालकर लगातार तीन फायर किये किन्तु तीनों निशाने ठीक न पड़े। ठाकुर साहब जरा? इधर-उधर हो जाने से साफ बच गये। हेतसिंह उसी समय पकड़ा गया। हत्या करने की चेष्टा के अपराध में उसे पाँच साल की सख्त सजा हो गयी। इसके कुछ ही दिन बाद मैनपुरी षणयन्त्र केस पर से उसके ऊपर दूसरा मामला भी चलाया गया जिसमें उसे सात साल की सजा और हो गयी। ठाकुर साहब का बाल भी बाँका न हो सका।

यद्यपि ठाकुर साहब के घर उनके कोई भी रिश्तेदार न आते थे किन्तु फिर भी ठाकुर साहब कभी-कभी अपने रिश्तेदारों के यहाँ हो आया करते थे। ठाकुर साहब की बुआ की लड़की चम्पा की ब्याह था। एक मामूली छपा हुआ निमन्त्रण पत्र पाकर ही वे विवाह में जाने को तैयार हो गये। चम्पा ने जब सुना कि ठाकुर साहब आये हैं तो उसने उन्हें अन्दर बुलवा भेजा। चम्पा को हेतसिंह के जेल में जाने से बड़ा कष्ट हो रहा था। वह इस विषय में ठाकुर साहब से कुछ पूछना चाहती थी।

चम्पा के निडर स्वभाव और उसकी स्पष्टवादिता से ठाकुर साहब अच्छी तरह परिचित थे। पहले तो वे चम्पा के सामने जाने से कुछ झिझके। फिर आखिर में उन्हें जाना ही पड़ा। न जाने क्यों वे चम्पा का लिहाज़ भी करते थे। साधारण कुशलप्रश्न के पश्चात् चम्पा ने उनसे हेतसिंह के विषय में पूछा। ठाकुर साहब ने अफ़सोस ज़ाहिर करते हुए कहा–क्या करें भूल तो हो ही गयी।

''दादा, अब आप इन आदतों को छोड़ दें तो अच्छा हो।''

कुछ अनभिज्ञता प्रकट करते हुए ठाकुर साहब बोले–कौन-सी आदत बेटी?

चम्पा ने मार्मिक दृष्टि से उनकी ओर देखा और चुप हो गयी।

ठाकुर साहब कुछ झेंप-से गये, बोले—बेटी! मैं कुछ नहीं करता, तुझे विश्वास न हो तो चलकर एक बार अपनी आँखों से देख ले। वैसे तो लोग न जाने कितनी झूठी खबरें उड़ाया करेंगे पर तुझे तो विश्वास न करना चाहिए।

चम्पा का विवाह हो गया। चम्पा ससुराल गयी और ठाकुर साहब आये अपने घर।

घर आने पर भी चम्पा की वह मार्मिक दृष्टि उनके हृदय पर हर-रहकर आघात करती रही। बहुत बार उन्होंने सोचा कि मैं इन आदतों को क्यों न छोड़ दूँ? जीवन में न जाने कितने पाप किये हैं अब उनका प्रायश्चित्त भी तो करना ही चाहिए। अब नरेंद्र (उनका लड़का) भी समझदार हो गया है। उसके सिर पर घर-द्वार छोड़कर क्यों न कुछ दिन तक पवित्र काशी में जाकर गंगा किनारे भगवद्-भजन करूँ? आधी उम्र तो जा ही चुकी है। क्या जीवनभर यही करता रहूँगा? मेरे इन आचरणों का प्रभाव नरेद्र पर भी तो पड़ सकता है। किन्तु पानी के मुकाबलों के समान यह विचार उनके दिमाग में क्षण भर के लिए आते और चले जाते। उनका कार्यक्रम ज्यों का त्यों जारी था।

विवाह के कुछ दिन बाद चम्पा के पति नवलकिशोर के मित्र सन्तोष ने नवलकिशोर को चम्पा समेत अपने घर आने का निमन्त्रण दिया और यह लोग सन्तोष कुमार को बिना किसी प्रकार की सूचना दिये ही उसके घर के लिए रवाना हो गये—सूचना ने देकर यह लोग अचानक पहुँचकर सन्तोष कुमार और बड़ी अम्मा की आश्चर्य में डाल देना चाहते थे। चम्पा और नवलकिशोर अलीगढ़ के लिए रवाना हो गये। रास्ता बड़े आराम से कटा। गर्मी तो नाम को न थी। रिमझिम-रिमझिम बरसता हुआ पानी बड़ा ही सुहावना लग रहा था।

जब वे लोग अलीगढ़ स्टेशन पर उतरे, उस समय कुछ अँधेरे हो चला था। गाँव स्टेशन से पाँच-छः मील दूर था; इसलिए नवल ने सोचा कि स्टेशन पर ही भोजन करके तब गाँव के लिए रवाना होंगे। चम्पा को सामान के पास बिठाकर नवन भोजन की तलाश में निकला। हलवाई की दुकान पर सब चीजें तो ठीक थीं, पर पूरियाँ ज़रा ठंडी थीं। वह ताज़ी पूरियाँ बनवाने के लिए वहीं ठहर गया।

इधर सामान के पास अकेले बैठे-बैठे चम्पा का जी ऊबने लगा। वह एक पुस्तक निकालकर पढ़ने लगी। थोड़ी देर के बाद ही एक आदमी ने आकर उससे कहा कि बाबू जी होटल में बैठे हैं, आपको बुला रहे हैं।

'होटल यहाँ से क़रीब ही है। वे कहते है कि आप वहीं चल के भोजन कर लें। कच्चा खाना यहाँ लाने में सुभीता न पड़ेगा।'

उठते-उठते चम्पा ने कहा—सामान के पास कौन रहेगा?

'सामान तो कुली देखता रहेगा, आप फिक्र न करें; दस मिनट में तो आप वापिस आ जायेंगी।

क्षणभर तक चम्पा ने ना जाने क्या सोचा, फिर उस आदमी के साथ चल दी।

स्टेशन से बाहर पहुँचते ही उस आदमी ने पास के एक मकान की तरफ इशारा करके कहा, 'वह सामने होटल है, बाबूजी वहीं बैठे हैं।'

चम्पा ने जल्दी-जल्दी पैर बढ़ाये। पास ही एक मोटर खड़ी है। उस आदमी ने पीछे से चम्पा को उठाकर मोटर में डाल दिया, मोटर नौ-दो-ग्यारह हो गयी। चम्पा का चीखना-चिल्लाना कुछ भी काम न आया।

आध घंटे के बाद जब नवल खाना लेकर लौटा तो चम्पा का कहीं पता न था। इधर-उधर बहुत खोज की। गाड़ी का एक-एक डिब्बा ढूँढ़ डाला, पर जब चम्पा कहीं न मिली, तो लाचार हो पुलिस में इत्तिला देनी पड़ी। परदेश में वह और कर हो क्या सकता था? किन्तु वहाँ की पुलिस भी, ठाकुर साहब द्वारा कुछ चाँदी के सिक्के के बल पर, सब कुछ जानती हुई? जब नवल किसी प्रकार चम्पा का पता न लगा सका, तो वह संतोषजनक के गाँव भी न जा सका। वहीं धर्मशाले में ठहरकर चम्पा की खोज करने लगा।

मोटर पर चम्पा बेहोश हो गयी थी। होश आने पर उसने अपने आपको एक बड़े भारी मकान में कैद पाया। मकान की सजावट देखकर किसी बहुत बड़े आदमी का घर मालूम होता था। कमरे में चारों तरफ चार बड़े-बड़े शीशे लगे थे। दरवाजों और खिड़कियों पर सुन्दर रेशमी परदे लटक रहे थे। दीवारों पर बहुत-सी अश्लील और साथ ही सुन्दर तसवीरें लगी हुई थीं। एक तरफ एक बढ़िया ड्रेसिंग टेबिल रखा था, जिस पर श्रृङ्गार का सब सामान सजाया हुआ था। बड़ी-बड़ी आलमारियों में क़ीमती रेशमी कपड़े चुने हुए रखे थे। ज़मीन पर दरी थी, दरी पर एक बहुत बढ़िया क़ालीन बिछा था। क़ालीन पर दो-तीन मसनद करीने से रखे थे। आस-पास चार-छै आराम कुर्सियों और कोच पड़े थ। चम्पा मसनद पर गिर पड़ी और खूब रोयी। थोड़ी देर बाद दरवाज़ा खुला और एक बुढ़िया खाने की सामग्री लिये हुए अन्दर आयी। भोजन रखते हुए बोली—यह खाना है खा लो; अब रो-पीटकर क्या करोगी? यह तो यहाँ का रोज ही का कारबार है।

चम्पा ने भोजन को हाथ भी न लगाया। वह रोती हो रही और रोते-रोते कब उसे नींद आ गयी, वह नहीं जानती। सबेरे जब उसकी नींद खुली, दिन चढ़ आया था। वहाँ पर एक स्त्री पहिले से ही उसकी कंघी-चोट करने के लिए उपस्थित थी। उसमें चम्पा के सिर में कंघी करनी चाही। किन्तु एक झटके से चम्पा ने उसे दूर कर दिया। वह स्त्री बड़बड़ाती हुई चली गयी।

इस प्रकार भूखी-प्यासी चम्पा ने एक दिन और दो रातें बिता दीं। तीसरे दिन सबेरे उठकर चम्पा शून्य दृष्टि से खिड़की से बाहर सड़क की ओर देख रही थी। किसी के पैरों की आहट सुनकर ज्योंही उसने पीछे की ओर मुड़कर देखा, वह सहसा चिल्ला उठा–दादा!

ठाकुर खेतसिंह के मुँह से निकल गया–बेटी!

उस दिन से उस गाँव की किसी स्त्री पर कोई कुदृष्टि न डाल सका।

दृष्टिकोण

निर्मला विश्व-प्रेम की उपासिका थी। संसार में सब के लिए उसके भाव समान थे। उसके हृदय में अपने-पराये का भेद-भाव न था। स्वभाव से ही वह मिलनसार, सरल, हँसमुख और नेक थी। साधारणद पढ़ी-लिखी थी। अंगरेजी में शायद मैट्रिक पास थी। परन्तु हिंदी का अच्छा ज्ञान था। साहित्य के संसार में उसका आदर था और काव्यकुंज की वह एक मनोहारिणी कोकिला थी।

निर्मला का जीवन बहुत निर्मल था। दूसरों के आचरण को सदा भलाई की ही नजर से देखती। यदि कोई उसके साथ बुराई भी करने आता तो निर्मला यही सोचती कदाचित् उद्देश्य बुरा न रहा हो, भूल से ही उसने ऐसा किया हो।

पतितों के लिए भी उसका हृदय उदार और क्षमा का भंडार था। यदि वह कभी किसी को कोई अनुचित काम करते देखती, तो भी वह उसका अपमान या तिरस्कार कभी न करती। प्रत्युत् मधुरतर व्यवहार से ही वह उसे समझाने का प्रयत्न करती। कठोर वचन कहकर किसी की जी दुखाना निर्मला ने सीखा ही न था। किन्तु इसके साथ ही साथ, जितनी वह नम्र, सुशील और दयालु थी उतनी ही वह आत्माभिमानी, दृढ़-निश्चयी और न्यायप्रिय थी थी। नौकर-चाकरों के प्रति भी निर्मला का व्यवहार बहुत दयापूर्ण होता। एक बार की बात है, उसके घर की एक कहारिंन ने तेल चुराकर एक पत्थर की आड़ में रख दिया। उसकी यह नियत थी कि घर जाते समय बाहर-के-बाहर चुपचाप लेती चली जायेगी। किसी कार्यवश रमाकान्तजी उसी समय वहाँ पहुँच गये, तेल पर उनकी दृष्टि पड़ी, पत्नी को पुकारकर पूछा—निर्मला यहाँ तेल किसने रखा है ?

निर्मल ने पास ही खड़ी हुई कहारिन की ओर देखा। उसके चेहरे की रंगत स्पष्ट बतला रही थी कि यह काम उसी का है। किन्तु निर्मला ने पति को जवाब दिया—मैंने ही रख दिया होगा, उठाने की याद न रही होगी।

पति के जाने के बाद निर्मला ने कटोरे में जितना तेल था उतना ही और डालकर कहारिन को दे दिया और बोली—जब किस चीज की जरूरत पड़े, माँग लिया करो,

मैंने कभी देने से इनकार तो नहीं किया?

जो प्रभाव कदाचित् डाँट-फटकार से भी पड़ता वह निर्मला के मधुर और दयापूर्ण बर्ताव से पड़ा।

बाबू रमाकान्तमी का स्वभाव इसके बिलकुल विपरीत था। थे तो वे डबल एम० ए०, एक कालेज के प्रोफेसर, साहित्यसेवी और देशभक्त, उज्ज्वल चरित्र के नेक और उदार सज्जन, पर फिर भी पति-पत्नी के स्वभाव में बहुत विभिन्नता थी। कोई चाहे सच्चे हृदय से भी उनकी भलाई करने आता तो भी उसमें उन्हें कुछ-न-कुछ बुराई जरूर देख पड़ती। वे सोचते इसकी तह में अवश्य ही कुछ-न-कुछ भेद है। कुछ न कुछ स्वार्थ होगा। तभी तो यह भलमनसाहत दिखाने आया है! नहीं तो मेरे पास आकर इसे ऐसी बात करने की आवश्यकता ही क्या पड़ी थी?

पतितों को वे बड़ी घृणा की नज़र से देखते, उनकी हँसी उड़ाते। गिरने वाले को एक धक्का देकर वे गिरा भले ही दें, किन्तु बाँह पकड़कर उसे ऊपर उठा के वे अपना हाथ अपवित्र नहीं कर सकते थे। वे पतितों की छाया से भी दूर-दूर रहते थे। अपने निकट सम्बन्धियों की भलाई करने में यदि दूसरे की कुछ हानि भी हो जाय तो उन्हें इसमें अफसोस न होता था। वे सज्जन होते हुए भी सज्जनता के कायल न थे। कोई उनके साथ बुराई करता तो उसके साथ उससे दूनी बुराई करने में उन्हें संकोच न होता था।

पति-पत्नी दोनों को अलग खड़ा करके यदि ढूँढ़ा जाता तो अवगुण के नाम से उनमें तिल के बराबर भी धब्बा न मिलता। बाह्य-जगत में उनकी तरह सफल जोड़ा, उनके सदृश्य सुखी जीवन कदाचित् बहुत कम देख पड़ता। दूसरों उनके सौभाग्य पर ईर्ष्या होती थी। उनमें कपास में कभी किसी प्रकार का झगड़ा या अप्रिय व्यवहार न होता। फिर भी दोनों में पद-पद पर मतभेद होने के कारण उनका जीवन सुखी न रहने पाता था।

शाम-सुबह, निर्मला दोनों समय घर के काम-काज के बाद मील-मील तक घूमने के लिए चली जाती थी। इससे शुद्ध वायु के साथ-साथ कुछ समय का एकान्त मिलता जो उसे को नीय बात सोचने या लिखने के लिए सहायक होता। किन्तु निर्मला की सास को बहू की यह हवाखोरी न रुचती थी। उन्हें यह संदेह होता कि यह घूमने के बहाने न जानें कहाँ-कहाँ जाती होगी, न जाने किससे-किससे मिलकर क्या-क्या बातें करती होंगी। प्राय: वह देखा करती कि निर्मला किधर से जाती है और कहाँ से लौटती है? एक बार उन्होंने पूछा भी—तुम गयीं तो इधर से थीं, उस ओर से कैसे लौटीं?

निर्मला इसका क्या जवाब देती, हँसकर रह जाती। किन्तु निर्मला की सास बहू

की इस चुप्पी का दूसरा ही अर्थ लगातीं। उन्हें निर्मला का आचरण पसन्द न था। उसके चरित्र पर उन्हें पद-पद पर संदेह होता; किन्तु इन मामलों में जब वह स्वयं रमाकन्ति को ही उदासीन पातीं तो उन्हें भी मन मसोसकर रह जाना पड़ता था। क्योंकि रमाकान्त के सामने भी निर्मला घूमने निकल जाती और घंटों बाद लौटती। अन्य पुरुषों के उनके सामने भी स्वच्छन्तापूर्वक बातीचीत करती, परन्तु रमाकान्त इस पर उसे जरा भी न दबाते।

किन्तु कभी-कभी जब उनसे बर्दाशत न होता तो वे रमाकान्त से कुछ-न-कुछ कह बैठतीं तो भी वे यही कहकर कि 'इसमें क्या बुराई है' टाल देते। उनकी समझ में रमाकान्त इस प्रकार माँ की बात न मानने के लिए ही पत्नी को शह देते थे। इसलिए वे प्रत्यक्ष रूप से तो निर्मला को अधिक कुछ न कह सकती थीं किन्तु अप्रत्यक्ष रूप से, कुत्ते-बिल्ली के बहाने से सही, अपने दिन का गुबार निकाला करतीं। निर्मला सब सुनती और समझती किन्तु वह सुनकर भी न सुनती और जानकर भी अनजान बनी रहती।

वह अपना काम नियमपूर्वक करती रहती। इन बातों का उसके ऊपर कुछ भी प्रभाव न पड़ता। कभी-कभी उसे कष्ट भी होता किन्तु वह उसे प्रकट न होने देती। वह सदा प्रसन्न रहती, यहाँ तक कि उसके चेहरे पर शिकन तक न आती। वह स्वयं किसी की बुराई न करना चाहती थी, उसके विरुद्ध चाहे कोई भी करता रहे।

एक दिन कालेज से लौटते ही रमाकान्त ने कहा—आज एक बड़ा विचित्र किस्सा हो गया, निर्मला!

'क्या हुआ?'— निर्मला ने उत्सुकता से पूछा।

घृणा का भाव प्रकट करते हुए रमाकान्त बोले—हुआ क्या? यही कि तुम्हारी बिट्टन को न जाने किससे गर्भ रह गया है। और अब चार-पाँच महीने का है। बात खुलते ही आज वह घर से निकाल दी गयी है। उसके मायके में तो कदाचित् कोई है ही नहीं। सड़क पर बैठी रो रही है।

बिट्टन बाल-विधवा थी। जन्म ही की दुखिया थी, इसलिए निर्मला सदा उससे प्रेम और आदर का व्यवहार करती थी। बिट्टन की करुणाजनक अवस्था से निर्मल कातर हो उठी। उसने रमाकान्तजी से पूछा—फिर उसका क्या होगा? अब वह कहाँ जायगी?

रमाकान्तजी ने उपेक्षा से कहा—कहाँ जायगी, मैं क्या जानूँ, जैसा किया वैसा भोगेगी!

निर्मला के मुँह से ठंडी आह निकल गयी। कुछ देर बार न जाने क्या सोचकर वह दृढ़ स्वर में बोली—तो मैं जाती हूँ, उसे लिवा लाती हूँ। जब तक कोई दूसरा

प्रबन्ध न हो जायगा, वह मेरे साथ रही आवेगी।

रमाकान्त घबराकर बोले—नहीं, नहीं, ऐसी बेवकूफी करना भी मत। उसे अपने घर लाकर क्या अपनी बदनामी करवानी है? तुम्हें तो कोई कुछ न कहेगा, सब लोग मुझे ही बदनाम करेंगे।

निर्मला ने दयार्द्र भाव से कहाँ—अरे! तो इतनी छोटी-छोटी सी बातों से क्यों डरते हो? परमात्मा तो हमारे हृदय को पहचानेगा। मुझे तो उसकी अवस्था पर बड़ी दया आती है। तुम कहो तो मैं अभी जाकर उसे लिवा लाऊँ।

रमाकान्त के कुछ बालने के पहिले ही उनकी माँ उठीं—ऐसी औरतों का तो इसे बड़ा दर्द होता है, घर में बुलाने जा रही है! जाय कहीं भी मुँह काला करें। पर याद रखना, खबरदार, जो उसे घर में बुलाया तो! मैं अभी से कहे देती हूँ। अगर उस छूत ने घर में पैर भी रक्खा तो अच्छा न होगा।

निर्मला धीरे से बोली—अगर वह आ ही गयी तो फिर क्या करोगी, अम्माजी?

अम्माजी क्रोध से तिलमिला-सी उठीं। तड़पकर बोलीं—मार के लकड़ी से पैर तोड़ दूँगी, और क्या करूँगी। तू तो रामू के सिर चढ़ाने से इतनी बढ़-चढ़ के बोल रही है सो मैं रामू को डरती नहीं। तेरा और तेरे साथ रामू का भी मिजाज ठंडा कर दूँगी। ऐसी बदजात औरतों की परछाईं में भी रहना पाप है। उसे घर में बुलाने जा रही है।

निर्मला ने कहा—पर अम्माजी, यदि वह आयी तो मैं दूसरों की तरह उसे दरवाजे पर से दुतकार तो न दूँगी। मैं तो यह कहती नहीं कि उसे सदा अपने घर में रखा जाय, पर हाँ, जब तक उसका कोई प्रबन्ध न हो जाये तब तक वह अगर घर के एक कोने में पड़ी रही तो कोई हानि न होगी। और कौन वह हमारे चूल्हे-चौके में जायगी? आखिर बिचारी स्त्री ही तो है। भूलें किससे नहीं होतीं?

अम्माजी क्रोध में आकर बोलीं— एक बार कह दिया कि उस राँड को घर में घुसने न दूँगी। बार-बार जबान चलाये जा रही है। वह तो अपनी कोई नहीं है। कोई अपनी सगी भी ऐसा करती तो मैं लात मारकर निकाल देती। अब बार-बार पूछकर मेरे गुस्से को न बढ़ा, नहीं तो अच्छा न होगा।

निर्मला ने नम्रता से कहा—पर तुम्हारा क्या बिगाड़ेगा, अम्माजी? मेरे कमरे में पड़ी रहेगी और तुम चाहो तो ऐसा प्रबन्ध कर दूँ कि तुम्हें उसकी सूरत भी न दिखे। और फिर भी से उस पर इतनी बहस ही क्यों? वह तो तब की बात है जब वह हमसे आश्रय माँगने आवे।

अम्माजी का क्रोध बढ़ा और कहने लगीं—तेरे कमरे में रहेगी और मुझे उसकी सूरत न दिखेगी तो क्या दूसरी बात हो जायगी? कैसी उलट-फेर के बात कहती है!

तुझे अपने पढ़ने-लिखने का घमंड हो तो उस घमंड में न भूली रहना। ऐसी पढ़ी-लिखियों को मैं कौड़ी बराबर भी नहीं समझती। धर्म-कर्म से तो सदा सौ गज दूर, और ऐसी कुजात औरतों पर दया करके चली है धर्म कमाने। वह री औरत! जिसे मुहल्ले भर में किसी ने अपने घर न रक्खा उसे यह अपने घर में रखेगी! तू ही दुनिया भर में अनोखी है न? सब दूसरों को दिखाने के लिए कि बड़ी दयावन्ती है! जो भीतर का हाल न जाने उसके सामने इतनी बन। घरवालों को तो काटने दौड़ेगी और बाहरवालों को गले लगाती फिरेगी।

निर्मला भी ज़रा तेज होकर बोली– तो अम्माजी मुझे इतनी खरी-खोटी क्यों...

बीच ही में निम्रल को डाँटकर चुप करते हुए रमाकान्त बोले--तो तुम चुप न रहोगी निर्मला? कब से सुन रहा हूँ, जबान कैंची की तरह चला रही है! तुम्हारे हृदय में बिट्टन के लिए बड़ी दया है, और तुम उसके लिए मरी जाती हो जाओ उसे लेकर किसी धर्मशाला में रही। मेरे घर में तो उसके लिए जगह नहीं है।

निर्मला को भी अब क्रोध आ चुका था। उसने भी उसी प्रकार तेज़ स्वर में कहा--तो क्या इस घर में मेरा इतना भी अधिकार नहीं है कि यदि मैं चाहूँ तो किसी को एक-दो दिन के लिए ठहरा सकूँ? अभी उस दिन, तुम लोगों ने बाबू राधेलालजी का इतना आदर-सम्मान क्यों किया था? उनके चरित्र के बारे में कौन नहीं जानता? उनके घर ही में तो वेश्या रहती है, सो भी मुसलमानी! और वह, उसके हाथ का खाते-पीते भी है! फिर बेचारी बिट्टन ने क्या इससे भी ज्यादा कुछ अपराध किया है?

अम्माजी गरज उठीं। अब उनका साहब और बढ़ गया था क्योंकि अभी-अभी रमाकान्त निर्मला को डाँट चुके थे। वे बोलीं--चुप रह नहीं तो जीभ पकड़कर खींच लूँगी। बड़ी बिट्टन वाली बनी है। बिचारी बिट्टन, बिचारी बिट्टन! तू भी बिट्टन सरीखी होगी, तभी तो उसके लिए मरी जाती है, न! जो सती रहती हैं वे तो ऐसी औरतों की परछाईं भी नहीं छूतीं। और तू राधेलाल के लिए क्या कहा करती है, वह तो फूल पर का भौंरा है। आदमी की जात है, उसे सब शोभा देता है, एक नहीं बीस औरतें रख लें। पर औरत आदमी की बराबरी कैसे कर सकती है?

निर्मला ने सतेज और दृढ़ स्वर में कहा– बस अम्माजी, मैं अब ज्यादा न सुन सकूँगी। मैं बिट्टन होऊँ या उससे भी बुरी किन्तु इस समय वह निराश्रिता है, कष्ट में है, मनुष्यता के नाते मैं उसे आश्रय देना अपना धर्म समझती हूँ और दूँगी।

अब रमाकान्तजी को बहुत क्रोध आ गया था, वे कमरे से निकल कर आँगन में आ गये और आग्नेय नेत्रों से निर्मला की ओर देखते हुए बोले--क्या कहा?

तुम बिट्टन को इस घर में आश्रय दोगी?

निर्मला भी दृढ़ता से बोली—जी हाँ, जितना इस घर में आपका अधिकार है, उतना ही मेरा भी है। यदि आप अपने किसी चरित्रहीन पुरुष मित्र को आदर और सम्मान के साथ ठहरा सकते हैं तो मैं भी किसी असहाय अबला को कम-से-कम आश्रय तो दे ही सकती हूँ।

रमाकान्त निर्मला के और भी नज़दीक जाकर कठोर स्वर में बोले—मेरी इच्छा के विरुद्ध तुम यहाँ उसे आश्रय दोगी?

निर्मला ने भी उसी स्वर में उन्हें उत्तर दिया— जी हाँ, मेरी इच्छा का भी तो कोई मूल्य होना चाहिए? या मेरी इच्छा सदा ही आपकी इच्छा के सामने कुचली जाया करेगी?

अब रमाकान्तजी अपने क्रोध को न सम्हाल सके और पत्नी के मुँह पर तीन-चार तमांचे तड़ातड़ जड़ दिये। निर्मला को ज़बान बन्द हो गयी। बाबू रमाकान्त क्रोध और ग्लानि के मारे कमरे में जाकर अन्दर से साँकल लगाकर सो रहे। अम्माजी दरवाज़े पर रखवाली के लिए बैठ गयीं कि कहीं बिट्टन किसी दरवाजे से भीतर न आ जाय।

इस घटना के लगभग एक घंटे बाद, बिट्टन को जब कहीं भी आश्रय न मिला, तब उसने एक बार निर्मला के पास भी जाकर भाग्य की परीक्षा करनी चाही। दरवाज़े पर ही उसे अम्माजी मिलीं। बिट्टन को देखते ही वे कड़ी ललकार के साथ बोलीं— कौन है? बिट्टन! दूर! उधर ही रहना, खबरदार जो कहीं देहली के भीतर पैर रखता तो! बिट्टन बाहर ही रूक गयी। निर्मला पास पहुँचकर शान्त और कोमल स्वर में यह कहती हुई कि 'बिट्टन! बाहर ही बैठी बहिन, मैं वही तुम्हारे पास आती हूँ', देहली से बाहर निकल गयी। बिट्टन और निर्मला दोनों बड़ी देर तक लिपटकर रोती रहीं।

निर्मला ने कहा—तुम्हारी ही तरह मैं भी बिना घर की हूँ बहिन! यदि इस घर पर मेरा कुछ भी अधिकार होता तो मैं तुम्हें इस कष्ट के समय कहीं भी न जाने देती। क्या करूँ, विवश हूँ। किन्तु तुम मेरा यह पत्र लेकर मेरे भाई ललितमोहन के पास जाओ, वे तुम्हारा सब प्रबन्ध कर देंगे। उनका स्थान तो तुम जानती ही हो, पर रात के समय पैदल जाना ठीक नहीं। यह रुपया लो, ताँगा कर लेना। ईश्वर पर विश्वास रखना बहन! जिसका कोई नहीं होता, उसका साथ परमात्मा देता है।

निर्मला ने दस रुपये बिट्टन को दिये। वह पत्र लेकर चली गयी। निर्मला घर में आयी; एक चटाई डालकर बाहर बरामदे में ही पड़ रही। सबेरे उसकी आँख उस समय खुली जब रमाकान्त उठ चुके थे और उनकी माँ नहाकर पूजा करने की तैयारी कर रही थीं।

निर्मला नित्या की तरह उठकर घर का सब काम करने लगी जैसे शाम की

घटना की उसे कुछ याद ही न हो। यदि वह मार खाने के बाद कुछ अधिक बकझक करती या रोती-चिल्लाती तो कदाचित् अपनी इस हरकत पर रमाकान्त जी को इतना पश्चात्ताप न होता, जितना अब हो रहा था। उन्हें बार-बार ऐसे लगता कि जैसे निर्मला ठीक थी, वे भूल पर थे। उनसे ऐसी भूल और कभी न हुई थी। कल न जाने क्यों और कैसे वे निर्मला पर हाथ चला बैठे थे। उनका व्यवहार उन्हीं को सौ-सौ बिच्छुओं के दंशन की तरह पीड़ा पहुँचा रहा था। वे अवसर ढूँढ़ रहे थे कि कहीं निर्मला उन्हें एकान्त में मिल जाय तो वे पश्चात्ताप के आँसुओं के उसके पैर धो दें, और उससे क्षमा माँग लें। किन्तु निर्मला भी सर्तक थी, वह ऐसा मौका ही न आने देती थी। वह बहुत बच-बच कर घर का काम कर रही थी। उसके चेहरे पर कोई विशेष परिवर्तन न था, न तो यही प्रगट होता था कि खुश है और न यही कि नाराज है। हाँ, उसमें एक ही परिवर्तन था कि अब उसके व्यवहार में हुकूमत की झलक न थी। वह अपने को उन्हीं दो-तीन नौकरों में से एक समझती थी, जो घर में काम करने के लिए होते हैं मगर जिनका कोई अधिकार नहीं होता।

कदम्ब के फूल

—भौजी! लो मैं ले आया।

—सच ले आये? कहाँ मिले।

—अरे! बड़ी मुश्किल से ला पाया, भौजी!

—तो मजदूरी ले लेना।

— क्या दोगी?

—पर मेरी माँगी हुई चीज़ मुझे दे भी सकोगी?

—क्यों न दे सकूँगी? तुम मेरी वस्तु मेरे लिए ला सकते हो तो क्या मैं तुम्हारी इच्छित वस्तु तुम्हें नहीं दे सकती?

—नहीं भौजी न दे सकोगी। क्यों नाहक कहती हो?

—अब तुम्हीं ने लेना चाहो तो बात दूसरी है, पर मैंने तो कह दिया कि तुम जो माँगोगे मैं वही दूँगी।

—अच्छा अभी जाने दो, समय आने पर माँग लूँगा, कहते हुए मोहन ने अपने घर की राह ली। दूर से आती हुई भाभा की सास ने मोहन की कुछ दोने में लिए हुए घर के भीतर जाते देखा था। किन्तु वह ज्योंही नज़दीकी पहुँची मोहन दूसरे रास्ते से अपने घर की तरफ़ जा चुका था। वे मोहन से कुछ पूछ न सकीं पर उन्होंने यह अपनी आँखों से देखा था कि मोहन कुछ दोने में लाया है। किन्तु क्या लाया है यह वे न जान सकीं।

घर आते ही उन्होंने बहू से पूछा—मोहन दोने में क्या लाया था?

भाभा मन-ही-मन मुस्करायी और बोली— मिठाई।

बुढ़िया क्रोध से तिलमिला उठी, बोली—इतना खाती है, दिन भर बकरी की तरह मुँह चला ही करता है, फिर भी पेट नहीं भरता। बाजार से भी मिठाई मँगा-मँगा के खाती है। अभी मैं न देखती तो क्या तू कभी बतलाती?

भामा—(मुस्कुराते हुए) तो बतलाती क्यों? कुछ बतलाने के लिए थोड़े ही मँगवायी थी?

—क्यों क्या मैं घर में कोई चीज़ ही नहीं हूँ? तेरे लिए तो मिठाई के लिए पैसे हैं, मैं चार पैसे दान-दक्षिणा के लिए भी माँगूँ तो सदा मुँह से नाहीं निकलती है! तेरा आदमी है, तो मेरा भी बेटा है। क्या उसकी कमाई में मेरा कोई हक नहीं! मुझे तो दो बार सूखी रोटी छोड़ कर कुछ भी न नसीब हो और तू मिठाई मँगा-मँगा के खाये। कर ले जितना तेरा जी चाहे। भगवान तो ऊपर देख रहा है। वह तो सज़ा देगा ही।

—(मुस्कुराते हुए) क्यों कोस हो माँजी! मिठाई एक दिन खा ही ली तो क्या हो गया? अभी रखी है, तुम भी ले लेना।

—चल रहने दे। अब इन मीठे पुचकारों से किसी और को बहकाना, मैं तेरे हाल सब जानती हूँ। तू समझती होगी कि तू जो कुछ करती है, वह कोई नहीं जानता। मैं तेरी नस-नस पहचानती हूँ। दुनिया में बहुत सी औरतें देखी हैं, पर सब तेरे तले-तले।

—(मुस्कुराते हुए) सब मेरे तले-तले न रहेंगी तो करेंगी क्या? मेरी बराबरी कर लेना मामूली बात नहीं है। मैं ऐसी-वैसी थोड़े हूँ।

—चल-चल, बहुत बड़प्पन न बघार, नहीं तो सब बड़प्पन निकाल दूँगा।

भामा अब कुछ चिढ़ गयी थी, बोली—बड़प्पन कैसी निकालोगी माँजी, क्या मारोगी?

माँजी को और भी क्रोध आ गया, बोलीं— मारूँगी भी तो मुझे कौन रोक लेगा? मैं गंगा को मार सकती हूँ, तो क्या तुझे मारने में कोई मेरा हाथ पकड़ लेगा?

—मारो, देखूँ कैसे मारती हो? मुझे वह बहू न समझ लेना जो सास की मार चुपचाप सह लेती हैं।

—तो क्या तू भी मुझे मारेगी? बार-रे-बाप! इसने तो घड़ी भर में मेरा पानी उतार दिया। मुझे मारने को कहती है। आने दे गंगा को, मैं कहती हूँ कि भाई तेरी स्त्री की मार सहकर अब मैं घर में न रह सकूँगी, मुझे अलग झोपड़ा डाल दें, मैं वहीं पड़ी रहूँगी। जिस घर में बहू सास को मारने के लिए खड़ी हो जाय वहाँ रहने का धरम नहीं।

यह कहते-कहते माँजी ज़ोर-ज़ोर से रोने लगीं।

भामा ने देखा कि बात बहुत बिगड़ गयी, अतः वह बोली—तुम्हें मारने को तो नहीं कहा माँजी! क्यों झूठमूठ कहती हो। हाँ, मैं मार तो चुपचाप किसी की न सहूँगी। अपने माँ-बाप की नहीं सही तो किसी और की क्या सहूँगी?

—चुपचाप न सहेगी तो मुझे भी मारेगी न? वही बात तो हुई, यह मखमल में लपेट-लपेट कर कहती है तो क्या मेरी समझ में नहीं आता!

माँजी के ज़ोर-ज़ोर से रोने के कारण आस-पास की कई स्त्रियाँ इकट्ठी हो

गयीं। कई भामा की तरफ सहानुभूति रखने वाली थीं, कई माँजी की तरफ। पर इस समय माँजी की फूट-फूटकर रोते देखकर सब ने भामा को ही भला-बुरा कहा। सब माँजी को घेरकर बैठ गयीं। भामा अपराधिनी की तरह घर के भीतर चली गयी। भामा ने सुना, माँजी आस-पास बैठी हुई स्त्रियों से कह रहीं थीं—आप तो दोना भर-भरकर मिठाई मँगा-मँगाकर खाती है और मैंने कभी अपने लिए पैसे-धेले की चीज़ के लिए भी कहा तो फोरन ही टका-सा जवाब दे देती है, कहती है पैसा ही नहीं है। इसके नाम से पैसे आ जाते हैं, मेरे नाम से कङ्गाली छा जाती है। किसी भी चीज़ के लिए तरस-तरस के माँग-माँग के जीभ घिस जाती है। कभी जी में आया तो ला दिया नहीं तो कुत्ते की तरह भूँका करो। इस घर में यह हाल है मेरा। आज भी दोना भर मिठाई मँगवायी है। मैंने ज़रा ही पूछा तो मारने के लिए खड़ी हो गयी। कहती है मेरे आदमी की कमाई है, खाती हूँ; किसी के बाप का खाती हूँ क्या? उसका आदमी है तो मेरा भी बेटा है, उसका बारह आने हक़ है तो मेरा चार आने तो होगा।

पड़ोस की एक दूसरी बुढ़िया बोली— राम राम! यही पढ़ी-लिखी होशियार है। पढ़ी-लिखी हैं तो क्या अक़्ल तो कौड़ी के बराबर नहीं है। तुमने भी नौ महीने पेट में रखा बहिन! तुम्हारा तो सोलह आने हक़ है। बहू को, बेटा माँ के लिए लौंडी बनाकर लाता है। यह तुम्हारे पैर दबाने और तुम्हारी सेवा करने के लिए है। हमारा नन्दन तो जब तक बहू मेरे पैर नहीं दबा लेती, उसे अपनी कोठरी के अन्दर ही नहीं आने देता।

—अपना ही माल खेटा हो तो परखने वाले का क्या दोष, बहिन! बेटा ही सपूत होता तो बहू आज मुझे मारने दौड़ती?

गंगाप्रसाद गाँव की प्रायमरी पाठशाला के दूसरे मास्टर को जगह के लिए उम्मीदवार थे। साढ़े सत्रह रुपये माहवार की जगह के लिए बिचार दिन भर दौड़-धूप करते, इससे मिल, उससे मिल, न जाने किसकी-किसकी खुशमाद करनी पड़ती थी, फिर भी नौकरी पाने की उन्हें बहुत कम उम्मीद थी। इधर वे कई मास से बेकार बैठे थे। भामा के पास कुछ ज़ेवर थे जो हर माह गिरवी रक्खे जाते थे और किसी प्रकार काट-कसर करके घर का खर्च चलता था। भामा पैसों को दाँत तले दबाकर खर्च करती। सास और पति को खिलाकर स्वयं आधे पेट खाकर पानी से पेट भरकर उठ जाती। कभी दाल का पानी ही पी लिया करती, कभी साग उबालकर ही पेट भरा कर लिया करती। रुपये-पैसों की तंगों के कारण घर में प्राय: रोज ही इस प्रकार कलह मची रहती।

जब गंगाप्रसाद दिन भर दौड़-धूप के बाद थके-हारे घर लौटे तब शाम हो रही थी। आँगन में उनकी माँ उदास बैठी थीं। बेटे को देखा तो नीची आँख कर ली, कुछ

बोलीं नहीं। गंगाप्रसाद अपनी माँ का बड़ा आदर करते थे। उनका बड़ा ख्याल रखते थे। जिस बात से उन्हें ज़रा भी कष्ट होता वह बात वे कभी न करते थे। माँ को उदास देखकर वे माँ के पास जाकर बैठ गये, प्यार से माँ के गले में बाँहें डाल दीं और पूछा—क्यों माँ, आज उदास क्यों हो? क्या कुछ तबियत खराब है?

—नहीं, अच्छी है।

—कुछ, तो हुआ है माँ, तू उदास है।

अब माँ जी से न रहा गया, फूट-फूट के रोने लगीं। बोलीं—कुछ नहीं, मैं आदमी-औरत में लड़ाई नहीं लगवाना चाहती, बस इतना ही कहती हूँ कि अब मैं इस घर में न रह सकूँगी। मेरे लिए अलग झोपड़ा बनवा दे, वहीं पड़ी रहूँगी। जी में आवे तो खरच भी देना नहीं तो माँग के खा लूँगी।

—क्यों माँ! क्या कुछ झगड़ा हुआ? सच-सच कहना!

—आज ही क्या? यह तो तीसों दिन की बात है!

मोहन से मिठाई मँगवायी। वह दोना भर मिठाई मेरे सामने लाया। मैं जरा पूछने गयी तो कहती है, हाँ मँगवाती हूँ, खाती हूँ। अपने आदमी की कमाई खाती हूँ, कुछ तुम्हारे बाप का तो नहीं खाती? जब मैंने कहा कि तेरा आदमी है तो मेरा बेटा है, उसकी कमाई में मेरा भी हक़ है तो कहती है कि तुम्हारा हक़ जब था, तब था अब तो सब मेरा है। ज्यादा बोलोगी तो मार के घर से निकाल दूँगी। तो बाबा तेरी औरत है, तू ही उसकी मार सह। मैं माँग के पेट भले ही भर लूँ, पर बहू के हाथ की मार न खाऊँगी।

गंगप्रसाद अब न सह सके, बोले— वह तुझे मारेगी माँ! मैं ही न उसके हाथ-पैर तोड़कर डाल दूँगा। कहते हुए वे हाथ की लकड़ी उठाकर बड़े गुस्से से भीतर गये। भामा को डाँटकर पूछा— क्या मँगाया था तुमने मोहन से?

गंगाप्रसाद के इस प्रश्न के उत्तर में 'कदम्ब के फूल थे, भैया!' कहते हुए मोहन ने जब घर में प्रवेश किया तब तक भामा ने दोना उठाकर गंगाप्रसाद के सामने रख दिया था। दोने में आठ-दस पीले-पीले गोल-गोल बेसन के लड्डुओं की तरह कदम्ब के फूलों को देखकर गंगाप्रसाद को हँसी आ गयी।

मोहन ने दोने में से एक फूल उठाकर कहा— कितना सुन्दर है यह फूल भौजी!

किस्मत

—भौजी, तुम सदा सफ़ेद धोती क्यों पहिनती हो?

—मैं क्या बताऊँ, मुन्नी।

—क्यों भौजी! क्या तुम्हें अम्मा रंगीन धोती नहीं पहिनने देतीं?

—नहीं मुन्नी। मेरी किस्मत ही नहीं पहिनने देती, अम्मा भी क्या करें?

—किस्मत कौन है, भौजी! वह भी क्या अम्मा की तरह तुमसे लड़ा करती है और गालियाँ देती है।

सात साल की मुन्नी ने किशोरी के गले में बाँहें डाल कर पीठ पर झूलते हुए पूछा– किस्मत कहाँ है भौजी, मुझे भी बता दो।

सिल पर का पिसा हुआ मसाला कटोरी में उठाते हुए किशोरी ने एक ठंडी साँस ली, बोली– किस्मत कहाँ है मुन्नी, क्या बताऊँ!

आँचल से आँसू पोंछकर किशोरी ने तरकारी बघार दी। खाना तैयार होने में अभी आधे घंटे की देर थी। इस समय मुन्नी की माँ गरजती हुई चौक में आयीं, बोलीं– दस-साढ़े दस बजे रहे हैं, अभी तक खाना भी नहीं बना! बच्चे क्या भूखे ही स्कूल चले जायेंगे? बाप-रे-बाप!! मैं तो इस कुलच्छनी से हैरान आ गयी। घर में ऐसा कौन-सा भारी काम है, जो समय पर खाना भी नहीं तैयार होता? दुनिया में सभी औरतें काम करती हैं या तू ही अनोखी काम करने वाली है!

एक साँस में, मुन्नी की माँ इतनी बातें कह गयीं और पटा बिछाकर चौके में बैठ गयीं। किशोरी ने डरते-डरते कहा– अम्माजी, अभी तो नौ भी नहीं बजे हैं, आधे घंटे से सब तैयार हो जाता है, तुम क्यों तकलीफ करती हो?

चिमटा खींच कर किशोरी को मारती हुई सास बोलीं– तू सच्ची और मैं झूठी? दस वार राँड से कह दिया कि ज़बान न लड़ाया कर, पर मुँह चलाये ही चली जाती है। भूली किस घमंड में है? तेरे सरीखी पचास को तो मैं उंगलियों पर नचा दूँ। चल हट, निकल चौके से।

आँखें पोछती हुई किशोरी चौके से बाहर हो गयी। जरा-सी मुन्नी अपनी माँ का

यह कठोर व्यवहार विस्मय-भरी आँखों से देखती रह गयी। किशोर के जाते ही वह भी चुपचाप उसके पीछे चली। किन्तु तुरन्त ही माता की डाँट से वह लौट पड़ी।

इस घर में प्रायः प्रतिदिन इस प्रकार होता रहता था।

बच्चे खाना खाकर, समय से आधे घंटे पहिले ही स्कूल पहुँच गये। खाना बनाकर जब मुन्नी की माँ हाथ धो रही थीं तब उनके पति रामकिशोर मुवक्किलों से किसी प्रकार छुट्टी पाकर घर आये। सुनसान पर देखकर बोले बच्चे कहाँ गये सब?

नथुने फुलाती हुई मुन्नी की माँ ने कहा–स्कूल गये। और कहाँ जाते? कितना समय हो गया कुछ खबर भी है?

घड़ी निकालकर देखते हुए रामकिशोर बोले– अभी साढ़े नौ ही तो बजे है। मुझे कचहरी भी तो जाना है न?

मुन्नी की माँ तड़पकर बोलीं– जरूर तुमने सुन लिया होगा? दुलारी बहू ने नौ कहा था और तुम साढ़े नौ पर पहुँच गये तो इतना दही क्या कम किया? तुम उसकी बात झूठी होने दोगे! मैं तो कहती हूँ कि इस घर में नौकर-चाकर तक का मान-मुलाहिज़ा है पर मेरा नहीं। सब सच्चे और मैं झूठी–कहके मुन्नी की माँ जोर से रोने लगीं।

–मैं तो यह नहीं कहता कि तुम झूठी हो, घड़ी ही गलत हो गयी होगी? फिर इसमें रोने की तो कोई बात नहीं है।

यह कहते-कहते रामकिशोरियों स्नान करने चले गये। वे अपनी स्त्री के स्वभाव को अच्छी तरह जानते थे। किशोरी के साथ वह कितना दुर्व्यवहार करती है, यह भी उनसे छिपा न था। जरा-जरा सी बात पर किशोरी को मार देना और गाली दे देना तो बहुत मामूली बात थी। यही कारण था कि बहू के प्रति उनका व्यवहार बड़ा ही आदर और प्रेमपूर्ण होता था। किशोरी उनके पहिले विवाह की पत्नी के एकमात्र बेट की बहू थी। विवाह के कुछ ही दिन बाद निर्दयी विधाता ने बेचारी किशोरी का सौभाग्य-सिन्दूर पोंछ दिया। उसके मायके में भी कोई न था। वह अभागिनी विधवा सर्वथा दया ही की पात्र थी। किन्तु ज्यों-ज्यों मुन्नी की माँ देखतीं कि रामकिशोरजी का व्यवहार बहू के प्रति बहुत ही स्नेहपूर्ण होता जाता है त्यों-त्यों किशोरी के साथ उनका द्वेष भाव बढ़ता ही जाता। रामकिशोर अपनी इस पत्नी से बहुत दबते थे। इस सब बातों को जानते हुए भी वह किशोरी पर किये जाने वाले अत्याचारों को रोक न सकते थे। सौ बात की एक बात तो यह थी कि पत्नी के खिलाफ़ कुछ कह के वे अपनी खोपड़ी के बाल न नुचवाना चाहते थे। इसलिए बहुधा वे चुप ही रह जाया करते थे।

आज भी जान गये कि कोई बात जरूर हुई है और किशोरी को ही भूखी-प्यासी पड़ा रहना पड़ेगा। इसलिए वे कचहरी जाने से पहिले किशोरी के कमरे की तरफ गये और कहते गये कि 'भूखी न रहना बेटी! रोटी जरूर खा लेना नहीं तो मुझे बड़ा दुःख होगा।'

'रोटी जरूर खा लेना नहीं तो मुझसे बड़ा दुःख होगा।' रामकिशोर का यह वाक्य मुन्नी ने सुन लिया। उनके सिर से पैर तक आग गयी, मन-ही-मन सोचा- इस चुड़ैल पर इतना प्रेम! कचहरी जाते-जाते उसका लाड़ कर गये। खाना खाने के लिए खुशामद कर गये, मुझसे बात करने की भी फ़ुर्सत न थी? खायगी खाना, देखती हूँ, क्या खाती है? अपने बाप का हाड़!

मुन्नी की माँ ने खाना खा चुकने के बाद, सबका सब खाना उठाकर कहारिन को दे दिया और चौका उठाकर बाहर चली गयीं। किशोरी जब चौके में गयी तो सब बरतन खाली पड़े थे। भात के बटुए में दो-तीन कन चावल के लिपटे थे। किशोरी ने उन्हीं को निकाल कर मुँह में डाल लिया और पानी पीकर अपनी कोठरी में चली आयी।

आज रामकिशोरजी कचहारों में कुछ काम न होने के कारण जल्दी ही लौट आये। मुन्नी की माँ बाहर थीं। घर में पत्नी को कहीं न पाकर वे बहू की कोठरी की तरफ गये। बहू की दयनीय दशा को देखकर उनकी आँखें भर आयीं। आज चन्दन जाता होता तब भी क्या इसकी यही दशा रहती? अपनी भीरुता पर उन्होंने अपने आपको न जाने कितना धिक्कारा। उसकी धोती कई जगह से फटकर सी जा चुकी थी। उस धोती से लज्जा निवारण भी कठिनाई से ही हो सकता था। बिछौने के नाम पर खाट पर कुछ चीथड़े थे। जमीन पर हाथ का तकिया लगाये वह पड़ी थी; उसे झपकी-सी लग गयी थी। पैरों की आहट पाकर संकोच से जरा घूंघट सरकाने के लिए उसने ज्योंही धोती खींची, धोती फट गयी, हाथ का पकड़ा हुआ हिस्सा हाथ के साथ नीचे डाला आया। रामकिशोर ने उसका कमल सा मुरझाया हुआ चेहरा और डबडबाई हुई आँखे देखीं। उनका हृदय स्नेह से कातर हो उठा। वे ममत्व भरे मधुर स्वर में बोले-तुमने खाना खा लिया है बेटी!

किशोरी के मुँह से निकल गया 'नहीं' फिर वह सँभलकर बोली- 'खा तो लिया है बाबू।'

रामकिशोर बोले- मुझे तो ऐसा मालूम होता है कि तुमने नहीं खाया है।

किशोरी कुछ न बोली, उसका मुँह दूसरी ओर था, आँसू टपक रहे थे और वह नाखून से धरती खुरच रही थी।

रामकिशोर फिर बोले-तुमने नहीं खाया न? मुझे दुःख है कि तुमने भी अपने

बूढ़े ससुर की एक ज़रा सी बात न मानी।

किशोरी को बड़ी ग्लानि हो रही थी कि वह क्या उत्तर दे। कुछ देर में बोली– बाबू, मैंने आपकी आज्ञा का पालन किया है। जो कुछ चौके में था खा लिया है, झूठ नहीं कहती।

रामकिशोर को विश्वास न हुआ। कहारिन को बुलाकर पूछा तो कहारिन ने कहा–मेरे सामने तो बहू ने कुछ नहीं खाया। माँजी ने चौका पहले ही से खाली कर दिया था, खाती भी तो क्या?

पत्नी की नीचता पर कुपित और बहू के सौजन्य पर रामकिशोरियों पानी-पानी हो गये। आज उनकी जेब में 50) थे उसमें से दस निकालकर वे बहू को देते हुए बोले–यह रुपये रखो बेटी, तुम्हें यदि जरूरत पड़े तो खर्च करना। इसी समय आँधी की तरह मुन्नी की माँ ने कोठरी में प्रवेश किया। बीच में ही रुपयों को झपट कर छीन लिया, वह किशोर के हाथ तक पहुँचने भी न पाये थे। गुस्से से तड़पकर बोली– बाप रे बाप! अँधेर हो गया; कलजुग जो न करावे सो थोड़ा है। अपने सिर पर की चाँदी की तो लाज रखते। बेटी-बहू के सूने घर में घुसते तुम्हें लाज भी न आयी? तुम्हारे ही सर चढ़ाने से तो यह इतनी सर चढ़ी है। पर मैं न जानती थी कि बात इतनी बढ़ चुकी है। इस बुढ़ापे में गढ़े ही में जा के गिरे। राम, राम! इस पापी के बोझ से तो धरती दब जाती है।

वे तीर की तरह कोठरी से निकल गयीं। उनके पीछे ही रामकिशोर भी चुपचाप चले गये। वे बहुत वृद्ध न थे; परन्तु जीवन में नित्य होने वाली इन घटनाओं और जवान बेटी की मृत्यु से वे अपनी उमर के लिहाज से बहुत बूढ़े हो चुके थे। ग्लानि और क्षोभ से वे बाहर की बैठक में जाकर लेट गये। उन्हें रह-रहकर चन्दन की याद आ रही थी। तकिये में मुँह छिपाकर वह रो उठे। पीछे से आकर मुन्नी ने पिता के गले में बाँहे डाल दीं, पूछा क्यों रोते हो बाबू? रामकिशोर ने विरक्त भाव से कहा–अपनी किस्मत के लिए बेटी!

सबेरे मुन्नी ने भौजी के मुँह से भी किस्मत का नाम सुना था और उसके बाद उसे रोते देखा था। इस समय जब उसने पिता को भी किस्मत के नाम से रोते देखा तो उसने विस्मित होकर पूछा–किस्मत कहाँ रहती है बाबू? क्या वह अम्मा की कोई लगती है?

मुन्नी के इस भोले प्रश्न से दुःख के समय भी रामकिशोरियों को हँसी आ गयी और वे बोले–'हाँ, वह तुम्हारी माँ की बहिन है।'

मुन्नी ने विश्वास का भाव प्रकट करते हुए कहा– तभी वह तुम्हें भी और भौजी को रुलाया करती है।

मछुए की बेटी

चौधरी और चौधराइन के लाड़-प्यार ने तिन्नी को बड़ी ही स्वच्छन्द और उच्छृङ्खल बना दिया था। वह बड़ी निडर और कौतूहल-प्रिय थी। आधी रात, पिछली पहर, जब तिन्नी की इच्छा होती वह नदी पर जाकर नाव खोलकर जल-बिहार करती और स्वच्छ लहरों पर खेलती हुई चन्द्रकिरणों की अठखेलियाँ देखती।

यही कन्या चौधरी की सब कुछ थी; किन्तु फिर भी आज तक चौधरी उसका विवाह न कर सके थे क्योंकि कन्या के योग्य कोई वर चौधरी को अपनी जात में न देख पड़ता था। इसीलिए तिन्नी अभी तक क्वाँरी ही थी।

नदी के पार और उस पार से इस पार लाने का चौधरी ने ठेका ले रक्खा था। चौधरी की अनुपस्थिति में तिन्नी अपने पिता का काम बड़ी योग्यता से करती थी।

—आज इतनी जल्दी कहाँ जा रही हो तिन्नी?

—क्या तुम नहीं जानते?

—क्या?

—यही कि राजा साहब आज उस पार जायँगे।

—कौन राजा साहब?

—तुम्हें यह भी नहीं मालूम?

—मैं आज ही तो आया हूँ।

—और अब तक कहाँ थे?

—अपने घर।

—तो जैसे मैं रात-दिन पर ही तो बनी रहती हूँ न? इसलिए मुझे सब कुछ जानना चाहिए और तुम्हें कुछ भी नहीं। तुम मुझे वैसे ही तंग किया करते हो! जाओ, अब मैं तुमसे बात भी नहीं करूँगी।

तिन्नी को चिढ़ाकर उसकी क्रोधित मुद्रा को देखने में युवक को विशेष आनन्द आता था। इसलिए वह प्रायः इसी प्रकार के बेसिर-पेर के प्रश्न करके उसे चिढ़ा दिया करता था। किन्तु आज तो बात जरा टेढ़ी हो गयी थी। तिन्नी ने क्रोधावेश में यह

प्रतिज्ञा कर ली थी कि अब वह युवक से बोलेगी ही नहीं। इसलिए मुँह फेरकर वह तेजी से घाट की ओर चल दी। युवक ने तिन्नी का रास्ता रोक लिया और बड़े विनीत ओर नम्र भाव से बोला– तिन्नी! सच बता दे मेरी तिन्नी! मैं तेरा डाँड़ चला दूँगा, तेरा आधा काम कर दूँगा।

तिन्नी के क्रोधित मुख पर हँसी नाच गयी। युवक उसके साथ डाँड़ चलायेगा, उसे एक साथी मिल जायेगा, इस बात को सोचकर उसे बड़ी प्रसन्नता हुई। वह बोली–सच कहते हो? मेरे साथ तुम डाँड चलाओगे? देखो, बापू नहीं है, मैं अकेली हूँ। यदि तुम सचमुच मेरे साथ डाँड़ चलाने को कहो, तो फिर बताती हूँ।

—सच नहीं तो क्या झूठ? मैं डाँड़ जरूर चलाऊँगा, पर पहिले तुझे बताना पड़ेगा– युवक ने कहा।

—इधर अपने पास ही कोई रियासत है न? वहीं के राजा साहब नदी के उस पास शिकार खेलने जायँगे। महीना-पन्द्रह दिन का काम है मनोहर! खूब अच्छा रहेगा। खूब पैसे भी मिलेंगे। मैं तुम्हें भी दिया करूँगी। पर इतना वादा करो कि जब तक बापू का लौटक आवें तुम रोज मेरे साथ डाँड़ चलाया करोगे।

—यह कौन सी बात हैं तिन्नी? यदि तू मान जा तो मैं तेरे साथ जीवन भर डाँड़ चलाने को तैयार हूँ।

—तो जैसे मैंने कभी इनकार किया हो! नेकी और पूछ-पूछ! तुम मेरा डाँड़ चलाओ और मैं इन्कार कर दूँगी?

—तिन्नी, तो तू मुझसे ब्याह क्यों नहीं कर लेती? फिर हम दोनों जीवन-भर साथ-साथ डाँड चलाते रहेंगे।

क्षण भर के लिए तिन्नी के चेहरे पर लज्जा की लाली दौड़ गयी। किन्तु तुरंत ही वह सँभलकर बोली–कहने के लिए तो कह गये। मनोहर! किन्तु आज मैं ब्याह के लिए तैयार हो जाऊँ तो?

—तो मैं खुशी के मारे पागल हो जाऊँ।

—फिर उसके बाद?

—फिर मैं तुम्हें रानी बनारक अपने आपको दुनिया का बादशाह समझूँ।

—अपने आपको बादशाह समझोगे, क्यों मनोहर? और मैं बनूँगी रानी। पर मैं रानी बनने के बाद डाँड़ तो न चलाऊँगी, अभी से कहे देती हूँ।

—तब मैं ही क्यों डाँड चलाने लगा। मैं बनूँगा राजा, और तुम बनोगी मेरी रानी, फिर डाँड़ चलाएँगे हमारे-तुम्हारे नौकर!

—अच्छा! यह बात है! कहकर तिन्नी खिलखिलाकर हँस पड़ी और दोनो हँसते हुए घाट की तरफ चले गये।

एक बड़ी नाव पर राजा साहब और उनके पुत्र कृष्णदेव अपने कई मुसाहिबों के साथ उस पार जाने के लिए बैठे। तिन्नी कई मछुओं और मनोहर के साथ डाँड़ चलाने लगी। तिन्नी भाव भी खेती जाती थी और साथ ही मनोहर से हँस-हँसकर बातें भी करती जाती थी। वायु के झोंके के साथ उड़ते हुए उसके काले घुँघराले बाल उसकी सुन्दर मुखाकृति को और भी माहक बना रहे थे। कृष्णदेव उसके मुँह की ओर किस स्थिरता के साथ देख रहे हैं, इस ओर तिन्नी का ध्यान ही न था। किन्तु राजा साहब से पुत्री की मानसिक अवस्था छिपी न रही। युवा काल में उनके जीवन में कई बार ऐसे मौके आ चुके थे।

अब कृष्णदेव प्राय: प्रतिदिन ही जल-विहार के लिए नौका पर आते और डाँड़ चलाने का काम बहुधा तिन्नी ही किया करती। कृष्णदेव के मूक प्रेम और आकर्षण ने तिन्नी को भी उनकी तरफ बहुत कुछ आकर्षित कर लिया था। जिस समय कृष्णदेव नौका पर आते, उस समय अन्य मछुओं के रहते हुए भी तिन्नी स्वयं ही नौका चलाती।

राजा साहब से कुछ छिपा न था। कुमार रोज जल-विहार के लिए जाते है, और तिन्नी ही नाव चलाया करती है, यह राजा साहब ने सुन लिया था। अतएव बात को इससे अधिक न बढ़ने देने के अभिप्राय से राजा साहब बिना शिकार खेले ही एक दिन अपनी रियासत को लौट गये। जाने को पिता के साथ कृष्णदेव भी गये; रियासत पहुँचकर कृष्णदेव सदा उदास और न जाने किन विचारों में निमग्न रहा करते। शायद उन्हें रह-रहकर मनोहर के भाग्य पर ईर्ष्या होती थी। वह सोचते—मनोहर किस प्रकार तिन्नी के पास बैठकर नाव चलाया करता था। तिन्नी कैसी घुल-मिलकर हँसती हुई उससे बातें किया करती थी। एक मामूली आदमी होकर भी मनोहर कितना सुखी है। काश! मैं भी एक मछुआ होता ओर तिन्नी के पास बैठकर नाव चला सकता— तो कितनी सुखी होता?

किन्तु किसी से कुछ भी न कहते। हाँ, अब उन्हें आखेट से रुचि न थी। शतरंज के वे बहुत अच्छे खिलाड़ी थे; किन्तु अब मुहरों की ओर उनसे आँख उठाकर देखा भी न जाता। अध्ययन से भी उन्हें बड़ा प्रेम था। उनकी लायब्रेरी में विद्वान लेखकों को अच्छी-से-अच्छी पुस्तकें थीं; किन्तु उन पर अब इंचों धूल जम रही थी।

यार-दोस्त आते, घंटों छेड़छाड़ करते, किन्तु कृष्णदेव में तिल-भर का भी परिवर्तन न होता। उनके अन्तर्जगत में कितना भयंकर तूफान उठ रहा था, यह किसे मालूम था? कृष्णदेव अपनी वेदना चुपचाप पी रहे थे। किन्तु उनकी आतंरिक पीड़ा को उनकी शारीरिक अवस्था बतला रही थी। उनका स्वास्थ्य दिनोंदिन गिरता जा रहा था।

पिता से पुत्र की बीमारी छिपी न थी। वे सब जानते थे किन्तु वे चाहते यह थे कि बात किसी प्रकार दबी की दबी ही रह जाय, उन्हें बीच में न पड़ना पड़े! कृष्णदेव उनका इकलौता पुत्र था। पुत्र की चिन्ता उन्हे रात-दिन बनी रहती थी। तिन्नी के अनिन्दनीय रूप और चातुर्य ने राजा साहब को आकर्षित न किया हो, सो बात न थी। किन्तु थी तो वह आखिर मछुए की ही बेटी! राजा साहब उससे कृष्णदेव का विवाह करते भी तो कैसे?

एक दिना राजा साहब कृष्णदेव के कमरे में गये। उस समय वह सोये हुए थे। आँखों के पास रोते-रोते गड्ढे से पड़ गये थे। चेहरा पीला-पीला और शरीर सूखकर काँटा-सा हो रहा था। जमीन पर ही एक चटाई के ऊपर बिना तकिये के, मखमली बिछौना पर सोने वाला उनका दुलारा कृष्णदेव, न जाने किस चिंता में पड़ा-पड़ा सो गया था। राजा साहब की आँखों में आँसू आ गये। वे कुछ न बोलकर चुपचाप कृष्णदेव के कमरे से बाहर निकल आये।

दूसरे ही दिन रियासत से तिन्नी समेत चौधरी का बुलौवा हुआ। उन्हें शीघ्र ही उपस्थित होने की आज्ञा थी और साथ ही उन्हें लेने के लिए सवारी भी आयी थी। इस घटना ने मुहल्ले भर में हलचल मचा दी। चौधरी बहुत घबराये। सोचा, "अवश्य ही मेरी अनुपस्थित में इस उद्दंड़ लड़की ने कोई अनुचित व्यवहार कर दिया होगा। राजा साहिब जरूर नाराज़ है, नहीं तो तिन्नी समेत लाये जाने का कारण ही क्या हो सकता है! मुहल्लेवाले सभी चौधरी को समयोजित सीख देने आये। अपनी-अपनी पुस्तक समझ के अनुसार किसी ने कुछ कहा, किसी ने कुछ। तिन्नी के ह्रदय कुछ और ही बोल रहा था। तिन्नी पिता के पास मोटर पर बैठने ही वाली थी, मनोहर ने आकर धीरे से तिन्नी से कहा—तिन्नी! कहीं राजकुमार ने तुम्हें अपनी रानी बनाने के लिए हो तो?

—कुछ तुम मुझे अपनी रानी बनाते थे, कुछ राजकुमार बनायेंगे।

—तिन्नी! तुम सदा ही मेरे ह्रदय की रानी रही हो और रहोगी। आज ऐसी बातें क्यों करती हो?

—सो कैसे? बिना विवाह हुए ही मैं तुम्हारी या तुम्हारे ह्रदय की रानी कैसे बन सकती हूँ?— तिन्नी ने रुखाई से पूछा।

—तिन्नी! रानी बनने के लिए विवाह ही थोड़े जरूरी है। जिस हम प्यार करें वही हमारी रानी।

तिन्नी का चेहरा तमतमा गया। बोली—धत्! मैं ऐसी रानी नहीं बनना चाहती। ऐसी रानी से तो मछुए की बेटी ही भली! और मनोहर के उत्तर की प्रतीक्षा न करके पिता के पास जाकर मोटर पर बैठे गयी। मोटर स्टार्ट हो गयी।

जब यह लोग रियासत में राजा साहब के महल के सामने पहुँचे तब कुछ अँधेरा हो चला था। इनके पहुँचने की सूचना राजा साहब की दो गयी। चौधरी पुत्री समेत महल के एक सूने कमरे में बुलाये गये। कमरे में राजा साहब और कृष्णदेव को छोड़कर कोई न था। डर के मारे चौधरी की तो हुलिया बिगड़ रही थी। किन्तु तिन्नी मन ही मन मुस्कुरा रही थी। पिता-पुत्री का उचित सम्मान करने के उपरान्त राजा साहब ने मछुए को संबोधन करके कहा—चौधरी, हमने तुम्हें किसलिए बुलाया है कदाचित् तुम नहीं जानते।

चौधरी भय से काँप उठे। हाथ जोड़कर बोले—मैं तो महाराज का गुलाम हूँ, सदा...

राजा साहब बात काटते हुए बोले—हम तुम्हारी इस कन्या को राजकुमार के लिए चाहते हैं।

तिन्नी ओठों के भीतर मुस्कुरायी और चौधरी आश्चर्य से चकित हो गये। एक बार राजा साहब की ओर और फिर उन्होंने तिन्नी की ओर देखा। सहसा चौधरी को इस बात पर विश्वास न हुआ। कहाँ मैं एक साधारण मछुआ और कहाँ वे रियासत के राजा! हमारे बीच में कभी रिश्तेदारी भी हो सकती है? फिर न जाने क्या सोचकर भय-विह्वल चौधरी ने हाथ जोड़कर कहा—महाराज, यह कन्या मेरी नहीं है।

राजा साहब चौंक उठे। आश्चर्य से उन्होंने चौधरी से पूछा— फिर यह किसकी लड़की है?

हाथ जोड़े-ही-जोड़े चौधरी बोले— महाराजा पन्द्रह साल पहले की बात है, नदी में बहुत बाढ़ आयी थी। उसी बाढ़ में, मेरी बुढ़ापे की लकड़ी यह कन्या मुझे मिली थी। यह एक खाट पर बहती हुई आयी थी और इसके गले में एक छोटी-सी सोने की ताबीज थी।

ताबीज़ का नाम सुनते ही राजा साहब को ताबीज़ देखने की उत्सुकता हुई। उनके मस्तिष्क में किसी ताबीज़ की धुँधली स्मृति छा गयी। पिता के आदेश से तिन्नी गले से ताबीज़ निकालने के लिए ताबीज़ के आगे की गाँठ खोलने लगी।

मछुए ने फिर कहना शुरू किया— महाराज! इस ताबीज़ का भी बड़ा विचित्र क़िस्सा है। एक बार ताबीज़ का धागा टूट गया, कई दिनों तक याद न रहने के कारण यह ताबीज़ इसे न पहनायी जा सकी। बस महाराज, यह तो इतनी ज्यादा यह ताबीज़ इसे न पहनायी जा सकी। बस महाराज, यह तो इनती ज्यादा बीमार पड़ी कि मरने-जीने की नौबत आ गयी। और फिर ताबीज़ पहनाते ही बिना दवा-दारू के ही चंगी भी हो गयी। तब से ताबीज़ आज तक उसके गले में पड़ी है।

राजा साहब को स्मरण हो आया कि पन्द्रह साल पहले उनकी लड़की भी टेन्ट

के अन्दर से बाढ़ में बह गयी थी, जिसके गले में उन्होंने भी एक ज्योतिषी के आदेशानुसार ताबीज़ पहनायी थी, उन्होने एक बार कृष्णदेव, और फिर तिन्नी के मुँह की तरफ देखा। उन्हें उनके मुँह में बहुत कुछ समानता दीख पड़ी। तब तक तिन्नी ने गले से ताबीज़ निकालकर राजा साहब के सामने कर दिया। राजकुमार का हृदय बड़े ही वेग से धड़क रहा था। ताबीज़ हाथ में लेते ही राजा साहब ने 'मेरी कान्ती' कहते हुए तिन्नी को छाती से लगा लिया। यह वही ताबीज़ थीं जिसे ज्योतिषी के आदेश से राजा साहब ने पुत्री के गले में पहनाया था।

पिता-पुत्री और भाई-बहिन का यह अपूर्व सम्मिलन था। सबकी आँखों में प्रेम के आँसू उमड़ आये।

अब महल के पास चौधरी के रहने के लिए पक्का मकान बन गया है। चौधरी अपनी स्त्री समेत वहीं रहते हैं। अब उन्हें नाव नहीं चलानी पड़ती, रियासत की ओर से उनकी जीविका के लिए अच्छी रकम बाँध दी गयी है।

राजमहल में रहती हुई भी कान्ती, चौधरी के घर आकर तिन्नी हो जाती है। अब भी वह चौधरी के साथ उनकी थाली में बैठकर चौधराइन के हाथ की मोटी-मोटी रोटियाँ खा जाती है।

तिन्नी को बहने के रूप में पाकर कृष्णदेव को कम प्रसन्नता न थी। वे तिन्नी का साथ चाहते थे--चाहे वह पत्नी के रूप में हो या बहन के।

एकादशी

शहर भर में डाक्टर मिश्रा के मुक़ाबिले का कोई डाक्टर न था। उनकी प्रैक्टिस खूब बढ़ी-चढ़ी थी। यशस्वी हाथ के साथ ही साथ वे बड़े विनोदप्रिय, मिलनसार और उदार भी थे। उनकी प्रसन्नमुद्रा और उनकी उत्साहजनक बातें मुर्द्रों में भी जान डाल देती थीं। रोता हुआ रोगी भी हँसने लगता था। वे रोगी के साथ इतनी घनिष्ठता दिखलाते कि जैसे बहुत निकट सम्बन्धी या मित्र हों। कभी-कभी तो बीमार की उदासी दूर करने के लिए, उसके हृदय में विश्वास और आशा का संचार करने के लिए वे रोगी के पास घंटों बैठकर न जाने कहाँ-कहाँ की बातें किया करते।

उन्हें बच्चों से भी विशेष प्रेम था। यही कारण था कि वे जिधर से निकल जाते बच्चे उनसे हाथ मिलाने के लिए दौड़ पड़ते। और सबसे अधिक बच्चों को अपने पास खींच लेने का आकर्षण उनके पास था—उनके जेब की मीठी गोलियाँ, जिन्हें वे केवल बच्चों के लिए रखा करते थे। वे होमियोपैथिक चिकित्सक थे। बच्चे उनसे मिलकर बिना दवा खाये मानते ही न थे; इसलिए उन्हें सदा अपने जेब में बिना दवा की गोलियाँ रखनी पड़ती थीं।

एक दिन इसी प्रकार बच्चों ने उन्हें आ घेरा। आज उनके ताँगे पर कुछ फल और मिठाई थी, जिसे उनके एक मरीज ने उनके बच्चों के लिए रख दिया था। डाक्टर साहब ने आज दवा की मीठी गोलियों के स्थान में मिठाई देना आरम्भ किया। उन बच्चों में एक दस वर्ष की बालिका भी थी जिसे डाक्टर साहब ने पहिली ही बार अपने इन छोटे-छोटे मित्रों में देखा था। बालिका की मुखाकृति और विशेषकर आँखों में एक ऐसी भोली और चुभती हुई मोहकता थी कि उसे स्मरण रखने के लिए उसके मुँह की ओर दूसरी बार देखने की आवश्यकता न थी। दूसरे बच्चों की तरह डाक्टर साहब ने से भी मिठाई देने के लिए हाथ बढ़ाया। किन्तु बालिका ने कुछ लज्जा और संकोच के साथ सिमटकर सिर से हिलाते हुए मिठाई लेने से इन्कार कर दिया। बालक और मिठाई न ले, यह बात जरा विचित्र सी थी। डाक्टर साहब ने एक की जगह दो लड्डू देते हुए उससे फिर बड़े प्रेम के साथ लेने

के लिए आग्रह किया। बालिका ने फिर सिर हिलाकर अस्वीकृति की सूचना दी। तब डाक्टर साहब नू पूछा—क्यों बिटिया, मिठाई क्यों नहीं लेती?

—आज एकादशी है। आज भी कोई मिठाई खाता है?

डाक्टर साहब हँस पड़ें और बोले— यह इतने बच्चे खा रहे हैं सो?

—आदमी खा सकते हैं, औरतें नहीं खातीं। हमारी दादी कहती है कि हमें एकादश के दिन अन्न नहीं खाना चाहिए।

—तो तुम एकादशी रहती है?

—क्यों नहीं? हमारी दादी कहती है कि हमें नेम-धरम से रहना चाहिए।

डाक्टर साहब ने दिन में बहुत से रोगी देखे, बहुत से बच्चों से प्यार किया और संभवतः दिन भर वह बालिका को भूले भी रहे। किन्तु रात को जब सोने के लिए लैम्प बुझाकर वे खाट पर लेटे तो बालिका की स्मृति उनके सामने आयी। वह लज्जा और संकोच भरी आँखें, वह भोला किन्तु दृढ़-निश्चयी चेहरा, वह मिठाई ने लेने की अस्वीकृति का चित्र उनकी आँखों के सामने खिंच गया।

बाद में डाक्टर साहब को मालूम हुआ कि वह एक दूर के मुहल्ले में रहती है। उसका पिता एक गरीब ब्राह्मण है, जो वहीं किसी मन्दिर में पुजारी का काम करता है। अभी दो वर्ष हुए जब बालिका का विवाह हुआ था और विवाह के छै महीने बाद ही वह विधवा भी हो गयी। विधवा होते ही पुरानी प्रथा के अनुसार उसके बाल काट दिये गये थे। यही कारण था कि उसका सिर मुंडा हुआ था। उस परिवार में दो विधवाएँ थीं। एक तो पुजारी की बूढ़ी माँ, दूसरी यह अभागिनी बालिका। एक का जीवन अंधकारपूर्ण भूतकाल था जिसमें कुछ सुख-स्मृतियाँ धुँधली तारिकाओं की तरह चमक रही थीं। दूसरी के जीवन में था अंधकारपूर्ण भविष्य। परन्तु संतोष इतना ही था कि वह बालिका अभी उससे अपरिचित थी। दोनों की दिनचर्या। (साठ और दस वर्ष अवस्थाओं की दिनचर्या) एक-सी संयमपूर्ण और कठोर थी। बेचारी बालिका न जानती थी अभी उसके जीवन में संयम और यौवन के साथ युद्ध छिड़ेगा।

इस घटना को हुए प्रायः दस वर्ष बीत गये। डाक्टर साहब उस शहर को अपनी प्रैक्टिस के लिए अपर्याप्त समझकर एक दूसरे बड़े शहर में चले गये। यहाँ उनकी डाक्टरों और भी चमकी। वे ग़रीब-अमीर सभी के लिए सुलभ थे।

बड़ा शहर था। सभा-सोसाइटियों की भी खासी धूम रहती और हम सभा-सोसाइटी वाले यह चाहते थे कि डाक्टर मिश्रा सरीखे प्रभावशाली और मिलनसार व्यक्ति उनकी सभा के सदस्य हो जायें। किन्तु डाक्टर साहब को अपनी प्रैक्टिस से कम फुरसत मिलती थी। वे इन बातों से दूर ही दूर रहा करते थे।

इसी समय शुद्धी और संगठन की चर्चा ने जोर पकड़ा। शताब्दियों से सोये हुए हिन्दुओं ने जाना कि उनकी संख्या दिनोंदिन कम होती जा रही है और विधर्मियों की, विशेषकर मुसलमानों की संख्या बे-हिसाब बढ़ रही है। यदि सही क्रम चलता रहा तो सौ-डेढ़ सौ वर्ष बाद हिन्दुस्तान में हिन्दुओं का नाम भले ही मिल जाय, किन्तु हिन्दू तो कहीं ढूँढ़ने से भी न मिलेंगे। सभी मुसलमान हो जायेंगे। इसीलिए धर्मभ्रष्ट हिन्दू और दूसरे धर्मवालों को फिर से हिन्दू बनाने और हिन्दुओं की सबको आवश्यकता मालूम होने लगी। आर्य समाज ने बहुत बड़ा आयोजन करके दस-पाँच शुद्धियाँ भी कर डालीं। हिन्दू-समाज में बडी हलचल मच गयी। बहुत से खुश थे और बहुत से पुराने खयाल वाले इन बातों को अनर्गल समझते थे।

उधर मुसलमान भी उत्तेजित हो उठे, तंज़ीम ओश्र तबलीग की स्थापना कर दी गयी। किन्तु डाक्टर मिश्रा पर इसका प्रभाव कुछ भी न पड़ता। हिन्दू और मुसलमान दोनों ही समान रूप से उनके पास आते थे, और वे दोनों की चिकित्सा दत्तचित्त होकर करते। दोनों जाति के बच्चों के समान भाव से प्यार करते। उनकी आँखों में हिन्दुओं का शुद्धी-संगठन और मुसलमानों का तंज़ीम-तबलीग दोनों व्यर्थ के उत्पात थे।

एक दिन डाक्टर साहब अपने दवाखाने में बैठे थे कि एक घबराया हुआ व्यक्ति जो व्यक्ति जो देखने से साधारणह परिस्थिति का मुसलमान मालूम होता था, उन्हें बुलाने लगा। डाक्टर साहब के पूछने पर उसने बतलाया कि उसकी स्त्री बहुत बीमार है। लगभग एक साल पहले उसे बच्चा हुआ था, उस समय वह अपने माँ-बाप के घर थी। देहात में उचित देखभाल न हो सकने के कारण वह बहुत बीमार हो गयी, तब रहमान उसे अपने घर लिवा लाया। लेकिन दिनोंदिनह तबियत खराब होती जाती है। डाक्टर साहब उसके साथ ताँगे में बैठकर बीमार को देखने के लिए चल दिये। एक तंग गली के मोड़ पर ताँगा रुक गया। यहीं ज़रा आगे कुलिया से निकलकर रहमान का घर था। मकान कच्चा था, सामने के दरवाजे पर एक टाट का परदा पड़ा था, जो दो-तीन जगह से फटा हुआ था। उस पर किसी ने पाने की पीक मार दी थी जिससे मटियाला-सा लाल धब्बा बन गया था। सामने जरा सी छपीर थी और बीच में एक कोठरी। यही कोठरी रहमान के सोने, उठने-बैठने की थी और यही रसोईघर भी थी। रहमान बीड़ी बनाया करता था। गीले दिनों में यही कोठरी बीड़ी बनाने का कारखाना भी बन जाती थी क्योंकि छपरी में बौछार के मारे बैठना मुश्किल हो जाया करता था। कोठरी में दूसरी तरफ एक दरवाजा और था जिससे दिख रहा था कि पीछे एक छोटी से छपरी और है जिसके कोने में टट्टी थी और टट्टी से कुछ-कुछ दुर्गन्ध भी आ रही थी। रहमान पहले भीतर गया, डाक्टर साहब

दरवाजे के बाहर ही खड़े थे। बाद में वे भी रहमान के बुलाने पर अंदर गये। उनके अन्दर जाते ही एक मुर्गी जैसे नवागांतुक के भय से कुड़कुड़ाती हुई, पंख फटफटाती हुई, डाक्टर साहब के पैरों के पास से बाहर निकल गयी। डाक्टर साहब की बैठने के लिए रहमान ने एक स्टूल रख दिया। उसकी स्त्री खाट पर लेटी थी।

वहाँ की गंदगी और कुंद हवा देखकर डाक्टर साहब घबरा गये। बीमार की नब्ज देखकर उन्होंने उसके फेफड़ों को देखा, परन्तु सिवा कमजोरी के और कोई बीमारी उन्हें न देख पड़ी।

वे बोले—इन्हें कोई बीमारी तो नहीं हैं, यह सिर्फ बहुत ज्यादा कमजोर है। आप इन्हें शोरबा देते हैं?

रहमान—शारेबा यह जब लें तब न? मैं तो कह-कह के तंग आ गया हूँ। यह कुछ खाती ही नहीं। दूध और साबूदाना खाती है, उससे कहीं ताकत आती है!

डाक्टर साहब ने पूछा—क्यों, क्या इन्हें शोरबे से परहेज है?

रहमान— परहेज़ क्या होगा डाक्टर साहब? कहती है कि हमें हज़म ही नहीं होता।

डाक्टर साहब ने हँसकर कहा—वाह हज़म कैसे न होगा, हम तो कहते है सब हज़म होगा।

—डाक्टर साहब इतनी मेहरबानी और कीजिएगा कि शोरबा इन्हें आप ही पिला जाइए, क्योंकि मैं जानता हूँ यह मेरी बात कभी न मानेंगी।

डाक्टर साहब रहमान की स्त्री की तरफ मुड़कर बोले—कहिये आप हमारे कहने से थोड़ा शोरबा ले सकती है न? हज़म कराने का जिम्मा हम लेते हैं।

उसने डाक्टर के आग्रह का कोई उत्तर नहीं दिया, सिर्फ सिर हिलाकर अस्वीकृति की सूचना ही दी। उसके मुँह पर लज्जा और संकोच के भाव थे। उसका मुँह दूसरी तरफ था जिससे साफ़ ज़ाहिर होता था कि वह डाक्टर उके सानने अपना मुँह ढाँक लेना चाहती है। डाक्टर साह ने फिर आग्रह किया—आपको आज मेरे सामने थोड़ा शोरबा लेना ही पड़ेगा; उससे आप को जरूर फायदा होगा।

इस पर भी उसने अस्वीकृति-सूचक सिर हिला दिया, कुछ, बोली नहीं। इतने से ही डाक्टर साहब हताश ने होने वाले थे। उन्होंने रहमान से पूछा कि शोरबा तैयार हो तो थोड़ा लाओ, इन्हें पिलायें।

रहमान उत्सुकता के साथ कटोरा उठाकर पिछवाड़े साफ़ करने लगा। इसी अवसर पर उसकी स्त्री ने आँख उठाकर अत्यन्त कातर दृष्टि से डाक्टर साहब की ओर देखते हुए कहा—डाक्टर साहब, मुझे माफ करें, मैं शोरबा नहीं ले सकती।

स्वर कुछ परिचित-सा था और आँखों में एक विशेष चितवन जिससे डाक्टर

साहब कुछ चकराये। एक धुँधली-सी स्मृति उनकी आँखों के सामने आ गयी। उनके मुँह से अपने आप निकल गया—क्यों?

छलकती हुई आँखों से स्त्री ने जवाब दिया—आज एकादशी है।

डाक्टर साहब चौंक-से उठे। विस्फारित नेत्रों से उसकी ओर देखते रह गये। उसी दिन से डाक्टर मिश्रा भी शुद्धी और संगठन के पक्षपाती हो गये।

आहुति

जनाने अस्पताल के पर्दा-वार्ड में दो स्त्रियों को एक ही दिन बच्चे हुए। कमरा नं० 5 में बाबू रोधश्यामजी की स्त्री मनारेमा को दूसरी बार पुत्र हुआ था। उन्हें प्रसूति-ज्वर हो गया था। उनकी अवस्था चिन्ताजनक थी। वे मृत्यु की घड़ियाँ निम्न रही थीं। कमरा नं० 6 में कुन्तला की माँ के सातवाँ बच्चा, लड़की हुई थी। माँ-बेटी दोनों स्वस्थ और प्रसन्न थीं। घर में कोई बड़ा आदमी न होने कारण माँ की देखभाल कुन्तला ही करती थीं। उसके पिता एक दफ्तर में नौकरी करते थे। उन्हें पत्नी की देखभाल करने की फुरसत ही कहाँ थी?

पं० राधेश्यामजी एडवोकेट, अपनी माँ और कई नौकरों के रहते हुए भी पत्नी को छोड़कर कहीं न जाते थे। दस दिन के बाद कुन्तला की माँ पूर्ण स्वस्थ होकर बच्ची समेत अपने घर चली गयीं और उसी दिन राधेश्यामी की स्त्री का देहान्त हो गया। अपने नवजात शिशु को लेकर वे भी घर आये। किन्तु पत्नी-विहीन घर उन्हें जंगल से भी अधिक सूना मालूम हो रहा था।

पत्नी के देहान्त के बाद राधेश्यामजी ने दृढ़ निश्चय कर लिया था कि वे दूसरा विवाह न करेंगे। मनोरमा पर उनका अत्यन्त अधिक प्रेम था। वह अपना चिह्न स्वरूप जो एक छोटा-सा बच्चा छोड़ गयी थी, वही राधेश्यामजी का जीवनाधार था। वे कहते है कि इसी को देखकर और मनोरमा की मूर्ति की पूजा करते हुए ही अपने जीवन के शेष दिन बिता देंगे। जिस हृदय-मन्दिर में वे एक बार मनोरमा की पवित्र मूर्ति की स्थापना कर चुके थे, वहाँ पर किसी दूसरी प्रतिमा को स्थापित नहीं कर सकते थे। घर से उन्हें विरक्ति-सी हो गयी थी। भीतर वे बहुत कम आते। अधिकतर बाहर बैठक में ही रहा करते। घर मे आते ही वहाँ की एक-एक वस्तु उन्हें मनोरमा रहा करती थी उसमें सदा ताला पड़ा रहता। उस कमरे में वे उस दिन से कभी न गये थे जिस दिन से मनोरमा वहाँ से निकली थी। जीवन से उन्हें वैराग्य-सा हो गया था। आने-जानेवालों को वे संसार की असारता और नश्वरता पर लेक्चर दिया करते। कचहरी जाते, वहाँ भी जी न लगता। जिस लोगों से पचास रुपया फ़ीस

लेनी होती उनका काम पच्चीस में ही कर देते। गरीबों के मुकद्दमों में वे बिना फ़ीस के ही खड़े हो जाते। सोचते, रुपये के पीछे, हाय-हाय करके करना ही क्या है? किसी तरह जीवन की ढकेल ले जाना है। तात्पर्य है कि जीवन में उन्हें कोई रुचि ही न रह गयी थी।

दूसरे विवाह की बात आते हो, उनकी गंभीर मुद्रा को देखकर किसी को अधिक कहने-सुनने का साहस ही न होता। अतएव सभी यह समझ चुके थे कि राधेश्यामजी अब दूसरा विवाह न करेंगे। उनकी माता ने भी उनसे अनेक बार दूसरे विवाह के लिए कहा; किन्तु वे टस से मस न हुए। अन्त में वे अपनी इस इच्छा को साथ लिए इस लोक से विदा हो गयीं।

इसके कुछ ही दिन बाद, राधेश्यामजी जब एक दिन अपनी बैठक में कुछ मित्रों के साथ बैठे थे, और बाहर उनका लड़का हरिहर नौकर के साथ खेल रहा था, सामने से एक ताँगा निकला। न जाने कैसे ताँगे का एक पहिया निकल गया और ताँगा कुछ दूर तक घिसटता हुआ चला गया। एक सात-आठ साल का बालक ताँगे पर से गिर पड़ा और एक बालिका जो कदाचित् उसकी बड़ी बहिन थी, गिरते-गिरते बचकर दूसरी तरफ खड़ी हो गयी। बालक को अधिक चोट आयी थी। बालिका ने, मृगशावक की तरह घबराये हुए अपने दो सुन्दर नेत्र चंचल गति से सहायता के लिए चारों ओर फेरे और फिर अपने भाई को उठाने लगी। राधेश्यामजी ने देखा और दौड़ पड़े। बालक को उठाकर झाड़ने-पोंछने लगे। राधेश्यामजी के एक मित्र जगमोहन जो राधेश्याम के साथ ही दौड़कर बाहर आये थे, बालिका को संबोधन करके बोले– कहाँ जा रही थीं कुन्तला?

–मौसी के घर जनेऊ है। वहीं अम्मा के पास जा रही थी, कुन्तला ने शरमाते हुए कहा।

कुन्तला को दखेते ही राधेश्यामजी की एक सोयी हुई स्मृति जाग सी उठी। दूसरा ताँगा बुलवाकर कुन्तला को उसमें बैठाकर उसे रवाना करके राधेश्याम जगमोहन के साथ अपनी बैठक में आ गये।

एक दिन बात-ही-बात में रोधश्याम ने जगमोहन से पूछा– भाई! वह किसकी लड़की थी जो उस दिन ताँगे पर से गिर पड़ी थी?

जगमोहन ने बतलाया कि वह पंडित नंदकिशोर तिवारी की कन्या है। पढ़ी-लिखी, गृह-कार्य में कुशल और सुन्दर होने पर भी धनाभाव के कारण अभी तक कुमारी। बेचारे तिवारीजी 50) माहवारपर एक आफिस में नौकर है। बड़ा परिवार है। 50) में तो खाने-पहिनने को भी मुश्किल से पूरा पड़ता होगा। फिर लड़की के विवाह के लिए दो-तीन हजार रुपये कहाँ से लावें। कान्यकुब्जों में तो बिना हैरानी

के कोई बात ही नहीं करता। कष्ट ही में हैं बेचारे। लड़की सयानी है। पढ़ा-लिखाकर किसी मूर्ख के गले भी तो नहीं बाँधते बनता।

एक बार तिवारीजी पर उपकार करने की सद्भावना से राधेश्यामजी का हृदय आतुर हो उठा; किन्तु तुरन्त ही मनोरमा की स्मृति ने उन्हें सचेत कर लिया। तिवारीजी पर उपकार करना, मनोरमा को हृदय से भुला देना था। राधेश्याम को जैसे कोई भूली बात याद आ गयी हो, वे अपने आप ही सिर हिलाते हुए बोल उठे, "नहीं, यह कभी नहीं हो सकता।"

राधेश्याम के हृदय की हलचल को जगमोहन ने तोड़ लिया। वार करने का उन्होंने यही उपयुक्त असवर समझा, सम्भव है, निशाना ठीक पड़े!

"तुम क्या कहते हो राधेश्याम? है न लड़की बड़ी सुन्दर? पर बिचारी को कोई योग्य वर नहीं मिलता। अगर तुम इससे विवाह कर लो तो तो कैसा रहे?"

राधेश्याम उदासीनता से बोले–भाई! लड़की सुन्दर तो जरूर है; पर मैंने तो विवाह न करने की प्रतिज्ञा कर ली है।

जगमोहन उत्साह भरे शब्दों में बोले– अरे छोड़ो भी! ऐसी प्रतिज्ञा तो पत्नी के देहान्त के बाद सभी कर लेते हैं। उसके माने यह थोड़े हैं कि फिर कोई विवाह करता ही नहीं। अरे भाई! जन्म और मृत्यु जीवन में लगा ही रहता है। संसार में जो पैदा हुआ है वह मरेगा, जो मेरा है फिर आयेगा। रंज किसे नहीं होता? किन्तु उस रंज के पीछे बैरागी थोड़े बन जाना पड़ता है। और फिर अभी तुम्हारी उमर ही क्या है? यही न पैंतीस-छत्तीस साल की, बस? जीवन भर तपस्या करने की बात है। बिना स्त्री के घर जंगल से भी बुरा रहता है। ब्रजेश की माँ चार ही छै दिनों के लिए मायके चली जाती है तो घर जैसे काट खाने दौड़ता है।

राधेश्याम–यह कोई बात नहीं, जगमोहन! घर से तो मुझे कुछ मतलब ही नहीं है। जिस दिन मनोरमा का देहान्त हुआ, घर मेरें लिए घर ही नहीं रह गया। बात इतनी है कि बच्चे की देखभाल करने वाला अब कोई नहीं है। अम्मा थी, तब तक की कोई बात ही न थी। पर अब बच्चे की कुछ भी देखभाल नहीं होती। नौकरों पर बच्चे को छोड़ देना उचित नहीं, और मैं कितनी देखभाल कर सकता हूँ, तुम्हीं सोचो? परिणाम हुआ है कि बच्चा दिनोंदिन कमजोर होता जा रहा है।

राधेश्याम का विवाह कुन्तला के साथ हो गया। उनकी उजड़ी हुई गृहस्थी में बहार आ गयी। मनोरमा के बंद कमरे का ताला खोलकर उसके चित्रों पर हल्की ध्वनि जाली का परदा डाल दिया गया। उस घर में फिर से नूपुर की मधुर ध्वनि सुनायी पड़ने लगी। चतुर गृहिणी का हाथ लगाते ही घर फिर स्वर्ग हो गया। कुन्तला की कार्य-कुशल और बुद्धि की कुशाग्रता पर राधेश्याम मुग्ध थे। कुन्तला के प्रेम के

प्रकाश से उनका हृदय आलोकित हो उठा। अब वहाँ पर मनोरमा की धुँधली स्मृति के लिए भी स्थान न था, वे पूर्ण सुखी थे।

राधेश्यामजी ने दूसरा विवाह किया था संभवतः हरिहर की देखभाल के ही लिए। किन्तु इस इस समय कुन्तला को हरिहर से भी अधिक राधेश्याम की देखभाल करनी पड़ती थी। उनकी देखभाल से ही वह परेशान हो जाती, इतनी थक जाती कि उसे हरिहर की तरफ आँख उठाकर देखने का भी अवसर न मिलता।

कुन्तला के आसधारण रूप और यौवन ने तथा राधेश्यामजी की ढलती अवस्था ने उन्हें आवश्यकता से अधिक असावधान बना दिया था।

बुरा-भला कैसा भी काम हो, सबकी एक सीमा होती है। राधेश्याम के इस अनाचार से कुन्तला को जो मानसिक वेदना होती, सो तो थी ही; किन्तु इसका प्रभाव उसके स्वाथ्य पर भी पड़े बिना न रहा। कुन्दन की तरह उसका चमकता हुआ रंग पीला पड़ गया, आँखे निस्तेज हो गयीं। छै महीने की बीमार मालूम होती। वैसे ही वह स्वभाव से सुकुमार थी। अब चलने में उसके पैर काँपते, सदा हाथ-पैर में दर्द बना रहता, जी सदा ही अलासाया रहता। खाट पर लेट जाती तो उठने की हिम्मत ही न पड़ती। कुन्तला की इस अवस्था से राधेश्याम अनभिज्ञ हों, सो बात न थी। उन्हें सब मालूम था। कभी-कभी ग्लानि और पश्चात्ताप उन्हें भले ही होता किन्तु लाचार थे।

कहते है ढलती उमर का विवाह और विशेषकर दूसरे विवाह की सुन्दर स्त्री मनुष्य को पागल बना देती है। था भी कुछ ऐसा ही।

कुन्तला अपने जीवन से कुछ बेजार-सी हो रही थी।

किन्तु वह राधेश्याम को किस प्रकार रोक सकती थी? क्योंकि वह उनकी विवाहिता पत्नी ठहरी। सात भाँवरे फिर लेने के बाद राधेश्याम को तो उसके शरीर को पूरी मोनॉपाली-सी मिल चुकी थी न!

इधर कुछ दिनों से शहर में एक स्त्री-समाज की स्थापना हुई थी। एक दिन उसकी कार्यकारिणी की कुछ महिलाएँ आकर कुन्तला को भी निमंत्रण दे गयीं। कुन्तला ने सोचा, अच्छा ही है, घंटे-दो-घंटे घर से बाहर रहकर अपने इस जीवन के अतिरिक्त और भी देखने और सोचने-समझने का अवसर मिलेगा। उसने निमंत्रण स्वीकार कर लिया और वहाँ गयी भी। वहाँ जितनी स्त्रियों ने भाषण पढ़े या दिये, कुन्तला ने सुने। उसने सोचा वह इन सबसे अधिक अच्छा लिख सकती है और बोल सकती है। घर आकर उसने भी एक लेख लिखा। विषय था—भारत की वर्तमान सामाजिक अवस्था में स्त्रियों का स्थान। राधेश्यामजी ने भी लेख देखा। बहुत ही प्रसन्न हुए। लेख लिए हुए वे बाहर गये, बैठक में कई मित्र थे, उन्हें

दिखलाया। सभी ने लेखिका की शैली एवं सामयिक ज्ञान की प्रशंसा की।

अपने एक साहित्य-सेवी मित्र अखिलेश्वर को लेकर राधेश्याम भीतर आये। कुन्तला को बुलाकर बोले– कुन्तला तुम्हारा लेख बहुत ही अच्छा है। मुझे नहीं मालूम था कि तुम इतना अच्छा लिख सकती हो नहीं तो तुमसे सदा लिखते रहने का आग्रह करता; तुम्हारे इस लेख में कहीं-कहीं भाषा की त्रुटिया हैं जरूर, पर ये मेरे मित्र अखिलेश्वर ठीक कर देंगे। अब तुम रोज़ कुछ लिखा करो, ये ठीक कर दिया करेंगे। मुझे तो भाषा का ज्ञान नहीं अन्यथा मैं ही देख लिया करता। खैर कोई बात नहीं, यह भी घर हो के-से आदमी हैं।

कुन्तला के लेखों का भार अखिलेश्वर को सौंपकर राधेश्याम को बहुत सन्तोष हुआ।

कुन्तला को अब एक ऐसा साथी मिला था, जिसकी आवश्यकता वह बहुत दिनों से अनुभव कर रही थीं, जो उसे घरेलू जीवन के अतिरिक्त और भी बहुत-सी उपयोगी बातें बता सकता था, जो उसे अच्छे-से-अच्छे लेखकों और कवियों की कृतियों का रसास्वादन करा के साहित्यिक जगत की सैर करा सकता था। कुन्तला अखिलेश्वर का साथ पाकर बहुत सन्तुष्ट थी। अब उसे अपना जीवन उतना कष्टमय मिला करते। कुन्तला की अभिरुचि साहित्य की ओर देखकर, उसकी विलक्षण कुशाग्र बुद्धि एवं लेखन-शैली की असाधारण प्रतिभा पर अखिलेश्वर मुग्ध थे। वे उसे एक सुयोग्य रमणी बनाने में तथा उसकी प्रतिभा को पूर्ण रूप से विकसित करने में सदा प्रयत्नशील रहते थे। लाइब्रेरी में जाते, अच्छी से अच्छी पुस्तकें लाते और उसे घंटों पढ़कर सुनाया करते। कविवर शेली, टेनीसन और कीट्स तथा महाकवि शेक्सपीयर इत्यादि के ऊँचे दरजे की कविताएँ पढ़कर उसे समझाते, उसके सामने व्याख्या तथा आलोचना करते और उससे करवाते। हिन्दी के धुरंधर कवियों की रचनाएँ सुनाकर वे कुन्तला की प्रवृत्ति कविता की और फेरना चाहते थे। किन्तु सब राधेश्याम को कुन्तला के पास अखिलेश्वर का बैठना अखरने लगा था। कभी-कभी सोचते, शायद कुन्तला के सुन्दर रूप पर ही रीझ कर अखिलेश्वर उसके साथ इतना समय व्यतीत करते हैं। किन्तु वे प्रकट में कुछ न कुछ कह सकते थे क्योंकि उन्होंने स्वयं ही तो उनका आपस में परिचय कराया था। कुन्तला राधेश्याम के मन की बात कुछ समझती थी इसलिए वह बहुत सर्तक रहती। किन्तु फिर भी यदि कभी भूल से उसके मुँह से अखिलेश्वर का नाम निकल जाता तो राधेश्याम के हृदय में ईर्षा की अग्नि भभक उठती। अब अखिलेश्वर के लिए राधेश्याम के हृदय में मित्र भाव की अपेक्षा ईर्ष्या का भाव ही अधिक था।

इन्हीं दिनों कुन्तला ने दो-चार तुकबंदियों भी की जिनमें कल्पना की बहुत

ऊँची उड़ान और भावों को बहुत सुन्दर समावेश था किन्तु शब्दों का संघटन उतना अच्छा नहीं था। अपने हाथ के लगाये हुए पौधों में फूल आते देखकर जिस प्रकार किसी चुतर माली की प्रसन्नता होती है, उसी प्रकार कुन्तला की कविताएँ देखकर अखिलेश्वर खुश हुए। उन्होंने कविताएँ कई बार पढ़ीं और राधेश्याम को भी पढ़कर सुनायीं। कुन्तला की बुद्धि की बड़ी प्रशंसा की। किन्तु राधेश्याम खुश न हुए। उन्हें ऐसा मालूम हुआ कि जैसे कुन्तला ने अखिलेश्वर के विरह में ही विकल होकर यह कविताएँ लिखी है।

अखिलेश्वर निष्कपट और निःस्वार्थ भाव से ही कुन्तला का शिक्षण कर रहे थे। उन्हें कुन्तला से कोई विशेष प्रयोजन न था। कुन्तला के इस शिक्षण से उन्हें इतना ही आत्मसन्तोष था कि वे साहित्य की एक सेविका तैयार कर रहे हैं जिसके द्वारा कभी न कभी साहित्य की कुछ सेवा अवश्य होगी। राधेश्याम के हृदय में इस प्रकार उनके प्रति ईर्ष्या के भाव प्रज्वलित हो चुके हैं, इसका उन्हें ध्यान भी न था।

अखिलेश्वर कई दिनों तक लगातार बीमार रहने के कारण घर के बाहर न निकल सके। खाट पर अकेले पड़े-पड़े घन्रियाँ गिनते हुए उन्हें अनेक बार कुन्तला की याद आयी। कई बार उन्होंने सोचा कि उसे बुलावा भेजें; फिर भी जाने क्या आगा-पीछा सोचकर वे कुन्तला को न बुला सके। इधर कई दिनों से अखिलेश्वर का कुछ भी समाचार न पाकर कुन्तला भी उनके लिए उत्सुक थी। वह बार-बार सोचती, एकाएक इस प्रकार आना क्यों बन्द कर दिया? क्या बात हो गयी। किन्तु वह अखिलेश्वर के विषय में राधेश्याम से कुछ पूछते हुए डरती थी। इसी बीच में एक दिन कुन्तला की माँ कुन्तला को बुलावा भेजा। राधेश्याम कुन्तला से यह कहकर कि जब ताँगा आवे तुम चलो जाना, कचहरी चले गये। कुन्तला माँ के घर जाकर जब वहाँ से तीन बजे लौट रही थीं तो उसे रास्ते में हाथ में दवा की शीशी लिए हुए अखिलेश्वर का नौकर मिला। नौकर से मालूम करके कि अखिलेश्वर बीमार हैं, कई दिनों तक तेज बुखार रहा है, अब भी कई दिनों घर से बाहर न निकल सकेंगे, कुन्तला अपने को न रोक सकी। क्षण भर के लिए अलिखलेश्वर से मिलने के लिए उसका हृदय व्याकुल हों उठा। अखिलेश्वर के मकान के सामने पहुँचते ही ताँगा रुकवाकर वह अन्दर चली गयी। साथ में उसकी छोटी बहिन भी थी।

अचानक कुन्तला को अपने कमरे में देखकर अखिलेश्वर को विस्मय और आनन्द दोनों ही हुए। अपनी खाट के पास ही कुन्तला के बैठने के लिए कुरसी देकर वे स्वयं उठकर खाट पर बैठ गये, बोले-तुम कैसे आ गयीं? इस बीमारी में तो मैंने तुम्हारी बहुत याद की।

इसी समय राधेश्यामजी ने कमरे में प्रवेश किया। कुन्तला कुछ भी न बोल

पायी। राधेश्याम को दखेते ही अखिलेश्वर ने कहा–"आओ भाई' राधेश्याम! आज कुन्तला आयी तो तुम भी आये, नहीं तो आज आठ दिन से बीमार पड़ा हूँ, रोज़ ही तुम्हारी याद करता था पर तुम लोग कभी न आये।" फिर घड़ी की ओर देखकर बोले–"आज तीन ही बजे कचहरी से कैसे लौट आये?"

राधेश्याम ने रुखाई से उत्तर दिया–"कोई काम नहीं था, इसलिए चला आया!" फिर पत्नी की ओर मुड़कर बोले– चलो, चलती हो? मैं तो जाता हूँ।

अखिलेश्वर ने बहुत रोकना चाहा, पर वे न रुके, चले ही गये। उनके पीछे-पीछे कुन्तला भी चली। जाते-जात उसने अखिलेश्वर पर एक ऐसी मार्मिक दृष्टि डाली जिसमें न जाने कितनी करुणा, कितनी विवशता, कितनी कातरता और कितनी दीनता थी। कुन्तला चली गयी। किन्तु उसकी इस करुण-दृष्टि से अखिलेश्वर की आँखे खुल गयी। राधेश्याम के आन्तरिक भावों को वे अब समझ सके।

घर पहुँचकर कुन्तला कुछ न बोली। वह चौके में चली गयी। कुछ ही क्षण उसने लौटकर देखा कि उसके लेख, कविताएँ, कापियाँ पेन्सिलें और अखिलेश्वर द्वारा उपहार में दी हुई फाउन्टेनपेन सब समेटकर किसी ने आग लगा दी है। उसी अग्नि में अखिलेश्वर का वह प्यारा चित्र जो कुछ ही क्षण पहिले ड्राइंग रूम की शोभा बढ़ा रहा था, धू-धू करके जल रहा है। और ऊपर उठती हुई लपटें मानो कह रही हैं–कुन्तला यह तुम्हारे साहित्यिक-जीवन की चिता है।

थाती

क्यों रोती हूँ? इसे नाहक पूछ कर जले पर नमक न छिड़को! ज़रा ठहरो! जी भरकर रो भी तो लेने दो, न जाने कितने दिनों के बाद आज मुझे खुलकर रोने का अवसर मिला है। मुझे रोने में सुख मिलता है, शान्ति मिलती है, इसलिए मैं रोती हूँ। रहने दो, उसमें बाधा न डालो, रोने दो।

क्या कहा? किसके लिए रोती हूँ? आह!! उसे सुनकर क्या करोगी? उससे तुम्हें कुछ लाभ न होगा, पूछो ही न तो अच्छा है। मेरी यह पीड़ा ही तो मेरी सम्पत्ति है, जिसे मैं बड़ी सावधानी से अपने हृदय में छिपाये हूँ। इतने पर भी सुनना ही चाहते हो तो कहती हूँ। किन्तु देखो! जो कहूँ वही सुनना और कुछ न पूछना।

वे एक धनवान माता-पिता के बेटे थे। ईश्वर ने उन्हें अनुपम रूप दिया था। जैसा उनका कलेवर सुन्दर था, उससे कहीं अधिक सुन्दर था उनका हृदय। वे बड़े ही नेक, दयालु और उदार प्रकृति के पुरुष थे। गाँव के बच्चे उन्हें देखते ही खुश हो जाते, बूढ़े आर्शीवाद की वर्षा करते, स्त्रियाँ उन्हें अपना सच्चा भाई और हितू समझतीं और नौजवान उनके इशारे पर नाचते थे। तात्पर्य यह कि वे सभी के प्यारे थे और सभी पर उनका स्नेह था।

मैं उन्हीं के गाँव की बहू थी। मेरे पति वहीं प्राइमरी पाठशाला में मास्टर थे। घर में बूढ़ी सास थी, मेरे पति थे और मैं थी। महँगी का जमाना था, 28॥) में मुश्किल से गुजर होती थी। घर के प्राय: सभी छोटे-मोटे काम हाथ से ही करने पड़ते थे।

एक दिन की बात है, मैं वैसे ही ब्याहकर आयी थी। मैं थी शहर की लड़की, वहाँ तो नलों से काम चलता था, भला कुएँ से पानी भरना मैं क्या जानती? मेरी सास मुझे अपने साथ कुएँ से पानी भरना सिखा रही थीं। अचानक वे न जाने कहाँ से आ गये, हँसकर बोले—"क्या पानी भरने की शिक्षा दे रही हो, माँजी? आपने ऐसी अल्हड़ लड़की ब्याही ही क्यों, जिसे पानी भरना भी नहीं आता?" मैंने घूँघट के भीतर ही ज़रा सा मुस्कुरा दिया।

सास ने कहा—बेटा! इसे कुछ नहीं आता! बस रोटी भर अच्छा बनाती है, न

पीसना जाने न कूटना। गोबर से तो इसे जैसे घिन आती हो, बड़ी मुश्किल से तो कहीं कंडे थापती है, तो उसके बाद दस बार हाथ धोती है। हम तो बेटा! ग़रीब आदमी हैं। हमारे घर में तो सभी कुछ करना पड़ेगा।

दूसरे दिन मुझे अकेले ही पानी भरने जाना पड़ा। मैं रस्सी और घड़ा लेकर पानी भरने गयी तो जरूर पर दिल धड़क रहा था कि बनता है या नहीं। न सास साथ थीं, और न कोई कुएँ पर ही था। मैंने घूँघट खोल लिया और रस्सी को अच्छी तरह से घड़े के मुँह से बाँधकर कुएँ में डाल दिया। 'डब' 'डब' करके बड़ी देर में कहीं घड़े में पानी भरा—उसे सींचना लगी। किसी प्रकार खिंचता ही न था। ज्यों-त्यों करके आधी खींच पायी थी कि वे सामने से आते हुए दिखायी दिये। कुआँ उनके आहते के ही आहत के ही अन्दर था और बँगले में जाने का रास्ता भी वहीं से था। सामने से वे आते हुए दिखे, लाज के मारे ज्योंही मैने घूँघट सरकाने के लिए एक हाथ से रस्सी छोड़ी, त्योंही अकेला दूसरा हाथ पानी से भरे हुए घड़े का वज़न न सम्हाल सका। झटके के साथ रस्सी समेत घड़ा कुएँ से जा गिरा। मैं भी गिरते-गिरते बची। मैं बड़ी घबरायी, घूँघट-ऊँघट सरकाना तो भूल गयी, झुककर कुएँ में देखने लगी। मेरे पास तो रस्सी और घड़ा निकालने का कोई साधन ही न था, निरुपाय हो कतार दृष्टि से उनकी ओर देखा। मेरी अवस्था पर शायद उन्हें दया आयी। वे पास आकर बोले— "आप घबराइये नहीं, मैं अभी घड़ा निकलवाये देता हूँ", फिर कुछ ठहरकर मुस्कराते हुए बोले—'किन्तु आपने यह साबित कर दिया कि आप शहर को एक अल्हड़ लड़की हैं।"

मैं ज़रा हँसी और अपना घूँघट सरकाने लगी। मुझे घूँघट सरकाते देख वे ज़रा मुस्कुराये, मैं भी ज़रा हँस पड़ी पर कुछ बोली नहीं। उनके नौकर आये और देखते ही देखते रस्सी समेत घड़ा निकाल लिया गया। मैं घड़ा उठाकर अपने घर की तरफ चली। शब्दों में नहीं, किन्तु कृतज्ञता भरी आँखों से मैंने उनसे कहा—"मैं आपके इस उपकार का बदला इस जीवन में कभी न चुका सकूँगी।" करीब पौन घंटा कुएँ पर लग गया। अम्मा जी की घुड़कियों का डर तो लगा ही था। जल्दी-जल्दी आयी, घड़े को घिनौची पर रख, रस्सी को खूँटी पर टाँगने के लिए मैंने ज्योंही हाथ ऊपर उठाया, देखा कि एक हाथ का सोने का कंगन नहीं हैं। तुम कहोगी कि पानी भरने वाली और सोने का कंगन, यह कैसे मेल! वह भी बताती हूँ— यह कंगन मेरी माँ का था। मरते समय उन्होंने अनुरोध किया था कि यह कंगन ब्याह के समय मुझे पैर-पुजाई में दिया जाय। इस प्रकार यह कंगन मुझे मिला था। रस्सी टाँगकर मैं फिर कुएँ की तरफ भागी, देखो तो वे सामने से आ रहे थे। उन्होंने यह कहकर कि "यह तुम्हारे अल्हड़पन की दूसरी निशानी है", कंगन मेरी तरफ बढ़ा दिया। कंगन लेकर

चुपचाप मैंने जेब में रख लिया और जल्दी-जल्दी घर आयी।

घर आकर देखा, पतिदेव स्कूल से लौटे थे। अम्माजी बड़े क्रोध में उनसे कह रही थीं—देखा नयी बहू के लच्छन। एक बड़ा पानी भरने गयी तो घंटे भर बाद लौटी और यहाँ पानी रखकर फिर दीवानी की तरह कुएँ की तरफ भागी। मैंने तो पहिले ही कहा था कि शहर की लड़की न ब्याहो पर तुम न माने। बेटा, भला यह हमारे घर निभने के लच्छन है? और सब तो सब, पर ज़मीदार के लड़के से बात किये बिना इसकी क्या अटकी थी? यह इधर से भागी जा रही थी वह सामने से आ रहा था। उसने जाने क्या इसे दिया और इसने लेकर जेब में रख लिया। मुझे तो यह बातें नहीं सुहातीं। फिर तुम्हारी बहू है, तुम जानो, बिगाड़ो चाहे बनाओ।

मेरी तरफ उन्होंने गुस्से से देखकर पूछा— क्या है तुम्हारी जेब में बतलाओ तो?

मैंने कंगन निकालकर उनके सामने रख दिया। वे फिर डाँटकर बोले—यह उसके पास कैसे पहुँचा।

मैने डरते-डरते अपराधिनी की तरह आदि से लेकर अंत तक कुएँ पर का सारा क़िस्सा उन्हें सुना दिया। उस पर अम्माजी और पतिदेव दोनों ही की झिड़कियाँ मुझे सहनी पड़ीं। साथ ही ताकीद भी कर दी गयीं कि मैं अब उनसे कभी न बोलूँ।

क्या पूछता हो? उनका नाम? रहने दो, मुझसे नाम न पूछो। उनका नाम ज़बान पर लाने का मुझे अधिकार ही क्या है? तुम्हें तो मेरी कहानी से मतलब है न? हाँ, तो मैं क्या कह रही थी?—मुझसे कहा गया कि मैं उनसे कभी न बोलूँ। यदि वह लोग फिर कभी मुझे उनसे बोलते देख लेंगे तो फिर कुशल नहीं। मैंने दीन भाव से कहा—मुझसे घर के सब काम करवा लो, पर कल से मैं पानी भरने न जाऊँगी।

इस पर पतिदेव बिगड़करद बोले— तुम पानी भरने न जाओगी तो मैं तुम्हें रानी बनाकर नहीं रख सकता। यहाँ तो जैसा कहूँगा वैसा करना पड़ेगा।

उसके बाद क्या बतलाऊँ कि क्या-क्या हुआ? ज्यों-ज्यों उनसे बोलने को रोका गया, त्यो-त्यों एक बार जी भरकर उनसे बात करने के लिए मेरी उत्कंठा प्रबल होती गयी। किन्तु मेरी यह साध कभी न पूरी हुई। वे जाते-जाते एक-दो बातें बोल दिया करते, जिसके उत्तर में मैं केवल हँस दिया करती थी; लेकिन लोग यह भी न सह सके और तिल का ताड़ बन गया।

अब मुझ पर घर में अनेक प्रकारी के अत्याचार होने लगे। हर दो-चार दिन बाद मुझ पर मार भी पड़ती; परन्तु मैं कर ही क्या सकती थी? मैं तो उनसे बोलती भी न थी। और उनका बोलना बन्द करना मेरी शक्ति से परे था। उन्होंने मुझसे कभी भी कोई ऐसी बात नही कही जो अनुचित कही जा सके उन्हें तो शायद विधाता ने ही रोते हुओं को हँसा देने की कला सिखायी थी। वे ऐसी मीठी चुटकी लेते, कभी कोई

हँसी की बात, भी करते तो इतनी सभ्यता से, इतनी नपी-तुली, कि मैं जितना दुखी होऊँ, चाहे जितने रंज में होऊँ पर हँसी आ ही जाती थी।

किन्तु धीरे-धीरे मुझ पर होने वाले अत्याचारों का पता उन्हें लग ही गया। उनके दयालु हृदय को इससे गहरी चोट पहुँची। उस दिन, अन्तिम दिन जब मैं पानी भरने गयी, वे कुएँ पर आये और मुझसे बोले—मैं तुमसे कुछ कहना चाहता हूँ।

उनके स्वरी में पीड़ा थी, शब्दों में माधुर्य, और आँखों में न जाने कितनी करुणा का सागर उमड़ रहा था। मैंने आश्चर्य के साथ उनकी ओर देखा। आज पहिली ही बार तो इस प्रकार वे मेरे पास आकर बोले थे। उन्होंने कहा—पहिली बात जो मैं तुमसे कहना चाहता हूँ वह यह मेरे ही कारण तुम पर इतने अत्याचार हो रहे हैं। यदि मुझे इसका पता चल जाता तो वे अत्याचार कब के बन्द हो चुके होते। दूसरी बात जो मैं तुमसे कहने आया हूँ वह यह कि आज से मैं तुम पर होने वाले अत्याचार की जड़ ही उखाड़ कर फेंके देता हूँ। तुम ख़ुश रहना, मेरी अल्हड़ रानी! (वे मुझे इसी नाम से पुकारा करते थे) यदि मैं तुम्हें भूल सका तो फिर यहाँ लौटकर आऊँगा, नहीं तो आज ही सदा के लिए बिदा होता हूँ।

मुझ पर बिजली-सी गिरी। मैं कुछ बोल भी न पायी थी कि वे मेरी आँखों से ओझल हो गये। अब मेरी हालत पहिले से ज्यादा खराब थी। मेरा किसी काम में जी न लगता था। कलेजे में सदा एक आग-सी सुलगा करती। परन्तु मुझे खुलकर रोने का अधिकार न था। अब तो सभी लोग मुझे पागल कहते हैं। मैं कुछ भी करूँ, करने देते हैं। इसलिए तो आज खुलकर रो सकती हूँ और तुम्हें भी अपनी कहानी सुना सकती हूँ। किन्तु क्या तुम बता सकोगे कि वे कहाँ हैं? मैं एक बार उन्हें और देखना चाहती हूँ। मेरी यह पीड़ा, मेरा यह उन्माद उन्हीं का दिया हुआ तो है। यदि कोई सहृदय उनका पता बता दे तो मैं उनकी थाती उन्हीं को सौंप दूँ।

अमराई

उस अमराई में सावन के लगते ही झूला पड़ा जाता और वियजादशमी तक पड़ा रहता। शाम-सुबह तो बालक-बालिकाएँ और रात में अधिकतर युवतियाँ उस झूले की शोभा बढ़ाती। यह उन दिनों की बात है जब सत्याग्रह आन्दोलन अपने पूर्ण विकास पर था। सारे भारतवर्ष में समराग्नि धधक रही थी। दमन का चक्र अपने पूर्ण वेग से चल रहा था। अखबारों में लाठी-चार्ज, गोली-काण्ड, गिरफ्तारी और सजा की धूम अतिरिक्त और कुछ रहता ही था। इस गाँव में भी सरकार के दमन का चक्र चल चुका था। कांग्रेस के सभा पति और मन्त्री पकड़कर जेल में बन्द कर दिये गये थे।

उस दिन राखी थी। बहिनें अपने भाइयों का सदा इस अमराई में ही राखी बाँधा करती थीं। यहाँ सब लोग एकत्रित होकर त्यौहार मनाया करते थे। बहिनें भाइयों को पहिले कुछ खिलातीं, माला पहिनातीं, हाथ में नारियल देतीं और तिलक लगाकर हाथ में राखी बाँधते हुए कहतीं–"भाई इस राखी की लाज रखना, लड़ाई के मैदान में कभी पीठ न दिखाना।"

एक तरफ राखी का चित्ताकर्षक दृश्य था, दूसरी ओर छोटे-छोटे बच्चे और बच्चियाँ झूले पर झूल रहे थे। उनके सुकुमार हृदयों में भी देश-प्रेम के नन्हें-नन्हें पौधे प्रस्फुटित ही रहे थे। बहादुरी के साथ देश हित के लिए फाँसी पर लटक जाने में वे भी शायद गौरव समझते थे। पहले तो लड़कियाँ कजली गा रही थीं। एकाएक एक छोटा बालक गा उठा–

झंडा ऊँचा रहे हमारा।

फिर क्या था, सब बच्चे कजली-वजली तो गये भूल, और लगे चिल्लाने–

झंडा ऊँचा रहे हमारा।

इसकी खबर ठाकुर साहब के पास पहुँची। अमराई उन्हीं की थी। अभी तीन ही महीने पहिले वे रायसाहब हुए थे। आनरेरी मजिस्ट्रेट तो थे ही, और थे सरकार के बड़े भारी खैरख्वाह। जब उन्होंने सुना कि अमराई असहयोगियों को अड्डा बन गयी

है, प्राय: इस प्रकार वहाँ रोज़ ही होता है जो वे घबराये, फौरन घोड़ा कसवाकर अमराई की ओर चल पड़े। किन्तु उनके पहुँचने के पहिले ही वहाँ पुलिस भी वहाँ पहुँच चुकी थी। ठाकुर साहब को दरोग़ा नियामत अली ने बिगड़कर कहा– ठाकुर साहब! आपसे तो हमें ऐसी उम्मीद न थी। मालूम होता है कि आप भी उन्हीं में से हैं। यह सब आपकी ही तबियत से हो रहा है। आप पाँच मिनट के अन्दर ही यह सब मजमा यहाँ से हटवा दीजिए; वरना हमें मजबूर होकर लाठियाँ चलवानी पड़ेंगी।

ठाकुर साहब ने नम्रमता से कहा– दरोग़ा जो, ज़रा सब्र रखिए, मैं अभी सबको यहाँ से हटवाये देता हूँ। आपकी लाठियाँ चलवाने की नौबत ही क्यों आयेगी?

नियामत अली का पारा 110 पर था ही, बोले–फिर भी मैं आपको पहले से आगाह कर देना चाहता हूँ कि ज्यादा से ज्यादा दस मिनट लगें, नहीं तो मुझे मजबूरन लाठियाँ चलवानी ही पड़ेंगी।

ठाकुर साहब ने घोड़े से उतरकर अमराई में पैर रखा ही था कि उनका सात साल का नाती वियय हाथ से लकड़ी की तलवार लिये हुए आकर सामने खड़ा हो गया। ठाकुर साहब को सम्बोधन करे बोला–दादा! देखो मेरे पास भी तलवार है; मैं भी बहादुर बनूँगा।

इतने में उसकी बड़ी बहिन कान्ती, जिसकी उमर करीब नौ साल की थी, धानी रंग की साड़ी पहिने आकर ठाकुर साहब से बोली–दादा! ये विजय लकड़ी की तलवार लेकर बड़े बहादुर बनने चले हैं। मैं तो दादा, स्वराज का काम करूँगी और चर्खी चला-चलाकर देश को आजाद कर दूँगा। फिर दादा बतलाओ, मैं बहादुर बनूँगी कि ये लकड़ी की तलवार वाले?

विजय की तलवार का पहिला वार कान्ती पर हुआ। उसने कान्ती की और गुस्से से देखते हुए कहा– देख लेना किसी दिन फाँसी पर न लटक जाऊँ तो कहना। लकड़ी की तलववार है तो क्या हुआ, मारा कि नहीं तुम्हें?

बच्चों की इन बातों में ठाकुर साहब क्षण भर के लिए अपने आपको भूल से गये। उधर दस मिनट से ग्यारह होते ही दरोग़ा नियामत अली ने अपने जवानों को लाठियाँ चलाने का हुक्म दे ही तो दिया। देखते-देखते अमराई में लाठियाँ बरसने लगीं। आज अमराई में ठाकुर साहब के भी घर की स्त्रियाँ और बच्चे थे और गाँव के भी प्राय: सभी घरों की स्त्रियाँ, बच्चे और युवक त्यौहार मनाने आये थे। उनकी थालियाँ राखी, नारियल, केशर, रोली, चन्दन और फूल-मालाओं से सजी हुई रखी थीं। किन्तु कुछ ही देर बाद वे थालियाँ, जिसमें रोली ओर चन्दन था, खून से भर गयीं।

जब पुलिस मजमें को तितर-बितर करके चली गयी तो देखा गया कि घायलों की संख्या करीब तीस के थी जिनमें अधिकतर बच्चे, कुछ स्त्रियाँ और सात-आठ युवक थे। विजय को सबसे ज्यादा चोट आयी। चोट तो कान्ती को भी थी, किन्तु विजय से कम। ठाकुर साहब का तो परिवार का परिवार ही घायल था। घायलों को उनके घरों में पहुँचाया गया और अमराई में पुलिस का पहरा बैठ गया।

विजय की चोट गहरी थी, दशा बिगड़ती जा रही थी। जिस समय वह अपने जीवन की अन्तिम घड़ियाँ गिन रहा था उसी समय कोर्ट से ठाकुर साहब के लिए सम्मन आया। उन्हें कोर्ट में यह पूछने के लिए बुलाया गया था कि उनका आम था बग़ीचा असहयोगियों का अड्डा कैसे और किसके हुक्म से बनाया गया। ठाकुर साहब भी आनरेरी मजिस्ट्रेटी का इस्तीफ़ा, रायसाहिबी का त्यागपत्र जेब में लिए हुए कोर्ट पहुँचे। उनका बयान इस प्रकार था–

मेरा बगीचा असहयोगियों का अड्डा कभी नहीं रहा है क्योंकि मैं अभी तक सरकार का बड़ा भारी खैरख्वाह रहा हूँ। मुझे सरकार की नीति पर विश्वास था और अपने घर में बैठा हुआ मैं अखबारी दुनिया का विश्वास कम करता था। मुझे यक़ीन ही न आता था कि न्याय की आड़ में सरकार निरीह बालक, स्त्रियों और पुरुषों पर कैसे लाठियाँ चलवा सकती है? परन्तु आज तो सारा भेद मेरी आँखों के ही आगे विषैले अक्षरों में लिख गया है। मेरा तो यह विश्वास हो गया है कि इस शासन-विधान में, जो प्रजा को हितकर नहीं है, अवश्य परिवर्तन होना चाहिए। हर एक हिन्दुस्तानी का धर्म है कि वह शासन-सुधार के काम में पूरा-पूरा सहयोग दे। मैं भी अपना धर्म-पालन करने के लिए विवश हूँ, और यह मेरी रायसाहिबी और आनरेररी मजिस्ट्रेटी का त्यागपत्र है।

ठाकुर साहब तुरन्त कोर्ट से बाहर हो गये।

दूसरे ही दिन से उस अमराई में रोज ही कुछ आदमी राष्ट्रीय गीत गाते हुए गिरफ्तार होते। और साठ साल के बूढ़े ठाकुर साहब को, सरकार की इतने दिन की खैरख्वाही के पुरस्कार स्वरूप छः महीने की सख्त सजा और 500) का जुरनामा हुआ। जुरमाने में उनकी अमराई नीलाम कर ली गयी। जहाँ हर साल बरसात में बच्चे झूला झलते थे वहीं पर पुलिस के जवानों के रहने के लिए पुलिस-चौकी बनने लगी।

अनुरोध

—कल राम को मैं जा रहा हूँ।

—जी नहीं, अभी आप न जा सकेंगे,— आग्रह, अनुरोध और आदेश के स्वर में वीणा ने कहा।

निरंजन के ओठों पर हल्की मुस्कुराहट खेल गयी। फिर बिना कुछ कहे ही उन्होंने अपने जेब से एक पत्र निकालकर वीणा के सामने फेंक दिया और शान्त स्वर में बोले—मुझे तो कोई आपत्ति नहीं। आप इस पत्र को पढ़ लीजिए। इसके बाद भी यदि आपकी यही धारणा रही कि मैं न जाऊँ तो जब तक आप न कहेंगी मैं न जाऊँगा।

वीणा ने सर हिलाते हुए कहा—जी नहीं, रहने दीजिए, मैं कोई पत्र-वत्र न पढ़ूँगी और न आपको जाने दूँगी।

हल्की मुस्कराहट के साथ निरंजन ने पत्र उठा लिया और बोले—आप न पढ़ना चाहें तो भले ही न पढ़ें पर...

उनकी बात को कोटते हुए वीणा ने कहा—अच्छा लाइये, ज़रा देखूँ तो सही, किसका पत्र है? पत्र-लेखक मेरा कोई दुश्मन ही होगा जो इस प्रकार अनायास ही आपकी मुझसे दूर खींच ले जाना चाहता है।

निरंजन हँस पड़े और हँसते-हँसते बोले—पत्र पढ़ लेने के बाद पत्र-लेखक को शायद आप अपना दुश्मन न समझकर मित्र समझें।

वीणा ने विरक्ति के भाव से कहा—जी नहीं, यह हो ही नहीं सकता। जो आपको मुझसे दूर खींच ले जाना चाहे, वह कोई भी हो, मैं उसे अपना दुश्मन ही कहूँगी।

निरंजन ने कहा—सच!! पर आप ऐसा क्यों सोचती हैं?

वीणा ने निरंजन की बात नहीं सुनी। वह तो पत्र पढ़ रहीं थी, जिसमें लिखा था—

''मेरे प्राण...

एक महीना पहिले तुम्हारा पत्र आया था। तुमने लिखा था कि यहाँ का काम-

एक-दो दिन में निपटाकर रविवार तक घर अवश्य आ जाऊँगा। इसके बाद सोचो तो कितने रविवार निकल गये। रोज़ तुम्हारा रास्ता देखती हूँ। उधर से आनेवाली हर एक ट्रेन के समय उत्सुकता से कान दरवाजे पर ही लगे रहते हैं। ऐसा मालूम होता है कि अब ताँगा आया! अब दरवाजा पर रुका! और जब तुम, मेरे प्राण, आकर मुझे...क्या कहूँ। मैं जानती हूँ कि तुम अपना समय कहीं व्यर्थ ही नष्ट न करते होओगे; किन्तु फिर भी जी नहीं मानता। यदि पंख होते तो उड़कर पास पहुँच जाती। तुम कब तक आओगे? जीती हुई भी मरी से गयी-बीती हूँ।

जब दो पक्षियों को भी एक साथ देखती हूँ तो हृदय में हूक-सी उठती है। क्या यह लिख सकोगे कि कब तक मुझे प्रतीक्षा करनी पड़ेगी? वैसे तुम्हारी इच्छा, जब आना चाहो। पर मेरा तो जी यही कहता है कि पत्र के उत्तर में स्वयं ही चले जाओ।

—तुम्हारी।"

पत्र पढ़ते-पढ़ते कई बार वीणा के चेहरे पर विषाद की एक झलक आयी और चली गयी। पढ़ने के पश्चात् पत्र को उसने चुपचाप निरंजन की ओर बढ़ा दिया। निरंजन ने पत्र लेकर जेब में रख लिया। कुछ क्षण तक दोनों चुपचाप बैठे रहे। फिर वही रोज का कार्यक्रम, उमरखैयाम की रुबाइयों को अनुवार आरम्भ हो गया। निरंजन शान्ति और अविचल थे। किन्तु वीणा स्वस्थ न थी। आज वह रुबाइयों को न ठीक तरह से पढ़ ही सकती थी और न उनका अनुवाद ही कर सकती थी। निरंजन से वीणा मानसिक अवस्था छिपी न रह सकी। उन्होंने कहा—आज आप अनुवाद का काम रहने ही दें; कल हो जायगा। चलिए, थोड़ी देर ग्रामोफोन सुनें।

बाजे में चाबी भर दी गयी। रेकार्ड चढ़ा दिया गया। इन्दुबाला का गाना था— "सजन तुम काहे को नेहा लगाये।" एक दो तीन—वीणा ने बार-बार इसी रेकार्ड को बजाया। तब तक वीणा के पति कुंजबिहारी आफ़िस से लौटे। बोले—वीणा, तुमसे कितनी बार कहा कि इतनी मेहनत मत किया करो, पर तुम नहीं जानती। ज़रा अपना चेहरा तो जाकर शीशे में देखो, कैसा हो रहा है।

वीणा कुछ न बोली। निरंजन ने कहा— जी हाँ, यही बात तो मैं भी इनसे कह रहा था कि आप इतनी मेहनत न करें। सब होता रहेगा।

उस दिन निरंजन के जाने के बाद वीणा ने रात भर जागकर सारी रुबाइयों का अनुवाद कर डाला। अब केवल एक बार देख लेने ही की आवश्यकता थी। निरंजन की पत्नी की पत्र पढ़ लेने के बाद वीणा अपने आप ही अपनी नजरों में गिरने लगी। उसे ऐसा मालूम होता है कि निरंजन के प्रति उसका प्रेम स्वार्थ से परिपूर्णय है। क्योंकि उसे उनका साथ अच्छा लगता है, इसलिए वह उन्हें अपने दुराग्रह से रोके जा रही है। निरंजन की पत्नी की नम्रता एवं उसके शील और विश्वास के सामने

वीणा अपनी दृष्टि में स्वयं ही बहुत हीन जँचने लगी।

निरंजन बहुत नम्र प्रकृति के पुरुष थे और विशेषकर स्त्रियों के साथ और भी नम्रता से पेश आते। यही कारण था कि वे वीणा का आग्रह न टाल सके। कई बार जाने का निश्चय करके भी वे न जा सके, किन्तु आज वीणा ने सोचा कि अब मैं उन्हें कदापि न रोकँगी, जाने ही दूँगी। मैं जानती हूँ कि उनका जाना मुझे अखरेगा, परन्तु यह कहाँ का न्याय है कि मैं अपने स्वार्थ के लिए एक पति-पत्नी को अलग-अलग रहने के लिए बाध्य करूँ। न! अब यह न होगा। जो बीतेगा वह सहूँगी, पर उन्हें अब न रोकूँगी।

दूसरे दिन समय पर ही निरंजन आये। वीणा उन्हें ड्राइंग रूम में ही मिली। उन्हें देखते ही उठकर हँसती हुई बोली। (यद्यपि उसकी वह हँसी ओठों तक ही थी, उसकी अन्तरात्मा रो रही थी। उसे ऐसा जान पड़ता था कि निरंजन के जाते ही उसे उन्माद हो जायेगा)—कहिए निरंजनजी, आपने जाने की तैयारी कर ली?

निरंजन ने नम्रता से कहा— जी नहीं! मैं आज कहाँ जा रहाँ हूँ? मैं तो जब तक आपकी रुबाइयों का अनुवाद न हो जायगा, तब तक यहीं रहूँगा।

वीणा बोली— मेरी तो सब रुबाइयों का अनुवाद हो गया। आप देख लीजिए।

आश्चर्य से निरंजन से पूछा—सच! मालूम होता है। आपने रात को बहुत मेहनत की है।

वीणा—हाँ, मेहनत तो जरूर की है; किन्तु आपकी आज जाना भी तो है। अब आप इन्हें देख लीजिए, दो-तीन घंटे का काम है। बस।

निरंजन मुस्कुराते हुए बोले—क्यों, आप मुझसे नाराज हो गयीं क्या? आप मुझे इतनी जल्दी क्यों भेजना चाहती हैं? आराम के साथ चला जाऊँगा।

वीणा ने निरंजन पर एक मार्मिक दृष्टि डालते हुए कहा— निरंजनजी! मैं नाराज़ होऊँगी आपसे? क्या आपका हृदय इस प्रकार विश्वास कर सकता है? मैं तो जानती हूँ कभी न करेगा; किन्तु जिस प्रकार आप इतने दिनों तक मेरे आग्रह से रहे, उसी प्रकार मेरे अनुरोध से आप आज रात की गाड़ी से चले जाइये।

निरंजन ने दृष्टि उठाकर एक बार वीणा की ओर देखा, फिर वह अनुवाद की हुई रुबाइयों को देखने लगे।

ग्रामीणा

पंडित रामधन तिवारी को परमात्मा ने सब कुछ दिया था; किन्तु सन्तान के बिना उनका घर सूना था। धन-धान्य से भरा-पूरा घर उन्हें जंगल की तरह जान पड़ता। संतान की लालसा से उन्होंने न जाने कितने जप-तप और विधान करवाये और अन्त में उनकी ढलती उमर में पुत्र तो नहीं पर एक पुत्री का जन्म हुआ। इस समय तिवारीजी ने खूब खुले हाथों खर्च किया। सारे गाँव को प्रतिभोज दिया। महीनों घर में ढोलक ठनकती रही। कन्या ही सही पर इसके जन्म ने तिवारीजी के निष्पुत्र होने के कलं को धो दिया था। कन्या का रंग गोरा-चिट्टा, आँखे बड़ी-बड़ी, चौड़ा माथा और सुन्दर सी नासिका थी। उसके बाल घने, काले और असंख्य नन्हें-नन्हें छल्लों की भाँति सिर पर बड़ी ही सुहावने लगते थे। उसका नाम रखा गया- सोना। सोना का लालन-पालन बड़े लाड़-प्यार से होने लगा।

जब सोना सात साल की हुई तो घर में एक मास्टर लगातर तिवारीजी ने सोना को हिन्दी पढ़वाना प्रारंभ किया और थोड़े ही समय में सोना ने रामायण, महाभारत इत्यादि धार्मिक पुस्तकें पढ़ना सीख लिया। गाँव के सभी लोगों ने सोना की कुशाग्र बुद्धि की तारीफ़ की। इसके आगे, अधिक पढ़ाकर तिवारीजी को कन्या से कुछ नौकरी तो करवानी न थी; इसलिए सोना का पढ़ना बन्द करवा दिया गया।

अब सोना नौ साल की सुकुमार सुन्दर बालिका थी। उसकी सुन्दरता और सुकुमारता को देखकर गाँव वाले कहते- तिवारीजी! तुम्हारी लड़की तो देहात के लायक नहीं है। इसका विवाह तो भाई, कहीं शहर में ही करना। सुनते हैं, शहर में बड़ा आराम रहता है।

इधर तिवारीजी की बहिन जानकी जिसका विवाह हुआ तो गाँव में ही था किंतु कुछ ही दिन से शहर में जाकर रहने लगी थी, जब कभी शहर से चौड़े किनार की सफ़ेद साड़ी, आधी बाँह का लेस लगा हुआ जाकेट, टिकली की जगह माथे पर लाल इंगुर की बिन्दी और पैरों में काले-काले स्लीपर पहिनकर आती तो सारे गाँव की स्त्रियाँ उसे देखने के लिए दौड़ी आतीं। गाँव के तरुण-जीवन में उसका आदर

था और बूढ़ों की आँख में वह खटकती थी; किन्तु फिर भी वह सब के लिए नयी चीज़ थी। जानकी के पति नारायण ने भी मिल में नौकरी कर ली थी। उसे 20) माहवार मिलते थे। वह अब देहाती न था, सोलह आने शहर का बाबू बन गया था। धोती की जगह ढीला पाजामा, कुरते की जगह कमीज, बास्कट और कोट, पगड़ी की जगह काली टोपी और पैरो में पम्प शू पहिनता था। जब कभी गाँव में जाता कान में इत्र का फ़ाहा ज़रूर रहता। कभी हिना, कभी खस की मस्त खुशबू से बचारे देहाती हैरान हो जाते। उन्हें अपने जीवन से शहर का जीवन बड़ा ही सुखमय और शान्तिदायक मालूम होता।

इन सब बातों को देखकर और सोनाय की सुकुमारता को देखते हुए सेना की माँ नन्दो ने निश्चय कर लिया था कि मैं अपनी सोना का विवाह शहर में ही करूँगी। मेरी सोना भी पैरों में पतले-पतले लच्छे और काले-काले स्लीपर पहिनेगी। चौड़े किनार की सफेद साड़ी और लेस लगा हुआ जाकेट पहिनकर वह कितनी सुन्दर लगेगी, इसकी कल्पना मात्र से ही नन्दो हर्ष से विह्वल हो जाती। किन्तु सोना को कुछ ज्ञान न था; वह तो अपने देहाती जीवन में ही मस्त थी। वह दिन भर मधुबाला की तरह स्वच्छन्द फिरा करती। कभी-कभी वह समय पर खाना खाने आ जाती और कभी-कभी तो खेल में खाना भी भूल जाती। सुन्दर चीजें इकट्ठी करने और उन्हें देखनें का उसे व्यसन-सा था। गाँव में अपनी जोड़ की कोई लड़की उसे न मिलती। इसीलिए किसी लड़की से उसका अधिक मेल-मेल न था। नन्दो को सोना की यह स्वच्छन्दप्रियता पसन्द न थी। किन्तु वह सोना को दबा भी न सकती थी। वह जब कभी सोना को इसके लिए कुछ कहती तो तिवारीजी उसे आड़े हाथों लेते, कहते—लड़की है, पराये घर तो उसे जाना ही पड़ेगा, क्यों उसके पीछे पड़ी रहती हो? जितने दिन है, खेल-खा लेने दो। कुछ तुम्हारे घर जन्म-भर थोड़े बनी रहेगी।

लाचार नन्दो चुप हो जाती।

धीरे-धीरे सोना ने बारह वर्ष पूरे करके तेरहवें मैं पैर रखा। किन्तु तिवारी जी का इस तरफ ध्यान ही न था। एक दिन नन्दो ने उन्हें छेड़ा—सोना के विवाह की भी कुछ फिकर है?

तिवारीजी चौंक-से उठ, बोले—सोना का विवाह? अभी वह है कै साल की?

किन्तु यह कितने दिनों चल सकता था। लड़की का विवाह तो करना ही पड़ता। वैसे तो गाँव में ही कई ऐसे लड़के थे जिनसे सोना का विवाह हो सकता था। किन्तु नन्दी और तिवारीजी दोनों ही सोना का विवाह शहर में करना चाहते थे। शहर में जीवन का सुनहला सपना रह-रह के उनकी आँखों में छा जाता था। उन्होंने जानकी और नारायण से शहर में कोई योग्य वर तलाश करने के लिए कहा।

इधर सोना बारह साल की हो जाने पर भी निरी बालिका ही थी। अब भी वही राजा-रानी का खेल खेला जाता। सुन्दर फूल-पत्तियाँ अब भी इकट्ठी की जातीं और तितलियों के पीछे अब भी उसी प्रकार दौड़ लगाती। सोना के अंग-प्रत्यंग में धीरे-धीरे यौवन का प्रवेश प्रारम्भ हो चुका था; किन्तु सोना को इसका ज्ञान न था। उसके स्वभाव में अब भी वही लापरवाही, वही अल्हड़पन और भोलापन था जो आठ साल की बालिका के स्वभाव में मिलेगा।

सोना का विवाह तय हो गया। वर की आयु बाइस या तेइस साल की थी। वह सुन्दर, स्वस्थ और चरित्रवान नवयुवक था। एक प्रेस में नौकरी करते थे; 75) माहवार तनख्वाह पाते थे। घर में एक बूढ़ी माँ को छोड़कर और कोई न था। बिहार के रहने वाले थे। कुछ ही दिनों से यू० पी० में आये थे। पर्दे के बड़े पक्षपाती और पुरानी रूढ़ियों के क़ायल थे। नाम था विश्वमोहन। जब तिवारीजी ने विश्वमोहन और उनके घर को देखा तो उनकी खुशी का ठिकाना न रहा। विश्वमोहन, बाबू क्या पूरे साहब देख पड़ते थे उनके घर में खिड़की और दरवाजों पर चिकें पड़ी हुई थीं। ज़मीन पर एक दरी पड़ी थी जिसके बीच में एक गोल मेज़ थी। मेज़ के आसपास कई कुर्सियाँ पड़ी थी। जब विश्वमोहन ने तिवारीजी से चाय पीने का आग्रह किया और तिवारीजी को उनके आग्रह से चाय पीनी पड़ी तो वहाँ का साज-सामान देखकर तिवारीजी चकित हो गये। हर्ष से उनकी आँखे चमक उठीं। सुन्दर-सुन्दर प्यालों में मेज़ पर चाय का पीने का तिवारीजी के जीवन में यह पहिला ही अवसर था। चाय पीने के बाद तिवारीजी ने दो गिन्नी वरिक्ष में देकर शादी पक्की कर ली। रास्ते में नारायण बोला—कहो तिवारीजी, है न लड़का सौ में एक? है कोई तुम्हारे गाँव में ऐसा? जब कपड़े पहनकर, हैट लगा कर निकलता है तब कोई नहीं कह सकता कि साहब नहीं है। सब लोग झुक के सलाम करते हैं। घर में देखा कितना पर्दा है? सब खिड़की-दरवाजों पर चिकें पड़ी हैं। इनकी माँ बूढ़ी हो गयी हैं पर क्या मजाल कि कोई परछाईं भी देख ले। दोनों समय चाय पीते हैं, कुर्सियों पर बैठते हैं।

तिवारीजी ने हर्षोन्मत्त होकर कहा—भाई नारायण, हम तुम्हारे इस उपकार के सदा आभारी रहेंगे। हमारे ढूँढ़े तो ऐसा घर-वर कभी न मिलता। हम देहात के रहने वाले शहर का हाल-चाल क्या जानें? पर तुमने मेरी सोना को अपनी लड़की समझकर जो उसके लिए इतनी दौड़-धूप की है और ऐसा अच्छा जोड़ मिला दिया है, इस उपकार का फल तुम्हें ईश्वर देगा।

नारायण—अच्छा तिवारीजी अब जाकर विवाह की तैयारी करो। देखना इन्हें खाने-पीने का कुछ कष्ट न होने पावे। शहर के आदमी हैं; सब तकलीफें सह लेंगे, पर भूख नहीं सह सकेंगे। खाते भी अच्छा हैं, देहात की मिठाई इन्हें अच्छी न

लगेगी, कोई शहर का ही हलवाई ले जाकर मिठाई बनवा देना। समझे ?क

तिवारीजी खुशी-खुशी घर लौटे? घर आकर जब उन्होंने नन्दो के सामने वर के रूप और गुण का बखान किया तो नन्दी फूली न समायी। वह जैसा घर-वर सोना के लिए चाहती थी, ईश्वर ने उसकी साध पूरी कर दी। इस कृपा के लिए उसने परमात्मा को शतशः धन्यवाद दिये, और नारायण को उसने कोटि-कोटि मन से आशीर्वाद दिया, जिसने इतनी दौड़-धूप करके मनचाहा घर और वर सोना के लिए खोज दिया था।

सोना ने जब सुना कि उसका विवाह हो रहा है तब वह दौड़कर आयी। उसने माँ से पूछा—माँ! विवाह कैसा होता है और क्यों होता है।

माँ के सामने यह बड़ा जटिल प्रश्न था। वह समझ ही न सकी कि इसका क्या उत्तर दे, किन्तु चतुर जानकी ने तुरन्त बात बना ली। बोली— सोना!

विवाह हो जाने पर अच्छ-अच्छे गहने-कपड़े मिलते है। इसलिए विवाह होता है।

सोना— बुआजी, फिर क्या होता है?

जानकी—फिर सास के घर जाना पड़ता है। सो मैं तुझे अपने साथ ले चलूँगी।

—सो तो मैं पहिले ही से जानती थी बुआजी, कि विवाह करने पर सास के घर जाना पड़ता है; पर मैं कहीं न जाऊँगी। अभी से कहे देती हूँ, विवाह करो चाहे न करो। — कहती हुई सोना खेलने चली गयी।

नन्दो का मातृप्रेम आँखों में आँसू बनकर उमड़ आया, बोली—अभी बचपना है; बड़ी होगी तब सब समझेगी।

जानकी—फिर तो ससुराल से एक-दिन के लिए भी मायके आना कठिन हो जायेगा भोजी! देखो न! मैं ही चार-छै दिन के लिए आती हूँ तो रात-दिन वहीं की फिकर लगी रहती है। जहाँ गृहस्थी का झंझट सिर पर पड़ा सब खेलना-कूदना भूल जाता है। जब तक विवाह नहीं होता तभी तक का खेलना-खाना समझो।

नन्दो—जानकी दीदी! तुम लोगों की कृपा से मेरी सोना सुखी रहे। जैसे उसका नाम सोना है उसके जीवन में सोना ही बरसता रहे।

सोना का विवाह हो गया। रामधन तिवारी की लड़की का विवाह गाँव भर में एक नयी बात थी। इस विवाह में मंगलामुखों के स्थान पर आगरे से भजन-मंडली आयी थी जो उपदेश के अच्छे-अच्छे भजन गा के सुनाया करती थी। गहने-कपड़े सब नये फैशन के थे। लहँगों का स्थान साड़ियों ने ले लिया था। जूते थे, मोज़े थे, रुमाल थे, पाउडर की डिब्बी, सुगंधित तेल और भी जाने क्या-क्या था जिनकी नन्दो और जानकी ने कल्पना तक न की थी। गाँव की औरतों को नन्दो बड़ी खुशी-खुशी

सब चीजें दिखाया करती। देखनेवाली सोना के सौभाग्यय की सराहना करती हुई लौट जातीं। उनकी आँखों में आज सोना से अधिक सौभाग्यवती कोई न थी। जिस दिन सोना को ससुराल के सब गहने-कपड़े पहिनाकर नन्दो ने पुत्री का सौन्दर्य निहारा तो उसका रोम-रोम पुलकित हो उठा। किसी की नजर न लग जाय, इस डर से उसने छिपाकर बालों के नीचे एक काजल का टीका काजल का टीका लगा दिया। जिसने सोना को देखा, वही क्षण भर उसे देखता रहा। सोना सचमुच में सोना ही थी।

विदा का समय आया। माँ-बेटी खूब रोयीं। जब सोना तिवारीजी की कमर से लिपटकर रोने लगी तो तिवारीजी का भी धैर्य जाता रहा, वे भी जोर से रो पड़े। सोना विदा हो गयी। विदा के बाद तिवारीजी को पुत्री के विछोह का दुःख भी था, साथ-ही-साथ आत्मसंतोष भी कि, पुत्री अच्छे घर ब्याही गयी है, सुख में रहोगी।

सोना ससुराल पहुँची। रास्ते भर तो जैस-तैसे आयी किन्तु घर पहुँचने पर जब वह एक कोठरी में बंद कर दी गयी और बारह की साफ़ हवा उसे दुर्लभ हो गयी तो उसे ससुराल का जीवन बड़ा ही कष्टमय मालूम हुआ। अब उसे गहने-कपड़े न सुहाते थे। रह-रहकर कोठरी से बाहर निकलकर साफ़ हवा में आने के लिए उसका जी तड़पने लगा। स्वच्छन्द हवा में विचरनेवाली बुलबुल की जो दशा पिंजरे में बन्द होने के बाद होती है, वही दिशा सोना की थी। चार ही छै दिन में उसके गुलाबी गाल पीले पड़ गये, आँखे भारी रहने लगीं। एक दिन विश्वमोहन आफ़िस चले गये थे, सास सो रही थीं, सोना आँगन के बाहर के दरवाजे के पास चली आयी। चिक का ज़रा हटाकर बाहर देखा। यहाँ देहात की सुन्दरता तो न थी फिर भी साफ़ हवा तो थी ही। इतने दिनों के बाद क्षण भर के लिए क्यों न हो बाहर की हवा लगते ही सोना का चित्त प्रफुल्लित हो गया। किन्तु उसी समय एक बुढ़िया उधर से निकली। सोना के उसने चिक के पास देख लिया। आकर विश्वमोहन की माँ से उसने कहा– बहू को ज़रा सम्हाल कर रखा करो। न साल न छै महीने, अभी से खड़ी होकर झाँकती है। यह लच्छन कुलीन घर की बहू-बेटियों को शोभा नहीं देते। बिस्सू की अम्मा! तुम्हारी इतनी उमर हो गई, आज तक किसी ने परछाईं तक न देखी और तुम्हारी ही बहू के ये लच्छन! कलजुग इसी को कहते है।

बुढ़िया तो उपदेश देकर चली गयी, पर सोना को उस दिन बड़ी डाँट पड़ी। उसकी समझ में ही न आता था कि चिक के पास जाकर उसने कौन-सा अपराध कर डाला। फिर भी बेचारी ने नतमस्तक सभी झिड़कियाँ सह लीं। और दूसरा चारा ही क्या था?

इसी बीच जब तिवारीजी सोना को लेने आये तो उसे ऐसा जान पड़ा जैसे किसी

ने डूबते उबार लिया हो। पिता को देखकर वह बड़ी खुश हुई। उसने मन ही मन प्रतिज्ञा की कि अब की जाऊँगी तो फिर यहाँ कभी न आऊँगी।

लेकिन शहरवाले बहू को मायके में ज्यादा रहने ही कब देते हैं? सोना को मायके आये अभी पन्द्रह दिन भी हुए थे कि विश्वमोहन सोना को लेने के लिए आ गये। वे जब आ रहे थे, सोना उन्हे रास्ते में ही बिही के पेड़ पर चढ़ी हुई मिली। उसके साथ और भी बहुत से लड़के-लड़कियाँ थीं। सोना का सर खुला था और वह बिही तोड़-तोड़कर खा रही थी, और अपनी जूठी बिही खींच-खींचकर मारती भी जा रही थी और ऊपर बैठी-बैठी हँसे रही थी। सोना को विश्वमोहन ने देखा सोना उन्हें न देख सकी। पत्नी की चाल-ढाल विश्वमोहन को न सुहायी, उनकी आँखों में खून उतार आया; पर वे चुपचाप अपने क्रोध को पी गये। किन्तु उसी समय उन्होंने मन की मन प्रतिज्ञा की कि अब वे सोना को मायके कभी न भेजेंगे। वे जाकर चौपाल में मोढ़े पर बैठी ही थे कि अपने बाल सखा और सहेलियों के साथ सोना भी पहुँची। विश्वमोहन को देखते ही उसने हाथ की बिही फेंक दी और सिख ढँक कर अंदर भाग गयी। फिर ससुराल जाना पड़ेगा, इस भावना मात्र से ही उसका हृदय व्याकुल हो उठा।

सोना फिर ससुराल आयी। अबकी बार आने के साथ ही घर का सार भार सोना को सौंप कर सोना की सास ने गृहस्थी से छुट्टी ले ली। कभी घर का काम करने का अभ्यास ने होने के कारण सोना को घर के काम करने में बड़ी दिक्कत होती, इसके लिए उसे रोज़ सास की झिड़कियाँ सहनी पड़तीं। सोना ने तो खेलना, खाना और तितली की तरह उड़ना ही सीखा था। गृहस्थी की गाड़ी में उसे भी कभी जुताना पड़ेगा यह तो उसने कभी सोचा ही न था। किन्तु यह कठिनता महीने-पन्द्रह दिन की ही थी। अभ्यास हो जाने पर फिर सोना को काम करने में कुछ कठिनता न पड़ती।

घर में रात-दिन बंद रहने की उसकी आदत न थी। बाहन जाने के लिए उसकी जी सदा व्याकुल रहता। यदि कभी खिलौनेवालों की आवाज सुनती या 'चना जोर गरम' की आवाज़ उसके कान में पड़ती तब वह तड़प-सी जाती। अपना यह कैदखाने का जीवन उसे बड़ा ही कष्टकर मालूम पड़ता। किन्तु सोना बहुत दिनों तक अपने को न रोक सकी। वह सास और पति की आँख बचाकर गृहकार्य के पश्चात् कभी खिड़की, कभी दरवाज़े के पास, जब जैसा मौका मिलता जाकर खड़ी हो जाती। बाहर का दृश्य, हरे-भरे पेड़-पत्तियाँ देखकर उसे कुछ शांति मिलती। बाहर ठंडी हवा को स्पर्श करके उसमें जैसे कुछ जीवन आ जाता। वह जानती थी कि खिड़की या दरवाजे के पास वह कभी किसी बुरे उद्देश्य से नहीं जाती, फिर भी पति नाराज़ होंगे, सास झिड़कियाँ लगायेंगी, इसलिए वह सदा उनकी नज़र बचाकर

ही यह काम करती। मुहल्लेवालों को यह बात सहन न हुई। कल की आयी हुई बहू, बड़े घर की बहू, सदा खिड़की-दरवाजों से लगा रहे। अवश्य ही यह आचरणभ्रष्ट है। धीरे-धीरे आसपास के लोगों में सोना के आचरण की चर्चा होने लगी। पुराने विचारवाले पर्दा पक्षपतियों को सोना की हर एक हरकत में बुराई छोड़ भलाई नज़र ही न आती थी। मुहल्ले के बिगड़े-दिल शोहदे, सोन के दरवाज़े पर से दिन में कई बार चक्कर लगाते और आवाज़ें कसते।

किन्तु न तो सोना का इस तरफ ध्यान होता और न उसे इसकी कुछ परवा थी। वह तो प्रकृति की पुजारिन थी। खिड़की-दरवाजों के पास वह प्रकृति की शोभा देखती थी; लोगों की बातों की ओर तो उसका ध्यान भी न जाता था।

इसी बीच में, किसी काम से सोना की सास को कुछ दिन के लिए गाँव पर जाना पड़ा। अब पति के आफ़िस जाने के बाद वह स्वच्छन्द हिरनी की तरह फिरा करती थी। कोई रोक-टोक करनेवाला तो था ही नहीं; अब कभी-कभी वह चिक से बाहर भी चला जाया करती। आस-पास की कई औरतों से जान-पहचान भी हो गयी। वे लोग सोना के घर आने-जाने लगीं। सोना भी कभी-कभी लुक-छिप के दोपहर के सन्नाटे में उनके घर हो आती। सोना के बारे में उसके आचरण के विषय में लोग क्या बकते हैं, सोना जानती थी। वह तो उन्हें अपना हितैषी और मित्र समझती थी। वही लोग, जो सोना से घुल-मिलकर घंटों बातचीत किया करते, बाहर जाकर न जाने क्या-क्या बकते। धीरे-धीरे इसकी चर्चा विश्वमोहन के कानों तक भी पहुँची। इन सब बातों को रोकने के लिए उन्होंने अपनी माँ की उपस्थिति आवश्यक समझी। इन सब बातों को रोकने के लिए उन्होंने अपने माँ की उपस्थिति आवश्यक समझी। इसलिए माँ को बुलवा भेजा। साथ ही सोना को भी समझा दिया कि वह बहुत सँभलकर रहा करे। सास के आने पर सोना के ऊपर फिर से पहरा बैठ गया। किन्तु वह तो गाँव की लड़की थी, साफ़ हवा में विचर चुकी थी; उसके लिए सख्त पर्दे में बिल्कुल बन्द होकर रहना बड़ा कठिन था। इसलिए उसका जीवन बड़ा दु:खी था। उससे घर के भीतर बैठा ही न जाता था। ज़रा मौका पाते ही बाहर साफ़ हवा में जापने के लिए उसका जी मचल उठता और वह अपने आपको रोक न सकती। विश्वमोहन ने एकान्त में उसे कई बार समझाया कि सोना के इस आचरण से उनकी बहुत बदनामी हो रही है इसलिए वह खिड़की-दरवाजों के पास न जाया करें, बाहर ने निकला करें। एक दो दिन तक तो सोना को उनकी बातें याद रहतीं किन्तु वह फिर भूल जाती और वही हाल फिर हो जाता, फिर खिड़की-दरवाजों के पास जाती, फिर बाहर की साफ़ हवा में जाने के लिए, प्रकृति के सुन्दर दृश्यों को देखने के लिए उसकी आँखें मचल उठतीं।

एक दिन विश्वमोहन की किसी काम से शहर के बाहर जाना था। सोना के पति का सामना ठीक कर उन्हें स्टेशन रवाना किया। सास खाना खा चुकने के बाद लेट गयी। सोना ने अपनी गृहस्थी के काम-धंधे समाप्त करके कंघी-चोटी की, कपड़े बदले, पान बनाके खाया, फिर एक पुस्तक लेकर पढ़ने के लिए खाट पर लेट गयी। पुस्तक कई बार की पढ़ी हुई थी। दो-चार पेज उलट-पुलटकर देखे, जी न लगा। उसी समय ठेलेवाले ने आवाज़ दी 'दो पैसा', हर माल मिलेगा दो पैसा।' किताब फेंककर सोना दरवाज़े की तरफ दौड़ी। ठेलेवाला दूर निकल गया था। दूर तक नज़र दौड़ायी। कहीं भी न देख पड़ा। निराश होकर लौटनेवाली ही थी कि पड़ौस ही में रहनेवाला बनिये का लड़का फैजू दौड़ा हुआ आया, बोला–भौजी! सुई-तागा हो तो ज़रा मेरे कुर्ते में बटन टाँक दो, में कुश्ती देखने जाता हूँ।

सोना ने पूछा– कुश्ती देखने जाते हो कि लड़ने?

फैजू ने मुस्कुराकर कहा–दोनों काम करने भौजी! पर, पहिले बटनें तो टाँक दो, नहीं तो देरी हो जायगी।

सोना सुई तागा लाकर बटन टाँकने लगी। फैजू वहीं फ़र्श पर सोना से ज़रा दूर हटकर बैठ गया।

गाड़ी तीन घंटे लेट थी। विश्वमाहन ने सोचा यहाँ बैठे-बैठे क्या करेंगे? चलें तब तक घर में ही बैठकर आराम करेंगे। सामान स्टेशन पर ही छोड़कर, स्टेशन मास्टर की साइकिल लेकर विश्वमोहन घर पहुँचे। बैठकर में फैजू को सोना के पास बैठा देखकर उनके बदन में आग-सी लग गयी। वे क्षण भर वहीं खड़े रहे परन्तु इस दृश्य को वे गावारा न कर सके। अपने गुस्से को चुपचाप पीकर अन्दर आये, माता के पास बैठ गये। सोना से पति की नाराजी छिपी रही। ज्यों-ज्यों किस प्रकार बटन टाँककर कुरता फैजू को देखकर वह अन्दर आयी। सोना ने स्वप्न में भी न सोचा था कि यह ज़रा सी बात यहाँ तक बढ़ जायगी। पति को चेहरा देखकर वह सहम-सी गयी। उनकी त्योरियाँ चढ़ी हुई, चेहरा स्याह और आँखे गीली थीं। सोना अंदर आयी। विश्वमोहन ने उसकी तरफ आँखें उठाकर भी न देखा। उसने डरते-डरते पति से पूछा–कैसे लौट आये?

विश्वमोहन ने रुखाई से दो शब्द में उत्तर दिया–गाड़ी लेट है।

सोना ने फिर छेड़ा–अब कब जाओगे?

विश्वमोहन ने तीव्र दृष्टि पत्नी पर डाली और कठोर स्वर में बोले–गाड़ी तीन घंटे बाद जायगी, तब चला जाऊँगा।

सोना फिर नम्रता से बोली–तो इस प्रकार बैठे कब तक रहोगे? मैं खाट बिछाये देती हूँ, आराम से लेट जाओ।

'तुम्हें कष्ट करने की आवश्यकता नहीं। मैं बहुत अच्छी तरह हूँ, विश्वमोहन ने कड़े स्वर में रुखाई से कहा। सोना के बहुत आग्रह करने पर विश्वमोहन ने कमरे में पैर रखा; न वे कुछ बोले और न खाट पर ही लेटे, कुर्सी पर बैठ गये। एक पुस्तक उठाकर उसके पन्ने उलटने लगे। पढ़ने के नाम से कदाचित् एक अक्षर भी न पढ़ सके; किन्तु इस प्रकार वे अपनी अन्तर्वेदना को चुपचाप लूह के घूँट की तरह पी रहे थे। सोना का अचारण उन्हें हज़ार-हज़ार बिच्छुओं के दंशन की तरह पीड़ा पहुँचा रहा था। पति की आंतरिक वेदना सोना से छिपी न थी। वह ज़रा खिसककर उनके पास बैठ गयी। धीरे से उसने अपना सिर विश्मोहन के पैरों पर घर दिया, बोली— इस बार मुझे माफ़ करो, अब तुम जो कुछ कहोगे मैं वही करूँगी, मुझसे नाराज़ न होओ।

विश्वमोहन के पैरों पर जैसे किसी ने जलती हुई आग धर दी हो। जल्दी से उन्होंने अपने पैर समेट लिये और तिरस्कार के स्वर में बोले—यह बात आज क्या तुम पहिली ही बार कह रही हो? यह मौखिक प्रतिज्ञा है, हार्दिक नहीं। मैं सब जानता हूँ। तुम्हारे कारण तो मैं शहर में सिर उठाने लायक नहीं रहा। जिधर जाओ उधर लोग तुम्हारी चर्चा करते हुए देख पड़ते हैं। मेरे तुम्हारे मुँह पर कोई कुछ नहीं कहता तो क्या हुआ? बाद में तो कानाफूसी करते हैं। तुम्हारे ऊपर तो जैसे इसका कुछ असर ही नहीं पड़ता। जो जी में आता है, करती हो। भला, वह शोहदा तुम्हारे पास बटन टँकवाने क्यों आया? क्या तुम इनकार न कर सकती थीं? तुम यदि शह न दो तो कैसे कोई तुम्हारे पास आवें?

सोना ने भय-कातर दृष्टि से पति की ओर देखते हुए कहा—ज़रा सा तो काम था। पड़ोसी धर्म के नाते, मैंने सोचा कि कर ही देना चाहिए। नहीं तो इनकार क्यों नहीं कर सकती थी।

—इसी प्रकार ज़रा-ज़रा सी बातों से बड़ी-बड़ी बातें भी हो जाया करती हैं। निभाया करो पड़ौसी धर्म मगर मेरी इज्जत का ख्याल मत करना! कहते हुए विश्वमोहन बाहर चले गये, साइकिल उठायी और स्टेशन चल दिये।

आहत अपमान से सोना तड़प उठी। वह कटे हुए वृक्ष की भाँति खाट पर गिर पड़ी, रोयी। रो लेने के बाद उसका जी कुछ हल्का हुआ। उसे अपने गाँव का स्वच्छन्द जीवन याद आने लगा। देहाती जीवन की सुखद स्मृतियाँ एक-एक करके सुकवि को सुन्दर कल्पना की भाँति उसके दिमाग में आने लगीं। उसे याद आया, किस प्रकार जाड़े के दिनों में अलाव के पास न जाने कितनी रात तक बूढ़े जवान, युवतियाँ और बच्चे सब साथ बैठकर आग तपते हुए पहेलियाँ बुझाते और किस्से-कहानियाँ कहा करते थे। किसी के साथ किसी प्रकार का प्रबन्धन न था। नदी पर गाँव भर की बहू-बेटियाँ कैसे स्नान करने को जाती थीं और फिर सब एक साथ

गाती हुई लौटती थीं। कितना सुखमय जीवन था वह। चने के खेत में नर्म-नर्म चने की भाजी तोड़कर सब एक साथ ही किस प्रकार खाया करते थे और कभी-कभी छीना-झपटी भी हो जाया करती थी। हँसी-मजाक भी खूब होता था किन्तु वहाँ किसी को कुछ शिकायत न थी। अपने पड़ोसी कुंदन के लिए वह माँ से लड़-भिड़कर भी मिठाई ले जाया करती थी। नदी पर नहाने के बाद कभी-कभी कुंदन उसकी धोती भी तो धो दिया करता था; किन्तु वहाँ तो इसकी कभी चर्चा भी नहीं हुई। क्रोशिये से एक सुन्दर-सा पोत को बटुआ बनाकर सबसे सामने ही तो उसने कुंदन को दिया था जो अब तक उसके पास रखा होगा पर वहाँ तो इस पर किसी को भी बुरा न लगा था। वहाँ सबसे बोलने, बात करने की स्वतंत्रता थी। कुंदन की भाभी नयी-नयी तो ब्याह के आयी थी, पर हम लोगों के साथ ही रोज नदी नहाने जाया करती थी और साथ बैठक झूला भी झूला करती थी, अलाव के पास भी बैठा करती थी। फिर मैंने कौन-सा ऐसा पाप कर डाला, जिसके कारण इन्हें शहर में सर उठाने की जगह नहीं रही। यदि किसी का कुछ काम कर देना, बोलना या बातचीत करना ही पाप है, तो कदाचित् यह पाप-अनजाने मुझसे सदा ही होता रहेगा। मेरे कारण उन्हें पद-पद पर लांछित होना पड़े तो मेरे इस जीवन का मूल्य ही क्या है? ऐसे जीवन से तो मर जाना अच्छा है। मैं घर के अन्दर परदे में नहीं बैठ सकती, यही तो मेरा अपराध है न? इसी के कारण तो लोग मेरे आचरण तक में धब्बे लगाते हैं? मैं लोगों से अच्छी तरह बोलती हूँ– प्रेम का व्यवहार रखती हूँ। यही तो मुझमें बुराई है न? आज उन्हें मुझ पर क्रोध आया; उन्होंने तिरस्कार के साथ मुझे झिड़क दिया। इसमें उनका कोई कसूर नहीं है। पत्थर के पाट पर भी रस्सी के रोज़-रोज़ के घिसने से निशान पड़ जाते है, फिर वे तो देवतुल्य पुरुष हैं। उनका हृदय तो कोमल है, इन अपवादों का असर कैसे न पड़ता? रामचन्द्र जी सरीखे महापुरुष ने भी तो ज़रा सी ही बात पर गर्भवती सीता को वनवास दे दिया था, फिर ये तो साधारण मनुष्य ही हैं। इन्होंने जब इन्हीं के हृदय में संदेह ने घर कर लिया तो मैं जीती हुई भी मरी सी गयी-बीती हूँ। इसी प्रकार अनेक तरह के संकल्प-विकल्प सोना के मस्तिष्क में आये और चले गये।

तीन दिन के बाद विश्वमोहन लौटे। जाने के पहिले उनमें सोना में जो कुछ बातचीत हुई थी, वे उसे प्रायः भूल से गये थे। सोना के लिए अच्छी सी साड़ी, एक जोड़ी पैरों के लिए सुन्दर से स्लीपर और कुछ हेयर क्लिप लिये हुए वे घर आये, किन्तु सामने ही चबूतरे पर उन्हें फैजू बैठा हुआ मिला। पास की हरी-हरी घास पर वह अपना तीतर चुगा रहा था। विश्वमोहन उसे देखते ही तिलमिला-से उठे। संदेह और भी गहरा हो गया। सारी बातें ज्यों-त्यों फिर ताज़ा हो गयीं। उनका हृदय बड़ा

ही विचलित और व्यथित हुआ, न जाने कितने प्रकार की शंकाएँ उन्हें व्याकुलु करने लगीं। उनका चेहरा फिर गंभीर हो गया। घर आकर वे सोना से एक बात भी न कर सके। माँ से एक दो बातें कर, बिना भोजन किये ही वे आफ़िस चले गये। सोना से यह उपेक्षा न सही गयी। पिछले तीन दिन से वह खिड़की-दरवाजों के पास भी न गयी थीं, और उसने यह निश्चय कर लिया था कि अब वह कभी भी खिड़की-दरवाजों के पास न जायगी। विश्वमोहन की इस अपेक्षा ने उसके हृदय के घाव को और भी गहरा कर दिया। सोना अब इससे अधिक न सह सकती थी। अपने जीवन को समाप्त करने का उसे कोई साधन न मिला, आँगन में लगे हुए धतूरे के पेड़ से उसने दो-तीन फल तोड़े लिये और पीसकर पी गयी। कुछ ही क्षण बाद सोना के हाथ-पैर अकड़ने लगे। उसकी जबान ऐंठ गयी और चेहरा काला पड़ गया। वह देखती थी किन्तु बोल न सकती थी। इसी समय तिवारीजी आ पहुँचे। वे सोना को विदा कराने आये थे। सोना पिता को देखकर बहुत रोयी। सारे घर में कुहराम मच गया और देखते ही देखते सोना के प्राण पखेरू उड़ गये। यह ऐसी नींद थी जिसने सोना को विदा के लिए शान्ति दे दी। अपवाद की विषैली वायु अब उसे छू भी न सकती थी।

शाम को छै बजे विश्मोहन आफिस से लौटे। घर में रोने की आवाज सुनकर किसी अज्ञात आशंक से उनका हृदय विचलित हो उठा। घर में आकर देखा, तिवारीजी कन्या की लाश गोद में लिये हुए धाड़ें मार-मारकर रो रहे हैं। तिवारीजी इस बीच कई बार कन्या को लेने आ चुके थे, किन्तु विश्वमोहन ने विदा न किया था। विश्वमोहन और तिवारीजी से कोई विशेष बाचचीत ने हुई अंतिम संस्कार की तैयारी होने लगी। अन्तिम संस्कार के बाद जब विश्वमोहन लौटे तो मेज़ पर उन्हें सोना का पत्र मिला--

''मेरे देवता! मैं मर रही हूँ। मरने वाला झूठ नहीं बोला करता। आज तो अंतिम बार विश्वास कर लेना--मैं निर्दोष थीं। मुझे ऐसा लगता है कि या तो यह दुनिया मेरे लायक नहीं है या मैं ही दुनिया के योग्य नहीं हूँ। इस छल-कपट से परिपूर्ण संसार में मुझे भेजकर शायद विधाता ने उचित नहीं किया था। आप मेरी एक कठिनाई और भी शायद नहीं समझ सके; एक वातावरण से सहसा दूसरे वातावरण में पहुँचकर मैं अपने को शीघ्र ही अनुकूल बना लेने में असमर्थ पाती थी। अपने मरने का मुझे कोई अफ़सोस नहीं, दुःख है तो केवल इतना कि मैं आपको कभी सुखी न कर सकी।

--अभागिनी सोना''

उन्मादिनी

लोग मुझे उन्मादिनी कहते हैं। क्यों कहते हैं, यह तो कहनेवाले ही जानें; किन्तु मैंनें आज तक कोई भी ऐसा काम नहीं किया है जिसमें उन्माद के लक्षण हों। मैं अपने सभी काम नियमपूर्वक करती हूँ। क्या एक भी दिन मैं उस समाधि पर फूल चढ़ाना भूली हूँ? क्या ऐसी कोई भी संध्या गई है जब मैंने वहाँ दीपक नहीं जलाया है? कौन सा ऐसा सबेरा हुआ है जब ओस से धुली हुई नई-नई कलियों से मैंने उसे समाधि को नहीं ढँक दिया? फिर भी मैं उन्मादिनी हूँ। यदि अपने किसी आत्मीय के सच्चे और निःस्वार्थ प्रेम को समझने और उसका मूल्य करने को ही उन्माद कहते हैं, तो ईश्वर ऐसा उन्माद सभी को दे। क्या कहा--वह मेरा कौन था? यह तो मैं भी नहीं कह सकती, पर कोई था अवश्य, और ऐसा था, मेरे इतने निकट था कि आज वह समाधि में सोया है और मैं बावली की तरह उसके आस-पास फेरी देती हूँ। उसकी और मेरी कहानी भिन्न-भिन्न तो नहीं है। जो कुछ है यही है। सुनो--

बचपन से ही मुझे कहानी सुनने का शौक था। मैं बहुत-सी कहानियाँ सुना करती और मुझे उनका वह भाग बहुत ही प्रिय लगता, जहाँ किसी युवक की वीरता का वर्णन होता। मैंने वीरता की परिभाषा अपनी अलग ही बना ली थी। यदि कोई युवक किसी शेर को भी मार डाले, तो मुझे वह वीर न मालूम होता; मेरा हृदय सुनकर उछलने न लगता। किन्तु यदि किसी युवती को बचाने के लिए वह किसी कुत्ते की टाँग ही क्यों न तोड़ दे मुझे बड़ा बाहदुर मालूम होता; मेरा हृदय प्रसन्नता से उछलने लगता। पहिले उदाहरण में स्वार्थ था, क्रूरता थी, और थी नीरसता। उसके विपरीत दूसरे उदाहरण में एक तरफ थी भयत्रस्त हरिणी की तरह दो आँखे और हृदय से उठने वाली अमोघ प्रार्थना; और दूसरी ओर थी रक्षा करने की स्फूर्ति, वीर प्रमाणित होने की पवित्र आकांक्षा, और विजय की लालसा। इन सबके ऊपर स्नेह का मधुर आवरण था जो इस चित्र की ओर भी सुन्दर बना रहा था। कहानी-प्रेम ने मेरे हृदय को एक काल्पनिक कहानी की नायिका बनने की आतुरता में उड़ान सिखला दिया था।

जवानी आई और उसी के साथ मेरी कहानी की आशा भी। यों तो शीशे में अपना मुँह रोज ही देखा जाता है, परन्तु आँखें कभी-कभी केवल अपने को ही देखती रह जाती हैं। गहरे अँधेरे में बन्द हृदय भी कदाचित् अपना स्वरूप दर्पण में रखने के लिए मचलने लगता है, आँखों से लड़ जाता है उसकी सौंदर्य-समाधि की तोड़ देता है। मैंने सुना है कि एक समय ऐसा आता है, जब कुरूप से कुरूप व्यक्ति भी अपने को सुन्दर समझने लगता है, फिर मैं तो सुन्दरी थी ही।

बचपन में माँ मुझे प्यार से 'मेरी सोना', 'मेरी हीरा', 'मेरी चाँद' कहा करती थी। बड़ी होने पर एक दिन कलूटे कुन्दन ने मुझसे लड़ाई में कह दिया, कि 'हम तुम्हारे सरीखा गोरा-गोरा मुँह कहाँ से आवें?' बेचारा कुन्दन क्या जाने कि उसने इन शब्दों से कौन सा जादू फूँक दिया, कि फिर मैं उससे लड़ न सकी; इस बात के उत्तर में उसे पत्थर फेंककर मार न सकी। हाँ, मैंने अन्दर जाकर दर्पण के सामने खड़ी होकर कुन्दन के मुँह से अपने मुँह की तुलना अवश्य की। सचमुच मेरा मुँह बहुत गोरा था, परन्तु कुन्दन-कुन्दन भी तो काला न था, साँवल था। और मुझे साँवले ही पुरुष अच्छे लगते थे। बचपन में अनेक बार राधा-कृष्ण की कहानी सुनते-सुनते मैं भी अपने को राधा रानी समझने लगी थी और कृष्ण? कृष्ण, बहुत तलाश करने पर भी सिवा कुन्दन के और कोई न मिलता। कुन्दन बाँसुरी भी बजाता था और साँवला भी था, फिर भला मेरा कृष्ण सिवा कुन्दन के और हो भी कौन सकता था?

युवती होने पर मेरे विवाह की चर्चा स्वाभाविक थी। मैंने सुन रक्खा था कि विवाह कुछ चक्कर लगाकर होता है और एक अपरिचित व्यक्ति उन्हीं कुछ चक्करों के बाद लड़की को अपने साथ लिवा ले जाता है। किन्तु मुझे तो विवाह के चक्करों से वे चक्कर से वे चक्कर अधिक रुचते थे, जो कभी-कभी मैं कुन्दन के लिए और प्रायः कुन्दन मेरे लिए लगाया करता था। मैं चाहती तो यही थी कि मुझे अब और किसी के साथ चक्कर ने लगाने पड़ें। मैंने तथा कुन्दन दोनों ने मिलकर जितने चक्कर लगाये हैं हमारी दैनिक जीवन-यात्रा के लिए उतने ही पर्याप्त हैं। किन्तु पिताजी तो चिट्ठी-पत्री से कुछ और ही तय करते रहे थे। सुना, कि कोई इंगलैण्ड से लौटे हुए इंजीनियर हैं, जिनके साथ पिताजी मुझे जीवन-भर के लिए बाँध देना चाहते हैं।

सोचा, मुझे कौन सी इमारत खड़ी करवानी है या कौन सा पुल तैयार करवाना है, जो पिताजी ने इंजीनियर तलाश किया। मेरे जीवन के थोड़े से दिन तो कुन्दन के ही साथ हँसते-खेलते बीत जाते किन्तु वहाँ मेरी कौन सुनता था? परिणाम यह हुआ कि यहाँ इतने चक्कर लगाकर भी मेरे ऊपर कुन्दन का कुछ अधिकार न हो पाया और इंजीनियर साहब ने, जिनसे ने मेरी कभी की जान थी न पहिचान, मेरे साथ

केवल सात चक्कर लगाये और मैं भी उनकी हो गयी।

इधर मेरा विवाह हो रहा था उधर कुन्दन बी० ए० की परीक्षा दे रहा था। सुना कि कुन्दन परीक्षा-भवन में बेहोश हो गया। बेचारा एक साथ ही दो-दो परीक्षाओं में बैठा भी तो था!

विवाह की भीड़-भाड़ में, न जाने कितने मित्र और रिश्तेदारों की जमघट में, मेरी उत्सुक आँखें सुदा कुन्दन को खोजती रहतीं, किन्तु इन तीन-चार दिनों में वह मुझे एक दिन भी न दिखा। विदा के दिन तो मेरे धैर्य की बाँध टूट गया। कुन्दन की बहिन से मैंने पूछा; हृदय में एक पीड़ा छिपाये हुए मैं विदा हुई। स्टेशन पर पहुँची। व्याकुलता असम्भव को भी सम्भव बनाने की उधेड़बुन में रहती हैं। मैं जानती थी कि बीमार कुन्दन स्टेशन नहीं आ सकता फिर भी आँखे चारों तरफ किसी को खोज रही थीं।

इधर ट्रेन ने चलने की सीटी दी, उधर गेट की तरफ से कोई तेजी से आता हुआ दिखा। आँखों ने कहा, कुन्दन है; हृदय में समर्थन किया किन्तु मस्तिष्क ने विरोध किया–भला वह बीमार स्टेशन पर कैसे आयेगा!

पर वह मेरा कुन्दन ही था। उसकी आँखों में निराशाजनक उन्माद, चेहरे पर विषाद की गहरी छाया और ओठों पर वही स्वाभाविक मुस्कुराहट थी। सिर के बिखरे रुखे बालों ने पूरा माथा ढँक रखा था। मैं चिल्ला उठी, 'कुन्दन', इतनी देर बाद!' पास ही बैठी हुई नाइन ने मेरा मुँह बन्द कर दिया, बोली, 'चिल्लाओ न बेटी, बराती सुनेंगे तो क्या कहेंगे!' अब मुझे होश आया कि मैं कहीं जा रही हूँ, अपने कुन्दन से दूर, बहुत दूर।

कटे वृक्ष की तरह मैं बेंच पर गिर पड़ी। हृदय जैसे डूबने लगा। ट्रेन चल पड़ी। जब मनुष्य के प्रति मनुष्य ही की सहानुभूति कम देखने में आती है, तब भला इस जड़ पदार्थ रेलगाड़ी को ही मुझसे क्या सहानुभूति हो सकती थी! उसने मुझे कुन्दन से दो बातें भी न करने दीं और भक-भककर हवा के साथ उड़ चली।

मैं ससुराल आयी। बड़ी भारी कोठी थी। बहुत सी दास-दासियाँ थीं। यहाँ का रंग ही दूसरा था। पतिदेव को अंग्रज़ियत अधिक पसन्द थी। उनकमा रहन-सहन, चाल-ढाल, बात-व्यवहार सभी साहबाना थे। वह हिन्दी बहुत कम बोला करते और अंग्रेजी मैं समझती ज़रा कम थी; इसलिए उनकी बहुत-सी बातों में प्रायः चुप रह जाया करती। उनके स्वभाव में कुछ रूखापन और कठोरता अधिक मात्रा में थी। नौकरों के साथ उनका जो बर्ताव होता उसे देखकर मैं तो भय से सिहर उठती थी।

वे मुझे प्रायः रोज़ शाम को ओर कभी सबेरे भी अपने साथ मोटर पर बैठाकर

मीलों तक घुमा लाते, अपने साथ सिनेमा और थियेटर भी ले जाया करते; किन्तु अपने इस साहब बहादुर के पार्श्व में बैठकर भी मैं कुन्दन को न भूल सकती। सिनेमा की तस्वीरों ने रेशमी कुरता और धोती पहिने हुए मुझे कुन्दन की ही तस्वीर दिखायी पड़ती।

पति को प्रेम मैं पा सकी थी या नहीं यह मैं नहीं जानती, पर मैं उनसे डरती बहुत थी। भय का भूत रात-दिन मेरे लिए सवार रहता था। उनकी साधारण-सी भावभंगी भी मुझे कँपा देने के लिए पर्याप्त थी। वे मुझसे कभी नाराज न हुए थे, किन्तु फिर भी उनके समीप मैं सदा यही अनुभव करती कि जैसे मैं बन्दी हूँ और यहाँ ज़बरदस्ती पकड़कर लायी गयी हूँ।

इस ऐश्वर्य की चकाचौंध और विभूतियाँ के साम्राज्य में भी मैं अपने बाल-सखा कुन्दन को न भूल सकी। मायके की स्वच्छन्द वायु में कुन्दन के साथ का खेलना, लड़ना-झगड़ना और उसकी बाँसुरी की ध्वनि मुझे भुलाये से भी न भूलती थी। क्षण भर का भी एकान्त पाते ही बचपन की सुनहली स्मृतियाँ साकार बनकर मेरी आँखों के सामने फिरने लगतीं; जी चाहता कि लोकलज्जा की जंजीर तोड़कर मैं मायके चली जाऊँ। किन्तु इसी बीच छोटे भाई वे पत्र से मुझे मालूम हुआ कि कुन्दन घर छोड़कर न जाने कहाँ चला गया है, उसका कहीं पता नहीं है। इसलिए मेरी कुछ-कुछ यह धारणा हो गई कि अब इस जीवन में कैदखाने से निकलकर भी कदाचित् मैं कुन्दन को न देख सकूँगी। मायके जाने को भी अब मुझे उत्सुकता न थी, अब तो किसी प्रकार अपने दिन काटने थे।

न जो जीवन से ही कुछ आकर्षण था और न किसी के प्रति किसी तरह का अनुराग ही शेष रह गया था; पर काठ की पुतली की तरह सास और पति को आज्ञाओं का पालन करती हुई नियम से खाती-पीती थी, स्नान और शृंगार करती थीं, और भी जो कुछ उनकी आज्ञा होती उसका पालन करती।

इसी समय एक ऐसी घटना हुई जिससे मेरी सोई हुई स्मृतियाँ फिर से जाग उठीं, मेरा उन्माद और बढ़ गया। एक दिन दोपहर के बाद मैं अपने छज्जे पर खड़ी हुई अन्यमनस्क भाव से बाहर सड़क पर से आने-जाने वालों को देख रही थी। सहसा सामने से कपड़ा बचेता हुआ, कुछ कपड़े स्वयं कंधे पर धरे हुए कुछ एक नौकर के सिर पर रखवाये हुए, मुझे कुन्दन दिखाई पड़ा। विश्वास न हुआ परन्तु आँखें खुली थीं; मैं सपना नहीं देख रही थी। दौड़कर मैं नीचे आई और आते ही ख्याल हुआ, कि मेरे पैरों में तो मर्यादा की बेड़ियाँ पड़ा हैं, मैं कुन्दन के पास दौड़कर कैसे जाऊँगी। उसके बाद मैंनें देखा कि कुन्दन स्वयं ही मेरे यहाँ के एक नौकर के साथ हमारे अहाते में आ रहा है। बाहरी बारामदे में उसने कपड़े उतार दिये। सास वहीं सोफे पर

बैठा थीं। मैंने उनके बुलाने की प्रतीक्षा न की, चुपचाप आकर सोफे के पीछे खड़ी हो गयी।

मेरी सास सामान खरीदने की बड़ी शौकीन थीं, हमारे दरवाजे पर से कोई फेरीवाला ऐसा न निकलता था जिससे वह कुछ न कुछ खरीद न लेती हों। आज सास की इस आदत की मैंने मुक्त-हृदय से प्रशंसा की। यदि उन्हें सामान खरीदने का इतना शौक न होता तो शायद मैं इसे कपड़ेवाले (कुन्दन) को इतने समीप से न देख पाती। मुझे अपने पीछे देखकर वह हँसकर बोलीं, 'बहू क्या लेती है, जो कुछ लेना हो अपने मन का पसन्द कर ले।' बेचारी सास क्या जानती थीं कि कपड़ों से अधिक मुझे कपड़ेवाला पसंद है। फिर भी उनके आग्रह से मैंने दो शान्तिपुरी साड़ियाँ ले लीं; उन्होंने भी अपने लिए कुछ साड़ियाँ खरीदीं। उसे दाम देकर और नई तरह की साड़ियाँ लाने के लिए कहकर सास ने बिदा किया।

कुन्दन में बड़ा परिवर्तन था। अब वह बहुत दुबला और अधिक साँवला हो गया था,। चेहरे पर वह लालिमा न थी, किन्तु वहीं मनस्विता और तेज टपक रहा था जो पहिले था। स घटना को हुए करीब एक महिना बीत गया। लगातार रोज प्रतीक्षा करके भी इसके बाद फिर मैं कुन्दन को न देख सकी।

जेठ का महीना था, बगीचे का एक माली छुट्टी पर गया था। बूढ़ा माली एक मेहनती आदमी की तलाश में था। चार बजे तक घर में एक रहकर, गर्मी के कारण घबराकर, मैं अपनी सास के साथ बगीचे में चली गई। वहीं बगीचे में मौलसिरी की घनी छाया में चबूतरे पर मैं सास के साथ बैठी थी। बार-बार यही सोचती थी कि कुन्दन कहाँ चला गया? कपड़ा लेकर फिर क्यों नहीं आया? बीमार तो नहीं पड़ गया? और अगर बीमार हो गया होगा, तो उसकी देखभाल कौन करता होगा? मेरी आँखों में आँसू आ गये। इसी समय से पीछे आकर बूढ़े माली ने कहा, 'सरकार यह एक आदमी है जो माली का काम कर सकता है, हुकुम हो तो रख लिया जाय।' मैंने जो मुड़कर देखा तो सहसा विश्वास न हुआ। कुन्दन! और माली का काम! मेरी बेसुध वेदना तड़प उठी। एक सम्पन्न परिवार का होनहार युवक 10) माहवार की माली-गीरी करने आये। इतनी कड़ी तपस्या!! तपस्या!! हे ईश्वर! क्या इस तपस्या का अंत न होगा?

दस रुपये माहवार पर कुन्दन बगीचे में माली का काम करने लगा। मैं देखती, कड़ी दोपहरी में भी वह दिन-दिन भर कुदाल चलाया करता, पानी सींचता और टोकनी भर-भर मिट्टी ढोता। उसका शरीर अब दिन-दिन दुबला और साँवला पड़ा जाता था। उसके स्वभाव में कितनी नवाबी थी, वह मेहनत के काम से कितना

बचता था, मुझसे छिपा न था, किन्तु अब वह कितना परिश्रम कर रहा है।

मुझे चिन्ता रहती थी कि उसका सुकुमार शरीर इस कठिन परिश्रम को सह न सकेगा। मैं चाहती थी कि किसी प्रकार उसे रोक दूँ, यह काम वह छोड़ दे; परन्तु कैसे रोकती, उससे बात करने की मुझे इजाजत ही कहाँ थी? पहिले की अपेक्षा अब मैं बगीचे में अधिक आने-जाने लगी। पहिले तो इस आने-जाने पर किसी ने ध्यान ही न दिया, किन्तु कुछ ही दिन बाद टीका-टिप्पणी होने लगी। बाद में रुकावट भी पड़ने लगी, जिसका परिणाम यह हुआ कि अब शाम-सुबह छोड़कर मैं प्राय: दोपहर को जाने लगी।

मैं कुन्दन से दो मिनट के लिए बात करने का अवसर खोजा करती थी, किन्तु मेरे पीछे भी लोग उसे जासूस की तरह रहते थे। मैं एकान्त कभी न पाती और सबके सामने उससे बात करने का साहस न होता। कभी-कभी मैं उसके नजदीक भी पहुँच जाती तो भी वह मेरी ओर आँख उठाकर न देखता, मैं ही उसे देख लिया करती। अनेक बार जी चाह कि आखिर कब तक ऐसा चलेगा, जाऊँ, उसकी कुदाल छीनकर फेंक दूँ और उसे अपने साथ लिवा लाऊँ, अब उसकी तपस्या आवश्यकता से अधिक हो चुकी है। उसे अब मेरे निकट रहकर मेरे स्नेह की शीतल छाया में विश्राम करना चाहिए।

उस दिन बड़ी गरमी थी। बन्द कमरे में पंखा खस की टट्टियों के भीतर से मैं उस गरमी का अन्दाजा न लगा सकती थी। नींद न आ रही थी, न जाने क्यों एक प्रकार की बेचैनी से मैं अत्यंत अस्थिर सी थी। उठी, खिड़की खोलकर देखा, कुंदन अब भी कुदाल चला रहा है। जी न माना, दरवाजा खोलकर बाहर निकाली। पंखा खींचनेवाली दासी ने रोका 'बहू इतनी गरमी में भीतर से बाहर ने जाओ लू लग जायगी।' मैंने उसे हाथ से इशारे से चुप रहने के लिए कहा और बगीचे में पहुँची।

कुन्दन की कुदाल रूक गई। कुदाल को जमीन पर एक तरफ फेंककर उसने आश्चर्य से मेरी ओर देखा मैंने कहा-- कुन्दन! तुम इतनी कड़ी तपस्या क्यों करते हो? क्या तुम्हें इस प्रकार काम करते देखकर मुझे कष्ट नहीं होता? क्या तुम्हारा शरीर इस मेहनत को सह सकेगा! तुम कहीं सुख से रहो तो मुझे भी शान्ति मिले। आखिर इस प्रकार जीवन को तपाने से क्या लाभ होगा? तुम तो मुझसे अधिक समझदार हो कुन्दन!'

सारी करुणा सिमटकर कुन्दन की आखों में उतर आयी। वह कुछ बोला नहीं, बोलता भी कैसे? उसी समय खाँसता हुआ बूढ़ा माली अपनी कोठरी से बाहर आया और उसे कुदाल फिर उठा लेनी पड़ी।

मेरा स्वास्थ्य दिन पर दिन गिरता जा रहा था। लोगों को सन्देह था, शायद मुझे

टी० बी० हो रहा है। पतिदेव मुझे भुवाली भेजने की तैयारी कर रहे थे; किन्तु वे क्या जानते थे कि भुवाली से भी अधिक स्वास्थ्य-लाभ मैं कुन्दन के समीप, केवल उसके सहवास से कर सकती हूँ। मेरी दवा तो कुन्दन है। भुवाली और शिमला मुझे वह स्वास्थय नहीं प्रदान कर सते, जो मुझे केवल कुन्दन से स्वतंत्रतापूर्वक मिलने-जुलने से मिल सकता है। मैं उससे केवल स्वतंत्रता से बातचीत करना और मिलना-जुलना चाहती थी, और यही मेरे पतिदेव को स्वीकार न था।

नौकरों को वह मिट्टी के ठोकरों से भी अधिक गया-बीता समझते थे। वह दस रुपये माहवार देने के बाद समझते थे कि उन नौकरों की आत्मा और शरीर दोनों को उन्होंने खरीद लिया है। उनसे इतनी सख्ती से पेश आते कि नौकरों को उनके सामने पहुँचने में बड़े साहस से काम लेना पड़ता।

इधर कुन्दन से एक दिन खुलकर बातचीत करने के लिए रात-दिन मेरे मस्तिष्क और हृदय में युद्ध छिड़ा रहता; अब न मुझसे पढ़ा-लिखा जाता और न किसी काम में ही जी लगता। खाने-पीने की तरफ़ भी कुछ विशेष रुचि न रह गयी थी। खाना देखती ही वह दिन याद आ जाते, जब मैं और कुन्दन दोनों एक ही थाली में बैठकर खाया करते थे। चाय सामने आते ही कुन्दन की याद आ जाती। मुझसे भी अधिक चाय का भक्त तो वही था। और आज-आज वह मेरे बगीचे में माली है और मुझे इतनी भी स्वतंत्रता नहीं कि उससे एक-दो बात भी कर सकूँ, फिर उसके साथ बैठकर चाय पीना, और भोजन करने की बात तो बहुत दूर की रही।

मैं रात-दिन इसी चिन्ता में घुली जाती थी। किन्तु मेरी पीड़ा को कौन पहिचानता? अपने इस घर में तो मुझे सभी हृदयहीन जान पड़ते थे।

एक दिन आफिस से लौटते ही पतिदेव ने मुझसे प्रश्न किया--'आखिर उस माली से तुम्हें क्या बातें करनी रहती हैं जो दोपहर को भी बगीचें में जाया करती हो। कितनी बार तुमसे कहा कि नौकरों से बातचीत करने की तुम्हें जरूरत नहीं है, पर तुम्हें मेरी बात याद रहे जब न! तुम, इस बात को भूल जाती हो कि तुम इस इंजीनियर का स्त्री हो, तुम्हें मेरी इज्जत का भी ख्याल रखना चाहिए।'

मैं कुछ न बोली। बोलती भी क्या? मैंने चुप रहना ही उचित समझा। मुझे उससे क्या बातचीत करनी चाहिए है, मैं उन्हें क्या बतलाती? वह बतलाने की बात नहीं, किन्तु समझने की बात थी और उसे वही समझ सकता था जिसके पास हृदय हो। जिसके पास हृदयस ही न हो वह हृदय की बात क्या समझे?

मेरी इस चुप्पी का अर्थ उन्होंने चाहे जो कुछ लगाया हो किन्तु उनकी इस बाधा से मुझे बड़ी वेदना हुई। कुन्दन से दो-चार मिनट बात करके न तो मैं उनका कुछ बिगाड़ देती थी और न कुन्दन को ही कुछ दे देती थी, फिर भी कुन्दन से मिलने में

उन्हें इतनी आपत्ति क्यों थी कौन जाने। चाहे जो हो, इस बाधा का परिणाम उल्टा ही हुआ। ज्यों-ज्यों उसके पास जाने से रोका गया, त्यों-त्यों उसके पास पहुँचने के लिए मेरी उत्कंठा प्रबल होती गई।

गर्मी की रात थी। बगीचे में बेले इस प्रकार खिले थे जैसे आसमान में तारे फैले हों। मैं उन्हीं बेलों के पास एक संगमरमर की बेंच पर बैठी थी। कई दिन हो गये थे कुन्दन बगीचे में काम करता हुआ न दिखा था। वह कहाँ गया? काम करने क्यों नहीं आता? यद्यपि यह जानने के लिए मैं अत्यन्त अस्थिर थी फिर भी किसी से कुछ पूछने का मुझमें साहस न था।

अत्यन्त उद्विग्नता से मैं बगीचे में इधर-उधर टहलने लगी। टहलते-टहलते मैं मालियों के क्वाटर्स की तरफ निकल गई। दूर से कुन्दन की कोठरी कई बार देखी थी। आज उस कठोरी के बहुत समीप पहुँच गई थी। कोठरी में प्रकाश तो न था, किन्तु अन्दर से कराहने की आवाज साफ़-साफ़ सुनायी पड़ती थी। मैंने ध्यान से सुना, आवाज कुन्दन की थी। अब मैं बिल्कुल भूल गई कि मैं किसी इंजीनियर की स्त्री हूँ और कुन्दन मेरा माली। तेजी से कदम बढ़ाकर मैं कोठरी में पहुँच गई। बिजली का बटन दबाते ही कोठरी में प्रकाश फैल गया और कुन्दन ने घबराकर आँखें खोल दीं। मुझ देखते ही इस बीमारी में भी उसकी आँखें चमक उठीं, और यह वही चमक थी जिसे उसकी आँखों में मैंने एक बार नहीं, अनेक बार देखा था। मैं उसी को चारपाई पर उसके सिरहाने बैठ गई।

तेज बुखार से उसका शरीर जल रहा था। मालूम हुआ कि बुखार तो उसे कई दिनों से आ रहा है किन्तु काम वह फिर भी बराबर करता है, इधर कई दिनों से वह बहुत अशक्त हो गया है और दो दिनों से छाती और पसिलयों में अधिक दर्द होने के कारण कोठरी से बाहर नहीं निकल सका। उसकी अवस्था चिन्ताजनक थी। कुछ देर तक खाँसकर वह फिर बोला– 'हीना रानी, तुम आई तो हो, कोई तुम्हें कुछ कहेगा तो नहीं? पर अब तो आई ही हो अपने हाथ से एक गिलास पानी पिला दो, बड़ी देर से प्यासा हूँ।'

मैंने मटकी से एक गिलास भर पानी उसे पिलाया और फिर बैठ गई। मैं उसके सिर पर हाथ फेरने लगीं। मेरी आँखों से रोकने पर भी झड़ी लगा थी और गला रुँधा जा रहा था। प्रयत्न करने पर भी मैं कुन्दन से एक शब्द न कह सकी। कुन्दन ने अपने गरम-गरम हाथों को नीचे झुकाकर, मेरे पैरों को छू लिया और क्षीण स्वर में बोला, 'हीना रानी, घर जाओ। तुम्हें कोई यहाँ देख लेगा तो नाहक ही तुम पर कोई आपत्ति न आ जाय? कहीं मेरा यह सुख भी न छिन जाय? तुम्हारे समीप इस हालत में भी

रहकर मैं एक प्रकार का सुख ही पाता हूँ।'

ठीक इस समय पतिदेव ने कोठरी में प्रवेश किया। उन्होंने आग्नेय नेत्रों से मेरी तरफ? देखा, फिर कुछ बोले। क्या बोले मैं कुछ समझी नहीं। मैं उसी प्रकार कुन्दन के सिर पर हाथ धरे बैठी रही। मेरी आत्मा ने कहा, मैंने कोई अपराध नहीं किया है, किसी बीमार की सेवा-शुश्रूषा करना मनुष्यमात्र का धर्म है। फिर मृत्यु की घड़ियों को गिनते हुए, उनकी नजरों में अपने एक आश्रित और अपनी आँखों से अपने एक बाल सखा को, यदि मैंने एक घूँट पानी पिला दिया, तो क्या यह कोई अपराध कर डाला?

किन्तु मैं उसी क्षण कोठरी छोड़ देने के लिए बाध्य कर दी गई। मैं ऊपर आई तो अवश्य, परन्तु मेरी अवस्था पागलों की तरह दी गई थी; रह-रहकर कुन्दन की रुग्ण मुखकृति मेरी आँखों के सामने फिरने लगी। बार-बार ऐसा मालूम होता कि कुन्दन एक घूँट पानी के लिए चिल्ला रहा है। पतिदेव सोये थे, मैं भी एक तरफ पड़ी थी। पर मेरी आँखों में नींद कहाँ? उठी और छज्जे पर बेचैनी से टहलने लगी। बँगले के पास हो बिजली के खंभे के नीचे मैंने कुछ सफेद-सफेद सा देखा। एक अज्ञात आशंका से मैं सिहर उठी। ध्यान से देखा वह कुन्दन था। कदाचित् जीवन की अन्तिम साँसें गिन रहा था। उस समय न तो कुल की मान-प्रतिष्ठा को ध्यान रहा, न किसी के भय का; और न ही ध्यान रहा कि इतनी रात को लोग मुझे बाहर देखकर क्या कहेंगे।

चौकीदार मेरी आज्ञा का उल्लंघन कैसे करता? फाटक खुलवाकर मैं बाहर निकल गई। पास पहुँचकर देखा, कुन्दन ही था। वही अपने माता-पिता का दुलारा कुन्दन, अपने मित्रों का प्यारा कुन्दन, जिसका कुम्हलाया हुआ मुख देखकर कितने ही हृदय सहानूभूति से द्रवीभूत हो उठते थे, जिसके इंगित मात्र पर परिचारक वर्ग सेवा के लिए प्रस्तुत रहता था, आज वही कुन्दन जीवन के अन्तिम समय में अकेला और असहाय शून्य दृष्टि से आसमान की ओर देख रहा है।

मुझे देखते ही जैसे उसमें कुछ शक्ति आ गई। वह क्षीण स्वर में बोल उठा, 'हीना रानी, अच्छा हुआ जो तुम आ गईं थोड़ा पानी पिला दो, मैं बहुत प्यासा हूँ।' मैंने पानी के लिए चारों तरफ़ नज़र दौड़ाई। थोड़ी दूर पर नल तो था, पर बरतन कोई न था जिससे मैं उसे पानी पिलाती। सोचा घर तक जाऊँ, पर घर जाने का समय न था। नल पर से साड़ी का छोर पानी से भिगोकर लौटी, परन्तु अब वह पानी माँगनेवाला इस संसार में था ही कहाँ?

बस मेरी या उसकी कहानी यही है।

असमंजस

'आप इतने दिन से आये क्यों नहीं केशवजी?' सभा-मंडप से बाहर निकलते-निकलते कुसुम ने पूछा।

'मैं अपने मित्र बसन्त के साथ बाहर चला गया था।' केशव ने बसन्त की ओर इशारा करते हुए जवाब दिया।

कुसुम ने बसन्त की ओर देखा, फिर ज़रा रुकती हुई बोली--क्या यही आपके मित्र बसन्त हैं? मैंने जैसे उन्हें पहिले कभी देखा है। कन्वोकेशन डिबेट में फर्स्ट प्राइज़ क्या आप ही का मिला था?

कन्वोकेशन डिबेट में फर्स्ट प्राइज़ जीतनेवाला बसन्त एक बालिका के सामने से कुछ घबरा सा गया, उसका चेहरा लाल हो गया, उसने कुछ भी उत्तर न दिया।

केशव ने कहा--हाँ, प्राइज़ इन्हीं को मिला था।

उसके बाद कुसुम, बसन्त और केशव दोनों को शाम के समय अपने यहाँ चाय के लिए निमंत्रित करके अपने पिता के साथ कार पर बैठकर चली गयी।

कुसुम कुमारी अपने माता-पिता की इकलौती कन्या है। इलाहाबाद के जार्जटाउन में, जहाँ शहर के धनी-मान व्यक्तियों के बँगले हैं, वहीं, कुसुम के पिता की एक विशाल कोठी है। शहर के प्रमुख धनी व्यक्तियों में उनकी गणना है। उनके पास मोटर है, गाड़ी है, और भी न जाने क्या-क्या है। दस-पाँच नौकर सदा उनके घर पर काम किया करते हैं। घर बैठे केवल लेन-देन से ही उन्हें छः-सात सौ रुपये मासिक की आमदनी हो जाती है। कुसुम ही उनकी एक मात्र सन्तान है जो वहीं क्रास्थवेट गर्ल्स स्कूल में मैट्रिक में पढ़ती है।

केशव कुसुम का पड़ोसी है, यूनिवर्सिटी में बी० ए० का विद्यार्थी है। बसन्त केशव का सहपाठी है, वह अपने मामा के साथ अहियापुर में रहता है। बसन्त के माता-पिता बचपन में ही मर चुके हैं और तभी से बसन्त अपने मामा का आश्रित है। बसन्त पढ़ने-लिखने में कुशाग्रबुद्धि, सदाचारी, सरल स्वभाव और मिलनसार है इसलिए शिक्षक उसे चाहते हैं और उसे सहपाठी उसका आदर करते हैं।

शाम को केशव के आग्रह से बसन्त कुसुम के घर तक आया तो ज़रूर था, किन्तु उसे यहाँ बात-बात में संकोच मालूम हो रहा था। जब कुसुम उन्हें लेकर मखमली सीढ़ियों पर से ऊपर अपने ड्राइंगरूम में जाने लगी, तब बसन्त ने अपने पैरों की ओर देखा—जहाँ कुसुम के कमल सरीखे मुलायम पैर पड़ रहे थे, वहाँ अपने धूल-भरे पैरों को रखने में उसकी कुछ अटपटा-सा लगा। कमरे में पहुँचकर वहाँ की विभूतियाँ को देखकर, बसन्त भौचक-सा रह गया। ऐश्वर्य के प्रकाश में उसे अपनी दशा और भी हीन मालूम होने लगी। उस वातावरण के योग्य अपने को न समझकर उसे कष्ट ही हो रहा था। वह बार-बार सोचता था कि मैं नाहर ही यहाँ आया।

कुसुम अद्वितीय सुन्दरी थी। उसकी शिक्षा और व्यावहारिक ज्ञान ने सोने में सुहागे का-सा काम कर दिया था। उसके शरीर पर आभूषणों का विशेष आडम्बर न था। वह एक साफ़ लाल किनारी की साड़ी पहिने थी, जो उसकी कान्ति से मिलकर और भी उज्ज्वल मालूम हो रही थी। कुसुम का व्यवहार बड़ा शिष्ट था, उसकी वाणी में संगीत का-सा माधुर्य था। वह चतुर चितेरे के चित्र की तरह मनोहर, कुशल शिल्पी की कृति की तरह त्रुटिरहित, और सुकवि की कल्पना की तरह सुन्दर थी।

बसन्त के जीवन में किसी युवती बालिका से बातचीत करने का यह पहला ही अवसर था। उसने कुसुम की ओर एक बार देखा फिर उसकी आँखें ऊपर न उठ सकीं। कुसुम ने चाँदी के-से सुन्दर प्यालों में चाय बनाकर टेबिल पर रखी। तश्तरियों में जलपान के लिए फल और मिठाइयाँ सजा दीं। बसन्त स्वभाव से ही शिष्ट था। किन्तु आज वह साधारण शिष्टाचार की बातें करना भी भूल गया और उसने चुपचाप चाय पीना शुरू कर दिया। कुसुम यदि कोई बात पूछ बैठती तो बसन्त का चेहरा अकारण ही लाल हो जाता है। और उसका हृदय इस प्रकार धड़कने लगता जैसे वह किसी कठिन परीक्षक के सामने बैठा हो। चाय पीते-पीते भी उसका गला सूख जाता था और सिवा 'हाँ' या 'न' के वह कुछ बोल न सकता था।

इन्टर यूनिवर्सिटी-डिबेट में जाकर बनारस से अपने कालेज के लिए 'शील्ड' जीत लाना बसन्त के लिए उतना कठिन न था जितना आज उसे साधारण बातचीत करना कठिन मालूम हो रहा था। वह अपनी दशा पर स्वयं हैरान था और उसे अपने अचानक मौन पर आश्चर्य हो रहा था।

केशव के आग्रह से जब कुसुम ने सितार पर यमनकल्याण बजाकर सुनाया तो बसन्त ने कहा—आप तो संगीत में भी बड़ी प्रवीण है।

यह सुनकर कुसुम ने ज़रा हँसकर कहा—आप तो मुझे बनाते हैं, अभी तो मुझे अच्छी तरह बजाना भी नहीं आता।

यह सुनकर बसन्त का अपना वाक्य मूर्खतापूर्ण जँचने लगा, और उसे अपनी उक्ति में केवल व्यंग का ही आभास मालूम पड़ा।

बसन्त बहुत देर बाद बोला था और बोलने के बाद अपने का धिक्कार रहा था।

बसन्त जब वापिस आया तो उसे कुछ याद आ रहा था कि जैसे कुसुम ने चलते समय उससे कभी-कभी आते रहने का अनुरोध किया था। किन्तु वह अकेला कुसुम के घर न जा सका और एक दिन फिर केशव के ही साथ गया। इसी प्रकार बसन्त जब कई बार कुसुम के घर गया तो कुसुम ने देखा कि बसन्त भी बातचीत कर सकता है। उसकी विद्वत्ता और योग्यता पर तो कुसुम पहले ही से मुग्ध थी जब उसकी मर्यादित सीमा के अन्दर ही बातचीत और व्यावहारिक ज्ञान को देखकर कुसुम की श्रद्धा और भी बढ़ गई।

अन्य नवयुवकों की तरह बसन्त में उच्छृंखलता और उद्दंडता न थी उसकी बातचीत, हँसी-मज़ाक सब सीमा के बाहर न जाते थे। कुसुम ने बसन्त से अंगरेजी पढ़ाने के लिए आग्रह किया जिसे बसन्त ने स्वीकार कर लिया। और इस प्रकार धीरे-धीरे कुसुम और बसन्त की घनिष्ठता बढ़ने लगी। कुसुम से मिलने के पहले बसन्त ने जो उसके विषय में धारणा बना रखी थी कि धनवान पिता की अकेली कन्या ज़रूर ही उद्धत स्वभाव ही होगी, वह निर्मूल हो गयी। अब उसे कुसुम के पास जाने की सदा इच्छा बनी रहती थी, सबेरे से ही वह शाम होने की बाट देखा करता। अपनी दशा पर उसे स्वयं आश्चर्य था।

कुसुम मैट्रिक पास हो गयी और बसन्त बी० ए०। किन्तु दोनों ही ने आगे पढ़ना जारी रखा। बसन्त अब भी कभी-कभी कुसुम के घर आया करता था।

एक दिन बसन्त ने सुना कि कुसुम का विवाह मई के महीने में होने वाला है। बसन्त समझ न सका कि यह सुनकर उसका चित्त अव्यस्थित-सा क्यों हो गया। उसने कभी स्वप्न में भी न सोचा था कि कुसुम के साथ उसका भी कोई ऐसा सम्बन्ध हो सकता है। अपनी और कुसुम की आर्थिक स्थिति में ज़मीन-आसमान का अन्तर वह देखा करता था। और कभी इस प्रकार की असम्भव कल्पना को न लाने के लिए उसे अपने ऊपर विश्वास था।

कुसुम, उसके लिए आकाश-कुसुम थी। उसे छूने तक की कल्पना बेचारा बसन्त कैसे करता? अदरक के व्यापारी को जहाज़ की ख़बर से क्या मतलब और यदि जहाज़ की खबर सुनकर उसे सुख-दुःख हो तो आश्चर्य की बात ही है। बसन्त यही सोच रहा था। बसन्त कुसुम से दूर-दूर रहने की सोचने लगा, किन्तु ज्योंही शाम हुई वह आपने आपको रोक न सका, निकला तो वह टहलने, लेकिन टहलता

हुआ कुसुम के घर जा पहुँचा।

जब वह कुसुम के घर पहुँचा तो कुसुम वहाँ न थी। वह ड्राइंगरूम में बैठकर एक एलबम के पन्ने उलटने लगा। उसकी दृष्टि एक चित्र पर जाकर एकाएक रुक गई। वह बड़ी देर तक उस चित्र को ध्यानपूर्वक देखता रहा। उसका सिर चित्र के ऊपर झुक गया और साथ ही आँसू की दो बड़ी-बड़ी बूँदे गिर पड़ीं। बसन्त जैसे सोते से जाग पड़ा हो। उसने झट से जेब से रूमाल निकालकर चित्र पर की आँसू की दो बूँदें पोंछ दीं। और उसी समय उसकी नजर सामने लगे हुए बड़े आईने पर पड़ी, कुसुम उसके पीछे चुपचाप खड़ी थी, उसकी आँखे सजल थीं।

बसन्त कुछ घबरा-सा गया, कुसुम पास की एक कुरसी खींचकर बैठ गई। थोड़ी देर तक दोनों ही चुपचाप रहे, आख़िर कुसुम ने ही कुछ देर के बाद निस्तब्धता को भंग करते हुए कहा—बसन्त बाबू, अब तो बहुत देरी हो चुकी है।

बसन्त ने कहा— जो कुछ हुआ ठीक ही हुआ है।

इसके बाद मिल्टन की एक पोयम की कुछ पंक्तियाँ जो कुसुम न समझ सकती थी बसन्त ने उसे समझाई। बसन्त अपने घर गया और कुसुम अपने पिता के साथ हवाख़ोरी के लिए।

गर्मी की छुट्टी में बसन्त को एक लाल लिफ़ाफे में कुसुम की शादी का निमन्त्रण-पत्र मिला, और कुछ दिन बाद उसने यह सुना कि कुसुम का विवाह एक धनी-मानी ज़मींदार के यहाँ सकुशल हो गया। कुसुम का पढ़ना-लिखना बन्द हो गया और साथ ही बन्द हो गया बसन्त का उसके यहाँ का आना-जाना। बसन्त को अब मालूम हुआ कि उसका हृदय उससे छिप-छिपकर कुसुम को कितना चाहने लगा था; कुसुम को अपनाने की लालसा भी उसके हृदय में दबी हुई थी। अपने हृदय के इस विश्लेषण पर बसन्त को आश्चर्य हुआ। इन इच्छाओं ने कब उसके हृदय में प्रवेश किया था, बसन्त निर्धारित न कर सका। कब यह भावना उसके हृदय में आई ऐसा उसे स्पष्ट भाव से स्मरण नहीं आया। उसे अपने ऊपर और अपनी बुद्धि पर विश्वास था। किन्तु हृदय बुद्धि और तर्क को धोखा देकर, मनुष्य को किस प्रकार असम्भव कल्पना की ओर प्रेरित कर सकता है, बसन्त ने आज जाना। उसने सोचा यदि मैं सचमुच कुसुम को प्यार करता था तो मैंने कुसुम से यह कहा क्यों नहीं? यदि उसे अपनाने की इच्छा मेरे हृदय में थी तो उसे मैंने कभी प्रकट क्यों नहीं किया? वह अपने प्रश्नों पर आप ही निरुत्तर हो जाता था।

फिर उसने बार-बार यही सोचा कि उसने सदा से ही कुसुम को प्यार किया है और हृदय से प्यार किया है। तब, क्या कुसुम भी उसे प्यार करती थी? शायद 'हाँ'

या 'नहीं' बसन्त कुछ निश्चय न कर सका। किन्तु तर्क की शुष्क विवेचना में उस दिन की कुसुम की सजल आँखें डूबते हुए को तिनके के सहारे की तरह बसन्त को मालूम हुई।

बसन्त एम० ए० पास करने पर लाहौर कालेज में प्रोफ़ेसर हो गया और साधारण स्थिति में अपने दिन काटने लगा। उसे प्रोफ़ेसरी करते-करते चार साल हो गये, किन्तु उसके जीवन में कोई विशेष परिवर्तन न हुआ। उसके मामा ने उसके विवाह के लिए दो-चार बार कहा भी किन्तु बसन्त ने टाल दिया। माता-पिता तो थे ही नहीं, जो उसे बार-बार विवाह के लिए बाध्य करते। मित्रों ने भी यदि कभी बसन्त से इसकी चर्चा को तो बसन्त ने बात सदा हँसी में उड़ा दी।

अपनी इस लापरवाही का कारण वह खुद न समझ सकता था। विवाह न करने की उसने कोई प्रतिज्ञा तो न कर रक्खी थी, किन्तु फिर भी वह जाने क्यों उसका चित्त अव्यवस्थित था, विवाह की ओर उसका झुकाव नहीं-सा था।

इन चार वर्षों में बसन्त एक बार भी इलाहाबाद नहीं गया, बार-बार इच्छा होते हुए भी वह वहाँ न जा सका। उसके मामा की बदली लखनऊ की हो गई थी। अब इलाहाबाद जाता भी तो किसके यहाँ?

अपने क्लास के विद्यार्थियों को टाटानगर के कारखाने को दिखलाकर, जब बसन्त लौट रहा था तो उसे इलाहाबाद स्टेशन पर से जाना पड़ा। यहाँ एक दिन रुकने के प्रलोभन का वह न रोक सका। सामान स्टेशन पर छोड़कर पहिले वह अपने पुराने साथियों से मिलने गया, किन्तु एक-दो को छोड़कर उसे और कोई न मिला। फिर वह जार्जटाउन की ओर गया, और उसके पैर अपने ही आप कुसुम के घर के पास जाकर ठिठक गये। दरवाजे पर वहीं पुराना चौकीदार बैठा हुआ हाथ पर तमाखू मल रहा था। बसन्त को देखते ही वह उठकर खड़ा हो गया, बोला—बहुत दिनों में आये भैया? और बिना बसन्त के कहे ही अन्दर खबर देने के लिए चला गया।

बसन्त जाकर उसी ड्राइंगरूम में बैठ गया जहाँ पर बहुत बार कुसुम के शिक्षक के रूप में बैठ चुका था। इन चार वर्षों में कुसुम बसन्त के बीच किसी प्रकार का कोई पत्र-व्यवहार नहीं हुआ था, और न उन्हें एक-दूसरे के विषय में कुछ मालूम था। बसन्त सोच रहा था कि इतने दिनों के बाद कुसुम न जाने किस भाव से मिलती है, कैसा स्वागत करती है, उसका आना उसे अच्छा भी लगता है कि नहीं कौन जाने?

इतने ही में एक सफेद, बिना किनारी की, खादी की साड़ी पहिने कुसुम ने ड्राइंगरूम में प्रवेश किया। बसन्त ने बड़े ही नम्र भाव से उठाकर अभिवादन किया।

'क्यों क्या कुसुम को इतनी जल्दी भूल गये जो अपरिचित की तरह शिष्टाचार करते हो, बसन्त बाबू!'—कुसुम ने हल्की मुस्कुराहट के साथ कहा।

बसन्त का ध्यान इस ओर न था, वह चकित दृष्टि से कुसुम के सादे पहिनावे को देख रहा था। सौभाग्य के कोई चिह्न न थे। न तो हाथ में चूड़ी और न माथे पर सिन्दूर की बिन्दी। विधाता! तो क्या कुसुम विधवा हो चुकी है? किन्तु बसन्त का हृदय इस बात को मानने के लिए तैयार ही न होता था।

'क्या सोच रहे हो बसन्त बाबू?' कुसुम ने फिर पूछा। बसन्त जैसे चौंक पड़ा, बोला—कुछ तो नहीं, वैसे ही मैं देख रहा था कि...

कुसुम ने बात काटकर कहा— आप मेरी तरफ़ देख रहे होंगे, किन्तु इसके लिए क्या किया जाय, विधि के विधान को कौन टाल सकता है?

बसन्त को मालूम हुआ कि विवाह के दो ही वर्ष बाद कुसुम विधवा हो गई। उसके पिता भी उसे अटूट सम्पत्ति की अधिकारिणी बनाकर छः महीने हुए परलोकगामी हुए। बसन्त ने देखा कि विपत्तियों ने कुसुम को ज्ञान में उससे भी अधिक प्रौढ़ बना दिया। कुसुम उमर में बसन्त से कुछ साल छोटी ही थी, किन्तु बसन्त अभी संसार-सागर के इसी तट पर था और कुसुम! कुसुम लहरों के चपेट में आकर उस पार बसंत से बहुत दूर पहुँच गई थी। बसन्त के जीवन में आशा थी और कुसुम का जीवन निराशा से पूर्ण था। निराशा की अन्तिम सीमा शान्ति है। कुसुम उसी शान्ति का अनुभव कर रही थी।

उस दिन बसन्त फिर लौटकर वापिस न जा चुका। कुसुम के अनुरोध से वह दो दिन तक कुसुम का मेहमान रहा। दोनों ने परस्पर एक दूसरे के विषय में इतने दिनों का हालचाल जाना। पत्र न लिखने की शिकायत न तो कुसुम को थी और न बसन्त को। चलते समय कुसुम ने बसन्त से आग्रह किया कि यदि कभी किसी काम से उन्हें इस ओर आना हो तो वह इलाहाबाद में ज़रूर ठहरें। कुसुम बसन्त का हृदय उसकी आँखों में देख रही थीं— उसे विश्वास था कि बसन्त ज़रूर आवेगा।

बसन्त का स्वास्थ्य दिनोंदिन बिगड़ता हो गया। कोई खास बीमारी तो न थी, केवल आठ-दस दिन तक मलेरिया ज्वर से पीड़ित रहने के बाद वह कमजोर होता गया। छुट्टी में जलवायु परिवर्तन के लिए बसन्त मसूरी गया। प्रकृति के सुन्दर दृश्य, यात्रियों की चहल-पहल, बिजली की रोशनी, किसी की बात से बसन्त के चित्त को शन्ति न मिल सकी, वह सदा गम्भीर और उदास रहा करता। कुसुम को वह जी से प्यार करता था। बसन्त का स्वभाव और चरित्र अत्यंत उज्ज्वल और ऊँचा था, फिर भी जब वह सोचता कि कुसुम के विवाह के समय, उसके सुख से समय, उसकी

आँखों में आँसू आये थे और कुसुम के विधवा होने पर उसके हृदय में आशा का संचार हुआ है, तब वह अपने विचारों पर स्वयं लज्जित होता और अपने को नीचे समझकर धिक्कारता।

बसन्त बहुत दिनों तक मसूरी में न रह सका। देहरादून एक्प्रेस से वह एक दिन इलाहाबाद जा पहुँचा। कुसुम के सद्व्यवहार से कुछ शान्ति मिली। कई दिनों से बसंत कुसुम से कुछ कहना चाहता था; किन्तु कहते समय उसे ऐसा मालूम होता जैसे कोई आकर उसकी जबान पकड़ लेती हो—वह कुछ न कह सकता था।

एक दिन बगीचे में कुसुम बसंत के साथ टहल रही थी, दोनों ही चुपचाप थे। बसंत ने निस्तब्धता भंग की, उसने पूछा— कुसुम! क्या तुम अपना सारा जीवन इसी प्रकार, तपस्विनी की तरह बिता दोगी?

—क्या करूँ ईश्वर की ऐसी ही इच्छा है', कुसुम की शांति से उत्तर दिया।

— किन्तु इस तत्पश्चर्या को सुख में परिवर्तित करने की क्या कोई मार्ग नहीं है?

—क्या मार्ग हो सकता है बसन्त, तुम्हीं कहो न? मेरी समझ में तो नहीं आता?

बसन्त ने धड़कते हुए हृदय से कहा—पुनर्विवाह जैसा कि तुम्हारी सखी मालती ने भी किया है।

कुसुम को एक धक्का-सा लगा। उसका चेहरा लाल हो गया। उसने दृढ़ता से कहा—लेकिन बसन्त बाबू मुझसे तो यह कभी न हो सकेगा।

बसन्त चुप हो गया। वह रह-रहकर अपनी ग़लती पर पछता रहा था। बसन्त ने साहस करके इस नाजुक विषय को छोड़ तो ज़रूर दिया था, किन्तु वह डर रहा था कि कहीं कुसुम की नज़र से वह नीचे न गिर जाय। दोनों चुप थे। दोनों के दिमाग में एक प्रकार की तूफ़ान-सा उठ रहा था।

टहलते-टहलते कुसुम जैसे थककर एक संगमरमर की बेंच पर बैठ गई। उसने बसन्त से भी बैठ जाने का इशारा किया। उसने कहा—बसन्त, मैं तुम्हें कितना चाहती हूँ, शायद तुम इसे अभी तक अच्छी तरह नहीं जान पाये हो?

बसन्त के हृदय में फिर आशा चमक उठी, वह ध्यानपूर्वक, उत्सुकता के साथ कुसुम की बात सुनने लगा।

कुसुम ने कहा तुम भी मुझे पहले से चाहते थे यह बात मुझसे छिपा न रह सकी, उस दिन ड्राइंगरूम में अपने आप ही प्रकट हो गई, लेकिन वह प्रकट हुई बहुत देर के बाद, जब उसके लिए कोई उपाय शेष न था। उसके बाद बसन्त इन लम्बे चार वर्षों की अवधि में भी मैं तुम्हें भूल नहीं सकी हूँ, जैसा कि तुम देख रहो हो।

बसन्त का हृदय ज़ोर से धड़क रहा था।

कुसुम ने फिर कहा—इतना सब होते हुए भी, बसन्त मैंने निश्चय किया है कि

मैं कभी पुनर्विवाह न करूँगी, अपने माता-पिता और अपने स्वामी की स्मृति को कलंक न लगाऊँगी। तुम्हारा और मेरा शुद्ध प्रेम है, उसमें वासना और स्वार्थ की गंध नहीं है।

बसन्त हताश हो गया।

कुसुम ने फिर कहा—कहानियों की तरह क्या प्रेम का अन्त विवाह में ही होना चाहिए, बसन्त?

बसन्त कोई उत्तर न दे सका। उसने देखा कुसुम प्रेम की दौड़ में भी उससे बहुत आगे निकल गई है। बसन्त अपने हो स्वार्थी, और ओछे हृदय का समझने लगा। उसे ऐसा मालूम हुआ कि कुसुम बहुत ऊँचे से—किसी दूसरे लोक से—बोल रही है जिसे बसन्त कुछ समझ सकता है और कुछ नहीं।

परन्तु बाद बसन्त और कुसुम के बीच में इस विषय में फिर कभी कोई बात न हुई। किन्तु, बसन्त अब भी सफलता है कि कुसुम का तर्क सत्य नहीं है। किसी सुकवि की कल्पना की तरह सुन्दर ज़रूर है, पर उसमें सच्चाई नहीं है।

परन्तु इस प्रकार के विचार आने पर वह स्वयं अपनी आँखों से नीचे गिरने लगता है, उसके कानों में बार-बार कुसुम के यह शब्द गूँजने लगते हैं—'क्या प्रेम का अन्त कहानियों की तरह विवाह में ही होना आवश्यक है?'

अभियुक्ता

मजिस्ट्रेट मिस्टर मिश्रा की अदालत में बड़ा ही सनसनीदार मुकदमा चल रहा है। अदालत में खूब भीड़ रहती है। मामला एक बीस बरस की युवती का है, जिस पर बैरिस्टर गुप्ता के लड़के के गले से सोने की जंजीर चुराने का अपराध लगाया गया है। एक तो वैसे ही, किसी स्त्री के अदालत में आते ही न जाने कहाँ से अदालत के आस-पास मनुष्यों की भीड़ लग जाती है, और यदि कहीं स्त्री सुन्दर हुई, फिर तो भीड़ के विषय में कहना ही क्या है? आदमी इस तरह टूटते हैं जैसे उन्होंने कभी कोई स्त्री देखी ही न हो।

इसके अतिरिक्त मजेदार बात यह भी थी कि बैरिस्टर गुप्ता स्वयं इस मामले में गवाह देने के लिए अदालत में आये थे।

बैरिस्टर गुप्ता के शहर के मशहूर बैरिस्टर है। शहर का बच्चा-बच्चा उन्हें जानता है। सरकारी अफसर उनके घर जुआ खेलते हैं। शहर में कहीं नाचगाना हो, तो उसका उसका प्रबन्ध बैरिस्टर साहब को ही सौंपा जाता है। शराब पीने का शौक होते हुए भी वह कलवारी में कभी नहीं जाते; कलवारी स्वयं उनके घर पहुँच जाती है। सरकार-दरबार में उनका बहुत मान है, और पब्लिक में भी; क्योंकि सरकारी अफसरों से किसका काम नहीं पड़ता! बैरिस्टर साहब हैं भी बड़े मिलनसार। पब्लिक का काम बड़ी दिलचस्पी से करते हैं। इस प्रकार के कामों में वह बहुत व्यस्त रहते हैं, और दूसरे कामों के लिए उन्हें फुरसत ही नहीं रहती।

मुकदमा शुरू हुआ। अभियुक्ता की ओर से कोई वकील न था। वह गरीब और असहाय थी। सरकार की ओर से तीन सौ मासिक पाने वाले कोर्ट साहब पैरवी के लिए खड़े थे।

बैरिस्टर गुप्ता ने अपने बयान में कहा—मैं अभियुक्ता को एक अरसे से जानता हूँ। यह शहर में भीख माँगा करती थी। करीब एक महीना हुआ, एक दिन मैंने अपने मकान के पास कुछ गुण्डों को इसे छेड़ते देखा। मुझे इस पर दया आयी। उन गुण्डों को भगाकर मैं इसे अपने घर ले आया, और जब मुझे मालूम हुआ कि इसका कोई

भी नहीं हैं, तब खाने और कपड़े पर इसे अपने घर पर बच्चों को सँभालने के लिए रख लिया। पन्द्रह दिन काम करने के बाद एक दिन रात को यह एकाएक गायब हो गयी। दूसरे दिन मैंने देखा कि बच्चे के गले की सोने की जंजीर नहीं हैं, तब मैंने पुलिस में इत्तिला दी। बाद में पुलिस ने इसे मय सोने की चेन के गिरफ्तार किया, और मुझसे चेन की शिनाख्त करवायी। मैंने वैसा ही पाँच चेनों में से अपना चेन पहचान ली। (अदालत की टेबिल पर रखी हुई चेन को हाथ में लेकर बैरिस्टर गुप्ता ने कहा) यह चेन मेरी है, मैंने खुद इसे बनवाया था।

बैरिस्टर गुप्ता का बयान खत्म हुआ। मजिस्ट्रेट ने गम्भीर स्वर में अभियुक्ता की ओर देखकर पूछा– तुमको बैरिस्टर साहब से कुछ सवाल करना है?

अभियुक्ता का चेहरा तमतमा उठा। वह तिरस्कार–सूचक स्वर में बोली–जी नहीं, सवाल पूछना तो दूर की बात है, मैं तो इनका मुँह भी नहीं देखना चाहती।

अभियुक्ता की इस निर्भीकता से दर्शकों के ऊपर आश्चर्य की लहर–सी दौड़ गयी। सबकी आँखें उसकी ओर फिर गयीं; बैरिस्टर गुप्ता की ओर भी लोगों का ध्यान विशेष रूप से आकर्षित हुआ। उनके मुँह से एक प्रकार की दबी हुई अस्पष्ट मर–मर ध्वनि–सी निकल पड़ी।

मुकदमे में और भी रंग आ गया। अब तो लोग अधिक ध्यान से मुकदमे की कार्रवाई को सुनने लगे।

बैरिस्टर गुप्ता की बातों का समर्थन पुलिस के दूसरे गवाहों ने भी किया। एक सराफ ने आकर कहा–मेरी दुकान से सोना लेकर बैरिस्टर साहब ने मेरे सामने ही यह चेन सुनार को बनाने के लिए दी थी।

एक सुनार ने आकर बयान दिया–यह चेन बैरिस्टर साहब के लिए मैंने ही अपने हाथ से बनाकर उन्हें दी थी।

तफतीश करने वाले थानेदार ने बतलाया कि किस प्रकार उन्होंने अभियुक्ता का पता लगाया, और किस तरह चेन माँगते ही उसने यह चेन अपनी कमर से निकालकर दे दी। थानेदार ने यह भी कहा कि अभियुक्ता इस चेन को अपनी माँ को दी हुई बतलाती है, जिससे साफ मालूम होता है कि अभियुक्ता बहुत चालाक है।

सरकारी गवाहों के बयान हो जाने के बाद अभियुक्ता से मजिस्ट्रेट ने पूछना शुरू किया–

–तुम्हारा नाम?

–चुन्नी।

–पति का नाम?

–मैं कुमारी हूँ।

—अच्छा तो पिता का नाम?

—मैं नहीं जानती। मैं जब बहुत छोटी थी तब या तो मेरे पिता मर गये थे या कहीं चले गये थे। मैंने उन्हें देखा ही नहीं। मेरी माँ ने मुझे कभी उनका नाम भी नहीं बतलाया; और अब तो कुछ दिन हुए मेरी माँ का भी देहान्त हो गया!

कहते-कहते अभियुक्ता को आँखें डबडबा आयी। दोनों हाथों से अपना मुँह ढँककर वह सिसकियाँ लेने लगी। दशकों ने सहानुभूतिपूर्वक अभियुक्ता की ओर देखा, किन्तु कोर्ट इन्सपेक्टर ने कड़े स्वर में कहा—यह नाटक यहाँ मत करो, जो कुछ साहब पूछते हैं उसका जवाब दो।

अभियुक्ता ने अपने को सँभाला और आँखें पोंछकर मजिस्ट्रेट की ओर देखने लगी।

— 'मैं मजूदरी करती हूँ और जब काम नहीं मिलता तब भीख माँगती हूँ',

— अभियुक्ता ने कहा।

मजिस्ट्रेट ने प्रश्न किया— रहती कहाँ हो?

—जहाँ जगह मिल जाती है?

—तुमने बैरिस्टर गुप्ता के घर नौकरी की थी?

—जी हाँ।

'यह चेन तुमने उनके बच्चे के गले से चुराई?'— चेन को हाथ में लेकर मजिस्ट्रेट ने पूछा।

अभियुक्ता ने बैरिस्टर गुप्ता की ओर देखा। उसकी इस दृष्टि से घृणा और क्रोध टपक रहा था। फिर उसने मजिस्ट्रेट की ओर देखकर दृढ़ता से कहा— मैंने जंजीर चुरायी नहीं; वह मेरी ही है।

यह सुनते ही बैरिस्टर गुप्ता के मुँह से व्यंगपूर्ण उपहास की हलकी हँसी निकल गयी। इस व्यंग से अभियुक्ता का चेहरा क्षोभ से और भी लाल हो उठा। उसने किंचित् क्रोध से स्वर में कहा—मैं फिर कहती हूँ कि जंजीर मेरी है। मेरी माँ ने मरते समय यह मुझे दी थी और कहा था कि यह तेरे पिता की यादगार है, इसे सम्हाल के रखना।

मजिस्ट्रेट ने पूछा— तुम बैरिस्टर साहब के घर से रात को भाग गयी थीं?

कुछ क्षण के लिए अभियुक्ता चुप-सी हो गयी। आहत अभिमान उसके चेहरे पर तड़प उठा। फिर कुछ सोचकर वह गम्भीर स्वर में बोली—जी हाँ, मैं बैरिस्टर साहब के घर से भागी। पहले इन्होंने मुझे गुण्डों से बचाकर अपने घर में आश्रय दिया, तब मेरे हृदय में इनके लिए श्रद्धा और कृतज्ञता के भाव थे। परन्तु वे धीरे-धीरे घृणा और तिरस्कार में बदल गये। मैंने देखा कि बैरिस्टर साहब की खुद की नीयत

ठिकाने नहीं है। वह मुझे अपनी वासना का शिकार बनाने पर तुले हुए हैं। धीरे-धीरे वह मुझे हर तरह की लालच दिखाने लगे और धमकियाँ देने लगे। एक दिन इसी तरह की छीना-झपटी में उन्होंने मेरी यह सोने की जंजीर देख ली थी। इसलिए चोरी का झूठा इलजाम लगाने का इन्हें मौका मिला। मैं चोरी के डर मारे कभी जंजीर के गले में नहीं पहनती थी; सदा कमर में खोंसे रहती थी।

अभियुक्ता का बयान सुनते ही अदालत में सन्नाटा छा गया। किसी को भी उसके बयान में किसी तरह की बनावट न मालूम हुई। बैरिस्टर साहब के प्रति घृणा, और अभियुक्ता की ओर सहानूभूति के भावों से दर्शक समाज का हृदय ओत-प्रोत हो गया। सभी दिल से चाहने लगे कि वह छूट जावे। परन्तु कानूनी कठिनाइयों को सोचकर सब निराश से हो गये। चेन उसकी होते हुए भी भला बेचारी इस बात का सबूत कहाँ से देगी कि चेन का उसी का है!

सफाई की पेशी का दिन आया। आज तो अदालत में दर्शकों की भीड़ के कारण तिल भर भी जगह खाली न थी। प्रत्येक के चेहरे पर उत्सुकता छायी थी। 'कौन जाने क्या होता है!' कहीं बिचारी की चेन भी छिने, और जेल भी भेजी जाए',यह न्यायालय तो केवल न्याय के ढोंग के लिए ही होते हैं', 'न्याय के नाम से सरासर अन्याय होता है', अदालतें धनवानों की हैं, गरीबों की नहीं'–इस प्रकार की अनेक आलोचनाएँ कानाफूसी के रूप में दर्शकों के मुँह से निकल रही थीं।

अन्त में मजिस्ट्रेट की आवाज से अदालत में निस्तब्धता छा गयी। उन्होंने अभियुक्ता से पूछा–क्या तुम इस बात का सबूत दे सकती हो कि यह चेन तुम्हारी है।

–जी हाँ।

–क्या सबूत है? तुम्हारे कोई गवाह हैं?

'मेरा सबूत और गवाह वही चेन है',–अभियुक्ता न चेन की ओर इशारा करते हुए कहा।

सब ने संदेहसूचक सिर हिलाया। कुछ ने सोचा शायद यह लड़की पागल हो गयी है।

मजिस्ट्रेट ने पूछा–वह कैसे? अब उनकी दिलचस्पी और बढ़ गयी थी।

–चेन मेरे हाथ में दीजिए, मैं आपको बतला दूँगी।

मजिस्ट्रेट के इशारे से कोर्ट साहब ने चेन उठाकर अभियुक्ता के हाथ में दे दी। चेन दो-लड़ी थी और उसके बीच में एक हृदय के आकार का छोटा-सा लाकेट लगा था, जो ऊपर से देखने में ठोस मालूम पड़ता था; परन्तु अभियुक्ता ने उसे इस तरह दबाया कि वह खुल गया। उसे खोलकर उसने मजिस्ट्रेट साहब को दिखलाया,

फिर बोली—यह मेरा सबूत है, यह मेरी पिता की तसवीर है।

मजिस्ट्रेट ने उत्सुकता से वह लाकेट अपने हाथ में लेकर देखा— देखा, और देखते ही रह गये। लाकेट के अन्दर एक बीस वर्ष के युवक का फोटो था। मजिस्ट्रेट ने उसे देखा, उनकी दृष्टि से सामने से एक धुँधला-सा चित्रपट फिर गया।

बीस वर्ष पहले वह कालेज में बी० ए० फाइनल में पढ़ते थे। उनके मैस की महराजिन बुढ़िया थी, इसलिए कभी-कभी उसकी नातिन भी रोटी बनाने आ जाया करती थी। उसका बनाया हुआ भोजन बहुत मधुर होता था। वह थी भी बड़ी हँसमुख और भोली। धीरे-धीरे वह उसे अच्छी-अच्छी चीजें देने लगे। छिप-छिपाकर मिलना-जुलना भी प्रारंभ हुआ। वह रात के समय बुढ़िया महाराजिन और उसकी नातिन को उसके घर तक पहुँचाने भी जाने लगे। एक रात को वह लड़की अकेली थी। चाँदनी रात थी और बसन्त हवा भी चल रही थी। घने वृक्षों के नीचे अन्धकार और चाँदनी के टुकड़े आँखमिचौनी खेल रहे थे। वहीं कहीं एकान्त स्थान में—उन्होंने अपने आपको खो दिया।

कालेज बन्द हुआ, और बिदाई का समय आया। उस रोती हुई प्रेयसी को उन्होंने एक सोने की चेन फोटोवाले लाकेट अपनी यादगार में दी। सिसकियों और हृदय-स्पन्दन के साथ बड़ी कठिनाई से वह विदा हुए। वह उनका अन्तिम मिलन था। उसके बाद वह उस कालेज में पढ़ने के लिए नहीं गये,क्योंकि वहाँ लॉ क्लास नहीं थी। वह धीरे-धीरे उन सब बातों को स्वप्न, की तरह भूल गये।

किन्तु, आज इस लॉकेट ने उनके उस प्रण, के परिणाम को उनके सामने प्रत्यक्ष लाकर खड़ा कर दिया। उन्होंने सोचा, 'तो क्या मेरी ही'...इतने में लॉकेट उनके हाथ से छूटकर टेबिल पर खट से गिर पड़ा; उसकी आवाज से वह चौंक-से पड़े। दर्शक भी चौंक उठे। मजिस्ट्रेट ने सिर नीचा किय हुए कहा, अभियुक्ता निर्दोष है, उसे जाने दो।'—यह कहते हुए वह तुरन्त उठकर खड़े हो गये जैसे न्यायाधीश की कुर्सी ने उन्हें काट खाया हो।

सोने की कंठी

बिन्दो पोस्टमैन की लड़की थी। उसका पिता रायसाहब निर्मलचन्द की कोठी के सागरपेशे की एक कोठरी में किराये से रहता था। पोस्टमैन की आमदनी ही कितनी? खर्च सदा ही आमदनी से कुछ ज्यादा हो जाया करता था; इसलिए बिन्दो और उसकी माँ को अच्छे गहने और कपड़े कभी नसीब न हुए।

बिन्दो रूपवती थी और उसको अच्छे-अच्छे गहने-कपड़ों का शौक था। स्त्रियाँ स्वभावतः सौंदर्य को उपासिका होती हैं; जो जितनी अधिक सुन्दर होती हैं उनकी सौंदर्योपासना उतनी ही अधिक बढ़ी-चढ़ी होती है। किन्तु सुन्दरी बिन्दी गहनों और कपड़ों के लिए तरसा करती थी। रायसाहब की स्वजातीय होने के कारण कभी-कभी तिथि-त्यौहार या काम-काज होने पर कोठी से बिन्दो का माँ के लिए बुलावा आता, और माँ के साथ बिन्दो भी जाया करती। वहाँ रायसाहब की लड़कियों को खूब सजी-बजी देखकर, उनके चमकते हुए हीरे-मोती के गहने और दृष्टि को फिसला देनेवाले रेशमी कपड़ों को देखते ही वह अधिक क्षुब्ध हो जाया करती; विशेषकर इसलिए और भी; कि रायसाहब की लड़कियाँ सुन्दर न थीं; गहने-कपड़े उनके शरीर पर ऐसे जान पड़ते जैसे कि वे ठूँठ के साथ लपेट दिये गये हों।

बिन्दों की राय थी कि अच्छे कपड़े और गहने पहिनने का अधिकार उन्हीं को होना चाहिए जो सुन्दर हों। कुरूप स्त्रियों का श्रृंगार तो श्रृंगार का उपहास और कला का अनादार है। रायसाहब की लड़कियों से गहने-कपड़े की प्रतियोगिता में हारकर बिन्दो हताश न होती; घर लौटती ही वह शीशे में अपना सुन्दर मुँह देखकर मन-ही-मन उनके प्रति कहती--गहना-कपड़ा पहिनकर भी तो उनका काला मुँह गोरा नहीं हो जाता; बड़े-बड़े दाँत मोतियों सरीखे नहीं चमकते। फिर यकायक वह दीर्घ निश्वास के साथ शीशे के सामने से दूर चली जाती; मानो यह सोचती कि विश्व के सारे सौंदर्य की वस्तुएँ केवल उसी के लिए बनाई गई थीं किन्तु निर्माता की भूल से वह उससे दूर रखी गई हैं। रायसाहब की लड़कियों के पास तो वे सौन्दर्यवर्धक वस्तुएँ अनावश्यक ही हैं, जिनसे उन लड़कियों के सौंदर्य की वृद्धि तो नहीं हो पाती,

हाँ, उन वस्तुओं का सौंदर्य अवश्य घट जाता है।

परन्तु बिन्दो को एक आशा थी। वह सोचती थी कि विवाह के बाद मुझे भी बहुत से गहने और कपड़े मिलेंगे, जैसे दूसरी विवाहिता लड़कियों को मिला करते हैं। उनके समान मैं भी अपने घर को मालकिन बनूँगी। मेरे 'वे' भी बहुत-सा रुपया लाकर मेरे हाथों पर रख दिया करेंगे और तब मैं भी मनमाना खर्च करूँगी। बाजार में कोई अच्छा कपड़ा या गहना देखते ही 'वे' भी मेरे लिए खरीद लावेंगे, और मैं उसे उसी अभिमान से पहिनूँगी जैसे ये पहिनती हैं। किसी के पूछने पर मैं भी जरा संकोच और सलज्ज भाव से कह दूँगी कि यह गहना या कपड़ा तो खुद वे ही अपनी पसंद से मेरे लिए खरीद लाये हैं। उसे विश्वास था कि जब विधाता ने उसे सुन्दरता देने में इतनी उदारता की है, तब यह गहने-कपड़े की इच्छा भी एक न एक दिन अवश्य पूरी होगी। वह उस दिन की प्रतीक्षा बड़ी लगन से किया करती।

धीरे-धीरे बिन्दो सयानी हुई और उसका विवाह भी हो गया। किन्तु निर्धन की बेटी भला धनवान के घर कैसे ब्याही जाती? मित्रता-बैर और विवाह-सगाई तो अपने बराबरी वालों में ही शोभा देते है। तात्पर्य यह कि बिन्दो के गहने-कपड़ों की प्यास ज्यों की त्यों बनी रही। विवाह के समय कुछ गहने और कपड़े आये अवश्य थे; किन्तु ससुराल पहुँचने के बाद ही वे एक-एक करके किसी न किसी बहाने से लिए गये। बिन्दो समझ गयी कि वह गहने उसके नहीं हैं। बेचारी जी मसोरकर रह गयी; और करती भी क्या?

बिन्दो की ससुराल में खेती-बारी होती थी। परिवार बड़ा था। बिन्दो की दो जेठानियाँ थीं और एक अविवाहित देवर। तीन भाई तो खेती का काम मन लगाकर करते थे; किन्तु बिन्दो के पति जवाहर का मन खेती के कामों में न लगता था। वह स्वभाव से ही कुछ शौकीन थे। उनकी गाने-बजाने की तरफ विशेष रुचि थी। कुश्ती लड़ने और पहलवानी करने का भी शौक था। गठे हुए बदन पर सदा मलमल या तनजेब का कुरता रहता; घुँघराले बाल सदा किसी न किसी सुगंधित तेल से बसे रहते। स्वभाव में आत्माभिमान की मात्रा भी अधिक थी। वे कुछ न कमाकर भी घर भर पर अपना रोब जमाते रहते।

बिन्दो कुछ पढ़ी-लिखी होने के कारण उस देहात में आदर की वस्तु हो गयी थी; विशेषकर उस समय अवश्य, जब वह रामायण या महाभारत पढ़ती और गाँव की अनेक स्त्रियाँ वहाँ एकत्र हो जातीं। वे बिन्दो की सास के भाग्य की सराहना करतीं और कहतीं—यह लक्ष्मी-सी बहू तुम्हारे घर आयी हैं; इसके कारण भगवान के दो बोल हम लोग भी सुन पाती हैं।

बिन्दो भी अपने इस देहाती जीवन से असन्तुष्ट न थी। सास उसका आदर करती थी, जेठानियाँ उसे काम न करने देतीं। इसके अतिरिक्त जवाहर उसे प्यार भी बहुत करता था। उसी घर में लड़ाई-झगड़ा होने पर कई बार ऐसे मौके आये कि उसके जेठ अपने स्त्रियों पर हाथ चला बैठे। किन्तु जवाहर बिन्दो से कभी एक कड़ी बात भी न करता। वह हर तरह से, अपने देहाती ढंग से ही सही, उसे सन्तुष्ट रखने का प्रयत्न करता। बिन्दो भी अब सुखी थी; उसे गहने-कपड़े की याद न आती थी। वैसे तो देहात में अच्छे गहने-कपड़े पहिनता ही कौन हे? फिर भी सब के बीच में बिन्दो-ही-बिन्दो दीख पड़ती थी। बिन्दो सबसे अधिक सुन्दरी तो थी ही; साथ ही पति की तरह वह सबसे अच्छे कपड़े भी पहिना करती थी।

मना करने पर भी वह जेठानियाँ के साथ काम करती, और सास को नियम से रोज़ रामायण सुना देती। रात को अलाव के पास बैठती, जहाँ गाँव की अनेक युवतियाँ, वृद्धाएँ, युवक और प्रोढ़ सभी इकट्ठे होते; फिर बहुत रात तक कभी कहानी होती और कभी पहेलियाँ बुझायी जातीं। वहाँ दिन भर के परिश्रम के बाद वह लोग कुछ घंटे निश्चिन्त होकर बैठते; उस समय कहानी और पहेली के अतिरिक्त किसी को कोई भी चिन्ता न रहती थी।

सबेरे नदी का नहाना भी कम आनन्द देने वाला न रहता। बूढ़ी, युवती, बहू सब इकट्ठी होकर नहाने जातीं; रास्ते में हँसी-मखौल और तरह-तरह की बातें होतीं; बिन्दो भी उनके साथ जाती; नदी में नहाना उसे विशेष प्रिय था और कभी-कभी जब वह बिरहा गाते हुए दूर से आती हुई अपने पति की आवाज सुनती या जब वह देखती कि उसका पति अपना मस्त आवाज़ में–

'खुदा गवाह है हम तुमको प्यार करते है' गा रहा है उसे ऐसा प्रतीत होता कि जवाहर उसी को लक्ष्य करके यह कह रहा है। तात्पर्य यह कि बिन्दो पूर्ण सुखी थी; अब उसको कोई और इच्छा न थी।

एक बार बिन्दो की माँ बीमार पड़ी। माँ की सेवा के लिए बिन्दो को लगातार चार-पाँच महीने नैहर में रहना पड़ा। फिर उसकी आँखों के सामने वही रायसाहब की लड़कियाँ और वही गहने-कपड़ों का प्रदर्शन होने लगा। उसकी सोई हुई आभूषणों को आकांक्षा फिर से जाग उठी। वह सोचने लगी–क्या इस जीवन में मेरी अभिलाषा कभी पूरी न होगी? तो फिर ईश्वर ने मुझे इतना रूप ही क्यों दिया किंतु विधि के विधान पर किसका जोर चलता?

रायसाहब निर्मलचंद चालीस के उस पार पहुँच चुके थे; किन्तु फिर भी उनमें रसिकता की मात्रा आवश्यकता से अधिक थी। वे प्रायः सिनेमा देखने जाया करते

थे; किसी अच्छी कहानी या एकटिंग के लिए नहीं, केवल सुन्दर चेहरों को देखने के लिए। उन्होंने सब तीर्थ भी कर डालें थे; और प्रायः पर्वों पर सब काम छोड़कर भी वे स्नान-घाटों पर पहुँच जाते थे। किसी प्रकार पुण्य-लाभ की उन्हें इच्छा रहती थी या नहीं, यह तो ईश्वर जाने; किन्तु स्नान करती हुई युवतियाँ के अंग-प्रत्यंग की ताक-झाँक की उत्कट इच्छा उनके चेहरे पर कोई भी साफ देख सकता था। वे कश्मीर और नैनीताल भी अक्सर गर्मी की छुट्टियों में जाया करते थे; किन्तु वे जलवायु परिवर्तन के लिए जाते थे या और किसी उद्देश्य से यह नहीं कहा जा सकता। वे सुन्दर स्त्रियों के पीछे अनायास ही मीलों का चक्कर अवश्य लगा आते थे।

वे बहुत कुरूप थे। इसलिए सुन्दरी की बात तो अलग रखिए कोई कुरूप से कुरूप स्त्री भी उनकी तरफ आँख उठाकर देखने में अपना अपमान समझती थी; इसलिए प्रायः गन्दे मजाक करके ही वे अपनी वासना की तृप्ति कर लिया करते थे।

इसके अतिरिक्त वे परोपकारी थे। उनके घर एक नामी-गरामी वैद्यराज रहा करते थे, जो रायसहाब के मित्रों और उनके आश्रित निर्धनों का मुफ्त इलाज करते थे। उनका दवाखाना रायसाहब की बैठक से लगा था। मरीज को दवा लाने के लिए रायसाहब की बैठक से होकर ही वैद्यराज के पास जाना पड़ता था। बिन्दो की माँ का इलाज भी यही वैद्यराज करते थे। घर में और कोई न होने के कारण बिन्दो को ही माँ के लिए रोज दवा लानी पड़ती थी।

एक दिन दोपहर को बिन्दो जब दवा लेने गयी तो उसने देखा कि रायसाहब के पास एक सुनार कई तरह के गहने फैलाये बैठा है। सहसा इस प्रकार गहनों की प्रदर्शनी सामने देखकर इतने दिनों की सोयी हुई बिन्दो की गहनो की उत्कंठा फिर से जाग्रत हो उठी। क्षण भर के लिए वह भूल गई कि वह यहाँ किसलिए आयी है। वह उत्सुकतापूर्वक उन फैले हुए गहनों के पास बैठ गई और बड़े चाव से उन्हें उठा-उठाकर देखने लगे। उनमें एक तीन लड़ की कंठी थी जो बिन्दो को बहुत पसंद आयी। उसने यह कंठी को कई बार उठाया और रखा; और अन्त में एक ठंडी सास के साथ वह उसे वहीं रखकर अलग खड़ी हो गयी। रायसाहब ने भी वहीं कंठी पसंद की। बाकी गहने वापिस करके सुनार को दाम देने के लिए दूसरे दिन बुलाकर उन्होंने उसे रवाना कर दिया।

यद्यपि बिन्दो की उमर की रायसाहब की लड़कियाँ थी। किन्तु फिर भी बिन्दो उनकी कुदृष्टि से बची न रही। उसकी इस समय के हार्दिक भाव रायसाहब अच्छी तरह ताड़ गये और वार करने का यही उपयुक्त समय देखकर वे हँसते हुए बोले- बिन्दो, यह कंठो तुम्हें बहुत पसंद आयी है ? पहिनोगी ?

एक प्रकार की अत्यक्त आशा से बिन्दो का चेहरा खिल उठा; पर यह प्रसन्नता क्षणिक थी। वह गम्भीर होकर बोली– नहीं, मैं न पहिनूँगी। गहने गरीबों के लिए नहीं होते।

रायसाहब बोले– गहने तो गरीब-अमीर सभी के लिए होते हैं। फिर तुम्हारी तरह का गरीब तो इच्छा करते ही मनमाना गहना पा सकता है।

–सो कैसे? –बिन्दो ने पूछा–गहनों की इच्छा तो मुझे सदा से रही है; पर वे मुझे कभी मिले और न जीवन भर मिलेंगे, यह मैं अच्छी तरह जानती हूँ।

रायसाहब धीरे-धीरे बिन्दो की तरफ आते हुए बोले–जीवन भर की बात तो अलग रही बिन्दो, यह कंठी तुम्हें इसी समय मिल सकती है; केवल तुम्हारी इच्छा करने भर की देर है। तुम्हारे ऊपर एक क्या, ऐसी लाखों कंठियाँ निछावर की जा सकती हैं। पर बिन्दो यदि तुम भी मेरे मन को समझतीं!

रायसाहब के आरक्त चेहरे को, और हिंसक पशु की तरह आँखों को देखते ही बिन्दो सिहर उठी और दो कदम पीछे हटकर बोली–आप मुझे दवा दिलवा दें, मैं जाऊँ अम्मा अकेली हैं। उसने इन बातों को इतने जोर-जोर से कहा जिनमें अन्दर आवाज़ पहुँच सके।

वह शीघ्र ही दवा लेकर घर लौटी। उसने मन ही मन सोचा– अब मैं दवा लेने न जाऊँगी, रायसाहब की नीयत ठिकाने नहीं हैं। मैंने समझा था कि वह बेटी समझकर मुझे कंठी देना चाहता हैं; परन्तु वे तो सतीत्व के मोल उसे बेचना चाहते हैं। चूल्हे में जाय ऐसी कंठी! मुझे न चाहिए विधाता! सतीत्व कंठी से कई गुना ज्यादा कीमती है। किन्तु इतने पर भी उस कंठी को वह भूल न सकी। रह-रहकर कंठी उसकी आँखों के आगे झूलने लगी। फिर उसने एक युक्ति सोची। यह हो सकता है कि जैसे वह मुझे छलना चाहते हैं मैं भी उन्हें छलूँ। उनसे कंठी ले लूँ फिर बचकर भाग आऊँ। ऐसे अनेक तरह के संकल्प-विकल्प करती हुई बिन्दो सो गयी।

दूसरे दिन दोपहर को बिन्दो को फिर दवा लेने के लिए जाना पड़ा। पहुँचकर उसने देखा कि रायसहाब के मसनद के पास उसी तरह की चार कंठियाँ पड़ी हैं। बिन्दो के पहुँचते ही रायसहाब ने उसे बैठने के लिए कहा। बिन्दो बैठ गयी।

कल उसने जितने संकल्प किये थे उसे इस समय याद न रहे। कंठियों की चकाचौंध के सामने बिन्दो को सब-कुछ भूल गया। बिन्दो के सामने ही रायसाहब के एक कंठी को तौलकर उसकी कीमत 250) रुपये सुनार को देकर बिदा कर दिया। बिन्दो चकित दृष्टि से कभी उस कंठी की ओर, और कभी उन रुपयों की तरफ देखती थी। व्यापारी के जाते ही उसकी तन्द्रा टूटी। वह उठकर खड़ी हो गयी;

बोली– दवा दिलवा दीजिए, मैं जाऊं देरी होती है।

–अभी कहाँ की देरी होने लगी।–कहते–कहते रायसाहब ने एक कठी बिन्दो के गले में पहिना दो और उसे जबरन पकड़कर एक बड़े शीशे के सम्मुख खड़ा कर दिया; फिर उसकी तरफ सतृष्ण नेत्रों से देखते हुए बोले–अपनी सुन्दरता देखो, वहाँ बिन्दो है या कोई दूसरी? बिन्दो मंत्रमग्ध सी देखती रह गयी। वह अभी रायसाहब का किसी बात का उत्तर भी न दे पायी थी कि इस समय उन्होंने अपना बड़े–बड़े दाँतो वाला मुँह बिन्दो के सुन्दर ओठों पर घर दिया। बिन्दो को जैसे बिच्छू ने डंक मार दिया। वह घबराई किन्तु कुछ वश न चला। इस प्रकार कुछ तो कंठी की लालच में और कुछ रायसाहब की जबरदस्ती के कारण उस दिन दोपहर के सन्नाटे में अभागी बिन्दो अपने को खो बैठी। बेचारी को उस कंठी की बहुत बड़ी कीमत देनी पड़ी। परन्तु उसके बाद फिर रायसाहब के घर दवा लेने कभी न गई।

उसके कुछ ही दिन बाद बिन्दो ससुराली चली गई और उस कंठी को भी वह सबसे छिपाकर अपने साथ ले गई। ससुराल में लोगों के पूछने पर उसने यही बतलाया कि यह कंठी उसकी माँ ने उसे दी है।

किन्तु बिन्दो ने उसे कभी पहिना नहीं। पति के आग्रह करने पर जब कभी वह उसे, घंटे–आधे घंटे के लिए पहनती थी तो ऐसा मालूम होता था, जैसे काला विषधर उसके गले से लिपटा हो। कंठी को देखते ही प्रसन्न होने के बदले वह सदा उदास हो जाती थी।

बिन्दो के पति और जेठो में अनबन हो गई। भाई–भाई अलग हो गये। दूसरे भाई तो खती करके खुशी–खुशी आराम से रहने लगे; किन्तु जवाहर से खेती का काम नहीं होता था। जिसका परिणाम यह हुआ कि सब लोग तो चार पैसे कमाकर गहने–कपड़े की फिकर करने लगे, पर इधर जवाहर के घर फाके होने लगे। अभिमानी स्वभाव के कारण जवाहर अपनी विपत्ति भाइयों पर प्रकट न होने देता।

किन्तु अब पहलवानी छूट गई, मलमल, तनजेब के कुरते मैले दिखने लगे, सिर में तेल कहाँ से मिलता जब खाने के लिए घर में अन्न का दाना भी न रहता? बिन्दो से पति का कष्ट देखा न गया और उसने एक दिन कंठी निकालकर पति को बेचने के लिए दे दी। जवाहर बड़ी प्रसन्नता से कंठी लेकर सराफे की ओर गया; किन्तु थोड़ी देर बाद उसने लौटक निराशा से कहा–यह तो मुलम्मे की है।

बिन्दो यह सुनकर, सर थामकर बैठ गई, मानो उस पर वज्र गिर पड़ा।

नारी-हृदय

शहर में प्लेग था। लोग धड़ाधड़ मर रहे थे। बीमारी भी ऐसी थी–बीमार पड़ते ही लाश निकलते देरी न लगती। सब लोग शहर छोड़-छोड़कर बाहर बँगलों में या झोपड़े बनाकर रहने के लिए भागने लगे। न चाहते हुए भी मुझे शहर छोड़ना पड़ा। मुझे यहाँ से भागना अच्छा न लगता था। घर में मैंने सबको प्लेग का टीका लगवा दिया था और शाम को पाँच-पाँच बूँद प्लेगक्योर भी पिला दिया करता था। इच्छा थी कि शहर में ही बना रहूँ। कौन यहाँ से वहाँ भागने की झंझट करे।

वैसे ही खर्च के मारे हैरान था। फिर और लोगों की तरह मैं झोपड़ा बनाकर भी तो न रह सकता था? वकालत की शान में फरक न पड़ जाता? रहना तो मुझे बँगले पर ही पड़ेगा, और इन दिनों बँगले के मालिकों का दिमाग तो सातवें आसमान पर ही रहता है–सौ, पचहत्तर और पचास से नीचे तो वह बात ही नहीं करते। फिर आजकल की आमदनी में किराये का कम-से-कम पचास रुपये माहवारी ही रख लो चार महीने में दो सौ हो जाते हैं। मुश्किल ही समझो, पर करता क्या? अपने प्रयत्न भर तो मैंने शहर में ही रहे आने की कोशिश की पर मेरी स्त्री न मानी। उसने, जब तक मैं मकान बदलकर बँगले पर रहने न चला गया, मेरा खाना-पीना और सोना हराम कर दिया। उसकी एक जरा-सी बच्ची थी, जिसके लिए वह इतनी व्याकुल रहती जैसे सारे शहर भर का प्लेट उसी पर फट पड़ेगा।

कचहरी की छुट्टी थी। मैं अपने आफ़िस वाले कमरे में एक नौकर की सहायता से अपनी कानून की किताबें जमा रहा था। कमरे में कई आलमारियाँ थीं। मैं उन्हें साफ करवा के वहाँ अपनी पुस्तकें और अन्य वस्तुएँ तरतीबवार रखवा रहा था। उन अलमारियों से रद्दी कागजों के साथ एक लिफाफा भी वजन में जरा भारी होने के कारण खट-से नीचे गिर पड़ा। मैंने उसे गिरते देखा, किन्तु उदासीन भाव से फिर अपने काम में लग गया। मैं कमरे से बाहर जाने लगा–लिफाफा फिर पैरों सें टकराया। इस बार मैंने उसे उठाकर देखा तो उस पर किसी का भी पता तो न था, पर वह मजबूत डोरे से कसकर बाँधा गया था, और मैंने जेब में रख लिया। दिन भर

कार्य की अधिकता के कारण मुझे उसकी याद ही न रही।

शाम को जब मैं भोजन करके लेटा तो क्रम-क्रम से दिन भर की घटनाओं पर विचार करने लगा। एकाएक मुझे उस लिफाफे की याद आ गयी। मैंने बिस्तर से उठकर कोट के जेब से लिफाफा निकाला और कैंची से धागे को काटकर सावधानी से खोला, देखा तो उसमें किसी स्त्री के लिखे हुए कुछ पत्र थे। उत्सुकता और बढ़ी। मैंने पत्रों को तारीख वार पढ़ना प्रारम्भ किया। पहला पत्र इस प्रकार था।

शन्ति-सरोवर

1-9-31

मेरे देवता!

मुझे मालूम है कि आप मुझसे नाराज हैं। थोड़ा भी नहीं, बहुत अधिक। यहाँ तक कि आप दो अक्षर लिखकर अपना कुशल-समाचार देना भी उचित नहीं समझते। आपकी इस नाराजी का कारण भी मुझसे छिपा नहीं हैं।

मैं ही जानता हूँ कि किन परिस्थितियों में पड़कर मैं आपकी आज्ञा का उल्लंघन कर रही हूँ। यदि आप मेरे स्थान पर होते तो आप भी वही करते, जो मैं करती हूँ।

अन्त में मैं आपसे यही निवेदन करती हूँ कि आप मुझसे नाराज न हों। अपने कुशल-समाचार का पत्र भेजक अनुगृहीत करें।

आपकी ही–

प्रमीला

पत्र–2

शन्ति-सरोवर

10-9-31

मेरे सर्वस्व!

उस दिन पत्र भेजकर कई दिनों तक उत्तर की प्रतीक्ष करती रही, किन्तु आज तक आपका एक भी पत्र नहीं मिला। उत्सुक नेत्रों से रोज पोस्टमैन की राह देखती हूँ। वह आता है और मेरे दरवाजे की तरफ बिना मुड़े हुए ही चला जाता है। सबके पास चिट्ठियाँ आती हैं परन्तु मेरे पत्थर के देवता! आप न पसीजे, आपके पत्र एक भी न आए। न जाने कितने तरह के विचार आपके दिमाग में आते और जाते होंगे, और आप न जाने क्या-क्या सोच रहे होंगे। कदाचित् आप सोचते हों कि मैं बड़ी अकृतज्ञ, मूर्खा और अभिमानी हूँ। जिन लोगों ने मेरे साथ इतनी भलाई की, मुझे सर आँखों पर रखा उन्हीं के साथ मैं कृतघ्ता कर रही हूँ। यही है न? किन्तु मैं क्या करूँ? मैं परवश हूँ, पत्र में कुछ लिख नहीं सकती। यदि आप कभी मुझसे मिलने

का कष्ट करेंगे, अपने चरणों के दर्शन का सौभाग्य देंगे, तब मैं आपके चरणों पर सर रखकर आपको समझा दूँगी–आपको बतला दूँगी कि अपराधिनी नहीं हूँ, तब आप जान सकेंगे कि मैं कितनी विवश और कितनी निरुपाय हूँ। नाराज तो उसी से हुआ जाता है तो नाराजी सह सके, समय पाकर चरणों पर सर रखकर अपने अपराधों को क्षमा करवा सके। किन्तु आप नाराज हैं, मुझसे! जो न जाने कितने मील की दूरी पर है। जो हर प्रकार से विवश हैं, जिसे आपको छूने तक का अधिकार नहीं, जो केवल आपकी कृपादृष्टि की भिखारिणी है। आह! यदि आप मेरी विवशता का कुछ भी अनुभव करते?...

आप मुझसे हँसकर बाते करते हैं, मैं हँस देती हूँ, अपने को धन्य समझती हूँ। कल से आप मुझसे बात ही न करना चाहें तो मैं आपका क्या कर सकती हूँ? मुझे क्या अधिकार है सिवा इसके कि कलेजे पर पत्थर रखकर, सब चुपचाप सह लूँ। मैं खुलकर रो भी तो नहीं सकती, मुझे इतना भी तो अधिकार नहीं है। आपने नाराज होकर पत्र लिखना बन्द कर दिया है, कल यदि आपको मेरी शक्ल से भी नफरत हो जाय, तो भला सिवा रोने के मेरे पास और क्या बच रहेगा। मुझ सरीखी तो आपको घर चार दासियाँ होंगी। किन्तु मेरा दुनिया में कौन है। में तो घर-बारह की ठुकराई हुई अभागिनी अबला हूँ। आपने दया करके मुझे सम्मान, आदर और अपने हृदय में आश्रय दिया है। उसे इस निर्दयता से न छोड़िये। एक बार मुझसे मिल लीजिए। इसके बाद जैसे आपकी धारण हो वैसा कीजिए। आप मुझे जिस दण्ड की अधिकारिणी समझेंगे मैं उसे सहने के लिए तैयार हूँ। यदि आप मुझे अपने चरणों से दूर कर देंगे तब भी मैं आपकी ही रहूँगी। समाज की आँखों में नहीं, किन्तु अपनी और परमात्मा की आँखों में! आप मुझे भले ही अपनी न समझें, परन्तु मैं तो आजीवन आपको देवता की तरह पूजती रहूँगी। मेरा अटल विश्वास है कि आप सबके होने के बाद, थोड़े से मेरे भी हैं। कभी साल-छः महीने में मिनट-दो-मिनट के लिए ही सही; मुझे भी आप के चरणों की सेवा करने का अधिकार है।

उत्तर की प्रतीक्षा में–
अभागिनी प्रमिला

पत्र–3

शन्ति-सरोवर
30-9-31

'मेरे स्वामी!

यह तो हो ही नहीं सकता कि मेरे पत्र आपको मिलते ही न हों। क्षण भर के लिए यह मान लिया कि मेरे पत्र आपको मिले ही नहीं। फिर भी क्या एककार्ड पर

दो शब्द लिखकर आप मेरे पत्र न भेजने का कारण न पूछ सकते थे? खैर, आप अपनी मनमानी कर लीजिए। मैं हूँ भी इसी के योग्य, कहा भी गया है–जैसा देव वैसी पूजा। आपने मुझे ठुकराकर; मेरी अवेहलना करके उचित ही किया है। इसमें मैं आपको दोष कैसे दूँ? जिसका जन्म ही अपमान, अवेहला और शानदार सहने के लिए हुआ हो, वह उससे अधिक अच्छी वस्तु की आशा ही क्यों करें? अपने आपको भूल गयी थी। आज मेरी आँखें खुल गई। मुझे अपनी थाह मिल गयी। मेरी समझ में आ गया कि मैं कहाँ हूँ।

परमात्मा ने स्त्री-जाति के हृदय में इतना विश्वास, इतनी कोमलता और इतना प्रेम शायद इसीलिए भर दिया है कि वह पग-पग पर ठुकराई जावे। जिस देवता के चरणों पर अपना स्र्वस्व चढ़ाकर, केवल उसकी कृपा-दृष्टि की भिखारिणी बनती हैं, वही हमारी तरफ आँख उठाकर देखने में भी अपना अपमान समझता है। माना कि मैं समाज की आखों में आपकी कोई नहीं। किन्तु एक बार अपना हृदय तो टटोलिये, और सच बतलाइये क्या मैं आपकी कोई नहीं हूँ। समाज के सामने अग्नि की साक्षी देकर हम विवाह-सूत्र में अवश्य नहीं बँधे, किन्तु शिवजी की मूर्ति के सामने भगवान शंकर को साक्षी बनाकर क्या आपने मुझे नहीं अपनाया था? यह बात गलत तो नहीं है। मैं जानती हूँ कि आप यदि मुझसे बिलकुल न बोलना चाहें, किसी तरह का भी सम्बन्ध न रखना चाहें तब भी मैं आपका कुछ नहीं कर सकती। यदि किसी तरह का भी कुछ कहने भी जाऊँ तो सिवा अपमान और तिरस्कार के मुझे क्या मिलेगा? आपको तो कोई कुछ भी न कहेगा, आप फिर भी समाज में सिर ऊँचा करके बैठ सकेंगे। किन्तु मेरे लिए कौन-सा स्थान रहेगा? अभी एक रूखा-सूखा टुकड़ा खाकर जहाँ रात को सो रहती हूँ, फिर वहाँ से भी ठोकर मारकर निकाल दी जाऊँगी, और उसके बाद गली-गली की भिखारिन बन जाने के अतिरिक्त मेरे पास दूसरा क्या साधन बच रहेगा? सम्भव है आप मुझे दुराचारिणी या पापिनी समझते हों; और इसीलिए बहुत सोच-विचार के बाद आपने मुझसे सम्बन्ध-त्याग में ही कुशलता समझी हो, और पत्र लिखना बन्द कर दिया हो।

खैर, आप मुझे कुछ भी समझे, किन्तु ऊपर से परमात्मा देखता है कि मैं क्या हूँ? दुराचारिणी हूँ या नहीं, पापिन हूँ या क्या? इसका साक्षी तो ईश्वर ही है, मैं अपने मुँह से अपनी सफाई क्या दूँ? अब केवल यही प्रार्थना है कि मुझे क्षमा करना, मेरी त्रुटियाँ पर ध्यान न देना; और कृपाकर मेरे पत्र का उत्तर भी न देना। क्योंकि अब आपका पत्र पढ़ने के लिए, शायद मैं संसार में भी न रहूँ।

अभागिनी–
प्रमीला

पत्र पढ़कर मैंने एक ठंडी साँस ली और करवट बदली, देखा– न जान कब से मेरी स्त्री सुशीला मेरे सिरहाने खड़ी है। मुझे देखते ही वह भागी, मैंने दौड़कर उसकी धोती पकड़ ली और उसे पलँग तक खींच लाया। उसे जबरन पलँग पर बैठालकर मैंने पूछा–तुम भागी क्यों जा रही थी?

'तुम बड़े कठोर हो', उसने मुँह फेरे ही उत्तर दिया।

'क्यों?' – मैंने उसका मुँह अपनी तरफ फेरते हुए पूछा– मैं कठोर कैसे हूँ।

अपनी आँखों के आँसू पोंछती हुई वह बोली–यदि तुम निभा नहीं सकते थे, तो उस बेचारी को इस रास्ते पर घसीटा ही क्यों?

मुझे हँसी आ गई, हालाँकि प्रमीला के पत्रों को पढ़ने के बाद, मेरे हृदय में भी एक प्रकार का दर्द-सा हो रहा था। मुझे स्त्रियों की असहायता, उनकी विवशता और उनके कष्टों से बड़ी तीव्र, मार्मिक पीड़ा हो रही थी।

मैंने किंचित् मुस्कुराकर कहा–पगली! यह पत्र मेरे लिए नहीं लिखे गये।

उसकी भवें तन गयीं, बोली–तो भला छिपाते क्यों हो? क्या मैं बुरा मानती हूँ? बुरा मानती जरूर, यदि मैं प्रमीला के पत्र न पढ़ चुकी होती। पत्र पढ़ने के बाद तो मुझे उस पर क्रोध के बदले दया ही आती है। तुम यदि मुझे उसका पता बता दो तो मैं स्वयं उसे यहाँ लिवा लाऊँ। बेचारी का जीवन कितना दुःखी है।

मैंने कहा–भला मैंने कभी तुमसे झूठ भी बोला है? यह पत्र मुझे आज इसी कोठरी में रद्दी कागज़ों में मिले है। जिस लिफ़ाफे में ये बन्द थे वह भी यह है, देखो! कहते हुए मैंने लिफाफा उठाकर सुशीला के सामने रख दिया।

सुशीला ने एक बार लिफाफे की ओर, और फिर मेरी ओर देखते हुए कहा– तुम्हीं क्या पुरुष मात्र ही कठोर होते हैं।

पवित्र ईर्ष्या

विमला अपने बगीचे में माली के साथ तरह-तरह के फूल और पत्तियों को पहिचान रही थी और उन्हीं के साथ खेल रही थी, क्योंकि उसके साथ खेलने के लिए उसके कोई सगे भाई-बहिन न थे। आज राखी का त्यौहार था। बारह महीने का दिन, सभी बच्चे अपने-अपने घरों में खेलकूद रहे थे। इस चहल-पहल में किसी को आज विमला की याद न रही; इसलिए वह बिल्कुल अकेली पड़ गई थी।

अचानक उसकी दृष्टि, सड़क पर हरी-हरी साड़ियों से सजी हुई कुछ स्त्रियाँ और बालिकाओं पर पड़ी, जिनके हाथों में चाँदी के समान चमकती हुई थालियों में फूल-माला, फल-फूल और नारियल के साथ रंग-बिरंगी राखियाँ चमचमा रही थीं। उसी समुदाय में विमला की सखी चुन्नी भी थी। चुन्नी को देखकर विमला चुप न रह सकी, कौतूहलवश वह पुकार उठी—इतनी सज-सजा के कहाँ जा रही हो चुन्नी? यह थाली में क्या लिए हो चमकता हुआ?

चुन्न विमला की अनभिज्ञता पर हँस पड़ी, बोली— इतना भी नहीं जानती विन्नो! आज राखी है न? हम लोग भगवानजी के मन्दिर में पूजा करने जाती हैं, वहाँ से लौट कर फिर राखी बाँधेंगी।

'किसे बाँधोगी राखी?' विमला ने उत्सुकता से पूछा। इस प्रश्न पर सब खिलखिला के हँस पड़ीं।

विमला शरमा गयी। चुन्नी विमला की सहेली थी, अपनी सखी के ऊपर इस प्रकार सबका हँसना उसे भी अच्छा नहीं लगा; वह विमला के पास आकर बोली— विन्नो, अभी हम लोग भगवानजी की पूजा करके उन्हें राखी बाँधेंगी। फिर घर आकर अपने-अपने भाइयों को बाँधेंगी। तुम भी चलो न हमारे साथ।

—पर मैंने तो अभी अम्मा से पूछा ही नहीं।

माँ से पूछकर मन्दिर में आ जाना, यह कहकर चुन्नी चली गयी।

विमला अपने हृदय में राखी बाँधने को प्रबल उत्कंठा लिए हुए बड़े उत्साह से माँ के पास आयी। उसकी माँ, कमला, बैठी कुछ पकवान बना रही थी। वह नौ

बरस की बालिका, घर में बिलकुल अकेली होने के कारण, अब भी निरी बालिका थी। वह माँ के गले में दिनों बाहें डालकर पीठ कर झूलकर बोली—मैं भी राखी बाँधूँगी माँ।

'तू किसे राखी बाँधेगी बेटी?' माँ ने किंचित् उदासी से पूछा।

'तुम जिसे कह दोगी माँ', विमला ने सरल भाव से कह दिया।

किन्तु माँ की आँखों के आँसू न रुक सके। कुछ क्षणों में अपने को कुछ स्वस्थ पाकर कमला ने कहा—तेरी किस्मत में ही राखी बाँधना लिखा होता तो क्या चार भाइयों में से भाइयों में से एक भी न रहता, राखी का नाम लेकर जला मत बेटी! चुप रह।

माँ के आसुओं से विमला सहम-सी गई। कहाँ के और किसके चार भाई, वह कुछ भी न समझी; हाँ, वह इतना ही समझी कि राखी के नाम से माँ को दुःख होता है इसलिए राखी का नाम अब माँ के सामने न लेना चाहिए। पर राखी बाँधने की अपनी उत्कंठा को वह दबा न सकी। किसे राखी बाँधे, और कैसे बाँधे; इसी उधेड़बुन में वह फिर बगीचे की ओर चली गयी। फाटक के नजदीक चुपचाप बैठक वह गीली मिट्टी से लड्डू, पेड़ा, गुझिया और तरह-तरह के पकवान बनाने लगी। किन्तु राखी की समस्या अभी तक उसके सामने उपस्थित थी।

इसी समय रोली का टीका लगाये, फूलों की माला पहिने, और हाथों में चमकती हुई राखियाँ बाँधे हुए, उसके पास अखिलेश आया। वह अपना वैभव विमला को दिखलाना चाहता था, क्योंकि विमला और उसमें मित्रता होने के साथ-साथ, सदा इस बात को भी लागडाँट रहती थी कौन किससे, किस बात में बढ़ा-चढ़ा है। दोनों सदा इस बात को सिद्ध करना चाहते थे कि हम तुमसे किसी बात में कम नहीं हैं।

विमला पकवान बनाने में इतनी तल्लीन थी कि अखिलेश का आना उसे मालूम न हो सका। और दिन होता तो शायद विमला के इस प्रकार चुप रह जाने पर अखिलेश भी चला जाता, परन्तु आज तो उसे विमला को अपनी राखियाँ दिखलानी थी; उस पर यह प्रकट करना था कि देखो विमला, मुझे जो सम्मान प्राप्त है वह तुम्हें नहीं, इसलिए उसने विमला को छेड़ा— विन्नो! यह तुम्हारे मिट्टी के लड्डू कौन खायेगा जो इतन ढेर से बनाये जा रही हो?

विमला के हाथ का लड्डू गिरकर फूट गया। उसने तुरन्त अखिलेश की तरफ़ देखा और अखिलेश ने सगर्व दृष्टि से अपने हाथों को देखा जिन पर राखियाँ चमक रही थीं। विमला अपने पकवानों को भूल गयी, फिर वही राखियाँ उसके दिमाग में झूलने लगीं। अखिलेश के पास खड़ी होकर हाथ से मिट्टी झाड़ती हुई बोली— तुम्हें

किसने राखी बाँधी है अखिल?

'चुन्नी ने बाँधी है और उसे एक रुपया दिया है समझीं', अखिलेश ने कहा।

कुछ क्षणों तक न जाने क्या सोचकर विमला बोली–तो तुम मुझसे राखी बँधवा लो अखिल भैया! मुझे रुपया न देकर अठन्नी ही देना।

'नहीं भाई! अठन्नी की बात तो झूठी है। मेरे पास इकन्नी है वह तुम्हें दे दूँगा। पर क्या तुम्हारे पास राखी है?' अखिल ने पूछा।

विमला कुछ सोचती हुई बोली–राखी तो नहीं है। कौन ला देगा मुझे?

आश्वासन के स्वर में अखिलेश बोला–तुम पैसे दोगी तो राखी मैं ही ला दूँगा, वह तो कोई बड़ी बात नहीं है। पर विन्नो, राखी अकेली नहीं बाँधी जाती; राखी बाँधने के लिए बहुत से फल, मेवा और मिठाई भी तो दी जाती है; वह तुम कहाँ से लाओगी?

'मिठाई मैं माँ से माँग लूँगी और कुछ नींबू बगीचे से तोड़ लूँगी। पर पैसे तो मेरे पास दो ही है उसमें क्या राखी आ जायगी?' विमला ने पूछा।

अखिलेश ने कहा– दो पैसे में राखी और मिठाई मैं दोनों ला दूँगा विन्नो! अब तुम माँ से मिठाई न माँगो तब भी काम चल सकता है।

विमला चाहती भी यही थी कि किसी प्रकार चुपचाप राखी बँध जाय और माँ न जान पायें। जब उसे मालूम हुआ कि दो पैसे में राखी और मिठाई दोनों आ जायेंगी तो उसे बड़ी प्रसन्नता हुई। उधर अखिल राखी लेने गया इधर विमला फूलों की एक माला, एक नन्हीं-सी थाली में जरा-सी रोली, और अक्षत रखकर, उसकी प्रतीक्षा करने लगी। उसे अधिक प्रतीक्षा न करनी पड़ी। अखिल डेढ़ पैसे की मिठाई और धेले की एक राखी लेकर कुछ ही देर में आ गया।

माली के घर से ज़रा सा मीठा तेल माँगकर एक मिट्टी का दिया जलाया गया, और वहीं गोधूली की पवित्र बेला में एक अबोध बालिका ने, एक बालक को दो पैसे में सदा के लिए भाई के रूप में बाँध लिया। तिलक लगाकर, अक्षत छिड़ककर विमला ने अखिल को राखी बाँधी, फूलों की माला पहिनाकर उसे मिठाई खिला दी। और अखिल ने उसी समय विमला के हाथ पर इकन्नी रखकर उसके पैर छू लिए।

पैर छूकर वह ज्योंही ऊपर उठा, सामने विमला की माँ खड़ी थीं। उनकी आँखों में आँसू गिर रहे थे, उन्हें याद आ हा था अखिलेश के साथ ही उनका बच्चा; यदि आज वह होता तो वह भी बारह साल का होता।

सहसा माँ को सामने देखते ही विमला कुछ संकोच में पड़ गयी। इकन्नी को मुट्ठी में दबाकर वह चुपचाप एक तरफ़ खड़ी हो गयी।

अखिल दो कदम आगे बढ़कर बोला–चाची विन्नी ने आज मुझे राखी बाँधी है

और मैंने उसे एक इकन्नी दी है। अब यह मेरी बहिन हो गयी न चाची?

माँ ने अखिल को पकड़कर प्यास से हृदय से लगाते हुए गद्‌गद कंठ से कहा—हाँ, और तू हो गया मेरा बेटा अखिल!

अखिलेश ने विमला की माँ की बात सुनी या नहीं। किन्तु वह अपनी एक बहिन के कारण बहुत परेशान रहता था। वह उससे सदा लड़ती थी। वह कुछ चिन्तित सा होकर बोला—पर चाची! चुन्नी तो मुझसे बहुत लड़ती है। विन्नो बहिन हो गई तो क्या यह भी अब मुझसे लड़ा करेगी?

'नहीं रे पगले! सब बहिने लड़ा करतीं', माँ ने कहा, और दोनों बच्चों को लेकर घर गयीं। उस दिन से अखिल के दो घर हो गये। दो घरों में उसे माता की ममता, पिता का दुलार और बहिन का स्नेह मिलने लगा।

इस खिलवाड़ को हुए प्रायः आठ साल बीत गये। विमला अब सत्रह साल की युवती थी। विमला और अखिलेश दोनों सगे भाई-बहिन से किसी बात में कम न थे। अब भी हर साल विमला बड़ी धूमधाम से अखिलेश को राखी बाँधा करती थी। चुन्नी सगी बहिन होकर भी अखिलेश के हृदय में वह स्थान न बना सकी थी जो विमला ने अपने सरल और नम्र स्वभाव के कारण बना लिया था। विमला सरीखी बहिन पर अखिलेश को उसी प्रकार गर्व था, जिस प्रकार विमला को अखिलेश के समान सुशील, तेजवान और मनस्वी भाई के पाने पर था।

बी० ए० की परीक्षा में यूनिवर्सिटी भर में फर्स्ट आ जाने के कारण अखिलेश को विदेश जाकर विशेष अध्ययन के लिए सरकारी छात्रवृत्ति मिली, और उसे दो साल के लिए विदेश जाना पड़ा। विदेश जाने के डेढ़ साल बाद ही अखिलेश को लाल लिफ़ाफ़े में विमला के विवाह का निमन्त्रण मिला। विमला के विवाह के समाचार से वह प्रसन्न तो हुआ, परन्तु वह विवाह में सम्मिलित न हो सकेगा इससे उसे कुछ दुःख भी हुआ।

विमला अपने माता-पिता की अन्तिम सन्तान थी। उससे बड़े उसके चार भाई और दो बहिनें दो-दो-तीन साल के होकर नहीं रहे थे। न जाने कितने टोटके, पूजा-पाठ और जप-तप के बाद वह इस लड़की को किसी प्रकार जिला सके थे। नयी सभ्यता की पक्षपातिनी होने पर भी सन्तान के लिए विमला की माँ ने, जिसने जो कुछ बतलाया वही किया। विमला के गले में किसी महात्मा की बतायी हुई एक तावीज़ अब तक पड़ी थी, तात्पर्य यह कि वह माता-पिता दोनों ही की बहुत दुलारी थी। पन्द्रहवें वर्ष में पैर रखते ही माँ को उसके विवाह की चिन्ता हो गई थी।

पर बाबू अनन्तराम कुछ लापरवाह से थे। विवाह का ध्यान आते ही वह

सोचते, एक ही तो लड़की है वह भी चली जायगी, तो घर तो जङ्गल हो जायगा; जितने दिन विवाह टले उतने ही दिन अच्छा है। इसी से वह कुछ बेफिकर से रहते। इसके अतिरिक्त उन्हें विमला के योग्य कोई वर भी न मिलता था। वर अच्छा मिलता तो घर मन का न होता और घर अच्छा मिलता, तो वर में कोई न कोई बात ऐसी रहती जिससे वह विवाह करने में कुछ हिचकते थे।

उनके मकान से कुछ ही दूर पर गंगा, अपनी निर्मल धारा से बहा करती थीं। प्राय: वहाँ के सब लोग रोज गंगा में ही स्नान करते थे। विमला भी अपनी माँ के साथ रोज गङ्गा नहाने जाती थी। एक दिन प्राय:काल दोनों माँ-बेटी नहाने गयी थीं। अचानक विमला का पैर फिसला; और वह बह चली। माँ पुत्री को बचाने के लिए आगे बढ़ी, किन्तु बचाना तो दूर, वह स्वयं भी बहने लगीं। घाट पर के किसी व्यक्ति की नज़र उन पर न पड़ी, इसलिए दोनों माँ-बेटी बहती हुई पुल के नजदीक पहुँच गयीं।

पुल के ऊपर से कुछ कालेज के विद्यार्थी घूमने निकले थे। एक की नजर इन असहाय स्त्रियों पर पड़ी। वह फौरन कूद पड़ा। बहुत अच्छा तैराक होने के कारण अपने ही बाहुबल पर, वह दोनों माँ-बेटी को बाहर निकाल लाया। उसकी सहायता के लिए दूसरे विद्यार्थी भी घाट पर आ गये थे। कोई डाक्टर के लिए दौड़ा, और कोई मोटर के लिए। कुछ देर में माँ तो होश में आ गयी पर विमला स्वस्थ न हुई।

इसी बीच अनन्तरामजी के पास भी खबर पहुँची वे भी दौड़ते हुए आये। कमला और विमला अभी तक नहाकर वापिस न गयी थीं। उन्हें रह-रहकर आशंका हो रही थी कि कहीं वही तो न हों। घाट पर पहुँचकर देखा तो आशंका सत्य निकलीं मोटर पर कमला और विमला को बैठालकर वह घर लाये। वह अपने उपकारी, उस विद्यार्थी को भी न भूले जिसने उनकी स्त्री और कन्या को डूबने से बचाया था। अनन्तरामजी के आग्रह से विनोद को भी उनके घर तक आना पड़ा।

विमला कई दिनों तक बीमार रही, और प्राय: रोज विनोद उसे देखने आता रहा। इस बीच में अनन्तराम ने विनोदा का सब हाल मालूम कर लिया और उन्होंने विनोद को सब प्रकार से विझला के योग्य समझा। उन्होंने ईश्वर की कोटिश: धन्यवाद दिये, जिसने घर बैठे विमला के लिए योग्य पात्र भेज दिया था। विनोद बसन्तपुर का निवासी था और यहाँ कालेज में एम० ए० फ़ाइनल में इसी साल बैठनेवाला था। परिवार में पिता को छोड़कर और कोई न था। पिता डिप्टी कलेक्ट, और बसन्तपुर के प्रसिद्ध रईस थे।

विनोद स्वयं बहुत सुन्दर, स्वस्थ, तेजवान और मनस्वी नवयुवक था। अन्य नवयुवकों की तरह उसमें उच्छृंखलता नामामात्र को न थी। वह विमला को देखने

आता था अवश्य, उस पर जब तक अनन्तरामजी स्वयं उसे अपने साथ लेकर भीतर न जाते, वह कभी अन्दर न जाता। उसके इस व्यवहार और अध्ययनशीलता और तथा उसकी विद्या और बुद्धि पर अनन्तराम और उनकी स्त्री दोनों ही मुग्ध थे और इसीलिए अपनी प्यारी पुत्री को उन्होंने विनोद को सौंप दिया। विनोद भी विमला के शील-स्वभाव पर मुग्ध था। इसके पहिले उसने विवाह की तरफ सदा अनिच्छा ही प्रकट की थी। किन्तु विमला के साथ जो विवाह का प्रस्ताव हुआ तो उसे वह टाल न सका, किन्तु प्रसन्नता से स्वीकार ही किया।

विनोद विमला को इतना अधिक चाहते थे कि विवाह के बाद, वह दो-तीन महीने तक, माँ के घर वापिस न आ सकी। विनोद उसे रोकते न थे। पर विमला जानती थी कि उसके जाने के बाद उन्हें कितना बुरा लगेगा। माता-पिता से मिलने के लिए कभी-कभी वह बहुत विकल भी हो जाती थी, उसकी इस विकलता से विनोद को भी दुःख होता था। किन्तु वह विमला का क्षणिक वियोग भी सहने को तैयार न थे। यहाँ तक कि उन्होंने अपने मित्रों तक से मिलना-जुलना बंद-सा कर रखा था। उनका अधिकांश समय उसके शयनागार में ही बीतता, वहीं वह पढ़ते-लिखते, औरा वहीं विमला उनकी आँखों के सामने रहती।

विवाह के तीन महीने बाद विनोद के पिता की बदली उसी शहर में हो गई, जहाँ विमला का मायका था। विमला और विनोद दोनों ही इससे प्रसन्न हुए, अब विमला को माता-पिता से मिलने की भी सुविधा हो गई, और विनोद का भी साथ न छूट सकता था। अब वह प्रायः दूसरे-तीसरे दिन घंटे-दो घंटे के लिए आकर अपने माँ-बाप से मिल जाया करती थी।

इसी प्रकार एक दिन विनोद के साथ विमला अपनी माँ के घर आयी। विमला तो अन्दर चली गयी, वहीं हाल की आई हुई चिट्ठियों को देखने लगे। एक पात्र विदेश से आया था। लिखावट उसके मित्र और सहपाठी अखिलेश की थी। पत्र था विमला के लिए। विनोद ने उत्सुकता से पत्र को खोला, जिसमें लिखा था—

प्यारी विन्नो

अब तो तुम्हारे पत्रों के लिए बड़ी लम्बी प्रतीक्षा करनी पड़ती है। क्या तुम्हें पत्र लिखने तक का अवकाश नहीं मिलता? अपने नये साथी के कारण तो मुझे नहीं भूली जा रही हो? यदि ऐसा होगा तो भाई मेरे साथ अन्याय होगा। पत्रों का उत्तर तो कम से कम दे दिया करो। चाची को प्रणाम कहना और अब पत्र देर से लिखा तो मैं भी नाराज हो जाऊँगा, समझीं!

तुम्हारा
अखिलेश

पत्र पढ़कर विनोद स्तम्भित-से रह गये। वह समझ न सके कि कब और कैसे अखिलेश की विमला से पहिचान हुई। दो साल पहिले, सात साल तक अखिलेश ने उनके साथ ही पढ़ा है। उसने कभी भी विमला का जिक्र उनसे नहीं किया, और न विवाह के बाद, आज तक विमला ने ही कुछ अखिलेश के विषय में उनसे कहा। और अब पत्र आते हैं जो विमला के मायके के पते से; पत्र की भाषा तो यही प्रकट करती है, कि जैसे दोनों बहुत दिनों से बहुत-घनिष्ठ मित्र के रूप में रहे हैं। वे गहरी चिन्ता में डूब गये, आज पहिली बार विमला उन्हें कुछ दोषी-सी जान पड़ी, उसे विनोद से अखिलेश के विषय में सब-कुछ कह देना चाहिए था। अखिलेश के प्रति भी आज विनोद के हृदय में एक प्रकार के ईर्षा-जनित भाव जाग्रत हुए। फिर पत्र पढ़ने के बाद वह अन्दर न जा सके। पत्र को जेब में रखकर चुपचाप, अपने घर चले आये। विमला ने विनोद की कुछ देर तक प्रतीक्षा की, जब वह अन्दर न गये, तब उसने आकर बैठक में देखा; वहाँ भी उन्हें न पाकर वह समझी कहीं गये होंगे, किन्तु जब लगातार दो घंटे तक विनोद न लौटे तो वह कुछ घबराई और अपनी माँ की कार पर बैठकर ससुराल आ गई।

A reserved lover makes a suspicious husband यह कहावत विनोद पर अक्षरंशः चरितार्थ होती थी। वह विमला का जितना ही अधिक प्यार करते थे, उतने ही उन्हें उस पर सन्देह भी होता था। नौकर-चाकर से भी विमला का बात करना उन्हें अच्छा न लगता। वह विमला पर अपना एकछत्र अधिकार चाहते थे। वह तो कदाचित् यहाँ तक चाहते थे कि विमला को किसी प्रकार, बहुत ही छोटे आकार में परिवर्तित करके अपने पाकैट में रख लें जिसमें वही केवल विमला को देख सकें, वहाँ तक और किसी की पहुँच ही न हो सके।

विमला जब घर आई तब वह अपनी खाट पर लेटे थे। उन्होंने जान-बूझकर अखिलेश की एक फोटो निकालकर अपनी चारपाई पर रख ली थी। विमला ने पहुँचकर पति का चेहरा देखा, देखते ही पहिचान लिया कि इन्हें किसी प्रकार का मानसिक क्लेश हो रहा है।

वह उनके पास पहुँचकर खाट पर बैठ गई, बैठते ही उसकी दृष्टि अखिलेश की फोटो पर पड़ी। कुछ हर्ष, कुछ कौतूहल से पति की उदासी का कारण पूछना तो वह भूल गई, अखिलेश का चित्र उठाकर फौरन पूछ बैठी– यह फोटो तो अखिलेश का है, यहाँ कैसे आया? क्या तुम इन्हें जानते हो?

'जानता हूँ' कहके विनोद ने करवट फेर ली। विमला की तरफ पीठ और

दीवार की तरफ मुँह करके वह अपनी वेदना को चुपचाप पीने लगे।

'तुम इन्हें जानते हो तो अभी तक मुझसे कहा क्यों नहीं? विमला ने फिर पूछा।

विनोद ने कोई उत्तर न दिया।

इसके बाद विमला को फिर कुछ पूछने का साहस भी न हुआ। वह वहीं एक तरफ बैठकर विनोद के पैरों को सहलाने लगी, विनोद ने अपने पैरों को जोर से खींच लिया। विमला समझ गई कि नाराज़गी उसी पर है। वह विनोद के स्वभाव को इतने दिनों में बहुत अच्छी तरह जान गयी थी। विनोद उस पर जो पग-पग पर सन्देह करते थे, वह भी उससे छिपा न था किन्तु विनोद का हृदय कितना सच्चा, कितना गंभीर, और कितना उदार है, यह भी वह भली-भाँति जानती थी।

पति को सन्देह मिटाने के लिए वह नम्र स्वर में बोली—देखो किसी तरह का सन्देह न करना। अखिलेश मेरा भाई है,समझे?

'सब समझ लिया', विनोद ने रुखाई से उत्तर दिया।

विमला ने फिर अपने उसी नम्र स्वर से पूछा—और तुम वहाँ से चुपचाप मुझे छोड़कर चले क्यों आये?

'चला आया मेरी खुशी! तुम्हें अपने साथ नहीं लाना चाहता था; फिर भी तुम क्यों चली आयीं? दो-तीन दिन माँ के साथ रह लेतीं', विनोद ने तीव्र स्वर में कहा।

कहने की तो विनोद यह बात कह गये, किन्तु इस दो ही घन्टे में उनके हृदय की जो हालत हुई थी, यह वही जानते थे। कई बार स्वयं जाने के लिए उठे, फिर आत्मभिमान के कारण न जा सके। नौकर की ताँगा लेकर भेज ही रहे थे, कि विमला आ पहुँची।

विमला ने आने से पहिले वह उसके लिए बहुत विकल थे; किन्तु उसके आते ही वह तन गये। विमला यह समझती थी इसलिए उसे कुछ हँसी आ रही थी, परन्तु फिर भी अपनी हँसी को वह दबाती हुई बोली—तो तुम मुझसे कह के आते कि तुम यहाँ दो-तीन दिन रह सकती हो, तो मैं रह जाती। अम्मा तो रोक रही थीं। कहो तो अब चली जाऊँ।

हाँ-हाँ, चली जाना, विनोद ने मुँह से ही कहा। लेकिन हृदय कहता था कि खबरदार! अगर यहाँ से हिली भी तो ठीक न होगा।

विमला बोली—अच्छा, बाबूजी कचहरी से लौटेंगे तो उन्हीं की कार पर चली जाऊँगी।

किन्तु बाबूजी के कचहरी से लौटने के पहिले ही दोनों का मेल हो गया। विमला को फिर माँ के घर जाने की आवश्यकता न पड़ी। इसके बाद विनोद को विमला ने अपने और अखिलेश के सम्बन्ध में सब-कुछ बतलाया। उसी दिन

विमला को यह भी मालूम हुआ कि अखिलेश विनोद का सहपाठी होने के साथ-ही-साथ अभिन्न हृदय मित्र भी है। यह जानकर भी कि अखिलेश विमला का राखीबन्द भाई है, न जाने क्यों विनोद को अखिलेश के प्रति विमला का स्नेह भाव सहन न होता था। साथ-ही-साथ वह अखिलेश का अपमान भी न सह सकते थे, क्योंकि वह अखिलेश को भी बहुत प्यार करते थे।

आषाढ़ का महीना था। और इसी महीने में अखिलेश विदेश से लौटकर आने वाले थे। एक दिन विमला माँ ने विमला से कहला भेजा, कि आज शाम की ट्रेन से अखिलेश लौटेंगे, स्टेशन चलने के लिए तैयार रहना, मैं कार भेज दूँगी।

विनोद कहीं बाहर गये थे लौटने के बाद जलपान करके बैठे तब विमला ने उनसे कहा--आज अखिल भैय्या आयेंगे। स्टेशन चलने के लिए तैयार रहना, अम्मा कार भेज देंगी।

'मैंने तुमसे कब कहा था कि मैं स्टेशन जाऊँगा जो तुम मुझसे तैयार रहने के लिए कह रही हो? मेरे पास न अखिलेश ने सूचना भेजी है और न मैं जाऊँगा। तुम्हारे पास सूचना आई है, तो तुम चली जाना' विनोद ने कहा। और अपना कोट उठाकर फिर बाहर जाने के लिए तेयार हो गये। उन्हें रोकती हुई विमला ने फिर नम्र स्वर में कहा--सूचना नहीं भी आई तो चलने को क्या हुआ, तुम्हारे मित्र हो तो हैं?

'चलने को क्या हुआ, इसका उत्तर मैं नहीं दे सकता, नहीं जाना चाहता यही काफी हैं', कहते हुए विनोद फिर आगे बढ़े।

विमला ने उनका कोट पकड़ लिया, बोली-- तुम नहीं जाओगी तो सब लोग बुरा न मानेंगे? चलो हम लोग स्टेशन से अपने घर आ जायँगे, उनके घर न जायँगे। बस।

विनोद ने चिढ़कर कहा--क्यों सिर खाये जाती हो विन्नो! एक बार कह तो दिया कि मैं न जाऊँगा। तुम्हारा भाई है, तुम खुशी से जाओ मैं तुम्हें नहीं रोकता। तुम न जाना चाहती हो तो तुम्हें जाने के लिए मैं विवश नहीं करता, फिर तुम्हीं क्यों चलने के लिए मुझ पर इतना दबाव डाल रही हो।--कहते हुए कोट छुड़ाकर विनोद चल दिये।

विमला चुप हो गई। उसने आज ही अनुभव किया कि विवाह के बाद स्त्री कितनी पराधीन हो जाती है। उसे पति की इच्छाओं के समाने अपनी इच्छाओं और मनोवृत्तियों का किस प्रकार दमन करना पड़ता है। वह जानती थी विनोद बार-बार जाने के लिए कहते हैं अवश्य, पर यदि वह सचमुच चली जाय तो उन्हें कितनी मानसिक वेदना होगी, उसके जीवन का परिणाम कितना भयंकर होगा।

नियत समय पर कार आई, पर विमला उतरकर नीचे भी न गई; ऊपर से ही

दासी के द्वारा कहला भेजा कि सिर में बहुत दर्द है इसलिए वह स्टेशन न जा सकेगी।

स्टेशन पर उतरते ही सबसे पहिले अखिलेश ने विमला के विषय में पूछा। और उसे अस्वस्थ जानकर उन्हें दुःख हुआ। सबसे मिलजुलकर वह स्टेशन से सीधे विमला के घर आये। विमला स्टेशन न गई थी, फिर भी उसे पूर्ण विश्वास था कि उसे स्टेशन पर न पाकर अखिलेश सीधे उससे मिलने आवेंगे। इसलिए वह अपने छज्जे पर से उत्सुक आँखों से मोटर की प्रतीक्षा कर रही थी। उसने अपनी माँ की मोटर दूर से देखी, और दौड़कर नीचे आ गई। उसे याद न रहा कि वह सिद दर्द का बहाना करके ही स्टेशन नहीं जा सकी है।

विमला ने देखा, विनोद और अखिलेश साथ ही मोटर से उतरे। उसकी माँ उन्हें छोड़कर बाहर से ही चली गईं। वह पुरानी प्रथा के अनुसार बेटी के घर आना अनुचित समझती थीं। विमला उन्हें ड्राइंगरूम में ही मिली। उसे देखते ही अखिलेश ने स्नेहसिक्त स्वर में उससे पूछा–कैसी दुबली हो गई हो विन्नो! क्या बहुत दिनों से बीमार हो? देखो, अब मैं आ गया हूँ, अब तुम बीमार न रहने पाओगी।

विमला हँस पड़ी, बोली– अखिल भैया! तुम्हें तो मैं सदा दुबली ही दिखा करती हूँ। पर तुम कितने दुबले हो गये हो? तुम्हारा स्वास्थ्य भी तो बहुत अच्छा नहीं जान पड़ता।

इसी प्रकार बहुत-सी आवश्यक-अनावश्क बातों के बाद अखिल ने विनोद की पीठ पर एक हल्का-सा हाथ का धक्का देते हुए कहा–और क्यों वे पाजी! मुझसे बिना पूछे तुझे मरे बहनोई बनने का दुःसाहस कैसे हो गया?

विनोद हँसता-हँसता बोला– अखिल यार, इतने दिनों तक विदेश में रहकर भी तुम निरे बुद्धू ही रहे। कहीं ऐसी बातें भी किसी से पूछकर की जाती हैं।

अखिल भी हँस पड़ा। रात अधिक जा चुकी थी; इसलिए वह घर जाने के लिए उठे, विमला ने उनसे जाति समय पूछा–अब कब आओगे अखिल भैया।

–तुम जब कह दो विन्नो, अखिल ने उत्तर दिया।

विमला ने दूसरे दिन फिर आने के लिए कहा, इसके बाद अखिल अपने घर गये।

विनोद को विमला अखिलेश के प्रति इतना प्रेम प्रदर्शित करना, इस प्रकार अनुरोध से बुलाना अच्छा न लगा। वे बोले तो कुछ नहीं कर उनकी प्रसन्नता उदासी में परिणत हो गई। उनके कुछ न करने पर भी उनकी भाव-भंगी और व्यवहार से विमला समझ गई कि विनोद को कुछ बुरा लगा। विनोद ने विमला के बहुत आग्रह करने पर अपने हृदय के सब भाव उससे साफ-साफ कह दिये। उन्होंने यह भी कहा कि उन्हें विमला का अखिलेश के प्रति इतना अधिक स्नेह-भाव सन्देहात्मक जान

पड़ता है। विमला ने अपने प्रयत्न भर उनके सन्देह को दूर करने की कोशिश की। और अन्त में उन्हें यहाँ तक आश्वासन दिया कि यदि विनोद न चाहेंगे तो विमला अखिलेश से कभी मिलेगी भी नहीं।

किन्तु इतने वर्षों का सम्बन्ध कुछ घंटों में ही तोड़ देना बहुत कठिन है। दूसरे दिन अखिलेश के आते ही विमला यह भूल गई कि रात के समय क्या-क्या बातें हुई थीं। वह फिर अखिलेश से उसी प्रकार प्रेम से बातें करने लगी। किन्तु कुछ ही क्षण बाद विनोद की मुखाकृति ने उसे रात की बातों की याद दिला दी। वह कुछ गम्भीर हो गई, उसकी आँखे करुणा और विवशता से छलक आईं। विमला की आँखों में करुणा का आविर्भाव होना स्वाभाविक ही था, क्योंकि वह हृदय से दु:खी थी। उस पर जो सन्देह था वह निर्मूल था। वह जिस मर्मांतक पीड़ा का अनुभव कर रही थी, उसे वही समझ सकता है जिसका पवित्र सम्बन्ध कभी सन्देह की दृष्टि से देखा गया हो।

विमला प्रयत्न करने पर भी अपनी आँखों की करुणा ने छिपा सकी। उसने एक-दो बार अखिलेश की ओर देखा और थोड़ी बातचीत भी की, किन्तु अपनी विवशता या कातरता प्रकट करने के लिए नहीं; किन्तु यह प्रकट करने के लिए कि उसके इस व्यवहार और उदासीनता से अखिलेश यह न समझ बैठें कि उनका किसी प्रकार का अपमान हुआ है। विमला की दृष्टि और व्यवहार से विनोद का सन्देह और बढ़ गया। वह विमला की प्रत्येक भावभंगी को बड़े ध्यान से देख रहे थे, और जितना ही वह उस पर विचार करते, उनका सन्देह गहरा होता जाता। यह अखिलेश ने भी देखा कि आज विमला और विनोद दोनों ही कुछ अस्वस्थ और अनमने हैं।

किन्तु उनकी अस्वस्थता के कारण अखिलेश ही हो सकते हैं, यह वह सोच भी न सके क्योंकि विनोद और विमला दोनों ही प्रति उनका पवित्र और प्रगाढ़ प्रेम था। उस स्नेह भाव को ध्यान में लाते हुए उदासी का कारण अपने आपको समझ लेना अखिलेश के लिए आसान न था। किन्तु फिर भी विनोद और विमला दोनों ही व्यवहार ने आज उन्हें आश्चर्य में डाल दिया। वह न जाने किस विचारधारा में डूबे हुए अपने घर गये। जाते समय कुछ हिचक और कुछ संकोच के साथ विमला ने उनसे कहा—कभी-कभी आया करना अखिल भैया।

विनोद उठकर अखिल के साथ ही हो लिये। बातचीत करते-करते विनोद अखिल के घर तक पहुँच गये। उन्होंने अखिलेश के साथ ही भोजन भी किया। दोनों का प्रेम सच्चा था। उनका स्नेह इतना निष्कपट था, कि विनोद अपने इस सन्देह को भी अखिल से न छिपा सके, उन्होंने अखिल से यहाँ तक कहा दिया— भाई अखिल,

यदि तुम मुझे देखना चाहते हो तो विमला से ज़रा कम मिलो। मैं यह जानते हुए कि तुम मेरे हितैषी हो, मेरे बन्धु हो, विमला चाहे एक बार मुझसे कोई बात छिपा भी जाय पर तुम न छिपा सकोगे, नहीं चाहता कि तुम विमला से अधिक मेल-जोल रखो। अखिलेश, मुझे ऐसा जान पड़ने लगता है कि तुम्हारे स्नेह के सामने विमला के हृदय में मेरे स्नेह का दूसरा स्थान हो जाता है। तुम्हारा मूल्य उसकी आँखों में मुझसे कहीं ज्यादा हो जाता है।

पर यह बात तो सच है क्योंकि मैं उसका भाई हूँ'–अखिलेश ने किंचित् मुस्कुराकर कहा। फिर वह गंभीर होकर बोले– विनोद! तुम जैसा चाहो। मैं विमला ने मिलने के लिए बहुत उत्सुक भी नहीं हूँ, और यदि तुम चाहो तो मैं यह स्थान ही बदल दूँ, कहीं और चला जाऊँ, अभी लौटने को ही कितने दिन हुए है? सरविस दूसरी जगह भी तो कर सकता हूँ।

विनोद घबराकर बोल उठे–नहीं अखिल, तुम यहाँ से कहीं जाओ मत! भाई, तुम दो साल के बाद तो लौटते हो। फिर पिता की बदली यहाँ की गई, तो सौभाग्य से ही हम दोनों को फिर से साथ-साथ रहने का अवसर मिला है। उसे मैं व्यर्थ ही जाने देना चाहता। यहाँ रहकर क्या तुम विमला से मिलना-जुलना कम नहीं कर सकते?

अरे भाई! तुम जो कुछ कहो सब कर सकता हूँ पर बारह बज रहे हैं जाओ, सोने भी दोगे या नहीं',अखिल ने हँसते हुए कहा।

इसके बाद विनोद तो गये अपने घर, और अखिल अपने बिस्तर पर।

पूरा एक महीना बीत गया। न अखिलेश आये और न विमला ने उनकी कभी मुलाकात ही हुई। विमला इस बीच कई बार अपनी माँ के घर भी जा चुकी थी, किन्तु अखिलेश से वह वहाँ भी न मिल सकी। वह हृदय से तो अखिलेश से मिलना चाहती थी पर मुँह से कुछ कहने का साहस न होता था। एक दिन वह माँ के घर जा रही थी, रास्ते में उसे अखिलेश कहीं जाते हुए दिखे, विमला का हृदय बड़ी जोर से धड़कने लगा। एक बार उसकी तबियत हुई कार रुकवाकर, अखिलेश से उसके इस प्रकार न आने का कारण पूछ ले, किन्तु दूसरे ही क्षण उसे ख्याल आ गया कि वह अखिलेश के न आने के कारण पूछ तो लेगी; किन्तु इस तनिक-सी बात का मूल्य उसे कितना अधिक चुकाना पड़ेगा। अपनी प्रसन्नता-अप्रसन्नता को उसी उतनी परवाह न थी–विनोद की शान्ति न जाने कितने समय के लिए भंग हो जायगी। उनकी मानसिक वेदना का विचार आते ही उसने कार बढ़वा ली, रोकी नहीं, पर उस दिन अखिलेश को वह दिन भर भूल न सकी, उसे वह दिन याद आ रहा था

जिस दिन उसने दो पैसे में अखिलेश को भाई के रूप में बाँधा था।

इसी प्रकार कुछ दिन और बीत गये, राखी का त्यौहार आया। विमला आज अपने भ्रातृ-प्रेम को न रोक सकी। वैसे वह चाहती तो माँ के घर जाकर वहाँ अपनी माँ के द्वारा अखिलेश को बुलवा सकती थी, किन्तु विनोद से छुपाकर वह कुछ भी न करना चाहती थी। इसलिए वह विनोद के पास आकर कुछ संकोच के साथ बोली–आज राखी है। तुम मुझे अखिल भैया के घर ले चलना, मैं उन्हें राखी बाँध आऊँगी।

विनोद किसी पुस्तक को एकाग्र चित्त से पढ़ रहे थे। विमला की बात कदाचित् बिना सुने ही उन्होंने सिर झुकाये-ही-झुकाये कह दिया–अच्छा।

विनोद को मुँह माँगा वरदान मिला। उसने आगे और कोई बातचीत न की। कौन जाने बातचीत के सिलसिले में कोई बहस छिड़ जाय और वह अखिलेश को राखी बाँधने न जा सके।

आज विमला बहुत प्रसन्न थी। उसने कई तरह के पकवान जो अखिलेश को अच्छे लगते थे, अपने हाथ से बनाये। तरह-तरह के फल मँगवाये और वह शाम को राखी बाँधने के लिए जाने की तैयारी करने लगी। एक दासी द्वारा उसने अखिलेश के पास संदेशा भिजवा दिया, कि आज शाम को छः हम दोनों अखिल भैया से मिलने आवेंगे। वे घर पर ही रहें कहीं जायें नहीं। इस संदेश से अखिल को कुछ आश्चर्य न हुआ क्योंकि उस दिन राखी थी। विमला दिन भर बड़ी उमंग और उत्सुकता से संध्या की प्रतीक्षा करती रही; किन्तु शाम का जब छः बज गये और विनोद ने अपनी पुस्तकों पर से सिर न उठाया तो धीरे से जाकर वह विनोद के पास बैठ गई।

विनोद ने सप्रेम दृष्टि से विमला की ओर देखकर कहा–कहो विन्नो रानी, आज कुछ खिलाओगी नहीं?

विमला ने तुरन्त अपने बनाये हुए कुछ पकवान तश्तरी में लाकर रख दिये, विनोद ने उन्हें खाया। विनोद को इतना प्रसन्न देखकर विमला का साहस कुछ बढ़ गया था, बोली– देखो छः से साढ़े छः बज गये, अखिल भैया के घर अब कब चलोगे?

विनोद की हँसी कुछ मिश्रित उदासीनता में परिणत हो गई। दृष्टि का प्रेम भाव तिरस्कार में बदल गया, कुछ क्षण तक चुप रहकर, वे रूखे स्वर में बोल–मैं तो न जाऊँगा। तुम जाना चाहो तो चली जाओ।

विमला को कैसे काठ-सा मार गया। वह विनोद के इस भाव परिवर्तन को समझ न सकी, कुछ चिढ़कर बोली–तुम्हें सबेरे ही कह देना था कि न चलेंगे तो मैं खबर ही न भिजवाती।

—मैंने तो नहीं कहा था कि तुम्हारे साथ अखिल के घर चलूँगा पर तुमने खबर भिजवा दी है तो चली जाओ मैं रोकता नहीं। पर हाँ एक बार नहीं अनेक बार, मैं तुम पर यह प्रकट कर चुका हूँ; कि अखिल से तुम्हारा बहुत मिलना-जुलना मुझे पसन्द नहीं है। फिर भी तुम जैसे उसके लिए व्याकुल-सी रहा करती हो, यदि तुम्हें मेरी मानसिक वेदनाओं का कुछ ख्याल ही नहीं है तो जाओ! पर मुझे क्यों अपने साथ घसीटना चाहती हो?

विमला सिहर उठी। कुछ देर बाद अपने को सँभालकर बोली—अखिल भैया से ही क्या, तुम न चाहोगी तो मैं अम्मा और बाबूजी से भी न मिलूँगी।

विनोद ने विमला की बात का कुछ भी उत्तर नहीं दिया और बाहर चले गये। बाहर दरवाजे पर ही उन्हें मित्र की बहिन अंतो मिली जो उनको भी बहुत ज्यादा चाहती थी—भाई की ही तरह, और उन्हें राखी बाँधने आयी थी।

विनोद इस समय किसी अतिथि के स्वागत के लिए तैयार न थे। विशेषकर यदि अतिथि स्त्री को तब। अभी-अभी वह विमला को अखिल से न मिलने के लिए तेज बातें कह चुके थे। दूसरे ही क्षण किसी तरह दूसरी स्त्री के साथ, जो विनोद की वैसी बहिन हो जैसे विमला अखिल की, विमला के पास जाने में उन्हें कुछ संकोच-सा हुआ। पर वह अंतो को टाल भी तो न सकते थे, वह उसे लिए हुए विमला के पास जाकर कोमल स्वर में बोले—विन्नो! यह अंतो राखी बाँधने आयी हैं, इन्हें बैठा लो।

विमला ने उठकर आदर प्रेम से अंतो को बैठाला तो अवश्य; पर कुछ अधिक बातचीत न कर सकी। अंतो विनोद के ही पास बैठकर इधर-उधर की बातें करने लगी। विमला ने उनकी बातचीत में भी किसी प्रकार का भाग न लिया। यहाँ तक कि उनसे कुछ दूर पर बैठकर पान बनाने लगी। और दिन होता तो शायद विनोद से अधिक विमला ही अंतो से बातचीत करती, किन्तु आज वह बड़ी व्यथित सी थी, इसलिए चुप रही। उसकी इस उदासीनता से विनोद ने अंतो का अपमान, घर में आई हुई एक स्त्री अतिथि का अपमान समझा। वे मन ही मन चिढ़ उठे। पर कुछ बोले नहीं।

राखी की रस्म अदा होने पर विमला अंतो और विनोद दोनों के लिए थालियाँ परोस लायी। अंतो ने विमला से भी भोजन करने का आग्रह किया; किन्तु तबीयत ठीक न होने का बहाना करके विमला ने भोजन करने से इनकार कर दिया।

अब विनोद भी अपने क्रोध को न सम्हाल सके, तिरस्कार-सूचक स्वर में बोल उठे—तबीयत क्यों खराब करती हो, अब भी समय है, राखी बाँधने चली जाओ। अंतो कुछ समझी नहीं, मुस्कुराकर बोली—राखी बाँधने कहाँ जाओगी भौजी। चलो

खाना पहिले खा ली फिर चली जाना।

विमला तो कुछ न बोली पर विनोद फिर उसी स्वर में बोले—तुम क्या जानो अंतो! आदमी तो वह जो इशारे में समझ जाय। आज त्यौहार का दिन और यह जायँगी अखिलेश के घर उसे राखी बाँधने। जो लोग अपने घर आवेंगे वे कदाचित् दीवारों से बीतचीत करेंगे? और फिर क्या अखिलेश को यह घर मालूम नहीं है? चाहते तो क्या आ न सकते थे?

अंतो कुछ घबरा-सी उठी, बोली—जाने भी दो विनोद भैया! त्यौहार के दिन गुस्सा नहीं करते।

विमला चुपचाप हाथ में सरौता-सुपारी ज्यों की त्यों लिए बैठी। पान सामने पड़े थे। उसकी आँखों से बरबस आँसू गिरे पड़ते थे। विनोद को विमला का यह बर्ताव बहुत खल रहा था। अंतो की बात के उत्तर में वह फिर उसी क्रोध भरे स्वर में बोले—त्योहार के दिन गुस्सा तो नहीं किया जाता अंतो, पर रोया जाता है। सो मैं अपनी किस्मत को रोता हूँ। पिताजी ने न जाने कब का बैर निकाला जो नाहक ही बैठे-बैठाये मेरे गले से यह बला बाँध दी। देख रही हो न? खाना इसी प्रकार तो खिलाया जाता है—हमारे सामने थालियाँ परोसकर, वे आँसू बहा रही हैं; तो हम लोग भी मरभुखे नहीं है। खाना दूसरी जगह भी खा सकते हैं? कहते हुए विनोद अंतो का हाथ पकड़कर थाली पर से उठ गये।

विमला ने किसी को रोका नहीं। उसकी मानसिक स्थिति पागलों से भी खराब थी। उसने राखियों को उठाकर दूर फेंक दिया। फल और मिठाई उठाकर नौकरों को दे दी, माला को मसलकर, दूर फेंककर, वह खाट पर गिर पड़ी और फूट-फूटकर रोने लगी। अखिल का पवित्र प्रेम, उनका मधुर व्यवहार, उन दो नन्हें-नन्हें अबोध बच्चों के द्वारा राखी का अभिनय, एक-एक करके अतीत की सब स्मृतियाँ उसके सामने साकार बनकर खड़ी हो गयीं।

आज उसकी वही स्नेह की लता, जिसे दो नन्हें-नन्हें अबोध बालकों ने अपनी पवित्रता पर आरोपित किया था, जिसे दो तरुण हृदयों ने अपनी दृढ़ता से मजबूत बनाया था, एक मिथ्या सन्देह के आधार पर, निर्दयता से कुचली जा रही थी।

विमला काँप उठी। वह पलँग पर उठकर बैठकर गयी और अपने आप ही बोल उठी—हे ईश्वर! तू साक्षी है। यदि मैं अपने पथ से जरा भी विचलित होऊँ, तो मुझे कड़ी-से कड़ी सजा देना। पतिव्रत धर्म, स्त्री का धर्म तो यही है न कि पति की उचित-अनुचित आज्ञाओं का चुपचाप पालन किया जाय। वह मैं कर रही हूँ विधाता! पर इतने पर भी यदि मेरी दुर्बल आत्मा अपने किसी आत्मीय के लिए पुकार उठे तो मुझे अपराधिनी ने प्रमाणित करना।

इसी समय उसकी माँ की भेजी हुई मिश्रानी, फल, मिठाई और मेवा इत्यादि लेकर आयी। विमला भरी तो बैठी ही थी; मिश्रानी को देखते ही बरस पड़ी। उसने क्रोध-भरे स्वर में कहा—मिश्रानी, यह सब क्यों ले आयी हो? ले जाओ, मैं क्या करूँ लेकर? माँ से कहना मेरे लिए कुछ भेजा न करें, समझ ले आज से विन्नो मर गई।

मिश्रानी कुछ देर तक स्तम्भित-सी खड़ी रही; उसकी समझ में न आया कि क्या करे। विमला को इस रूप में उसने कभी देखा न था; किन्तु इसी समय विमला की दूसरी डाँट से मिश्रानी को चेतना जाग्रत हो उठी। विमला ने अपना क्रोध फिर उसी पर उतारा, बोली—जाती हो कि खड़ी हो रहोगी?

बेचारी मिश्रानी को कुछ कहने का साहस न हुआ; डरते-डरते थालो वही मेज पर धीरे से रखकर वह जाने लगी। इसी समय विमला ने फिरा पुकारा—यह थाली उठा के लिए जाओ मिश्रानी।

मिश्रानी ने चुपचाप थाली उठाई और चल गई। विमला की माँ से उसने जो कुछ देखा था कह दिया; साथ ही विमला के कहे हुए वाक्य भी दुहरा दिये। विमला की माँ यह सब सुनकर घबरा उठें। पुरानी प्रथा के अनुसार बेटी के देहली के भीतर पैर रखना अनुचित है, इसका उन्हें खयाल न रहा। उसी समय वह कार पर बैठकर विमला के पास आईं।

इस समय तक विमला रो-धोकर कुछ शान्त होकर बैठी थी। सोच रही थी कि नाहक ही माँ की चीजें वापस भेजीं। मिश्रानी ने अनावश्यक बातें कह के बुरा ही किया। वह आखिर क्या समझे, समझ भी गयी तो क्या कर सकती है? वह माँ से कहेगी और माँ को दुःख होगा। अगर बाबू को मालूम हुआ तो? अनन्तरामजी की वेदना के स्मरण मात्र से ही विमला फिर रो उठी।

इसी बीच उसकी माँ ने वहा प्रवेश किया। माँ को देखते ही उसका रहा-सहा धीरज भी जाता रहा। माँ से लिपटकर वह खूब रोई। माँ-बेटी दोनों बहुत देर तक बिना बोले-बोले रोती रहीं; अंत में कमला ने किसी प्रकार विमला को शान्त किया। माँ के बहुत पूछने पर विमला ने माँ से सब-कुछ बतला दिया।

इस बात से कमला को कष्ट न हुआ हो, सो बात नहीं थी; परन्तु विमला को वह किसी प्रकार शान्त करना चाहती थीं, इसलिए अपनी मार्मिक वेदना को हृदय में ही छिपाकर वह शान्त स्वर में विमला को समझाती हुई बोलीं—बेटी! विनोद की बातों का तुम्हें बुरा न मानना चाहिए। इतना तो समझा करो कि वह तुम्हें अधिक प्यार करते हैं। तुम्हारे ऊपर यदि विनोद का इतना अधिक स्नेह न होता तो तुम्हारी इतनी नन्हीं-नन्हीं बातों को इतनी बारीकी से देखते भी तो नहीं।

माँ की बातों से विमला को कुछ सान्त्वना मिली हो चाहे नहीं, पर वह कुछ बोली नहीं। बहुत रात तक विनोद की प्रतीक्षा करने पर भी जब विनोद न लौटे तो विमला की समझा-बुझाकर अपने घर पर चली आईं।

विनोद अखिलेश के घर चले गये थे; इसलिए उन्हें घर लौटने में कुछ देरी हो गई। जब विनोद अकेले ही अखिलेश के घर पहुँचे तो वह कुछ चकित से हुए, परन्तु विमला के विषय में स्वयं वह कुछ न पूछ सके; विनोद को ही वह विषय छेड़ना पड़ा। रात को बहुत-सी बातें तो विनोद के ही द्वारा उन्हें मालूम हो चुकी थीं, दूसरे दिन विमला की माँ से उन्हें और भी बहुत-सी बातें मालूम हुईं, अखिलेश कुछ विचलित-से हो उठे। उन्हें अपने ही ऊपर क्रोध आया। उन्होंने सोचा, मैं भी क्या व्यक्ति हूँ जिसके कारण एक सुखी दम्पति का जीवन दुःखी हुआ जा रहा है। उन्हें कोई प्रतिकार न सूझ पड़ा और अन्त में वह निश्चय पर पहुँचे। इधर कुछ दिनों से वह यहीं कालेज में प्रोफेसर हो गये थे। उन्होंने एक पत्र कालेज के प्रिंसिपल को लिखा और दूसरा लिखा विनोद के लिए।

कालेज का पत्र उसी समय कालेज भेजकर, दूसरा पत्र नौकर को देकर समझा दिया कि शाम को विनोद को दे आवे। नौकर बाजार गया था; रास्तें में विनोद से उसकी भेंट हुई; सोचा, कि शाम को फिर इतनी दूर आने का झगड़ा कौन रखे, यह मिल गये है तो पत्र यहीं दे दूँ। चिट्ठी निकालकर विनोद को देकर वह आगे निकल गया। पत्र पढ़ते ही विनोद घबरा गये। रात से विमला की तबीयत खराब थी। वह डाक्टर बुलाने आये थे, अब उन्हें डाक्टर की याद न रही। वह सीधे अखिलेश के घर की तरफ दौड़े। अखिलेश घर पर न मिले तो उन्हें देखने कालेज गये; किन्तु वहाँ अखिलेश तो मिले; हाँ, हर एक की जबान पर, बिना किसी कारण ही दिये हुए अखिलेश के इस्तीफे की चर्चा अवश्य सुनने को मिली। विनोद ने जाकर प्रिंसपल से अखिलेश का इस्तीफा वापस लिया और उनसे कहा कि अखिलेश से मिलकर वह इस्तीफे के विषय में अन्तिम सूचना देंगे। जब तक विनोद से उन्हें कोई सूचना न मिले तब तक वह इस्तीफे पर किसी प्रकार का निर्णय न करें। वहाँ से वह फिर अखिलेश के घर आये। दरवाजे पर एक ताँगा खड़ा था जिस पर अखिलेश का एक बैग और बिस्तर रखा था। विनोद के पहुँचने से पहले ही अखिलेश आकर ताँगे पर बैठ गये। उसी समय पहुँचे विनोद; साइकिल वहीं फेंककर वह भी अखिलेश की बगल में जा बैठे और सजल आँखों से बोले—

'चलो कहाँ चलते हो अखिल! मैं भी तुम्हारे साथ चलता हूँ।'

अखिलेश की भी आँखे भर आयीं, वे कुछ क्षण तक कुछ बोल न सके। अन्त में, वे किसी प्रकार अपने को सँभालकर बोले—तुम पागल हो विनोद। तुम्हें मेरे साथ

चलने की क्या जरूरत है।

—जरूरत? ठहरो तुम्हें अभी बतलाता हूँ। पर तुम यह समझ लो कि मैं तुम्हारा साथ स्वर्ग और नरक तक भी न छोड़ूँगा। यह देखो तुम्हारा इस्तीफा है, कहते हुए विनोद ने जेब से अखिलेश का लिखा हुआ इस्तीफा निकालकर टुकड़े-टुकड़े करके फेंक दिया और ताँगा अपने मकान की तरफ मुड़वा दिया।

नौकर ने अखिलेश का सम्मानर विनोद के आदेशानुसार विनोद के कमरे में ही ले जाकर रखा। विमला समझ न सकी कि विनोद का ऐसा कौन सा आत्मीय आया है जो इन्हीं के कमरे में ठहराया जायगा?

इस समय पीढ़ियों पर विनोद ने आवाज़ दी—विन्नो! यह डाक्टर आया है।

अँगूठी की खोज

चैती पूर्णिमा के संध्या होते-होते धरित्रों को दूध से नहला दिया। वसन्ती हवा के मधुर स्पर्श से सारा संसार एक प्रकार के सुख की आत्म-विस्मृति में बेसुध-सा हो गया। आम की किसी डाल पर छिपी हुई मतवाली कोयल, पंचम स्वर में किसी मादक रागिनी को अलाप उठी। वृक्षों के झुरमुट के साथ चाँदनी के टुकड़े अठखेलियाँ करने लगे; परन्तु मेरे जीवन में न सुख था और न शान्ति। इस समय भी, जबकि संसार के सभी प्राणी आनन्दविभोर हो रहे थे, मैं कम्पनी बाग के एक कोने-कोने में हरी-हरी दूब पर पड़ा हुआ अपने जीवन की विषमताओं पर विचाकर रहा था। पेड़ की पत्तियों से छन-छनकर नन्हें-नन्हें चाँदनी के टुकड़े जैसे मुझे बरबस छेड़-से रहे थे। मैंने आँखें बन्द की लीं; किन्तु फिर भी किसी प्रकार का शान्ति लाभ न कर सका। आज मैं बहुत दुःखी था। वैसे बात थी तो बहुत छोटी; किन्तु पके हुए घाव पर एक मामली-से तिनके का छू जाना ही बहुत है। छोटी-सी बात पर ही मेरे हृदय में कितनी भीषण हलचल मची हुई थी, उसे मेरे सिवा कौन जान सकता था।

इसी समय, कुछ युवतियाँ; मेरे पास ही निकलीं। उनके पैरों के लच्छे और स्लीपरों की ध्वनि मैंने साफ-साफ सुनी। वे लोग आपस में हँसती, खिलखिलाती, और बातें करती हुई चली जा रही थी। ऐसा लगता था कि जैसे सांसारिक चिन्ताओं को इनके पास तक पहुँचने का साहस ही नहीं होता। परन्तु मुझे उनसे क्या प्रयोजन? मैंने तो उनकी ओर आँखे उठाकर देखा भी नहीं। देखकर करता भी क्या? व्यर्थ ही हृदय में में एक प्रकार की टीस उठती। वेदना और बढ़ जाती। मेरे लिए तो कदाचित्, विधाता ने अपने ही हाथों का एक निरक्षरा और बेढंगी प्रतिमा का निर्माण किया था जो इच्छा न होने पर भी, बरबस मेरे जीवन के साथ बाँध दी गई थी; जिसके सहवास से मेरा सुखी जीवन, मेरा आशवादी हृदय, कल्पना के पंखों द्वारा ऊँची से ऊँची उड़ान भरनेवाला मेरा मन सभी दुःख तथा घोर निराशा से न जाने कितनी भीषण वेदना का अनुभव कर रहे थे।

जिस दिन मैंने पहले-पहल यशोदा को देखा, मैं कह नहीं सकता कि मेरी

मानसिक स्थिति कितनी भयंकर थी। वह रात–मिलन की पहली रात—सुहागरात थी। और मैं—मैं घर से भागकर इसी स्थान पर इससे भी अधिक उद्विग्न और व्याकुल अवस्था में छटपटा रहा था। जीवन में मुझे उससे भी अधिक आत्मग्लानि और व्याकुलता का सामना करना था। कदाचित् इसीलिए न जाने किस प्रकार कुछ अभिन्न–हृदय मित्रों को मेरी मानसिक स्थिति का पता लग गया। वे मेरे अभिन्न–हृदय मित्र थे। वे जानते थे कि मैं इस पीड़ा से मुक्ति पाने के लिए कड़ी–से–कड़ी विपत्तियों को भी झेल सकता हूँ। इसलिए वह मुझे खोजते हुए आये; और मेरे साथ ही उन्होंने वहीं पर रात बितायी।

इसके बाद क्रमशः मेरी अवस्था कुछ सँभली और बहुत कुछ तो मित्रों के आग्रह से, और कुछ–कुछ किसी प्रकार जीवन के दिन काट देने के लिए मैंने यशोदा को शिक्षिता बनाना चाहा। किन्तु परिणाम कुछ न हुआ। क से कबूतर और ख से खरगोश, इसके आगे यशोदा न पढ़ सकी। उसे पढ़ने–लिखने की तरफ़ जैसे रुचि ही न थी। पढ़ने के लिए जब मैं उससे प्रेममय अनुरोध करता तो वह प्रायः यही कह के टाल दिया करती—अब मुझे पढ़–लिख के क्या करना है? क्या नौकरी करवाओगे?

अपने प्रश्नों के उत्तर में इस प्रकार की बातें सुनकर मुझे कितनी मार्मिक पीड़ा होती थी, मेरा हृदय कितना विचलित हो उठता था, यशोदा न तो समझती थी, और न उसने कभी समझने का प्रयत्न ही किया। परिणाम यह हुआ कि मुझे घर से बिलकुल विरक्ति हो गईद्ध कोई भी आकर्षण शेष न रह जाने के कारण, मैं बहुत कम घर जाने लगा। महीने में एकाध बार ही मैं घर पर भोजन करता। यदि भोजन के समय किसी मित्र के घर होता तो उनके आग्रह से वहीं, अन्यथा किसी होटल में मेरा प्रतिदिन का भोजन होता। प्रायः बहुत से दिन तो चाय के एक–दो प्यालों पर ही बीत जाया करते। तात्पर्य यह है कि मेरा स्नान, भोजन, सोना, जागना सभी कुछ अनियमित था। नियमित रहता भी तो कैसे। मैं अपनी इस उठती जवानी में ही बुढ़ापे का अनुभव कर रहा था; जीवन मुझे भार–सा प्रतीत होता, न किसी प्रकार की इच्छा शेष थी न आकांक्षा, न उत्साह था और न उमंग, जीवन को किसी प्रकार ढकेल लिये जाता था।

मैं स्वभाव से ही अध्ययनशील, विद्यानुरागी, स्वाभिमानी, भावुक और अल्पभाषी था। मैं अपने कुछ इने–गिने मित्रों को छोड़ अन्य लोगों से बहुत कम मिलता–जुलता था। प्रायः अपना अधिकांश समय अध्ययन में ही बिताया करता था। मेरी लायब्रेरी में संसार के प्रायः सभी विद्वान लेखकों की कृतियाँ अलमारियाँ में सजी थी। उन्हें मैं अनेक बार पढ़कर भी फिर से पढ़ने का इच्छुक था। प्रायः लायब्रेरी में जब मैं पुस्तकों का अध्ययन करता होता ओर उनमें किसी सुशिक्षिता महिला के विषय में

कोई प्रसंग आ जाता, तो कल्पना के उच्चतम शिखर से ही मैं अपनी जीवनसंगी का दर्शन करता; और वहाँ से मैं देखता मेरी प्रेयसी पढ़ने में, लिखने में, सामाजिक और सांसारिक प्रत्येक कार्यों में मेरी वैसी ही सहायक है जैसे पुस्तक लेखक की स्त्री, जिसका दर्शन मैं अभी पुस्तक के पृष्ठों पर की चुका हूँ। यही कारण था कि विवाह के बाद मुझे इतनी अधिक निराशा हुई। मैं कल्पना के जिस शिखर पर विचरण कर रहा था, वहाँ से एकदम नीचे गिर पड़ा।

यशोदा को पढ़ने-लिखने की ओर से उतनी ही अरुचि थी, जितनी मेरी उस ओर रूचि थी। गृहस्थी के कामों में भी वह विशेष निपुण न थी। इसके अतिरिक्त न उसमें रूप था न आकर्षण और न बातचीत का ढंग ही सुरुचि के अनुकूल था। उससे साधारण-सी बात करते समय भी मैं प्राय: झल्ला उठता जिससे मुझे तो मानसिक कष्ट होता ही, साथ ही यशोदा को भी बिना कारण ही मेरी डाँट सुननी पड़ती, और उसे भी कष्ट होता। इसलिए मैंने घर का जाना बहुत कम कर दिया था। प्राय: जब मैं पढ़ते-पढ़ते थक जाता तब मित्रों के घर; और जब किसी कारणवश मित्र लोग भी घर पर न मिलते, तब मुझे कम्पनी बाग के इसी कोने में हरी-हरी दूब पर ही आश्रय मिलता था।

कभी-कभी उसी दूब पर पड़े-पड़े मैं कब सो जाता, पता नहीं। पक्षियों का कलरव सुनकर ही मेरी आँख खुलती। मेरे घरवाले इन बातों को बहुत अच्छी तरह जानते थे। अपने विवाह के बाद से मैं बहुत विद्रोह स्वभाव का हो उठा था। इसलिए न तो लोग मुझे खोजने का प्रयत्न करते, और न मेरी दिनचर्या या तपश्चर्या में ही बाधा डालकर मुझे छेड़ते थे। वे जानते थे कि यदि मुझे उन्होंने छेड़ा, तो इसका परिणाम किसी प्रकार भी अच्छा न होकर, बुरा ही हो सकता है।

आज भी इसी प्रकार अपने जीवन से घबराकर, न जाने किस किस विचारधारा में डूबा हआ, मैं लॉन पर पड़ रहा था। वही युवतियाँ घूमती हुई फिर लौटीं, और मेरे पास ही पड़ी हुई बेंच पर बैठ गईं।

एक बोली--यहाँ तो कोई पड़ा है जी।

दूसरी ने कहा-ऊँह! रहने भी दो, पड़ा है तो हमारा क्या कर लेगा। आओ जरा बैठ लें फिर चलेंगे।

तीसरी उठकर खड़ी हो गई। स्वर में कुछ धीमा करके बोली—'हमारा कर तो कुछ ले लेगा। पर हमारी बातचीत की आज़ादी में तो बाधा आयेगी। चलो, कहीं और बैठें। इतना बड़ा तो बगीचा पड़ा है। क्या यही जगह है?' वह उठी। उठकर जाने लगी।

एक दूसरी ने उसका हाथ पकड़कर खींचा। उसे बैठाते हुए बोली—'बैठो भी

कहाँ जाओगी? अब तो वह समय है, जब कि स्त्रियों को भी पुरुषों के समान अधिकार दिये जाने की हर जगह चर्चा है। फिर उस अधिकार का हमीं क्यों न उपयोग करें? विरले ही पुरुष स्त्रियों से ऐसे दूर-दूर भागते होंगे अन्यथा पुरुषों का तो स्वभाव होता है जहाँ स्त्रियों को देख फिर चाहे काम हो चाहे न हो, उस ओर जायेंगे अवश्य। यह रेलव-स्टेशन का, स्नान-घाटों का, सड़कों और दुकानों पर का हमारा प्रतिदिन का अनुभव है। यदि ठीक न कहती होऊँ तो मेरी बात न मानो! और तुम एक ऐसे व्यक्ति से, जिसके विषय में ठीक-ठीक पता भी नहीं कि स्त्री है कि पुरुष, ऐसी दूर भागी जा रही हो जैसे कोई संक्रामक बीमारी हो', कहते-कहते उसने फिर उसका हाथ बैठाने के लिए खींचा।

किन्तु वह बैठी तो नहीं, चिल्ला-सी पड़ी—छोड़ दो सरला! तुम्हारे खींचने से मेरी अँगूठी भी गिर गई। एक तो वैसे ही मैं उसे कभी नहीं पहिनती। आज ही पहिनी और नाज ही गिर गई।

बातचीत का प्रवाह बदल गया। सब-की-सब घबराकर खड़ी हो गई। यहाँ-वहाँ, जहाँ गिरी थी, उससे बहुत दूर तक अँगूठी की खोज होने लगी। वे करीब दस मिनट तक, उठकर, बैठकर, झुककर अँगूठी खोजती रहीं, पर वह न मिली। उनमें से एक तो मेरे बहुत पास तक आ गई। मैं घबराकर उठ बैठा। आशंका हुई कि कहीं अँगूठी का चोर ही मैं समझा जाऊँ। जी चाहा कि मैं भी उनकी अँगूठी ढूँढ़ने लगूँ। पर उनकी अँगूठी बिना उनकी अनुमति के कैसे ढूँढ़ता?

मैं जानता था कि उनकी अँगूठी खोई है, फिर भी बातचीत का सिलसिला जारी करने के लिए उनके समीप पहुँचकर, कुछ संकोच के साथ मैंने पूछा—आप लोग क्या ढूँढ़ रही हैं? क्या मैं आपकी कुछ सहायता कर सकता हूँ?

अँगूठी की मालकिन बोल उठीं—मेरी अँगूठी गिर गई है। बड़ी कीमती अँगूठी है।

इसके बाद मैं कुछ न बोला, उन लोगों के साथ उनकी अँगूठी मैं भी ढूँढने लगा परंतु करीब आधे घंटे तक ढूँढ़ने पर भी जब अँगूठी कहीं न मिली, तो वे सब हताश हो गई। मुझे उनकी दशा पर बड़ी दया-सी आई। मैंने अँगूठी की स्वामिनी से कहा-यदि आप मुझ पर विश्वास कर सकती हों तो आप निश्चिंत होकर अपने घर जाइये। अब रात बहुत जा चुकी है, कोई आदमी यहाँ आयेगा नहीं और मैं रात भर यहीं रहूँगा। बड़े सबेरे से उठक आपकी अँगूठी ढूँढ़कर आपको दे आऊँगा? बस आप मुझे अपना पता भर बतला दें।

पहिले तो वह कुछ झिझकी। सिर से पैर तक उसने एक बार मुझे देखा, फिर न जाने क्या सोचकर बोली—मेरा नाम वृजांगना है। मैं पं०...

पास की दूसरी युवती ने उसके अधूरे वाक्य को पूरा किया— पं० नवलकिशोरजी की स्त्री हैं।

वृजांगना फिर बोल उठी—मेरा मकान नं० 155 सिविल लाइन में है।

'वृजांगना' नाम सुनते ही ही मैं चौंक-सा पड़ा। 'वृजांगना' क्या वही वृजांगना है जिसके विषय में मैं बहुत कुछ सुन चुका हूँ? वही चरित्रभ्रष्टा 'वृजांगना' है? ईश्वर! मैं सिहर उठी। मैं तो उसे देखना भी न चाहता था। किन्तु अब क्या करता? उसकी अँगूठी ढूँढ़ देने का वचन दे चुका था। और वचन देने के बाद, पीछे हटना मैंने सीखा ही न था। अतएव अब मुक्ति का कोई समाधान न देखकर मैं चुप ही रहा।

पास ही बखड़ी हुई दूसरी युवती ने प्रश्न किया—आप रात भरा यहीं रहेंगे, क्या घर न जायेंगे?

मेरे मुँह से अचानक निकल गया— घर? मेरा घर कहाँ है? जहाँ जाऊँ?

—यह बात न जाने किस धुन मैं कह तो गया किन्तु कहने के साथ ही मुझे अफसोस भी हुआ कि आखिर यह बात इनसे मैंने तो क्यों कहीं? मैं बिना घर का हूँ या घर से बहुत विरक्त, यह इन स्त्रियों के प्रति प्रकट करके, मैंने क्या इनसे किसी प्रकार की सहानुभूति पाने की आशा की थी?

किन्तु बहुत टटौलने पर भी अपने हृदय में, उन स्त्रियों से किसी प्रकार की सहानुभूति प्राप्त करने की लालसा मुझे न मिली। अचानक इसी समय कहीं से मन्दाकिनी आकर बोल उठी—ओहो! योगेश भैया! तुम बिना घर के कब से हो गये? अच्छी बात है? मैं जाकर भाभी से पूछूँगी कि क्या भैया को घर से निकाल दिया है?

मन्दाकिनी की बात का कुछ उत्तर ने देकर मैंने दृढ़ और गंभीर स्वर में वृजांगना से कहा—मैंने आपसे कभी भी कहा न कि मैं आपकी अँगूठी सबेरे ढूँढ़कर दे दूँगा और उस अँगूठी के लिए मैं रात भर यहाँ रहूँगा भी! यदि आपको मेरी बात पर विश्वास हो तो आप निश्चित होकर घर जाइये। अँगूठी आपको सबेरे मिल जायगी।

वृजांगना ने निश्चिन्तता की साँस ली। इस समय वह अधिक सन्तुष्ट जान पड़ती थी क्योंकि मुझे मन्दाकिनी भी पहिचानती थी।

मन्दाकिनी फिर बोली—योगेश भैया, तुम्हारे दृढ़-निश्चयी स्वभाव को कौन नहीं जानता? तुमने जब ढूँढ देने की जिम्मेदारी ली है तब बिरजा भाभी की अँगूठी मिले बिना न रहेगी।

वृजांगना ने फिर मुझ पर एक विनयपूर्ण दृष्टि डाली, और वह उन सब स्त्रियों के साथ चली गयी। उस दृष्टि में जैसे उसने कहा कि मेरी अँगूठी न भूलना; ज़रूर ढूँढ़ देना।

उसी बेंच पर पड़े-पड़े मैंने रात काट दी। सबेरे चिड़ियों के चहचहाने के साथ ही बैठा। अभी पूरा-पूरा प्रकाश भी नहीं हो पाया था; मैंने उत्सुक आँखों को एक बार चारों तरफ अँगूठी के लिए घुमाया। किन्तु वह कहीं न दिखी। फिर मैंने झुककर बेंच के नीचे देखा। नन्हीं-सी अँगूठी जिसमें एक कीमती बड़ा-सा हीरा चमक रहा था, बेंच के पाये के सटी पड़ी थी। मैंने झुककर अँगूठी उठा ली। प्रयत्न करने पर भी वह मेरी सबसे छोटी उँगली में भी न आई। तब मैंने उसे जेब में रखकर नल पर जाकर हाथ-मुँह धोया और फिर सिविल लाइन की ओर चल पड़ा।

बंगला ढूँढ़ने में मुझे विशेष प्रयत्न न करना पड़ा; क्योंकि वृजांगना और उसके पति पं० नवलकिशोरजी दोनों ही नगर के लब्धप्रतिष्ठ व्यक्तियों में से थे। चपरासी से मैंने अपना कार्ड अन्दर भिजवाया, जिसकेय उत्तर में स्वयं वृजांगन आती हुई दिखी। और उस सादी सरलता की प्रतिमा वृजांगना के प्रथम-दर्शन में ही मैं उसका भक्त हो गया। वह मुझे बड़े आदर और प्रेम के साथ ड्राइंगरूम में ले गयीं।

टेबिल के पास बैठे हुए उसके पति अखबार पढ़ रहे थे। उसने अन्दर जाते ही अपने पति का मुझसे परिचय कराया। फिर मेरी ओर देखकर उसने पति से कहा—इनके विषय में तो मैं अधिक नहीं जानती। पर हाँ इतना जानती हूँ कि कल आपने मेरे साथ अत्यन्त सज्जनतापूर्ण बर्ताव किया है। आपका पूरा नाम तो अभी कार्ड पर ही देखा। इसके बाद वृजांगना ने अपने पति से शाम के समय का अँगूठी के खोने का सारा किस्सा कह दिया। मैंने जेब से अँगूठी निकालकर धीरे से वृजांगना के सामने रख दी। अँगूठी पाकर वह कितनी प्रसन्न थी, यह उसकी कृतज्ञता-भरी आँखों और उल्लास भरे चेहरे से ही प्रकट हो रहा था। पं० नवलकिशोरजी के चेहरे पर कुछ अधिक भाव परिवर्तन न हुआ। वह केवल ज़रा-सा मुस्कराकर बोले—और यदि यह अँगूठी न लाते तब क्या करतीं विरजो?

वृजांगना न विश्वाससूचक स्वर में कहा—लाते कैसे नहीं? अँगूठी तो मैंने इन्हीं के ऊपर छोड़ी थी न? सबके भरोसे थोड़े मैं अपनी यह अँगूठी छोड़ आती?

नवलकिशोर थोड़ा फिर मुस्कराये। हँसी तो कुछ मुझे भी आई। परन्तु यह सोचकर कि प्रथम परिचय में ही हँसने की स्वतंत्रता लेना कहीं मेरे पक्ष में अशिष्टता न समझी जाय मैंने अपनी हँसी को रोक लिया; पर एक प्रश्न मेरे मस्तिष्क में बार-बार घूमने लगा। आखिर बिना परिचय के और बिना जान-पहिचान के वृजांगना ने मुझमें कौन-सी ऐसी बात देखी जो वह मुझ पर इतना विश्वास कर बैठी? चेहरे से मैं नवलकिशोर को पहिचानता था, और वह मुझे; परन्तु हमारा आपस में परिचय न था। उस दिन इस प्रकार उस अँगूठी ने हमारा आपस में परिचय कराया। उनके

आग्रह से उस दिन मैंने उन्हीं लोगों के साथ चाय पी और उनके अनुरोध से कभी-कभी उनके घर आने भी लगा। कुछ दिन बाद उन लोगों के यहाँ आने-जाने के बाद, मैंने अनुभव किया, वे पति-पत्नी दोनों मिलनसार, हँसमुख, सीधे-सच्चे और सरल स्वभाव के व्यक्ति हैं। वृजांगना के विषय में मैंने जितनी तरह की बातें सुन रखी थीं वे मुझे सभी निर्मूल और अनर्गल प्रतीत हुईं। वृजांगना के हृदय की महानता और उसके सद्व्यवहारों ने मेरे हृदय में उसके श्रद्धा और विश्वास के ही भाव जाग्रत किये। उन दोनों पति-पत्नी के रहन-सहन, बात-व्यवहार को देखते हुए किसी प्रकार सन्देह के लिए कोई स्थान न रह जाता था।

वृजांगना सीधी, भोली और उदार प्रकृति की स्त्री थी। उनके उस छोटे से घर में प्रेम, विश्वास, आदर और आनन्द का ही आधिप्त्य था। घृणा, अपमान, ईर्षा और डाह का वहाँ तक प्रवेश ही न हो पाता था। वृजांगना की यह धारणा थी कि अपने घर में आया हुआ शत्रु भी अपना अतिथि हो जाता है; और अतिथि का अपमान करना उसकी दृष्टि में बड़ा ही निन्दनीय काम था। इसलिए अपने घर में आये हुए उन व्यक्तियों के साथ भी जिनके प्रति वृजांगना के हृदय में किसी प्रकार की श्रद्धा या आदर के भाव न होते थे, वह केवल आदरयुक्त मधुर व्यवहार ही करते थी। उनके घर में आया हुआ कोई भी व्यक्ति बिना जलपान के कदाचित् ही वापस जाता था। वह बुरे मनुष्यों से घृणा न करके उनकी बुराइयों से घृणा करती थी और भरसक उन्हें किसी प्रकार उन बुराइयों से बचाने का प्रयत्न भी करती। वह संसार के छल-प्रपंचों से परिचित न थी। उसके सामने भगवान बुद्ध और महात्मा आदर्श थे जिनके अनुसार चलकर इस छोटी-सी जिन्दगी में वह लोगों के साथ केवल कुछ भलाई ही कर जाना चाहती थी। इसीलिए उसे बहुत कम लोग समझ पाते थे। उसे तो वह समझ सकता था जो उसके पास, बहुत पास, पहुँचकर उसे देखे। दूर से देखनेवालों के लिए तो वृजांगना के लिए तो वृजांगना एक पहेली और बड़ी जटिल पहेली थी, जिसे हल करना कोई साधार बात न थी। मैं वृजांगना के जीवन के साथ बहुत घुल-मिल गया था। मैंने उसे अच्छी तरह देखा और भली-भाँति पहिचाना था। वृजांगना मानवी नहीं देवी थी जिस कदाचित् दैवी अभिशाप के ही कारण कुछ दिनों के लिए मानव-जन्म धारण करना पड़ा था।

धीरे-धीरे हमारा मेल-जोल बहुत बढ़ गया। अब मेरे अभिन्न हृदय मित्रों में से यदि कोई मेरे बहुत समीप था, तो वह भी वृजांगना। अपने सच्चे स्नेह और आदर से वृजांगना ने मुझे इस तरह बाँध लिया था कि मैंने उसके छोटे-छोटेय आग्रह और अनुरोध को भी टाल सकता था। अब उसके अनुरोध से मेरे सभी काम नियमित रूप से होने लगे। उसके सरल प्रेम ने मुझमें नवस्फूर्ति फूँक दी। मैं अपने आप में नये

जीवन का अनुभव करने लगा। मुझे ऐसा लगता था कि जैसे अभी-अभी संसार में प्रवेश किया हो।

मनुष्य में दो प्रकार की प्रवृत्तियाँ होती हैं। एक तो देव-प्रवृत्ति और दूसरी राक्षसी। न जाने क्यों वृजांगना को देखते ही मेरी देव-प्रवृत्ति किधर अन्तर्हित हो जाती और राक्षसी प्रवृत्ति इतनी प्रबल हो उठती कि उसे रोकना मेरे लिए बहुत कठिन हो जाता। वृजांगना को देखते ही मेरा ज्ञान, मेरा विवेक और मेरी बुद्धि जैसे सभी मेरा साथ छोड़ देते थे। इसके लिए मैं अपने-आपको न जाने कितना धिक्कारता था। नवलकिशोर को भैया और वृजांगना को भाभी कहा करता था। सचमुच ही उनके प्रति मेरे हृदय में यही पूज्य भाव थे। एकान्त में इस दलील को सामने रखकर मैंने अपनी इस राक्षसी प्रवृत्तियों को कुचल डालने का न जाने कितना प्रयत्न किया। मैं चरित्रहीन न था; परायी स्त्री, विवाहिता स्त्री मेरे लिए देवी की तरह पूज्य और आदर की वस्तु थी। वृजांगना को भी मैं इसी पूज्य दृष्टि से देखा करता था। उसके लिए मेरे हृदय में बड़े पवित्र और आदर के भाव थे; किन्तु यह पवित्र भाव उसी समय तक टिक सकते जब तक वह मेरे सामने न होती।

वृजांगना जैसे ही मेरे सामने आती मुझ पर न जाने कहाँ का राक्षस सवार हो जाता। मैं एक ज्ञानहीन पशु से भी गया-बीता बन जाता। मैं अपनी ही आँखों में बड़ा पतित जँचने लगता। पर मेरा हृदय मेरे काबू से बाहर था। मेरी दोनों प्रवृत्तियों को आपस में युद्ध-सा छिड़ा रहता था। कभी-कभी तो मैं बड़ा ही उद्विग्न और व्यथित-सा हो जाता। मेरी इस विचलित अवस्था को वृजांगना और नवलकिशोर देखते परन्तु मेरी मानसिक स्थिति कों वह क्या समझ सकते थे? वे अपने प्रयत्न भर सदा हर प्रकार से मुझे खुश रहने को ही फिकर में रहते। उनके व्यवहार मेरे प्रति मधुरता और प्रेमपूर्ण हो जाता था।

अपनी इस दानवी प्रवृत्ति को हर प्रकार से दबाने के लिए मैंने कई बार निश्चय किया कि मैं उनके घर ही न जाया करूँ। और इस उपाय में मैं कई बार अंशों तक सफल भी हुआ। परन्तु मेरे ही जाने से क्या हो सकता था? कई बार ऐसा हुआ जब कि मैं सुबह से शाम तक उनके घर नहीं गया तब प्रायः वृजांगना या नवलकिशोर अथवा कभी-कभी दोनों ही मेरे घर पहुँच जाते; मेरा किया-कराया निश्चय मिट्टी में मिल जाता। उनके आग्रह और विशेषकर वृजांगना के प्रेमपूर्ण अनुरोध को टालने की मुझमें शक्ति न थी। विवश होकर मुझे उनके साथ फिर आना पड़ता।

देवी वृजांगना और साधु-प्रकृति नवलकिशोर मेरे इन कुत्सित मनोभावों से परिचित न थे। मेरी दानवी प्रवृत्तियाँ कितनी भीषण, कितनी भयंकर और कितने

प्रबल हैं, मैं स्वयं भी तो न जानता था। परन्तु उन्हें कुचलने के लिए, उनसे मुक्ति पाने के लिए जो कुछ भी किया जा सकता था, मैंने सब कुछ किया। साल भर बाद—

वही चैती पूर्णिमा थी और वही संध्या का समय, वहीं मन को फिसलाने वाली चाँदनी रात; और थी वही वासन्ती हवा; आज फिर मैं बहुत उद्विग्न था। न जाने क्यों किसी मित्र का भी साथ न मिला और मैं घूमता हुआ कम्पनी बाग के उसी कोने में पहुँच गया। मेरी चिरपरिचित बेंच कदाचित् मेरी ही प्रतीक्षा कर रही थी। मैं उस पर गिर-सा पड़ा और क्षण भर के लिए मैंने उसी शान्ति का अनुभव किया जो बालक माता की गोद में पाता है। क्षण भर बाद ही, साल भर पहले की एक-एक स्मृति सिनेमा के चित्रपट की तरह मेरी आँखों के सामने फिरने लगी। इस जगह हरी दूब पर व्याकुलता से मेरा लेटना, घूमती हुई रमणियों की आना, अँगूठी का गिरना और फिर उसकी खोज। मुझे याद आया, उस दिन भी मैं बहुत विकल था—संसार में विरक्त और जीवन से थका हुआ। आज मैं बहुत अंशों से संसार में अनुरक्त था, परन्तु शान्ति जीवन में आज भी न थी। साल भर पहले की उस अशान्ति से आज की आशन्ति कहीं अधिक उद्वेगपूर्ण, भीषण और प्रलयंकारी थी। इस अशान्ति में मैं जला पर रहा था। मुक्ति का मार्ग ढूँढ़े भी न मिल रहा था। अन्त में बहुत कुछ सोचने-विचारने के बाद मैं इस निर्णय पर पहुँचा कि मुझे यह नगर छोड़ देना चाहिए। नगर छोड़ने का पक्का निश्चय करके मैंने एक प्रकार की शक्ति-सी पाई।

नवलकिशोर बाहर गये थे। अपने घर की ओर वृजांगना की देखभाल वे मेरे ही ऊपर छोड़ गये थे। नगर छोड़ने से पहले पाँच मिनट के लिए वृजांगना से मिल लेना शायद अनुचित न होगी यही सोचकर मैं उसके मकान की तरफ चला। साथ ही मुझे यह भी जानना था कि नवलकिशोर कब लौटनेवाले हैं। जब मैं उनके घर पहुँचा करीब आठ बज रहे थे। वह सबसे ऊपरवाली छत पर एक कालीन डाले पड़ी थी। मुझे देखते ही उठकर बैठ गई।

मैं उसके घर आज कई दिनों में आया था। वह कुछ नाराजी के साथ अधिकारपूर्ण स्वर में किन्तु मुस्कुराती हुई बोली—तुमने तो क्या आना ही छोड़ दिया योगेश? क्या करते हो? वे घर नहीं हैं तो क्या तुम्हें भी न आना चाहिए?

मैंने उसकी बात का कुछ उत्तर न देते हुए पूछा—नवल भैया कब आयेंगे विरजो?

—कल सबेरे चार बजे की गाड़ी से, वह प्रसन्न होती हुई बोली।

मैंने एक निश्चिन्तता की साँस ली। मैं सुबह यहाँ से जाऊँगा। उसी समय तक नवलकिशोर आ जायेंगे। विरजी अकली न पड़ेगी। इससे मुझे प्रसन्नता ही हुई। पास हो आये हुए कई दिन के 'लीडर' पड़े थे जिनसे विरजो को विशेष प्रेम न था; अतएव

वह खोले भी गये थे। मैंने तारीखवार उन्हें देखना शुरू किया। मुझे पढ़ते देख वृजांगना फिर कुछ न बोली। वह मेरे स्वभाव से भली-भाँति परिचित थी; अतएव पढ़ने-लिखने पढ़ने-लिखने के समय वह मुझसे कभी किसी प्रकार की बातचीत न करती थी। कुछ देर बार मेरी तन्द्रा सी टूटी। घड़ी पर नज़र पड़ते ही देखा कि काफी रात बीत चुकी है। मैं तो केवल पाँच निमट के लिए आया था।

वृजांगना सो चुकी थी। काले कालीन पर उसका मुँह पृथ्वी पर एक दूसरा पूर्णिमा चका चाँद-सा दिख रहा था। उसे मैं क्षण भर देखता रहा। मेरा विवेक, मेरा ज्ञान, मेरी बुद्धि जाने कहाँय अन्तर्हित हो गयी। मैं अपने आपे में न रह गया।

आज उसकी स्मृति ही सौ-सौ विच्छुओं के दंशन से भी अधिक पीड़ा पहुँचा रही है किन्तु उस समय तो मैं शायद बेहोश था। मुझे तो होश उस समय आया जब मैंने वृजांगना को फूट-फूटकर रोते देखा। मुझे याद है उसके यही शब्द थे 'तुमने तो मुझे कहीं का न रक्खा योगेश।' सचमुच मैंने घोरतर पाप किया था जिसका प्रायश्चित कदाचित् हो ही नहीं सकता था! मुझसे अधिक पापात्मा संसार में भला कौन हो सकता था? मैं था विश्वासघाती, नीच और परस्त्रीगामी। अपना कालिमा से पुता हुआ मुँह फिर मैं वृजांगना को न देख सका। चुपचाप उठा और उठकर सीढ़ियों से नीचे उतरकर अपने घर आया। उस दिन मैं फिर रात-भर सौ भी न सका। अपने दुष्कृत्य पर कितना लज्जित, कितना क्षुभित और कितना क्रोधित था मैं कह कहीं सकता। बार-बार यही सोचता था कि आखिर मैं कई बार मरते-मरते क्या इसी कलुषित कार्य को करने के लिए बच गया। यदि पहले ही मर चुका होता तो वह अनर्थ होता ही क्यों?

ज्यों-त्यों करके रात काटी। अभी पूरा प्रकाश भी न हो पाया था कि स्त्री से यह कह के कि मैं एक आवश्यक कार्य से कुछ दिनों के लिए बाहर जा रहा हूँ, अपना थोड़ा-सा ज़रूरी सामान लेकर घर से निकला। कहाँ जाने के लिए? कह नहीं सकता; किन्तु जाना चाहता था दूर—संसार से बहुत दूर जहाँ से किसी भले आदमी पर मुझ पापी की छाया भी न पड़ सके। किन्तु घर से निकलकर अभी दस कदम भी न चल पाया था कि नवलकिशोर का नौकर शीघ्रता से आता हुआ दिखा। किसी अज्ञात आशंका से मैं काँप-सा उठा; किन्तु फिर भी मैंनें जैसे उसे देखा ही न हो, इस भाव से तेजी से कदम बढ़ाये।

नौकर ने मुझे भारी आवाज और दुःख-मिश्रित स्वर से पुकारकर कहा—

ठहरो भैया! कहाँ जाते हो? तुम्हें बाबूजी ने जल्दी बुलाया है।

मेरे पैरों के नीचे से जैसे धरती खिसक गई। नवल ने आते ही मुझे क्यों

बुलाया? तो क्या वृजांगना ने उनके आते ही... मेरी समझ में कुछ न आया फिर भी अपने को बहुत सँभालकर भीखू से पूछा— इसी समय बुलाया है? क्या कोई बहुत ज़रूरी काम है?

बूढ़ा नौकर रो पड़ा। रोते-रोते बोला—ज़रूरी काम क्या है भैया, बहूजी की तबियत बहुत गाफ़िल है। संझा को भली सोई थीं और अब तो भगवान जो उठा के खड़ी करें तो खड़ी हों। नहीं तो कुछ आशा नहीं दिखती।

मुझे चक्कर-सा आने लगा। भीखू के साथ उसी समय नवल के घर की ओर चला, रात जिस घर में फिर कभी न जाने की प्रतिज्ञा करके निकला था, उसी घर की ओर फिर विक्षिप्तों की तरह चल पड़ा। आह! किन्तु वहाँ तो मेरे पहुँचने के पहले ही सब कुछ समाप्त हो चुका था। नवलकिशोर बच्चों की तरह फूट-फूटकर रो रहे थे।

उसका कंचन-सा शरीर चिता पर धर दिया गया। आग लगा दी गई और वह धू-धू करके जल उठी। हमारे देखते-ही-देखते उसका सोने का शरीर राख में मिल गया। इसी प्रकार मुझे भी जीता ही जला देना चाहिए। इस हरी-भरी छोटी-सी गृहस्थी को बीहड़ बनानेवाला नर-पिशाच तो मैं ही हूँ न! मैं किस आग में जल रहा था मेरे सिवा और कौन समझ सकता था?

सब लोगों के चले जाने के बाद बची-खुची राख को समेटकर उसी समय मैंने वह नगर छोड़ दिया। उसी राख को यहाँ रखकर मैंने उसकी समाधि बना ली है और न जाने कितनी चैती पूर्णिमा उस समाधि को पश्चाताप के आँसुओं से धोते हुए मैंने बिता दी हैं। किन्तु पश्चाताप अभी तक पूरा नहीं हुआ। मैं रात-दिन जलता हूँ। एक सुन्दर से फूल को धूल में मिलाने का पाप मेरे सिर पर सवार है।

चढ़ा दिमाग

शीला स्वभावतः कवि थी। वह कभी-कभी कहानियाँ भी लिखा करती थी। उसकी रचनाएँ अनेक पत्रों में छपीं और उनकी खूब प्रशंसा हुई। साहित्य-संसार ने उसे बहुत सम्मान दिया, और अंत में उसको सर्वश्रेष्ठ लेखिका होने के उपलक्ष्य में साहित्य-मण्डल द्वारा सरस्वती-पारितोषिक दिया गया। अब क्या था, प्रत्येक समाचार-पत्र और मासिक-पत्र में उसके चरित्र जीवन-चरित्र छपे और उसकी रचनाओं पर आलोचनात्मक लेख जाने लगे, जिनके कारण उसकी ख्याति और भी बढ़ गई। वह एक साधारण महिला से बहुत ऊपर पहुँच गई। उसको स्थान-स्थान से, कवि-समाजों से निमंत्रण आने लगे, वह अनेक सहित्यिक संस्थाओं की अध्यक्षता भी चुनी गई।

मासिक-पत्र पत्रिकाओं के कृपालु सम्पादकों ने उसकी रचनाओं के लिए तकाज़े-पर-तकज़े आरम्भ कर दिये। अनेक सहृदयो पाठकों ने परिचय प्राप्त करने के लिए उसको पत्र लिखे। परिणाम यह हुआ कि शीला के पास आनेवाली डाक का परिणाम बहुत बढ़ गया। उसका छोटा-सा घर ऐसा मालूम होता, जैसे किसी समाचार-पत्र का आफ़िस हो। वह बेचारी इस असीम सहानुभूति के भार से दब-सी गई। पत्र-प्रेषक उससे उत्तर की आशा करते थे, और यह आशा स्वाभाविक भी थी। परन्तु वह उत्तर किस-किस को देती। आखिर पत्र भेजने में भी तो खर्च लगता ही है; और वह तो निर्धन थी।

शीला के पति जेल में थे। सत्याग्रह-संग्राम प्रारंभ होते वह गिरफ़्तार करके साल भर के लिए श्रीकृष्ण-मंदिर में बन्द कर दिये गये थे; साथ ही दो सौ रुपये जुर्माना भी हुआ था। इन सब कठिनाइयों को वह धैर्यपूर्ण सह रही थी। फिर भी वह बहुत परेशान सी रहा करती थी।

मैं शीला को बहुत दिनों से जानता था; जानता ही न था, वह सगी बहन की तरह मुझसे स्नेह करती थी। और मैं अपनी ही बहिन की तरह उसका आदर करता था।

इधर कुछ निजी झंझटों के कारण मैं बहुत दिनों से शीला के घर न जा सका था। एक दिन शाम को पोस्टमैन ने मुझे एक लिफ़ाफा दिया। खोलकर देखा, तो पत्र मेरा नहीं, किन्तु शीला का था। 'क्लपता' मासिक पत्रिका के सम्पादक महोदय ने बड़े आग्रह के साथ शीला को कोई सूचना भेजने के लिए लिखा था। वह पत्रिका का कोई विशेषांक निकाल रहे थे। पत्र समाप्त करते-करते उन्होंने यह भी लिखा था कि उसकी रचना के बिना विशेषांक अधूरा ही रह जायगा; उसी जैसी विदुषियों के सहयोग से वह 'कल्पता' के विशेषांक को सफल बना सकेंगे।

पत्र को उलट-पलटकर देखा, मालूम होता था, सम्पादक महोदय ने भूल से लिफ़ाफे पर मेरा पता लिख दिया था, क्योंकि में भी कभी-कभी 'कल्पता' में अपनी तुकबिन्दयाँ भेज दिया करता था।

जैसा कि मैंने पहले ही कहा है, मैं बहुत दिनों से शीला के घर न जा सका था और अब अस्कमात् ही यह पत्र उसे देने का प्रसंग आ गया; इसलिए दूसरे ही दिन प्रातः काल मैं उसके घर गया।

शीला का घर छोटा-सा था; और गृहस्थी भी थोड़ी-सी। घर में कोई पुरुष नहीं था; उसकी बूढ़ी सास थी और एक नन्हा-सा बच्चा था। ये शीला को ही संरक्षकता पर निर्भर थे। अपने पति की अनुपस्थिति में भी वह गृहस्थी को सुचारु रूप से चलाये जा रही थी। उसके इस असीम धैर्य और साहस की मैंने मन-ही-मन प्रशंसा की।

जब मैं वहाँ पहुँचा, वह आँगन में बैठी कुछ लिख रही थी। मैंने देखा, उसका छोटा-सा बच्चा दौड़ता हुआ आया और किलकारी मारकर पीछे से उसकी पीठ पर चढ़ गया; साथ ही उसके लिखने में फुलस्टाप लग गया।

मैंने पूछा—क्या लिख रही हो?

—'कल्पलता' के लिए एक कहानी लिख रही थी, वह मुस्कुराकर बोली—पर जब यह लिखने दे तब न? उसने वाक्य को पूरा किया।

मैंने पूछा—कितनी बाक़ी है?

'कहानी तो पूरी हो गयी; पर इसके साथ उन्हें एक पत्र भी तो लिखना पड़ेगा' — शीला ने कहा।

मैंने उसे कहानी को लेने के लिए हाथ बढ़ाया; पर वह मुझसे बीच में ही रोककर मुस्कुराती हुई बोली—लो पहले इसे पढ़ लो फिर कहानी पढ़ना—

कहते हुए उसने एक लिफ़ाफा मेरी और बढ़ा दिया।

लिफ़ाफे पर पता शीला का और पत्र मेरा था। 'कल्पलता' के सम्पादक महोदय ने मुझसे भी शीला की कोई रचना भिजवाने के लिए आग्रह किया था साथ ही

उलहना भी दिया, कि उन्होंने शीला को कई पत्र लिखे, किन्तु उसने एक का भी उत्तर नहीं दिया; अन्त में बहुत क्षुब्ध होकर उन्होंने लिखा था, 'इस चढ़े दिमाग का कुछ ठिकाना भी है!' मैंने पत्र समाप्त करके शीला की ओर देखाा। वह मुस्कुरा रही थी, किन्तु उस मुस्कुराहट में ही उसकी आंतरिक वेदना छिपी थी; उसकी असमर्थता की सीमा निहित थी। कदाचित् उन्हें छिपाने के ही लिए प्रहरी की तरह मुस्कुराहट उसके ओठों पर खेल रही थी। कुछ क्षण तक चुप रहने के बाद मैंने पूछा—क्या लिख दूँ सम्पादकजी को?

—लिखोगे क्या? उन्हें यह कहानी भेज दो। —उसने उसी मुस्कुराहट के साथ उत्तर दिया।

—पर उन्हें ऐसा न लिखना चाहिए था। —मैंने सिर नीचा किये हुए ही कहा।

—उन्होंने कुछ अनुसूचित तो लिखा नहीं। उसने गंभीर होकर कहा—कई पत्रों का लगातार उत्तर न पाने पर लोगों की यह धारणा हो जाना अस्वाभाविक नहीं हैं। उनकी जगह पर क्षण भर के लिए मुझे या स्वयं अपने को समझा लो; फिर सोचो लगातार तीन-चार चिट्ठियाँ भेजने पर भी यदि कोई तुम्हें उत्तर न दे, तो फिर उसके बारे में क्या सोचोगी? —यही न कि बड़ा घमंडी है, चिट्ठियों का उत्तर नहीं देता।

मैं निरुत्तर हो गया, दोनों चिट्ठियाँ मेरे हाथ में थीं। दोनों की तारीखें एक थीं। मैं समझ गया कि जल्दी-जल्दी में सम्पादक महोदय ने मेरा पत्र शीला के लिफ़ाफे में और उसका मेरे लिफ़ाफे में रख दिया। मुझे कुछ हँसी आ गयी। मैंने शीला का पत्र उसकी ओर बढ़ाते हुए कहा—लो यह पत्र तुम्हारा है, मेरे पास उसी तरह चला आया, जिस तरह मेरा पत्र तुम्हारे पास आ गया है।

वह पत्र पढ़ने लगी। मैंने उसकी कहानी उठा ली।

इसी समय पर बाहर कुछ कोलाहल सुन पड़ा। मैंने बाहर जाकर देखा, तहसील के दो चपरासी ऊँचे-ऊँचे लट्ठ खड़े थे। पूछने पर मालूम हुआ कि शीला के पति पर जो दो सौ रुपये का जुर्माना हुआ था उसे वसूल करने के लिए कुर्की आई है। मैंने उन्हें समझा-बुझाकर घर बिना कुर्क किये ही वापिस भेजने का प्रयत्न किया; पर वे भल क्यों मानने लगे। कदाचित् नगर-नारायण से उनकी पूजा होती, तो देवता कुछ ठंडे पड़ जाते; पर वहाँ न तो शीला के ही पास कुछ था, और न मेरे। आखिर कुर्की शुरू हुई।

वे लोग घर के अन्दर से सामान ला-लाकर बारह रखने लगे—बक्स, मेज, कुर्सिया, आलमारी, तस्वीरें, बरतन इत्यादि। तात्पर्य यह है कि जो कुछ भी सामान था, एक-एक करके सब बाहर आ गया और सब चीजों की एक दुकान सी लग गई। शीला शन्तिपूर्वक यह सब देख रही थी; किन्तु उस शान्ति के नीचे प्रचंड विषाद

छिपा था। मुझसे उसके चेहरे की ओर नहीं देखा जाता था। मैं अपने भाईपन को मन-ही-मन धिक्कार रहा था। मेरे सामने ही मेरी बहिन की लुटिया-थाली नीलाम होने जा रही थी; किन्तु मैं कुछ कर न सकता था। खैर, उन सब वस्तुओं की एक सूची तैयार करके चपरासी सामन ठेले पर लाद कर ले जाने लगे। सामान में बच्चों की एक ट्राइसिकल भी थी। शीला का बच्चा ब्रजेश 'अमाली तायकिल' कह के मचल पड़ा, शीला कुछ भी न कह सकी; बच्चे को जबरन गोद में उठाकर वह दूसरी ओर चली गई।

सामान चला गया। मैंने अन्दर जाकर देखा; वह बैठी बच्चे को कुछ खिला रही थी। उसने मेरी ओर देखा; उसकी आँखें सजल थीं। मैंने सांत्वाना के स्वर में कहा—बहिन, देशभक्तों की यही तो अग्निपरीक्षा है।

थोड़ी देर बाद उसकी कहानी लेकर मैं घर लौटा।

घर आकर मैंने वह कहानी पढ़ी और उसी प्रकार 'कल्पलता' के सम्पादक के पास भेज दी।

कहानी का शीर्षक था—'चढ़ा दिमाग'।

वेश्या की लड़की

छाया प्रमोद की सहपाठिनी थी । प्रमोद नगर के एक प्रतिष्ठित और कुलीन ब्राह्मण परिवार का लड़का था। और छाया—छाया थी नगर की एक प्रसिद्ध नर्तकी की एकलौती कन्या। नगर में एक बहुत बड़ा राधाकृष्ण का मन्दिर था, पड़े-पड़े भगवद्भजन करते समय, मनमाना भोजन करते और करते मनमाना अनाचार।

छाया की माँ इसी मन्दिर की प्रधान नर्तकी थी। मन्दिर को छोड़कर दूसरी जगह वह गाने-बजाने कभी न जाती। मन्दिर के प्रधान पुजारी को उस पर विशेष कृपा थी, इसलिए उसे किसी बात की कमी न थी। गंगा के किनारे उसकी विशाल कोठी थी, जहाँ से सदा संगीत की मधुर ध्वनि आया करती। नगर के संगीत-प्रेमी स्वयं ही उसके यहाँ पहुँच जाते, तब तो राजरानी उन्हें निराश न कर सकती; अन्यथा वह किसी के यहाँ बुलाने पर भी गाने के लिए नहीं जाती थी। छाया इसी राजरानी की एकलौती कन्या थी। राजरानी की सारी आशाएँ इसी कन्या के ऊपर अवलम्बित थीं। विद्याध्ययन की ओर छाया की अधिक रुचि देखकर राजरानी ने उसे स्कूल में भरती करवा दिया।

छाया नगर के कुछ पुरानी प्रथा के अनुयायियों के विरोध करने पर भी कुलीन घर की लड़कियों के साथ पढ़ते-पढ़ते कालेज तक पहुँच गयी थी। और जिस दिन पहले-पहल वह कालेज पहुँची, उसकी प्रमोद से पहचान हो गयी। यह पहचान, पहचान ही बनकर रह सकी; धीरे-धीरे वह मित्रता में परिवर्तित हुई और अंत में उसने प्रणय का रूप धारण कर दिया, जिसका परिणाम यह हुआ कि परिवारवालों का विरोध, तिरस्कार और प्रतारणा न तो प्रमोद को ही उसके निश्चय से तिल भर हटा सके और न माता का निर्वासन-दंड ही छाया को उसके पथ से विचलित कर सका। विवाह के लिए उन्हें कोर्ट का सहारा लेना पड़ा। कोर्ट में रजिस्ट्री होने के बाद आर्य समाज मन्दिर में उनका विवाह वैदिक रीति से सम्पन्न हुआ। अग्नि को साक्षी देकर वह दोनों पति-पत्नी के पवित्र बन्धन में बँध गये।

बचपन से ही कुलीन घर की लड़कियों के साथ मिलते-जुलते रहने के कारण

उनके रीति-रिवाजों को देखते-देखते छाया के हृदय में एक कुल-वधू का जीवन बिताने की प्रबल उत्कंठा जाग्रत हो उठी थी। प्रमोद के साथ विवाह-सूत्र में बँधकर छाया ने उसी सुख का अनुभव किया।

वह एक कुल-वधू की तरह प्रमोद के इशारों पर नाचना चाहती थी। प्रमोद के नहा चुकने पर अपने हाथ से ही वह प्रमोद के कपड़े धोती, अभ्यस्त न होने पर भी दोनों समय प्रमोद के लिए वह अपने ही हाथ से भोजन बनाती; और थाली परसने के बाद जब तक प्रमोद भोजन करते वह उन्हें पंखा झला करती। प्रमोद के भोजन कर चुकने के बाद उनकी जूठी थाली में भोजन करने में वह एक अकथनीय सुख का अनुभव करती।

इसके पहले इस प्रकार काम करने का उसके जीवन में कभी अवसर न आया था, किन्तु धीरे-धीरे उसने आपको ऐसा अभ्यस्त कर लिया कि उसे कोई काम करने में कठिनाई न पड़ती। वह सोचती कि मेरे साथ रहकर छाया यहाँ रानियों की तरह हुकूमत कर सकती थी, बड़े-बड़े विद्वान, रईस तक यहाँ आकर, उसकी कदमबोसी कर जाया करते; किन्तु उसकी तो मति ही पलट गई है। अपने आप ही उसने दासियों का-सा जीवन स्वीकार कर लिया है।

छाया को किसी प्रकार फिर से अपने चंगुल में फाँस लेने के प्रयत्न में वह अभी भी लगी रहती। वह सोचती एक-आराम में पली हुई लड़की कितने दिनों तक कष्ट का जीवन बिना सकेगी? कभी न कभी चेतेगी और आवेगी! किन्तु छाया? छाया तो माता के घर के ऐश-आराम को घृणा की दृष्टि से देखती थी। यहाँ वह इस कष्ट में भी जिस सुख का अनुभव करती, उसकी आत्मा को जितनी शांति मिलती थी, उस रूप की हाट में, उस वैभव को चकाचौंध में उसके शतांश का भी स्वप्न देखना छाया के लिए दुराशा मात्र थी। छाया प्रमोद के विशुद्ध और पवित्र प्रेम के ऊपर संसार की सारी विभूतियों को निछावर कर सकती थी। प्रमोद के साथ यह छोटा-सा मकान उसे नन्दन-वन से भी अधिक सुहावना जान पड़ता था। सारांश यह है कि छाया की इच्छा न थी। प्रमोद का प्यार और उनके चरणों की सेवा का अधिकार पाकर वह सब कुछ पा चुकी थी।

प्रमोद के विवाह के बाद, प्रमोद के माता-पिता ने उन्हें अपने परिवार में सम्मिलित नहीं किया। अपने एकलौते बेटे को त्याग देने में उन्हें कष्ट बहुत था, किन्तु प्रमोद के इस कृत्य ने समाज में उनका सिर नीचा कर दिया था; अतएव वह प्रमोद को क्षमा न कर सके। स्वाभिमानी प्रमोद ने भी माता-पिता से क्षमा की याचना न की; अपनी समझ में उन्होंने कोई बुरा काम न किया था। इसलिए शहर में ही पिता के कई मकानों के रहने पर भी बुरा काम न किया था। इसलिए शहर में ही पिता के

कई मकानों में रहने पर भी वह किराए के मकान में रहने लगे। परिवार और समाज ने प्रमोद को त्याग दिया था; किन्तु उनके कुछ अपने ऐसे मित्र थे जो उन्हें इस समय भी अपनाये हुए थे। अपने इस छोटे से, इन-गिने मित्रों के संसार में, छाया के साथ रहकर प्रमोद को अब और किसी वस्तु की आवश्यकता न थी।

आर्थिक कठिनाइयाँ कभी बाधा बनकर उनके इस सुख के सामने खड़ी हो जायेंगी, प्रमोद को इसका ध्यान भी न था। कालेज के प्रोफेसरों और प्रिंसिपल की उनके साथ बड़ी सहानुभूति थी। उनका आचरण कालेज में बड़ा उज्ज्वल रहा था और वह परीक्षाओं में सदा पहले ही आये थे। इसलिए वह थोड़ा प्रयत्न करने पर वहाँ प्रोफ़ेसर हो सकते थे। परन्तु सुख की आत्मविस्मृति तक बाह्य आवश्यकताओं की पहुँच कहाँ?

कालेज में एक हिन्दी के प्रोफ़ेसर का स्थान खाली भी हुआ, किन्तु प्रमोद अपने सुख में इतना भूल गये थे कि उन्हें और किसी बात का स्मरण ही न रहा। उनके मित्रों और छाया ने एक-दो बार उनसे इस पद के लिए प्रयत्न करने के लिए कहा भी; किन्तु उनका यह उत्तर सुनकर छाया, क्यों मुझे अपने पास से दूर भगा देना चाहती हो' छाया चुप हो गई। उसे अधिक कहने का साहस न हुआ। वह प्रमोद के भावुक स्वभाव से भली-भाँति परिचित थी। छोटी-छोटी साधारण बातों का भी उनके हृदय पर बड़ा गहरा प्रभाव पड़ता था।

यौवन-जनित उन्माद और लालसाएँ चिरस्थायी नहीं होतीं। इस उन्माद के नशे में हमें जिसे हम प्रेम का नाम दे डालते हैं वह वास्तव में प्रेम नहीं, किन्तु वासनाओं की प्यास मात्र है। लगातार छः महीने तक छाया के साथ रहकर अब प्रमोद की आँखों में भी छाया के प्रेम और सौन्दर्य का वह महत्व न रह गया था जो पहिले था। अब वह नशा कहाँ था? उन्हें अब अपने कर्तव्याकर्तव्य का ज्ञान हुआ, उन्हें अब ऐसा जान पड़ता कि जैसे उन्होंने कोई बहुत बड़ी भूल कर डाली है। आर्थिक कठिनाइयों भी उन्हें पद-पद पर शूल की तरह कष्ट पहुँचा रही थीं।

इसके अतिरिक्त माता-पिता के स्नेह का अभाव उन्हें अब बहुत खटक रहा था। उनका चित्त व्याकुल-सा रहता, बार-बार उस स्नेह की शीतल छाया में दौड़कर शान्ति पाने के लिए उनका चित्त चंचल हो उठा। माता-पिता के स्नेह में जो शीतलता, ममता का मधुर दुलार और जो एक प्रकार की अनुपम शान्ति मिलती है, वह उन्हें छाया के पास न मिलती। छाया के प्रेम में उन्हें सुख मिलता था पर शान्ति नहीं; वह उन्हें छाया के पास न मिलती। छाया के प्रेम में उन्हें सुख मिलता था पर शान्ति नहीं; स्नेह मिलता, पर शीतलता नहीं; आनन्द मिलता पर तृप्ति नहीं।

हाँ, प्यास और तीव्र होती जान पड़ती। आनन्द और सुख से जलन की मात्रा ही अधिक मालूम होती। वह माता-पिता के स्नेह के लिए अत्यधिक विकल रहते; किन्तु जब माता-पिता ने ही उन्हें अपने प्रेम के पलने से उतारकर अलग कर दिया था तब स्वयं उनके पास जाकर उनके प्रेम और दया की भिक्षा माँगना प्रमोद के स्वाभिमानी स्वभाव के विरुद्ध था। प्रमोद का स्वास्थ्य भी अब पहले जैसा न रह गया था। दुश्चिन्ताओं और आर्थिक कठिनाइयों के कारण वह बहुत कृश और विक्षिप्त-से रहते।

समाज में भी अब वह मान-प्रतिष्ठा न थी। हर स्थान पर उनके इसी विवाह की चर्चा सुनाई पड़ती। किसी को भी प्रमोद के केवली इस कार्य के साथ ही नहीं किन्तु स्वयं प्रमोद के साथ भी किसी प्रकार कि कोई सहानुभूति न रह गई थी। सब लोग प्राय: यही कहते कि प्रमोद दो ही तीन साले के बाद अपने इस कृत्य पर पछतायेगा।... यह विवाह प्रमोद सरीखे विवेकी और विद्वान् युवक के अनुकूल नहीं हुआ...ठहरी तो आखिर वेश्या की ही लड़की न? कितने दिन तक साथ देगी? वेश्याएँ भी किसी को होकर रही हैं या नहीं रहेगी?...

इस प्रकार न जाने कितने तरह के आक्षेप प्रमोद के सुनने में आते। इन सब बातों को सुन-सुनकर प्रमोद की आत्मा विचलित-सी हो उठी। उन्हें इन सब बातों का मूल कारण छाया ही जान पड़ती। वह सोचते, कहाँ से मेरी छाया से पहचान हुई? न उससे मेरी पहचान होती और न विपत्तियों का समूह इस प्रकार मुझ पर टूट पड़ता।

वह अब छाया से कुछ खिंचे-खिंचे से रहने लगे। उनके प्रेम मे अपने आप शिथिलता आने लगी। छाया का मूल्य उनकी आँखों से घटने लगा, पर प्रमोद स्वयं यह सब चाहते न थे। छाया में वेश्या की लड़की होने के अतिरिक्त और कोई अवगुण मिलता न था, किन्तु वह विवश थे। हृदय के ऊपर किसका वश चला है? वह अपने व्यवहार पर स्वयं ही कभी-कभी दु:खित हो जाते, किन्तु फिर वही भूल करते। कभी-कभी औरों के सामने भी छाया से वह ऐसा व्यवहार कर बैठते जो अनुचित कहा जा सकता था।

छाया सुख की छाया में ही पलकर इतनी बड़ी हुई थी। अपमान, अनादर और तिरस्कार के ज्वालामय संसार से वह परिचित न थी। किन्तु अब पद-पद पर उसे प्रमोद से प्रेम के कुछ मीठे शब्दों के स्थान पर तिरस्कार से भरा हुआ अपमान ही मिलता था। छाया ने प्रमोद के इस परिवर्तन को ध्यानपूर्वक देखा था। उनके हृदय को अच्छी तरह टटोलता था। इस परिवर्तन के बाद भी उसने समझ लिया था कि प्रमोद के हृदय में उसने एक ऐसा स्थान बना लिया है जिस तक किसी और की

पहुँच नहीं है, उसे इसी में सन्तोष था। एक कुल-वधू इसके अतिरिक्त और चाहती ही क्या है?

पत्नी के रूप में पहुँचकर छाया ने अपना अस्तित्व ही मिटा दिया था। प्रमोद के चरणों में उसके लिये थोड़ा-सा स्थान बना रहे, यही साधना थी, और इस साधना के बल पर ही वह प्रमोद का किया अपमान और तिरस्कार हँसकर सह सकती थी। उसके ऊपर उस अपमान और तिरस्कार का अधिक प्रभाव न पड़ता। प्रमोद के जरा हँसकर बोलने पर वह सब कुछ भूल जाती थी। उसे कुछ याद रहता तो केवल प्रमोद का मधुर व्यवहार।

प्रमोद के माता-पिता आखिर पुत्र को कितने दिनों तक छोड़कर रह सकते थे? और अब तो प्रमोद के साथ-साथ उन्हें छाया पर भी ममता हो गई थी। उनका क्रोध महीने-डेढ़ महीने से अधिक न ठहर सका। वह समाज के पीछे अपने प्यारे पुत्र को नहीं छोड़ सकते थे। हृदय कहता था, चलो मना लाओ, बेटा आत्म-अभिमानी है तो पिता को नम्र होना चाहिए, किन्तु आत्माभिमान आकर उसी समय गला पकड़ लेता, पुत्र के दरवाजे स्वयं उसे मानने के लिए जाना, उन्हें अपनी प्रतिष्ठा के प्रतिकूल जान पड़ता। फिर पुत्र पुत्र ही तो है, यदि वही पिता के पास तक आ जाय तो क्या उसकी शान में फ़र्क आ जायगा?

सारांश यह कि चन्द्रभूषण और सुमित्रा अब बहू-बेटे के लिए व्याकुल होते हुए भी उन्हें बुला न सके। एक दिन एक व्यक्ति ने आकर कहा कि प्रमोद बहुत दुबला हो गया और कुछ बीमार-सा है। माता का हृदय पानी-पानी हो गया। उसने उसी समय एक नौकर के हाथ कुछ रुपए भेजकर कहला भेजा कि प्रमोद आकर उनसे मिल जाय। रुपये तो प्रमोद ने ले लिये क्योंकि उन्हें आवश्यकता थी; परन्तु वह घर न जा सके। उन्होंने समझा माँ ने पिता की चोरी से घर में बुलवाया है, इसलिए जिस घर में वह पैदा हुए, जहाँ के जलवायु में पलकर इतने बड़े हुए, उसी घर में चोर की तरह जाना उन्हें भाया नहीं। वह नहीं गये; जाना अस्वीकार कर दिया।

इससे सुमित्रा को बड़ा दुःख हुआ। वह उठते-बैठते चन्द्रभूषण से इस बात का आग्रह करने लगी कि वह प्रमोद को स्वयं लेने जायें, उसे मनाने में उनकी प्रतिष्ठा न कम पड़ेगी। दशरथ ने बेटे के लिए प्रमाण-पत्र दे दिये थे। यहाँ तो जरा से सम्मान की ही बात है। पिता का हृदय तो स्वयं ही पुत्र के लिए विकल हो रहा था। वह तो स्वयं चाहते थे। अब सारी जिम्मेदारी सुमित्रा के सर पर छोड़कर वह पुत्र को मनाने चले। कहीं छाया पैर छूने आई तो?...लाख वेश्या की लड़की है पर अब तो मेरा पुत्र-वधू है।...क्या मैं खाली हाथ ही पैर छुआ लूँगा?... सराफे की ओर घूम गये।

वहाँ से एक जोड़ी जड़ाऊ कंगन खरीदे और जेब में रखकर दस कदम भी न चल पाये होंगे कि सामने से प्रमोद आते हुए दिखे।

चन्द्रभूषण के पैर रुक गये, प्रमोद भी ठिठके। झुककर उन्होंने पिता के पैर छू लिये। चन्द्रभूषण की आँखों से गंगा-जमुना वह निकली। प्रमोद के भी आँसू न रुक सके। दोनों कुछ देर तक इसी प्रकार आँसू बहाते रहे। कोई बातचीत न हुई? अंत में, गला साफ करते हुए चन्द्रभूषण ने कहा-- घर चलो बेटा! तुम्हारी अम्मा रात-दिन तुम्हारे लिए रोया करती हैं।

प्रमोद ने कोई आपत्ति न की। चुपचाप पिता के साथ घर चले गये।

उस दिन बहुत रात गये घर लौटे। उनकी बाट जोहते-जोहते छाया भूखी-प्यासी सो गई थी। जब प्रमोद अपने कमरे में पहुँचे तब बारह बजे रहे थे। इस समय छाया को जागना भी उन्होंने उचित न समझा। विलम्ब से लौटने का दुःख था, जबकि वह भोजन कर चुके थे और छाया उनकी प्रतिक्षा में भूखी ही सो गई थी। उन्हें छाया के ऊपर दया आई, उसके सर पर हाथ फेरते-फेरते वह नींद की प्रतीक्षा करने लगे।

छाया गाढ़ी निद्रा में सोयी थी। उसके चेहरे पर कभी हँसी और कभी विषाद की रेखा खिंच जाती थी। प्रमोद यह देख रहे थे। आज उन्हें अपने कटु व्यवहार तीर की तरह चुभने लगे। इसी सोच-विचार में वह सो गये। छाया की भी नींद खुली; घड़ी की ओर देखा डेढ़ बजे थे। पास ही प्रमोद सुख की नींद ले रहे थे। वह बड़ी व्याकुल हुई, उसने अपने आपको न जाने कितना धिक्कारा, ऐसी नींद भी भला किस काम की? वे आये और भूखे-प्यासे सो रहे और यह निगोड़ी आँखें न खुलीं। यह सदा के लिए बन्द हुई थीं न? कभी न कभी खुलने के लिए तो मुँदी थीं? फिर खुलने के समय पर क्यों न खुलीं?... इसी प्रकार अनेक विचार उसके मस्तिष्क में आ-आकर उसे विकल करने लगे। छाया फिर सो न सकी। बाकी रात उसने करवट बदलते ही बताई।

सबेरे उठकर उसने प्रमोद का कोट टटोला। उसकी जंजीर ज्यों की त्यों पड़ी थी। दूसरी जेब में पच्चीस रुपये भी थे, जंजीर बेची भी नहीं, गिरवी भी नहीं रखो; फिर यह रुपये कहाँ सें आये? प्रयत्न करने पर भी छाया इस उलझन को न सुलझा सकी।

सबेरे जब प्रमोद उठे तब उनका चेहरा और दिनों की अपेक्षा अधिक प्रसन्न था। उठने पर उन्होंने छाया से पिता की मुलाकात, अपने घर जाने की बात और वहाँ के सब लोगों के व्यवहार और बर्ताव सभी बतलाये। छाया सुनकर प्रसन्न हुई किन्तु उस घर में छाया भी प्रवेश कर सकेगी या नहीं, न तो इसके विषय में प्रमोद ने ही कुछ

कहा और न छाया को ही पूछने का साहस हुआ।

अब प्रमोद की दिनचर्या बदल गई थी। वह सबेरे से उठते ही अपनी माँ के पास चले जाते। वहीं हाथ-मुँह धोते, वहीं दूध पीते; फिर अखबार पढ़ते-पढ़ाते; मित्रों से मिलते-जुलते, वह करीब ग्यारह-बारह बजे घर लौटते। इस समय उन्हें घर आना ही पड़ता, क्योंकि छाया उन्हें भोजन कराये बिना खाना न खाती थी। छाया को अब प्रमोद के सहवास का अभाव बहुत खटकता था। किन्तु वह प्रमोद से कुछ न सकती थी। वह कुछ ऐसा अनुभव करती थी कि जैसे प्रमोद के चरणों पर अपना सर्वस्व निछावर करके भी वह प्रमोद को उस अंश तक नहीं पा सकी है जितना एक सहधर्मिणी का अधिकार होता है।

इसी प्रकार छः महीने और बीत गये। आज वही तिथि थी जिस छाया और प्रमोद विवाह के पवित्र बन्धन में बँधकर एक हुए थे। वह आज बड़ी प्रसन्न थी। सबेरे उठते ही उसने स्नान किया। एक गुलाबी रंग की रेशमी साड़ी पहनी। जो कुछ आभूषण थे वह सब पहनकर, वह प्रमोद के उठने की प्रतीक्षा करने लगी। प्रमोद उठे और उठकर प्रतिदिन के नियम के अनुसार पिता के घर जाने लगे। छाया ने पहले तो उन्हें रोकना चाहा किन्तु रोकना चाहा किन्तु फिर कुछ सोचकर बोली—

—आज जरा जल्दी लौटना।

'क्यों क्या कोई विशेष काम है?' प्रमोद ने पूछा।

'आज वह अपने विवाह की वर्षगाँठ है।' कुछ प्रसन्नता और कुछ संकोच के साथ छाया ने उत्तर दिया।

'ऊँह, होगी!'—उपेक्षा से कहते हुए प्रमोद ने साइकिल उठाई और वे चल दिये।

छाया की आँखें डबडबा आईं। वह कातर दृष्टि से प्रमोद की ओर जब तक वह आँखों से ओझल न हो गये, देखती रही। फिर भीतर जाकर अन्यमनस्क भाव से घर के काम-काज में लग गई।

भोजन में आज उसने कई चीजें, जो प्रमोद को बहुत पसन्द थीं, बनाईं; किन्तु इधर भोजन का समय निकल जाने पर भी जब प्रमोद घर न लौटे तो वह चिन्तित-सी हुई। उससे रहा न गया, उठकर वह प्रमोद के घर की तरफ चली। जहाँ न जाना चाहती थी वहीं गई, जो कुछ न करना चाहती थी वही किया। घर के सामने पहुँचकर उसने देखा कि चन्द्रभूषण तख्त पर बैठे हैं। छाया को देखते ही वह कुछ स्तम्भित से हुए; किन्तु तुरंत ही आदर का भाव प्रदर्शित करते हुए उठे—आओ बेटी! कैसे आई हो; आओ बैठो।

छाया को ससुर से इस सद्व्यवहार की आशा न थी। वह उनके इस व्यवहार पर बड़ी प्रसन्न हुई। किन्तु उसकी समझ में न आता था कि वह प्रमोद के विषय में कैसे पूछे। इसी पसोपेश में वह कुछ देर तक चुपचाप खड़ी रही। अंत में अपने सारे साहस को समेटकर उसने पूछा—वह कहाँ हैं?

'किसे, प्रमोद को पूछती हो? वह तो इधरा कल शाम से ही नहीं आया, पर हाँ, वह प्राय: मिस्टर साहब के यहाँ बैठा करता है। तुम ठहरो, मैं उसे बुलवाये देता हूँ—चन्द्रभूषण ने उत्तर दिया।

उधर प्रमोद की माँ दरवाजे की आड़ से खड़ी-खड़ी छाया को निहार रही थी और मन ही मन सोच रही थी—कैसी चाँद-सी है। चाल-ढाल से भी कुलीन घर की बहू-बेटियों से कुछ अधिक ही जँचेगी, कम नहीं। बातचीत का ढंग कितना अच्छा है। स्वर कितना कोमल ओर मधुर है। चूल्हे में जाय वह समाज जिसके कारण मैं इस हीरे के टुकड़े को अपने घर में अपनी आँखों के सामने नहीं रख सकती।

छाया फिर बोली—आप उन्हें न बुलवाकर मुझे ही न वहाँ पहुँचवा दें?

अच्छी बात है—कहके चन्द्रभूषण अपने एक विश्वासपात्र नौकर के साथ छाया को मिस्टर अग्रवाल के घर भेजकर भीतर आये; पत्नी से कहा—वह लड़की जिसके साथ तुम्हारे बेटे ने ब्याह किया है आज आई थी।'

पत्नी ने तिरस्कार के स्वर में कहा—वह बेचारी तो उपत के तुम्हारे दरवाजे तक आई और तुमसे इतना भी न बन पड़ा कि उसे घर के भीतर तक लिवा लायें?

चन्द्रभूषण सिर खुजाने लगे, बोल—वाह! मैंने तो तुम्हारे ही डर के मारे नहीं बुलाया; नहीं तो बुलाने को क्या हुआ था, अपनी ही तो बहू है!

फिर वह उठकर भीतर गये। आलमारी से कही कंगन की जोड़ी, जो उस दिन उन्होंने खरीदी थी, लाकर पत्नी के सामने घर दी; बोले —लो, अब जब आवे तो उसे यह कंगन पहिना देना।

सुमित्रा ने चकित दृष्टि से एक बार कंगन और एक बार पति की ओर देखा, फिर न्प्यार किन्तु तिरस्कार-सूचक स्वर में बोली—मेरे लिए तो ऐसा कंगन कभी न लाये थे; अपनी बहू के लिए कैसे चुपचाप खरीद लाये, किसी को मालूम भी न होने पाया!

'अरे तो ऐसे कंगनों के लिए कलाई भी तो वैसी ही चाहिए', कहते-कहते चन्द्रभूण बाहर चले गये। कंगन उठाकर सुमित्रा ने रख लिये ओर उसी दिन से फिर छाया की बाट जोहने लगी।

छाया ने मिस्टर अग्रवाल के घर पहुँचकर देखा, प्रमोद ताश के खेल में तल्लीन

हैं। वहाँ पर कई युवक और युवतियाँ थीं। प्रमोद सबसे हँस-हँसकर बातें कर रहे थे। वहाँ पर मिस्टर अग्रवाल की कन्या शान्ता को छोड़कर छाया किसी को पहचानती न थी। शान्ता से छाया का परिचय भी प्रमोद ने ही करवाया था। शान्ता प्रमोद की बाल-सहेली थी और वह उसका बहुत आदर करते थे, किन्तु आज प्रमोद का शान्ता के पास इस तरह बैठे रह जाना और छाया की उपेक्षा करना छाया को बड़ा कष्टकर जान पड़ा। वह सोचने लगी यहाँ न आती तो अच्छा होता।

वह बैठ न सकी। दस मिनट चुपचाप खड़ी देखती रही। अन्त में शान्ता की नज़र उस पर पड़ी। उसने उठकर छाया के साथ बैठाला। प्रमोद को छाया का इस प्रकार, उसकी खोज में ही सही, उसके मित्रों के घर तक पहुँचना अच्छा न लगा। उन्होंने वहीं सबके सामने उसे डाँट दिया। वह सिर से पैर तक जल उठे। कुछ देर वहाँ बैठकर फिर वह अपने घर आये। घर पहुँचकर उन्होंने छाया को खूब आड़े हाथों लिया। जो कुछ जी में आया वह क्रोधावेश में कहते गये।

क्रोध में न मनुष्य में बुद्धि रह जाती है और न विवेक। प्रमोद ने भी जो कुछ कहना था वह भी कहा और जो कुछ न कहना था वह भी कहा। अन्त में उन्होंने यहाँ तक कह डाला—तुम अपने परिवार की चाल क्यों छोड़ सकोगी, गली-गली घूमोगी नहीं तो काम कैसे चलेगा? तुम तो मालूम होता है, वही करोगी जो तुम्हारी माँ आज तक कर रही है।

छाया कट-सी गई है। अपमान उसके चेहरे पर तड़प उठा, किन्तु वह कुछ नहीं बोली। वह जानती थी कि कुछ बोलकर अपना अहित छोड़कर वह हित नहीं कर सकती। अन्त तक अपने इस कार्य के लिए वह विनम्र भाव से प्रमोद से क्षमा माँगती रही और इस बात का आश्वासन देती रही अब उससे ऐसी भूल कभी न होगी।

किन्तु प्रमोद अपने को शांत न कर सके, वह उन्मत्त की तरह कभी टहलते और कभी चुपचाप लेट जाते। अन्त में कुछ देर तक इधर-उधर टहल कर वह छाया से बोले—छाया, मैं तो मिस्टर अग्रवाल के घर जा रहा हूँ; वहाँ मुझे कुछ शन्ति मिलती है। शान्ता के पास पहुँचकर मैं एक प्रकार के सुख और शीतलता का अनुभव करता हूँ। वहाँ मैं सारी दुश्चिन्ताओं से क्षण भर के लिए अपने आपको मुक्त पाता हूँ। वहाँ मैं सारी दुश्चिन्ताओं से क्षण भर के लिए अपने आपको मुक्त पाता हूँ। वहाँ मैं जितनी अधिक रहूँ रहने दिया करो। तुम्हारे पास मुझे सिवा ग्लानि और क्षोभ के कुछ नहीं मिलता। तुम्हारे पास मैं शन्ति नहीं किन्तु अशन्ति ही अधिक पाता हूँ, शीतलता नहीं मुझे जलन ही होती है। और सच तो यह है छाया, कि अब मैं तुमसे घृणा करने लगा हूँ। तुम्हारी माँ के घर की दासी का आना-जाना मैं संदेह की दृष्टि से देखता हूँ। मुझे तुम्हारे ऊपर विश्वास नहीं रह गया है। अब तुम मेरे पीछे मत पड़ो। तुम्हें स्वतंत्र

किये देता हूँ। तुम चाहो तो अपनी माँ के जाकर सुख से रह सकती हो। मैंने तो तुम्हारे साथ इतने दिन तक रहकर भर पाया; बस अब और अधिक मुझे अपने साथ रहने के लिए विवश मत करो। रोने-धोने का मुझ पर कोई असर नहीं होता। जहाँ मैं थोड़ी शान्ति पाता हूँ वहाँ जाने दो।—कहते हुए प्रमोद बाहर चले गये।

छाया वहीं धरती पर लोटकर फूट-फूटकर रोने लगी। आज उसे मालूम हुआ कि वह कितनी असहाय, कितनी विवश और कितनी दुर्बल है। संसार उसे शून्य-सा होता हुआ जान पड़ा। उसे ऐसा लगता था कि जैसे उसका सर्वस्व कोई बरबस उससे छीने लिये जाता है। वह चीख पड़ी और रोते-रोते बेहोश हो गई। पड़ोस की कुछ स्त्रियों ने आकर उसके मुँह पर पानी के छींटे दिये, छाया उठ बैठी। उस दिन वह भोजन न कर सकी। इस प्रकार विवाह की पहिली वर्षगाँठ सम्पन्न हुई।

प्रमोद बहुत रात गए जब घर लौटे छाया तब तक न सोई थी। वह अब भी रो रही थी। छाया की अवस्था पर प्रमोद को दया आ गई और उन्हीं की ओर से इस संग्राम की संधि का प्रस्ताव पेश हुआ। सुलह हुई और दोनों ने साथ भोजन किया। रात अच्छी कटी किन्तु सबेरे से फिर 'वही रफ्तार बेढंगी जो पहिले थी सो अब भी है' आरम्भ हो गई। प्रमोद फिर कुछ तेज बातें कह के चल दिये और छाया रोती हुई गई।

राजरानी अपनी पुत्री की दुरवस्था के विषय में प्रतिदिन सुना करती थी। उसने फिर अन्तिम शस्त्र फेंका, दासी कहला भेजा—अभी भी कुछ बिगड़ा नहीं है। छाया चाहे तो आकर मेरे साथ सुख से रह सकती है; यह इतनी बड़ी कोठी और लाखों की सम्पत्ति उसी की है। वह इतना कष्ट क्यों झेल रही है; अभी उसकी माँ तो जीवित है इतना तो सोचे।

छाया ने उसके उत्तर में माँ को कहला भेजा—मेरी नसों में सीता और सावित्री का खून दौड़ रहा है। मैं आर्य महिला हूँ, मैं अपने पति के चरणों को छोड़कर नहीं जा सकती। सीता और सावित्री का महान आदर्श मुझसे कहता है कि पति ही मेरा परमेश्वर है, पति को छोड़कर स्त्री की कहीं दूसरी जगह गति नहीं हो सकती। उनसे कहना कि मेरी माँ तो मर चुकी। मैं उन्हें अपनी माँ नहीं समझती; मेरी माँ होती तो मेरी तरह पवित्र जीवन बिताती।

इस उत्तर से राजरानी के स्वाभिमान को धक्का-सा लगा। उसने सोचा अभी और ठोकरें खाने के बाद उसकी अक्ल ठिकाने आवेगी, तब अपने आप चली आवेगी।

जैसे ही दासी घर से बाहर निकली प्रमोद ने घर में प्रवेश किया। वह सिर से पैर तक जल उठे। घर के अन्दर जाते ही उन्होंने बेकसूर ही सारा क्रोध छाया पर उतार

दिया। छाया के प्रत्येक छोटे-छोटे कार्य को भी अब वह सन्देह की दृष्टि से देखते थे।

उन्हें उसके ऊपर विश्वास न रह गया था। उसकी हरएक भावभंगी में उन्हें क्रोध छल, कुछ धोखा दृष्टिगोचर होता था। उन्होंने दासी के आने का कारण पूछा और छाया के सच-सच कह देने पर भी वह विश्वास न कर सके। क्रोध में उन्मत्त-से हो रहे थे, क्रोध के साथ बोले—छाया तुम जाओ, जाओ अपनी माँ के साथ रहो; पिंड छोड़ दो, तुम्हारे साथ रहने से मुझे कष्ट भर होता है और कुछ नहीं। मैं अपने आप तो तुम्हें छोड़ नहीं सकता। तुम अपने आप ही अपनी माँ के पास चली जाओ तो मेरे ऊपर किसी प्रकार की जिम्मेदारी न रह जायगी। मेरा कहना मानो, मुझे इस बंधन से मुक्त कर दो छाया! तुम भी सुख से रह सकोगी; मैं भी सुख से रहूँगा।

छाया यह बातें चुपचाप सुन रही थी। उसकी आँखों सें आँसू बहते जाते थे। उसने हिचकियों के साथ कहा—प्रमोद तुम बंधन से मुक्त होना चाहते हो तो मैं कर दूँगी।

व्यंग्य और उपेक्षा ही हँसी के साथ प्रमोद ने कहा—हाँ यही चाहता हूँ छाया! मुझे बंधन से मुक्त कर दो। जिस दिन तुम मेरी इतनी बात मान लोगी मुझे बड़ी शन्ति मिलेगी।

शाम को घर लौटकर प्रमोद ने देखा, छाया अपने जीवन की अन्तिम साँसें ले रही थी। उसकी आँखें कदाचित् एक बार प्रमोद को देख लेने की ही प्रतीक्षा में खुली थीं। प्रमोद के आते ही एक हिचकी के साथ उसकी आँखें सदा के लिए बन्द हो गई। प्रमोद पागलों की तरह छाया की लाश पर गिर पड़े।

आज भी प्रमोद नन्हीं-सी पोटली जिसमें, छाया का चित्र और उसका अन्तिम पत्र है, बड़ी सावधानी से हृदय से लगाये हुए नगर के सुनसान स्थानों में या खँडहरों में देखे जाते हैं। वह न कभी किसी से बोलते हैं और न किसी की बात का उत्तर देते हैं। हाँ, अपने आप ही वह कभी-कभी एक विचित्र प्रकार की आवाज से कुछ कहते हैं जिसको बस वही समझते है और कोई नहीं।

गौरी

शाम को, गोधूलि की बेला, कुली के सिर पर सामान रखवाये, जब बाबू राधाकृष्ण अपने घर आये, तब उनके भारी-भारी पैरों की चाल, और चेहरे के भाव से ही कुन्तो ने जान लिया कि काम वहाँ भी नही बना। कुली के सिर पर से बिस्तर उतरवाकर, बाब राधाकृष्ण ने उसे कुछ पैसे दिये। कुली सलाम करके चला गया और वे पास ही पड़ी एक आराम कुरसी पर, जिसके स्प्रिंग खुलकर कुछ ढीले होने के कारण इधर-उधर फैल गये थे, गिर-से पड़े। उनके इस प्रकार बैठने से कुछ स्प्रिंग आपस में टकराये, जिससे एक प्रकार की झन-झन की आवाज़ हुई। पास ही बैठे कुत्ते ने कान उठाकर इधर-उधर देखा, फिर भों-भों करके भूँक उठा। इसी समय उनकी पत्नी कुन्ती ने कमरे में प्रवेश किया। काम की सफलता या असफलता के बारे में कुछ भी न पूछकर कुन्ती ने नम्र स्वर में कहा—चलो हाथ-मुँह धो लो, चाय तैयार है।

चाय, राधाकृष्ण चौंक से पड़े—चाय के लिए तो मैंने नहीं कहा था।

'नहीं कहा था तो क्या हुआ, पी लो, चलकर', कुन्ती ने आग्रहपूर्वक कहा।

'अच्छा चलो', कहते हुए राधाकृष्ण पत्नी के पीछे-पीछे चले गये।

गौरी, अपराधिनी की भाँति, माता-पिता दोनों की दृष्टि से बचती हुई, पिता के लिए चाय तैयार कर रही थी। उसे ऐसा लग रहा था कि पिता की सारी कठिनाइयों की जड़ वही है। न वह होती और न पिता को उसके विवाह की चिन्ता में, इस प्रकार स्थान-स्थान घूमना पड़ता। वह मुँह खोलकर किस प्रकार कह दे कि उसके विवाह के लिए इतनी अधिक परेशानी उठाने की आवश्यकता नहीं। माता-पिता चाहे जिसके साथ उसकी शादी कर दें, वह सुखी रहेगी। न करें तो भी वह सुखी है। जब विवाह के लिए उसे जरा भी चिन्ता नहीं, तब माता-पिता इतने परेशान क्यों रहते हैं—गौरी यही न समझ पाती थी। कभी-कभी वह सोचती—क्या मैं माता-पिता को इतनी भारी हो गई हूँ? रात-दिन सिवा विवाह के उन्हें और कुछ सूझता नहीं। अब आत्मग्लानि और क्षोभ से गौरी का रोम-रोम व्यथित हो उठता। उसे ऐसा लगता कि धरती फटे और वह समा जाय, किन्तु ऐसा कभी न हुआ।

गौरी—वह गौरी जो पूनों के चाँद की तरह बढ़ना भर जानती थी, घटने का जिसके पास कोई साधन न था—बाबू राधाकृष्ण के लिए चिन्ता की सामग्री हो गई थी। गौरी उनकी एकमात्र सन्तान थी। उसका विवाह वे योग्य वर के साथ करना चाहते थे—यही सबसे बड़ी कठिनाई थी। योग्य पात्र का मूल्य चुकाने लायक पास यथेष्ट सम्पत्ति न थी। यही कारण था कि गौरी का यह उन्नीसवाँ साल चल रहा था। फिर भी वे कन्या के हाथ पीले न कर सके थे। गौरी ही उनकी अकेली सन्तान थी। छुटपन से ही उसको बड़ा लाड़-प्यार हुआ था। प्रायः उसकी उचित-अनुचित सभी हठ पूरी हुआ करती थीं। इसी कारण गौरी का स्वभाव निर्भीक, दृढ़-निश्चयी और हठीला था। वह एक बार जिस बात को सोच-समझकर कह दे, फिर उस बात से उसे कोई हटा न सकता था। पिता की परेशानियों को देखते हुए अनेक बार उसके जी में आया कि वह पिता से साफ़-साफ़ पूछे कि आखिरी वे उसके विवाह के लिए चिन्तित क्यों हैं! वह स्वयं तो विवाह को इतना आवश्कय नहीं समझती। और अगर पिता विवाह को इतना अधिक आवश्यक नहीं समझती। और अगर पिता विवाह को इतना महत्व देते हैं, तो फिर पात्र और कुपात्र क्या? विवाह करना है कर दें, किसी के भी साथ, वह हर हालत में सुखी और सन्तुष्ट रहेगी। उनकी यह परेशानी इतनी चिन्ता अब उससे सही नहीं जाती। किन्तु संकोच और लज्जा उसकी जबान पर ताला-सा डाल देते। हजार बार निश्चय करके भी वह पिता से यह बात न कह सकी।

पिता को आते देख, गौरी चुपके से दूसरे कमरे में चली गई। राधाकृष्ण बाबू ने जैसे बेमन से हाथ-मुँह धोया और पास ही रखी हुई एक कुरसी पर बैठ गये। वहीं एक मेज पर कुन्ती ने चाय और कुछ नमकीन पूरियाँ पति के सामने रख दीं। पूरियों की तरफ़ राधाकृष्ण ने देखा भी नहीं। चाय का प्याला उठाकर पीने लगे।

ऐसी कन्या को जन्म देकर, जिसके लिये वर ही न मिलता हो, कुन्ती स्वयं ही जैसे अपराधिनी हो रही थी। कुन्ती ने डरते-डरते पूछा—जहाँ गये थे क्या वहाँ भी कुछ ठीक नहीं हुआ?

—ठीक! ठीक होने का वहाँ धरा ही क्या है,—चाय का घूँट गले से नीचे उतारते हुए बाबू राधाकृष्ण ने कहा—सब हमीं लोगों पर है। विवाह करना चाहें तो सब ठीका है, न करना चाहें तो कुछ भी ठीक नहीं है।

कुन्ती ने उत्सुकता से पूछा—फिर क्या बात है? लड़के को देखा?

—हाँ, देखा, अच्छी तरह देखा! हुँः! कह राधाकृष्ण फिर चाय पीने लगे।

कुन्ती की समझ में यह पहेली न आई, उसने कहा—जरा समझाकर कहो। तुम्हारी बात तो समझ में ही नहीं आती।

राधाकृष्ण—समझाकर कहता हूँ, सुनो। वह लड़का—लड़का नहीं आदमी—तुम्हारी गौरी के साथ मामूली चपरासी की तरह दिखेगा। बोलो करोगी ब्याह?

कुन्ती—विवाह की बात तो पीछे होगी! क्या रूप-रंग खराब है? फोटो में तो वैसा नहीं जान पड़ता।

राधाकृष्ण—रूप-रंग नहीं, रहन-सहन बहुत खराब है। इतनी सिधाई भी तो अच्छी नहीं होता कि जिसके पीछे आदमी आदमी न दिखे। और फिर उमर भी तो अधिक है, पैंतीस-छत्तीस साल। साथ ही दो बच्चे भी हैं। उन्हीं बच्चों को सम्हालने के लिए तो वे विवाह करना चाहते हैं, नहीं तो शायद न करते। उनकी दूसरी शादी है। उनकी उमंगे, उनका उत्साह ठंडा पड़ गया है। वे अपने बच्चों के लिए एक धाय चाहते हैं, पर मेरी लड़की की तो दूसरी शादी नहीं है। और फिर वह तो साफ-साफ कहते हैं कि मैं केवल बच्चों के लिए विवाह करना चाहता हूँ।

कुन्ती ने कहा—जिन्हें दूसरी शादी करनी होती है वे सब बच्चों के ही बहाने तो शादी करते हैं, नहीं तो यह कहें कि अपने लिये करते हैं?

राधाकृष्ण—अरे नहीं-नहीं, वह आदमी कपटी नहीं है। उसके भीतर कुछ और बाहर कुछ हो ही नहीं सकता। हृदय तो उसका दर्पण की तरह साफ़ है। पर उसकी खादी का कुरता, गांधी-टोपी, फटे-फटे चप्पल देखकर जी हिचकता है। वह कहीं नेता बनकर व्याख्यान देने लायक तो है, पर किसी के घर दूल्हा बनकर जाने लायक नहीं है। इसके अलावा तीस रुपये कुल उनकी तनखाह है, कांग्रेस दफ्तर में सेक्रेटरी का काम करते हैं। तीन बार जेल जा चुके हैं। किस दिन चले जाते हैं, कुछ ठिकाना नहीं।

कुन्ती—आदमी तो बुरा नहीं जान पड़ता।

राधाकृष्ण—बुरा आदमी तो मैं भी नहीं कहता उसे, पर वह गौरी का पति होने लायक़ नहीं है। सच बात यह है।

कुन्ती—फिर तुमने क्या यह दिया?

राधाकृष्ण—क्या कह देता? उन्हें बुला आया हूँ। अगले इतवार को आवेंगे, जिसमें तुम भी उन्हें देख लो। और वह आने के लिए भी तो बड़ी मुश्किल से तैयार हुए। कहने लगे—नहीं साहब! मैं लड़की देखने न आऊँगा। इस तरह लड़की देखकर मुझसे किसी लड़की का अपमान नहीं किया जाता। फिर जब मैंने उन्हें समझाकर कहा कि आप लड़की को देखेंगे, लड़की और उसकी माँ आपको देख लेंगी, तब कहीं बड़ी मुश्किल से राज़ी हुए।

गौरी दरवाज़े की आड़ में खड़ी सब बातें सुन रही थी। जिस व्यक्ति के प्रति उसके पिता इतने असंतुष्ट और उदासीन थे, उसके प्रति गौरी के हृदय में अनजाने ही

कुछ श्रद्धा के भाव जाग्रत हो गये। राधाकृष्ण बाबू पान का बीड़ा उठाकर अपनी बैठक में चले गये। और उसी रात फिर उन्होंने अपने कुछ मित्रों और रिश्तेदारों को गौरी के लिए योग्य वर तलाशने को कई पत्र लिखे।

अगला इतवार आया। आज ही बाबू सीतारामजी, गौरी को देखने या अपने आपको दिखलाने आवेंगे। राधाकृष्ण ने यह पहले से ही कह रखा कि किसी बाहरवाले कुछ न मालूम पड़े कि कोई गौरी को देखने आया है। अतएव यह बात कुछ गुप्त रखी गई है। घर की भीतर आँगन में ही उनके बैठने का प्रबन्ध किया गया है। तीन-चार कुर्सियों के बीच में एक मेज़ है, जिस पर एक साफ धुला हुआ खादी का कपड़ा बिछा दिया गया है। और एक गिलास में आँगन के ही गुलाब के कुछ फूलों को तोड़कर, गुलदस्ते का स्वरूप दिया गया है। बहुत ही साधारण-सा आयोजन है। सीतारामजी सरीखे व्यक्ति के लिए किसी विशेष आडम्बर की आवश्यकता भी तो न थीं।

यथा समय बाबू सीतारामजी अपने दोनों बच्चों के साथ आये। बच्चे भी वही खादी के कुरते और हाफपेन्ट पहने थे। न जूता न मोजा, न किसी प्रकार का ठाटबाट। पर दोनों बड़े प्रसन्न, हँसमुख, आकर घर में वे इस प्रकार खेलने लगे जैसे इस घर से वे चिरपरिचित हों। कुन्ती एक तरफ़ बैठी थी। बच्चों के कोलाहल से परिपूर्ण घर उसे क्षण भर के लिए नन्दनकानन-सा जान पड़ा। उसने मन ही मन सोचा—कितने अच्छे हैं। यदि बिना किसी प्रकार का सम्बन्ध हुए भी सीतारामजी इन बच्चों के सम्हालने का भार उसे सौंप दें, तो वह खुशी-खुशी ले ले। वह बच्चों के खेल में इतनी तन्मय हो गई कि क्षण भर के लिए भूल बैठी कि सीतारामजी भी बैठे हैं, और उनसे भी कुछ बातचीत करनी है। इसी समय अचानक छोटे बच्चे को जैसे कुछ याद आ गया हो। दौड़कर पिता के पास आया। उनके पैरों के बीच खड़ा होकर बोला—बाबू, तुम तो कैते थे कि माँ को दिकाने ले चलते हैं। माँ कआँ है, बतलाओ?

बाबू ने किंचित हँसकर कहा—ये माँजी बैठी हैं, इनसे कहो, यही तुम्हें दिखायेंगी।

बालक ने मचलकरर कहा—ऊँ हूँ तुमू दिकाओ। और इसी समय एक बड़ी-सी सफेद बिल्ली आँगन से होते हुई भीतर को भाग गई। बच्चे बिल्ली के पीछे सब कुछ सुनकर, दौड़ते हुए अन्दर पहुँच गये। गौरी पिछले बरामदे में चुपचाप खड़ी थी। वह न जाने किस खयाल में थी। तब तक छोटे बच्चे ने उसका आँचल पकड़कर खींचते हुए कहा—क्या तुम अमारी माँ हो?

गौरी ने देखा हृष्ट-पुष्ट सुन्दर-सा बालक, कितना भोला, कितना निश्छल।

उसने बालक को गोद में उठाकर कहा—हाँ।

बच्चे ने फिर उसी स्वर में पूछा—अमारे घर चलोगी न? बाबू तो तुम्हें लेने आये हैं औल हम भी आये हैं।

अब तो गौरी उसकी बातों का उत्तर न दे सकी। पूछा—मिठाई खाओगे?

'हाँ खायँगे', दोनों ने एक ही साथ एक स्वर से उत्तर दिया।

कुछ क्षण बाद कुन्ती ने अन्दर देखा कि छोटा बच्चा गौरी की गोद में और बड़ा उसी के पास बैठा मिठाई खा रहा है। एक निःश्वास के साथ कुन्ती बाहर चली गयी और थोड़ी बाद ज्योंही गौरी ऊपर आँख उठाई, उसने माता-पिता दोनों को सामने खड़ा पाया। पिता ने स्नेह के स्वर में पुत्री से कहा—बेटा ज़रा चलो, चलती हो न?

गौरी ने कोई उत्तर न दिया। उसने बच्चों का हाथ-मुँह धुलाया, उन्हें पानी पिलाया, फिर भी माँ के पीछे-पीछे बाहर चली गयी। बच्चे अब भी उसी को घेरे हुए थे। वे उसे छोड़ना नहीं चाहते थे। बड़ी मुश्किल से सीतारामजी उन्हें बुलाकर कुछ देर तक अपने पास बिठा सके, किन्तु ज़रा-सा मौका पाते ही वे फिर जाकर गौरी के आसपास बैठ गये। पिता के विरुद्ध कुछ देर तक अपने पास बिठा सके, किन्तु ज़रा-सा मौका पाते ही वे फिर जाकर गौरी के आसपास बैठ गये। पिता के विरुद्ध उन्हें कुछ नालिशें भी दायर करनी थीं, जो पिता के पास बैठकर न कर सकते थे।

छोटे ने कहा—बाबू हमें कबी खिलौने नहीं ले देते।

बड़े ने कहा — मिठाई भी तो कभी नहीं खिलाते।

छोटा बोला—औल अमें छोड़कर दफतर जाते हैं, दिन भर नईं आते, बाबू अच्छे नईं हैं।

बड़ा बोला—माँ तुम चलो, नहीं तो हम भी यहीं रहेंगे।

बच्चों की बातों से सभी को हँसी आ रही थी। कुन्ती ने बच्चों का कहा—सो तुम दोनों भाई यहीं रह जाओ, बाबू को जाने दो, है न ठीक?

काफ़ी देर हो गयी यह देखकर सीतारामजी ने कहा—समय बहुत हो चुका है, अब चलूँगा, नहीं तो शाम की ट्रेन न मिल सकेगी। फिर राधाकृष्ण की तरफ़ देखकर कहा—आप लोगों से मिलकर बड़ी प्रसन्नता हुई। लड़की तो आपकी सक्षात् लक्ष्मी है। और यह मैं जानता था कि आपकी लड़की ऐसी ही होगी, इसीलिए देखने को आना नहीं चाहता था। फिर कुछ ठहरकर बोले—और सच बात तो यह है कि मुझे पत्नी की उतनी जरूरत नहीं, जितना इन बच्चों को जरूरत है एक माँ की। मेरा क्या ठिकाना? आज बाहर हूँ तो कल जेल में। मेरे बाद इनकी देखरेख करने वाला कोई नहीं रहता। यही सोच-समझकर विवाह करने को तैयार हो सका हूँ, अन्यथा इस

उमर में विवाह ? कहकर वे स्वयं हँस पड़े ?

राधाकृष्ण ने मन-ही-मन सोचा—तो मेरी लड़की इनके बच्चों की धाय बनकर जायगी। कुन्ती ने सोचा—कोई भी स्त्री ऐसे बच्चों का लालन-पालन कर अपना जीवन सार्थक बा सकती है। गौरी ने मन-ही-मन इस महापुरुष के चरणों में प्रणाम किया और बच्चों की ओर ममता-भरी दृष्टि से देखा। जैसे यह दृष्टि कह रही थी कि किसी विलासी युवक की पत्नी बनने से अधिक मैं इन भोले-भोले बच्चों की माँ बनना पसन्द करूँगी। सीतारामजी को जाने के लिए प्रस्तुत देखा बच्चे फिर गौरी से लिपट गये। यदि राधाकृष्ण झूठ ही सही, एक बार भी कहते कि बच्चों को छोड़ जाओ तो सीतारामजी बच्चों को छोड़कर निश्चिन्त होकर चले जाते। परन्तु इस ओर से जब ऐसी कोई बात न हुई तो बच्चों को सिनेमा, सरकस और मिठाई का प्रलोभन देकर बड़ी कठिनाई से गौरी से अलग करके वे ले जा सके। जाते समय सीतारामजी को पक्का विश्वास था कि विवाह होगा, केवल तारीख निश्चित करने भर की देर है।

सीतारामजी उस पत्र को प्रतीक्षा में थे जिसमें विवाह की निश्चित तारीख लिखकर आनेवाली थी। देश की परिस्थिति, गवर्नमेंट का रुख, और महात्माजी के वक्तव्यों को पढ़कर, वे जानते थे कि निकट भविष्य में फिर सत्याग्रह-संग्राम छिड़नेवाला है। न जाने किस दिन उन्हें फिर जेल का मेहमान बनना पड़े। पिछली बार जब गये थे तब उनकी बूढ़ी बुआ थीं, पर अब तो वे भी नहीं रहीं। यह कहारिन क्या बच्चों की देखभाल कर सकेगी ? बच्चों की उन्हें बड़ी चिन्ता थी। और बच्चे भी सदा ही माँ-माँ की रट लगाये रहते थे। उन्होंने फिर एक पत्र बाबू राधाकृष्ण की शीघ्र ही तारीख निश्चित करने के लिए लिख भेजा। उधर राधाकृष्ण दूसरी ही बात तै कर रहे थे। उन्होने सीतारामजी के पत्र के उत्तर में लिख भेजा कि गौरी की माँ पुराने खयाल की हैं। वे बिना जन्मपत्री मिलवाये विवाह नहीं करनी चाहतीं, अतएव आप अपनी जन्मपत्री भेज दें। पत्र पढ़ने के साथ ही सीतारामजी को यह समझने में देरी न लगी कि यह विवाह न करने का केवल बहाना मात्र है, किन्तु फिर भी उन्होंने जन्मपत्री भेज दी। जन्मपत्री भेजने के कुछ ही दिन बाद उत्तर भी आ गया कि जन्मपत्री नहीं मिलती, इसलिए विवाह न हो सकेगा। क्षमा कीजिएगा।

बाबू राधाकृष्ण को गौरी के लिए दूसरा वर मिल गया था, जो उनकी समझ में गौरी के बहुत योग्य था। धनवान ये भी अधिक न थे, पर अभी-अभी नायब तहसीलदार के पद पर नियुक्त हुए थे, आगे और भी उन्नति की आशा थी। बी० ए० पास थे। देखने में अधिक सुन्दर न थे। बदशकल भी कहे जा सकते थे, पर पुरुषों

की भी कहीं सुन्दरता देखी जाती है? उमर कुछ अधिक न थी, यही 24-25 साल। लेन-देन का झगड़ा यहाँ भी न था। पहली शादी थी और माँ-बाप, भाई-बहन से भरा-पूरा परिवार था। राधाकृष्णजी इससे अधिक और चाहते ही क्या थे। ईश्वर को उन्होंने कोटिशः धन्यवाद दिये, जिसकी कृपा से ऐसा अच्छा वर उन्हें गौरी के लिए मिल गया।

विवाह आगामी आषाढ़ में होना निश्चित हुआ। दोनों तरफ से विवाह की तैयारी हो रही थी। राधाकृष्णजी की यही तो एक लड़की थी। वे बड़ी तन्मयता के साथ गहने-कपड़ो का चुनाव करते थे। सोचते थे—देर में शादी हुई तो क्या हुआ? वर भी तो कितना अच्छा ढूँढ़ निकाला है। कुन्ती भी बहुत खुश थी। उसकी आँखों में वह दृश्य झूलने लगता था कि उसका दामाद छोटा साहब हो गया है, बेटी-दामाद छोटे-छोटे बच्चों के साथ उससे मिलने आये हैं। किन्तु बच्चों की बात सोचते ही उसे सीतारामजी के दोनों बच्चे तुरंत याद आ जाते और याद आ जाती उनकी बात। बच्चों की देख-रेख करने वाला कोई नहीं है। फिर वह सोचती—ऊँह, दुनिया में और भी तो लड़कियाँ हैं। कर लें शादी, क्या मेरी गौरी ही है। उस प्रकार पति-पत्नी दोनों ही प्रसन्न थे, पर गौरी से कौन पूछता कि उसके हृदय में कैसी हलचल मची रहती है। रह-रहकर उसे उन बच्चों का भोला-भाला मुँह और मीठी-मीठी बातें याद आ जातीं और साथ ही याद आ जाते विनथी, नम्र और सादगी की प्रतिमा सीतारामजी। उनकी याद आते ही श्रद्धा से गौरी का माथा अपने आप ही झुक जाता। देशभक्त त्यागी वीरों के लिए उसके हृदय में बड़ा सम्मान था। सीतारामजी ने भी तो देश के अपने जीवन का उत्सर्ग कर दिया है। नहीं तो बी० ए० पास करने के बाद क्या प्रयत्न करने पर उन्हें भी नायब तहसीलदारी न मिल जाती? मिलती क्यों नहीं? पर सीतारामजी सरकार की गुलामी पसन्द करते तब न ? दूसरी ओर थे उसके होने वाले वर—नायब तहसीलदार साहब, जिन्हें अपने आराम, अपने ऐश के लिए, ब्रिटिश गवर्नमेंट के जरा से इंगित मात्र पर निरीह देशवासियों के गले पर छुरी फेरने में जरा भी संकोच या हिचक नहीं। जिनके सामने कुछ चाँदी के टुकड़े फेंक दिये जाते हैं और वह दुम हिलाते हुए, निंद्य-से-निंद्य कर्म करने में भी किंचित् लज्जित नहीं होते। घृणा से गौरी का जी भर जाता किन्तु उसके इन मनोभावों को जाननेवाला यहाँ कोई भी न था। वह रात-दिन एक प्रकार की अव्यक्त पीड़ा से विकल-सी रहती। बहुत चाहती थी कि अपनी माँ से कह दे कि वह नायब तहसीलदार से शादी न करेगी, किन्तु लज्जा उसे कुछ भी न कहने देती। ज्यों-ज्यों विवाह की तिथि नज़दीक आती, गौरी की चिन्ता बढ़ती ही जाती थी।

विवाह की निश्चित तारीख से पन्द्रह दिन पहले एक दिन एकाएक तार आया

कि नायब तहसीलदार साहब के पिता का देहान्त हो गया। इस मृत्यु के कारण विवाह साल भर को टल गया। गौरी के माता-पिता बड़े दुःखी हुए किन्तु गौरी के सिर पर से जैसे चिन्ता का पहाड़-सा हट गया।

इसी बीच सत्याग्रह आन्दोलन की लहर सारे देश भर में बड़ी तीव्र गति से फैल गई। शहर-शहर में गिरफ्तारियों का ताँता-सा लग गया। रोज़ ही न जाने कितने गिरफ्तार होते, कितनों की सज़ा होती। कहीं लाठी चार्ज! कहीं 144! सरकार की दमन की चक्की बड़े भंयकर रूप से चल रही थी। गौरी को चिन्ता थी उन बच्चों की। जब से सत्याग्रह-संग्राम छिड़ा था, तभी से उसे फ़िकर थी कि न जाने कब सीतारामजी गिरफ्तारी हो जायें। और फिर वे बच्चे बेचारे—उन्हें कौन देखेगा। रोज़ का अखबार ध्यान से पढ़ती और कानपुर का समाचार तो और भी ध्यान से देखती थी। और इसी प्रकार उसने एक दिन पढ़ा कि राजद्रोह के अपराध में सीतारामजी गिरफ्तार हो गयें। और उन्हें एक साल का सपिरश्रम कारावास हुआ था। इस समाचार को पढ़कर गौरी कुछ क्षण तक स्तब्ध-सी खड़ी रही फिर कुछ सोचती हुई टहलने लगी। कुछ ही देर बाद उसने अपना कर्तव्य निश्चित कर लिया। वह माँ के पास गई। माँ कोई पुस्तक देख रही थी। उसने अपने सारे साहस को समेटकर दृढ़ता से कहा—माँ, मैं कानपुर जाऊँगी।

'कानपुर में क्या है?' आश्चर्य से कुन्ती से पूछा।

गौरी—वहाँ बच्चे हैं।

माँ ने उसी स्वर में कहा—बच्चे? कैसी बात करती हो, गौरी, पागलों की-सी?

गौरी—नहीं माँ, मैं पागल नहीं हूँ। बच्चों को तुम भी जानती हो। उनके पिता को राजद्रोह के मामले में साल भर की सज़ा हो गई। बच्चे छोटे हैं। मैं जाऊँगी माँ। मुझे जाना ही पड़ेगा।

गौरी के स्वभाव से कुन्ती भली-भाँति परिचित थी। वह जानती थी कि गौरी जिस बात की हठ पकड़ती है, कभी छोड़ती नहीं। अतएव सहसा वह गौरी का विरोध न कर सका, बोली—पर तेरे बाबूजी तो बाहर गये हैं, उन्हें तो आ जाने दे।

पर गौरी ने दृढ़ता के साथ कहा—बाबूजी के आने तक नहीं ठहर सकूँगी माँ। मुझे जाने दो। रास्ते में मुझे कुछ कष्ट न होगा। अब मैं काफी बड़ी हो गयी हूँ।

और उसी दिन शाम को एक नौकर के साथ गौरी कानपुर चली गयी।

साल भर बाद —

अपनी सज़ा पूरी करके सीतारामजी पर लौटे। इस साल भर के भीतर उन्होंने

एक बार भी बच्चों को न देखा था। उन्हें कायदे के अनुसार हर महीने उनका कुशल-समाचार मिल जाता था, पर लगातार उन्हें बच्चों की चिन्ता बनी ही रहती थी। जिस कहारिन के भरोसे वे बच्चों को छोड़ गये थे, उसके भी तीन-चार बच्चे थे। वह बच्चों को कैसे रखेगी, सो सीतारामजी जानते थे पर विवशता थी क्या करते। सबेरे-सबेरे छः बजे ही जेल से मुक्त कर दिये गये। एक ताँगे पर बैठकर वे घर की ओर चले। जेब में कुछ पैसे थे। एक जगह गरम-गरम जलेबियाँ बन रही थीं। बच्चों के लिए थोड़ी-सी खरीद लीं। घर के दरवाज़े पर पहुँचे। दरवाज़ा खुला था। घर के अन्दर पैर रखने में हृदय धड़कता था। न जाने बच्चे किस हालत में हो। वे चोरों की तरह चुपके-चुपके घर में घुसे। परन्तु यह क्या ? आँगन में पहुँचते ही वे ठगे-से खड़े रह गये। फिर ज़रा आगे बढ़कर उन्होंने कहा —आप?

गौरी ने झुककर उनकी पद-धूलि माथे से लगा ली।

रूपा

असमय की घंटी ने सभी को बेचैन-सा कर दिया। अभी आध घंटा भी नहीं हुआ, मैट्रन जेल बन्द करके गयी है। फिर तुरन्त ही यह घंटी कैसे? जेल-जीवन से घबराई हुई बहनों ने सोचा---शायद उनकी ही रिहाई का फरमान आया हो। जिनके मुलाकाती बहुत दिनों से न आये थे, जिन्होंने अन्दाज लगाया शायद उनसे कोई मिलने आया है। जिन्हें किसी तरह के सामान की प्रतीक्षा थी उन्होंने समझा---उनका सामान ही आया होगा।

मेरी तीन साल की बेटी ममता दौड़ती हुई आई, और मेरे गले से लिपटकर बोली---अम्माँ उठो चलो? घंटी बजी है। फाटक खुलेगा। आज तो हम लोग भी छूटनेवाले हैं।

मैं अच्छी तरह जानती थी कि उसकी आशा कितनी निराधार है किन्तु फिर भी उसका मन रखने के लिए उसके साथ फाटक की ओर चल पड़ी।

जमादारिन जल्दी-जल्दी अपना पल्ला सम्हालतमी हुई आई; ताला खोलकर उसने फाटक खोल दिया। असिस्टेंट जेलर के साथ एक चौबीस-पच्चीस साल की स्त्री अन्दर आई और एक तरफ़ चुपचाप खड़ी हो गई। उसके साफ कपड़े और गंभीर मुद्रा से बहुत-सी बहनों ने अंदाज लगाया कि यह भी शायद राजबंदिनी है। जेलर ने जमादारिन को बुलाया और धीरे-धीरे समझाकर चला गया।

जमादारिन ताला बन्द करके अन्दर आई। अपनी हाथ की छड़ी से उस नयी आई हुई स्त्री को मारती हुई बोली---चल हरामजादी! बच्चे को मारना ही था तो उसे पैदा क्यों किया था।

मार से वह स्त्री तिलमिला-सी उठी किन्तु फिर भी जमादारिन के आगे-आगे, जल्दी-जल्दी चल दी। शायद इस डर से कि कहीं दूसरा प्रहार भी न हो जावे। परन्तु जमादारिनों को इतने ही से संतोष देते कैसे हो जाता? उसने और भी जोर से मारते हुए और अश्लील गालियाँ देते हुए कहा---आँख दिखाती है रंडी! देख तो नम्बरदारिन, उधेड़ ले चमड़ी राँड की ओर गुनहखाने में बन्द कर दे।

अब मुझसे न सहा गया। मैंने कहा—जमादारिन, मैट्रन ऐसा करे तो करे पर तुम बाल-बच्चेवाली स्त्री ठहरीं, तुम किसी पर बिना जाने क्यों हाथ उठाती हो।

जमादारिन का स्वर उसी समय बदल गया। उसने मुझे देखा ही न था; नहीं तो शायद इस बेरहमी से न मारती। बोली—आप नहीं जानतीं बहनजी, यह खूनी औरत है अपने बच्चे को मार डाला है इसने ।

मैंने कहा—उसके अपराध की सजा तो कानून में छोटी सज़ा से लेकर फाँसी तक की हो सकती है। तुम्हारा काम तो उसे अपनी देख-रेख में बन्द रखना भर है। तुम वही करो। सज़ा का काम देनेवालों पर छोड़ दो।

वह गुनहखाने मे बन्द कर दी गयी। सब लोग अपने-अपने में लग गये मगर मुझे उस औरत की याद न भूली। मैं उस गुनहखाने की तरफ गयी। लकड़ी का दरवाजा खुला था। वह छड़ के दरवाजे में बन्द था। मैं अंदर आँगन में गयी तो देखा—वह औरत अभी उसी प्रकार बैठी थी, रोटी और दाल उसने छुई भी न थी। मैंने उससे पूछा—तुमने खाया क्यों नहीं? खाना खा लो।

उसने मेरी तरफ़ देखा। फिर उसकी आँखों में आँसू भर आये। मेरा जी भर आया। मैंने कहा—तुम रोना मत, नहीं तो मैं तुम्हारे साथ रोऊँगी। पर तुम खाना खा लो, फिर मुझसे बतलाओ कि तुम क्यों पकड़कर लायी गयी हो। क्या सचमुच तुमने...पर विश्वास नहीं होता कि कोई माँ अपने बच्चे को मार सकती है।

अब वह फूटी पड़ी। रोते-रोते बोली—कोई माँ मारे चाहे न मारे, पर मैंने तो अपनी बच्ची को मार डाला है बहनजी! यह बात सच है।

— कैसे? मैंने आश्चर्य से पूछा।

— कैसा मारा, क्या बताऊँ...और वह फूट-फूटकर रोने लगी। मैं उसके पास बड़ी देर तक खड़ी रही। बहुत बार उससे खाने को कहा पर उसने न तो खाया और न यही बतलाया कि उसने अपने बच्चे को क्यों और कैसे मारा। मैंने सोचा, इसके पास से जाऊँ तो शायद यह खाना खा ले और कुछ आराम भी कर ले। मैं अपने ओटे* पर आकर लेट गयी और वहाँ कुछ देर तक पड़ी रही। एकाएक फाटक की घण्टी बजी और फाटक खुला। मैंने देखा कि दो स्त्रियाँ को कहीं लिये जा रही हैं। पास ही खड़ी कैदिन से मैंने पूछा— रूपा को कहाँ लिये जा रहे हैं ये लोग?

वह धीरे-से बोली—खूनी औरत है न, इसलिए फाँसी वार्ड में ले जा रहे हैं।

रूपा चली गयी। पर मुझे उसका रोना, उसकी विषादभरी आँखे, उसका चेहरा भूलता न था। मन कहता था कि हत्यारिन नहीं है, पर आँखो के सामने वह फाँसी वार्ड में गयी, हत्या के जुर्म में पकड़कर आयी, फिर अविश्वास के लिए कहाँ जगह

*मट्टी का खाट के बराबर चबूतरा जिस पर कैदी होते हैं।

थी।

धीरे-धीरे मैं रूपा को भूल चली थी कि एक दिन अखबार में के एक समाचार ने उस याद को ताज़ा कर दिया। समाचार था—गाँव में रूपा नाम की स्त्री अपनी छः साल की बच्ची को लेकर कुएँ में कूद पड़ी—खबर होते ही गाँववाले आ गये और माँ-बेटी को कुएँ से निकाला। बच्ची तो मर चुकी थी लेकिन रूपा को कोई हानि न पहुँची थी और बच्ची की हत्या करने के अपराध में पकड़कर जबलपुर सेण्ट्रल जेल में लायी गयी। बच्ची को लेकर वह कुएँ में क्यों कूदी इसका कारण अज्ञात है।

मैंने अखबार पढ़ा और जान गयी कि वही हत्यारिन रूपा है। मेरे रहते-ही-रहते दो महीने बाद एक रोज आजन्म कारावास का दंड लेकर रूपा फिर जेल में आ गयी। दयालु मजिस्ट्रेट ने उसे फाँसी न देकर आजन्म कारावास की सज़ा दी थी।

रूपा सब स्त्रियों के साथ जेल का काम करती मगर चेहरे पर विषाद की छाया बन ही रहती। एक दिन मैं बीमार पड़ी और रूपा मेरे पास सेवा-शुश्रूषा के लिए भेजी गयी। मैं करीब-करीब दो महीने बीमार रही। अस्पताल में मैं अकेली अपनी बच्ची के साथ रहती थी। रूपा दिन-रात मेरे पास रहती। मेरी बच्ची को वह बहुत ज्यादा प्यार करने लगी थी। बच्ची भी उसे घड़ी भर न छोड़ती थी। आश्चर्य तो यह था कि मेरी बच्ची साफ-साफ बोल न पाती थी, फिर भी रूपा उसकी सब बातें समझ लेती थी। एक दिन किसी ने बच्ची ममता को साफ ने बोलने के लिए चिढ़ा दिया था और बेचारी बहुत उदास होकर सो गयी थी। इसी चिंता में मुझे भी नींद न आ रही थी। जेल में बच्चा और था। उसको जेल की निवासिनी बहने बहुत प्यार से रखतीं, उससे न बोलता, उसे प्यार न करता, यहाँ तक कि खेलने के लिए सुन्दर-सुन्दर खिलौने, फल, मिठाई उस बच्चे को दिये जाते और ममता खड़ी-खड़ी, टुक-टुकर देखा करती और फिर रोती हुई दौड़कर मेरे पास आती और कहती— अम्माँ! भाभी ने बाबा को तस्वीरें की किताब दी है, मिठाई दी है। अम्माँ, मुझे भी तसवीर की किताब मँगा दो।

जेल में वह चीज़ें मैं कैसे उसी समय मँगाकर दे सकती थी। कम-से-कम मेरे साथ तो जेल में यही होता था कि एक चीज़ पन्द्रह दिन पहले कहने पर मिलती थी। ऐसी बातें प्रायः हो जाया करती थीं और इन्हीं कारणों से मैं बहुत दुःखी रहा करती थी। उस दिन भी ऐसा ही कोई कारण था और मैं सो न सकी थी। रूपा मेरे पास आयी। बोली—हाथ-पैर दबा दूँ बहनजी? आपको नींद नहीं आती।

मेरे बहुत रोकने पर भी रूपा मेरे पैर दबाने लगी। मैंने उसका हाथ पकड़कर अपने पास बिठा लिया और कहा—रूपा आज तुम मुझे बताओ कि तुम बच्ची को लेकर कुएँ में क्यों कूदी थीं?

वह बैठ गयी। इसके चेहरे का विषाद कुछ गहरा हो गया, बोली — बहनजी! मेरी गोपा इसी तरह थी जैसी आपकी ममता है। आपने बम्बई जाकर सैकड़ों रुपये खर्च करके ममता का मुँह ठीक करवा लिया है, पर मेरे पास रुपया कहाँ से आता। गोपा का बाप कहता था—खूब रुपया कमाकर अपनी गोपा को बम्बई ले जाकर आपरेशन कर देंगे, तब सब ठीक हो जायगा। और इसलिए, खूब रुपया कमाने के लिए वह लड़ाई पर चला गया। तब से उसकी कोई खबर नहीं मिली। इधर मैं अकेली और गोपा ज़रा-सी, जहाँ मेहनत-मजदूरी की जाती वहीं बच्चे और कभी बड़े-बड़े लोग तक गोपा को साफ़ न बोलने पर चिढ़ाया करते। लड़की चिढ़ती, दिन भर रोती और मैं किसका मुँह पकड़ती। बिना मेहनत-मजदूरी के काम न चलता और जहाँ जाती वहीं यह बात होती। जिस दिन मैं कुएँ में कूदी थी, उसके एक दिन पहले में एक जगह मजदूरी के लिए गयी थी। ऊपर मैं कुछ काम कर रही थी और वहीं जीने पर गोपा एक लकड़ी लिये बैठा थी। नीचे मुहल्ले भर के दस-बारह लड़के-लड़कियाँ उसे चिढ़ा रहे थे। वह कभी इसे, कभी उसे मारने दौड़ती, पर वह थे दस-बारह और गोपा अकेली। मैंने देखा। मुझे बड़ा क्रोध आ गया। गोपा को मैंने गोद में उठा लिया और पास ही जो लड़का उसकी चोटी खींच रहा था, उसे हल्के-सचे पीठ पर मार दिया। बस फिर इसी बात को लेकर उन लोगों से कहा-सुनी हो गयी। अब मुझे काम भी न मिलता। पैसों की तंगी होने लगी। इधर बच्चे गोपा को और ज्यादा चिढ़ाकर तंग करने लगे। सोचा गोपा अभी छोटी है, समझती कम है, जब बड़ी होगी तब गोपा को कितना बुरा लगेगा, मेरी गोपा दु:खी हो जाया करेगी और कहीं मैं मर गयी तो...फिर बहनजी! मेरें मरने के बाद गोपा की जो दुर्दशा होगी उसे सोचकर हो गयी और उस दुर्दशा तक गोपा न पहुँच सके, इसलिए...

आगे वह कुछ न कह सकी। पास ही पड़ी हुई ममता को मैंने और पास खींचकर छाती से लगा लिया। मेरी छाया मुझसे बात कर रही थी।

ताँगे वाला

गर्मी की लम्बी छुट्टियाँ प्रारम्भ हो चुकी थीं। मेरे कुछ मित्रों ने इस गर्मी की छुट्टी में कश्मीर जाना तय किया था और इस प्रस्ताव का सबसे अधिक समर्थन हुआ था मेरे द्वारा! हम लोग जाने की पूरी तैयार भी कर चुकी थे कि अचानक यात्रा के दो दिन पहले मेरे मित्र रामकृष्ण का एक आवश्यक पत्र आ पहुँचा। इस पत्र के अनुसार मुझे अपनी काश्मीर-यात्रा स्थगित करनी पड़ी। मैं अपने मित्र से मिलने उसके गाँव की ओर चल पड़ा।

जिस स्टेशन पर उतरना था, गाड़ी वहाँ एक बजे दिन को पहुँची। चिल-चिलाती धूप, लू की लपट और कच्ची सड़क की धूल! मुझे गाँव तक जाने का साहस न हुआ। मैंने सोचा—शाम का जाना ही ठीक होगा। ताँगेवाले कम थे और उतरनेवाले तो बहुत थोड़े। ताँगेवाले सवारी लेकर चल पड़े। खाली ताँगेवाले भी चलने का उपक्रम कर रहे थे कि एक अच्छा-सा ताँगा-घोड़ा देखकर मैंने बुलाया। ताँगेवाले ने आकर सलाम किया। मैंने कहा—देखो भाई, मुझे...गाँव जाना है पर मैं अभी धूप में न जाऊँगा। शाम को पाँच बजे के करीब जाऊँगा। तुम ठहरोगे?

—हाँ हुजूर, ठहरूँगा?

—किराया क्या होगा?

—हुजूर, आप तो कुछ खुशी दे दें।

—तेइस मील है हुजूर? आप दूसरों से पूछ लीजिए, पाँच रुपये पूरे ताँगे के होते हैं, फिर चाहे एक सवारी ही चाहे तीन।

—पर मैं तो इतना न दूँगा।

—इसीलिए तो मैंने कहा कि आप खुशी से जो कुछ दे दीजिए हुजूर —ताँगेवाले ने कहा। मैं उसे कुछ पैसे देकर वेडिंगरूम में चला गया।

शाम को छः बजे हम लोग खा-पीकर और खाने का कुछ सामान साथ रखकर गाँव की ओर रवाना हुए। वैसे ही ताँगेवाला कहता था कि वह तेईस मील दो घण्टे में खुशी से ले जा सकता है, पर स्टेशन से आगे दो मील के बाद से ही कच्ची सड़क

प्रारम्भ हो जाती है, इसलिए देर लगेगी। मोटे हिसाब से हम चार घंटे बाद गाँव पहुँचेंगें। स्टेशन की सीमा पार करते ही किसानों के साफ-सुथरे, लिपे-पुते छोटे-छोटे घर और हरे-भरे खेत बड़े ही सुहावने पड़े। सात भी न बज पाये थे कि पूर्णचन्द्र ने सहस्रों घड़े दूध पृथ्वी पर उँड़ेल दिया। दिन की लू अब ठण्डी हवा में परिवर्तित हो चुकी थी।

हम इस सुहावने दृश्य को पारकर मैदान में पहुँचे। अब रास्ते दोनों और खाली मैदान था। दूर पर एक-आध पेड़ निर्जन में ऐसा खड़ा था जैसे किसी की प्रतीक्षा कर रहा हो। मैंने सोचा चाँदनी रात की वह आभा एक साथी के अभाव में उतनी सुखदायी न हो सकेगी जितनी होनी चाहिए। मैंने ताँगेवाले से पूछा, जो धीरे-धीरे कुछ गुनगुना रहा था—कितने मील आ चुके हैं हम लोग?

—अभी हुजूर, कुल सात मील हो तो आये हैं। और फिर वह ज़रा ज़ोर से गा उठा—

हम फिर से वतन अपना स्वाधीन बना लेंगे

मैंने ज़रा सतर्क होकर ताँगेवाला की ओर देखा। खद्दर का कुरता और गांधी टोपी उसके सिर पर थी। मैंने सोचा, इसीलिए तो यह स्वाधीनता के गीत गाता है! मैंने ताँगेवाला से पूछा—कितने दिनों से ताँगा हाँकते हो ताँगेवाले?

—हुजूर कोई पाँच साल हुए। किसी की नौकरी करने से यह अच्छा है। तबियत हुई जोता, न तबियत हुई बैठे रहे। किसी की ताबेदारी नहीं। अपने मन का राज है।

सामने चलकर नदी थी। नदी का पुल पार करते ही ताँगेवाले ने ताँगा रोक दिया। बोला—हुजूर, यहाँ ज़रा आराम कर लीजिए। नदी का पानी बहुत साफ़ और मीठा है। कहते हुए कि सन् सत्तावन के गदर में तात्या टोपे दुश्मनों की सेना की चीरते हुए यहीं से नदी के पार चला गया था।

तात्या टोपे? मैंने मन में सोचा, इसे इतिहास का भी कुछ ज्ञान है।

ताँगेवाला फिर बोला—हाँ हुजूर, तात्या टोपे नदी के पार जाना चाहता था। फिरंगियों की सेना ने उसे चारों तरफ से घेर लिया था। फिर भी हुजूर वह इतना तेज, इतना फुर्तीला था कि चार-पाँच बड़े-बड़े फिरंगी अफसरों के सामने से निकल गया अपनी सेना समेत और उसका कोई कुछ भी न कर सका।

मुझे ताँगेवाले के मुँह से इतिहास की यह कहानी बड़ी ही रोचक लगी। मैं जानना चाहता था कि आखिर इस ताँगेवाले के मन में क्या है? मैंने पूछा, 'फिर क्या हुआ?' और मैं ताँगे से उतरकर उसके पीछे-पीछें चला।

वह बोला—सन् सत्तावन के गदर में अगर हिन्दुस्तानियों में एक होता तो पाँसा

ही पलट जाता। पर तक़दीर और फूट जो न कराये सो थोड़ा! मौलवी अहमदशाह और तात्या टोपे सरीखे देशभक्त वीरों को भी हमीं में से धोखेबाज़ लोगों ने धोखा देकर दुश्मनों के हवाले कर दिया। खून खौल उठता है हुजूर यह बात सोचकर!

मैंने पूछा—तुम पढ़े-लिखे हो?

ताँगेवाला उत्साह के साथ बोला—बहुत कम हुजूर! हिन्दी अच्छी तरह पढ़-लिख लेता हूँ। अँग्रेजी भी थोड़ी जानता हूँ। पर हुजूर, जब से सत्तावन के गदर का इतिहास पढ़ा, और फिरंगी कैसे आये और कैसे फैल गये सारे हिन्दुस्तान में यह जाना, तब से हुजूर, बदले की भावना से रात-दिन जलता रहता हूँ। सरकारी नौकरी इसीलिए नहीं की। मेरा बाप डी० सी० की अर्दली में था। मुझे वह जगह मिल रही थी। मैंने ठोकर मार दी। माँ-बाप नाराज हो गये। मैंने घर ही छोड़ दिया और तब से यहाँ हूँ। यह ताँगा चलाता हूँ। पर ताँगे पर भी किसी साले फिरंगी को बैठालकर ताँगा न हाँकूँगा।

—क्यों? फिरंगी को न बैठालने की कसम क्यों खा ली है?

—सारे हिन्दुस्तान में गदर के समय इन फिरंगियों ने क्या कम जुल्म किये हैं? गाँव-के-गाँव जला दिये, औरतों को बेइज्जत किया, निरपराध लोगों को तोपों के मुँह से बाँधकर उड़ा दिया। फिर सन् सत्तावन की दूर की बात जाने दीजिए। अभी कल की बात है। पंजाब में उन्होंने क्या कम किया है? जलियाँवाले बाग को कौन भूल जायगा? घाव ताजा है हुजूर! इन फिरंगियों को देखते ही उस पर नमक पड़ जाता है। इसीलिए मैंने कसम खायी है, इन्हें ताँगे पर कभी न बिठाऊँगा। मेरा मन इनसे बदला लेने के लिए बार-बार उमड़ता है।

इतने में हम नदी किनारे पहुँच गये। मैं एक चट्टान पर बैठ गया। पास ही एक दूसरी चट्टान पर ताँगेवाला खड़ा था। उसने लौटा भर पानी लाकर मेरे पास रखा।

मैंने कहा—नहीं जी ताँगेवाले, मैं तो नदी पर ही हाथ-मुँह धोऊँगा। पर हाँ, तुम्हारे विचार तो क्रान्तिकारियों के-से हैं। तुम्हारा नाम क्या है? किसी क्रान्तिकारी को जानते हो?

—मेरा नाम हुजूर; रामदास है। किसी क्रान्तिकारी को जानता नहीं। नाम सुने हैं, उन लोगों के जीवन चरित्र पढ़े हैं। पर उन लोगों में भी मुखबिर बननेवालों की कमी नहीं हुजूर, नहीं तो उन लोगों ने भी अब तक कुछ कर लिया होता। महात्मा गांधी के सत्याग्रह आंदोलन में भी बहुत दिनों तक शरीर रहा हूँ। दो बार जेल भी हो आया हूँ हुजूर, पर तबियत नहीं मानती। मेरे अन्दर से तो जैसे कोई पुकार उठता है, 'गदर!' सन् सत्तावन का सीन फिर एक बार दुहराया जाय। इन फिरंगियों से कसकर बदला लिया जाय, तभी हमारा और हमारे देश का उद्धार होगा।

मैंने कहा — हम निहत्थे कैसे बदला ले सकते हैं रामदास? सन् सत्तावन की बात ही ओर थी! तब हमारे पास हथियार थे। अब तो हम लोग बिलकुल पंगु कर दिये गये हैं।

—हुजूर, यही बात है—ताँगेवाला बोला—हमने जबान खोली हमारे ही भाई-बन्धु हमें गिरफ्तार करने पहुँचे। हमारे ही में से हमें सजा सुनानेवाले आये। हमीं में से हम पर गहरा रखने लगे। अगर ये ही सब एकमत होकर एक साथ काम करें तो हुजूर हथियार उठाने का भी काम नहीं। हमारा स्वराज्य हमारी मुट्ठी में जानिए। लेकिन दस अगर सच्चे जी से काम करने को तैयार रहें तो बीस धोखा देने को तैयार रहेंगे। अगर हिन्दुस्तानियों में एका ही होता तो क्या मुट्ठी भर विदेशी हम पर शासन कर सकते?

ताँगेवालें ने एक दीर्घ साँस ली और हम दोनों उठकर नदी में हाथ-मुँह धोने लगे। इसी समय बड़े ही करुण स्वर में किसी के गाने की आवाज आयी—

हम गरीबों का खुदा
नींद में सोया होगा।
हम गरीबों का...

थोड़ी देर बाद वह जिधर से गाने की आवाज आयी थी उधर से बिलख-बिलख कर रोने की आवाज़ आने लगी। मैं चौंककर देखने लगा। ताँगेवाले ने बतलाया, हुजूर यह एक पगली है। कभी-कभी इधर दिख जाती और अकसर रात के समय गाती है। कभी रोती है, कभी हँसती है। कहते हैं, सन् सत्तावन के गदर के समय सम्राट बहादुरशाह को जब कैद किया था और उनके शाहजादो को मार डाला था तब उनके महल से कुछ बेगमें कीमती जेवर इत्यादि छीन लेने के बाद दर-दर फिरने के लिए छोड़ दी गयी थी। यह पगली उन्हीं में से कोई है। फटे कपड़े, पर इस गरीबों में भी हुजूर, उसकी चाल-चितवन, बातचीत सब शाही ढंग का है। वह मामूली औरत नहीं जान पड़ती।

मैंने ताँगेवाले से कहा—तुम उस स्त्री को बुलाओ, मैं उससे बातें करूँगा।

ताँगेवाला बोला—वह किसी से नहीं बोलती हुजूर, न किसी की तरफ देखती है। कहाँ रहती है, क्या खाती-पीती है कोई नहीं जानता। कभी-कभी यहीं नदी किनारे दिख जाती है। न जाने कितने वर्षों से, इसी तरह गाती है, रोती है, हँसती है पर आज कोई उससे नहीं कर सका है।

मैं आश्चर्य में था। खैर, खाना खाकर हाथ-मुँह धोकर हम लोग फिर ताँगे पर आये। ताँगेवाला कितनी बातें मुझे बतला चला। शुरू-शुरू में ताँगे पर बैठकर मैंने

एक साथी के अभाव का अनुभव किया था किन्तु ये तेईस मील कब खत्म हो गये मैं जान भी न पाया। गाँव में पहुँचकर जब ताँगेवाले ने मुझसे पूछा—यह गाँव है, किसके मकान पर चलना है? तब मैंने जाना कि तेईस मील की यात्रा समाप्त हो गयी।

कल्याणी

विवाह के बाद नव-वधू को लेकर जब बैरिस्टर राधारमण घर लौटे रहे थे, तब रास्ते में ही एक रेलवे दुर्घटना हो गई। कई बराती घायल हो गये और दो का तो घटनास्थल पर ही अन्त हो गया। मरने वाला एक 'लॉ' का विद्यार्थी था और दूसरे थे स्वयं राधामरण। मृत्यु से कुछ क्षण पहले एकाएक राधामरण ने आँखे खोलकर चारों तरफ देखा। पास ही बैठे हुए अपने मित्र जयकृष्ण से कहा—कल्याणी को तुम्हें सौंपता हूँ। यह चाहे तो इसका विवाह भी कर देना। इसे कोई कष्ट न होने पाये। अधिक वह कुछ न बोल सके और उनका प्राणान्त हो गया।

घायल बरातियों के साथ-साथ वर-वधू कल्याणी को लेकर जयकृष्ण घर आए। दो दिन पहले कल्याणी के सौभाग्य पर बहुतों को ईर्ष्या हुई थी। आज घर-घर में उसके दुर्भाग्य की चर्चा थी। उसका मुँह देखता तो दूर, सौभाग्यवती स्त्रियाँ उसकी छाया से भी डरती थीं। वे सोचती—यह स्त्री कितनी अभागी है कि उसके परिवार में तो यह कोई था ही नहीं, विवाह का कंगन भी न छूट पाया था और वैधव्य मुँह बाये उसे निगल जाने को खड़ा हो गया। नहीं तो क्या उसी दिन, उसी ट्रेन में ही रेलवे दुर्घटना होने को थी? जो कुछ भी हो, घर-घर बड़ी-बूढ़ी स्त्रियों में यही चर्चा थी कि यह अपने सत्यानाशी पैरों से जिस घर में जागयी, उसी घर में कोई दिया जलाने भी न रह जायगा।

धीरे-धीरे यह बात जयकृष्ण की पत्नी मालती ने भी सुना। पति और सन्तान के लिए हिन्दू नारी क्या नहीं कर सकती। उनके कल्याण के लिए अपना तन-मन सभी कुछ निछावर कर सकती है—प्रसन्नता से। और जिस बात में उनके किंचित् मात्र भी अहित की शंका होती है वह काम हिन्दू-नारी कभी कर ही नहीं सकती। मालती का जी अन्दर-ही-अन्दर घबरा उठा। वह क्या करे? उसे तो अभागिनी कल्याणी पर भी दया आती थी। किन्तु जिस दिन जयकृष्ण का जरा सिर दुखता था, बच्ची उपमा जरा भी अनमनी हो जाती, उस दिन ऐसा जान पड़ता जैसे कल्याण का दुर्भाग्य मुँह खोले उसे भी निगल जाने को दौड़ता आ रहा है।

पर उपमा की अपनी यह चाची कल्याणी, बहुत अच्छी लगती थी। कल्याणी के आने के बाद से उपमा सदा उसी के पास रहती-खेलती, उसी के हाथ से नहाती और दूध पीती। रात में से जाने के बाद ही मालती उसे ले जा सकती थी। वह बालिका जागते में अपनी चाची को छोड़ना ही न चाहती थी।

मालती को यह बात पसन्द नहीं थी। वह नहीं चाहती थी कि उपमा उससे इतनी हिल जाय। दबी ज़बान से उसने कई बार पति से कहा—कल्याणी को कहीं भेज दो; किसी की जवान विधवा आज छः-छः महीने से अपने घर में है, लोग क्या कहते होंगे? और जयकृष्ण सदा हँसी में टाल देते—तुम क्यों घबराती हो? कहने वाले मुझे हो तो कहेंगे, विधवा जवान हो या बूढ़ी? तुम्हें तो कोई कुछ भी न कहेगा। किन्तु जिस बात से मालती सबसे अधिक डरती थी, वह बात जयकृष्ण से कभी न कह सकी। वह कैसे कहे कि वह भी इन बूढ़ियों की बात पर विश्वास करती है। उसे रात-दिन अपने पति और बच्ची के अमंगल की आशंका बनी रहती।

धीरे-धीरे सात महीने बीत गये और जयकृष्ण कुछ भी निश्चय न कर सके कि वे कल्याणी के लिए क्या करें। एक दिन नगर के किसी प्रतिष्ठत व्यक्ति के मर जाने से आफ़िस बन्द हो गया और वे समय से बहुत पहले घर आ गये। नीचे कोई न था। ऊपर उपमा की आवाज़ आ रही थी। सोचा सब लोग ऊपर होंगे। ऊपर गये। सीढ़ियों पर चढ़ते ही देखा—कल्याणी नहाकर बाल सुखा रही है। खूब लम्बे, घने काले, केशों के बीच गोर-गोरा मुँह बिलकुल चाँद-सा लग रहा था। बड़ी-बड़ी आँखों में एक विशेष प्रकार का आर्कषण था। ऐसा सौन्दर्य तो जयकृष्ण ने कभी देखा ही न था। अंग-प्रत्यंग से यौवन जैसे फूटा-सा पड़ता था। क्षण भर निहारने का लोभ जयकृष्ण संवरण न कर सके। और तभी कलयाण की नज़र जयकृष्ण पर पड़ी। उसने सिर ढँक लिया। लज्जा की लाली उसके चेहरे पर दौड़ गई। उसका सौंन्दर्य दूना हो गया।

इधर जयकृष्ण का अधीर मन बेक़ाबू-सा हो चला। वे अब सीढ़ियों से ऊपर जाकर कुरसी पर बैठ गये। कल्याणी से बोले—मुझे तुमसे कुछ बात करनी है कल्याणी।

कल्याणी भरी जा रही थी। वह नहीं चाहती कि जयकृष्ण उससे ऐसे समय कोई भी बात करें, जब मालती घर में नहीं है। बात चाहे कुछ भी न हो, पर मालती को सन्देह जरूर होगा—यह कल्याणी जानती थी। वह इसलिए चुप थी। पर जयकृष्ण फिर बोले, उनकी आवाज़ भारी और स्वर काँप रहा था—कल्याणी! मृत्यु के समय राधारमण तुम्हें मेरे हाथों सौंप गये है। मेरा कर्तव्य तुम्हें सुखी बनाना है। किन्तु सखु का मार्ग तुम्हें ही निश्चित करना पड़ेगा।

कल्याणी ने आँख उठाकर जयकृष्ण की तरफ देखा, किन्तु देख न सकी।

उनकी आँखों में उसने जो कुछ देखा उसे अच्छी तरह न जान सकी कि क्या था। किन्तु उस दृष्टि में कुछ था जिससे कल्याणी सिहर उठी। एक प्रकार की बिजली-सी उसके सारे शरीर में दौड़ गई। यह उसका पहला अनुभव था।

कल्याणी ने कहा—आप जो ठीक समझें, करें, मैं कुछ नहीं जानती। अच्छा होता कि आप बहनजी के आने पर मुझसे बातें करते। वे सुशीला बहिनजी के घर गई हैं।

—अच्छा, उनके आने पर ही मैं बात करूँग कल्याणी, कहते हुए जयकृष्ण बाहर चले गये।

मालती को यह बात मालूम होगी, नहीं तो स्वयं कल्याणी कह देगी। किन्तु अगर आते ही उपमा ने कह दिया कि बाबू चाची के पास ऊपर बैठे थे तो तुरन्त ही एक तूफान खड़ा हो जायगा। इसलिए कल्याणी उसे कहानी कहकर बहलाने लगी। कन्ल्याणी को लेकर कभी घर में तूफान खड़ा हो जाता, तब उसका जी चाहता था कि धरती फटे और वह समा जाय। वह नहीं चाहती थी कि उनके सुखमय जीवन में यह विषाद का कारण बने। इसलिए वह सबसे छिपी-छिपी रहती थी। उसके अस्तित्व का ही किसी को पता न लगे वह यही चाहती थी। अभागिनी नारी! जिसे परमात्मा ने सौन्दर्य देते इतनी उदारता दिखलाई थी, उसके भाग्य में सुख का शायद एक भी क्षण न लिखा था।

सुशीला के यहाँ मालती को बहुत-सी बातें सुनने को मिलीं। सुशीला की सास ने यहाँ तक कहा—दुलहिन! तुम्हें तो अभी अच्छा लगता होगा, सहेली मिल गई है, पर वह कुलच्छनी है! तुम्हारा घर भी चपेट कर देगी! उस छूत को निकाल बारह करो।

मालती निश्चय करके लौटी थी कि आज वह जयकृष्ण से जरूर कहेगी कि अब वह कल्याणी को अपने घर में न रख सकेगी। बहुत दिन रह चुकी है। लौटते ही उसने देखा कि जयकृष्ण कमरे में लेटे अखबार पढ़ रहे है। उसने अन्दर आकर घंटी की बटन दबा दी। उपमा सो गई थी। कल्याणी नीचे आई। मालती ने उसे चाय तैयार करने को कहा। सोचा चाय पीने के बाद कहूँगी, किन्तु रहा न गया। दफ्तर में पहुँची। जयकृष्ण ने अखबार रख दिया। पत्नी का वह बहुत आदर करते थे। मालती पास जाकर बैठ गई, बोली—मैं अभी सुशीला के घर गई थी। सब लोग इस बात से बहुत असंतुष्ट हैं कि हम लोग कल्याणी को अअपने घर में रखे हैं। वे लोग कहते कि उसे कहीं और भेज देना चाहिए।

जयकृष्ण की भृकुटी टेढ़ी हो गई। उन्होंने कहा—तो जाकर उसे हाथ पकड़कर निकाल दो। उनके स्वर में कुछ रूखापन था। उन्होंने करवट बदल ली। मालती चुपचाप चली गई। उसने सोचा जान पड़ता है कि यह जीवन भर के लिये यहाँ आई है।

कल्याणी चाय तैयार कहरे, चाय को मेज पर सजाकर ऊपर चली गई। चाय पीते-पीते जयकृष्ण ने पत्नी से कहा—जिसे ईश्वर ने ही कष्ट देने में कोई कसर नहीं की, उसे हम और क्या कष्ट दें? मरते समय राधारमण उसे मेरे हाथों सौंप गये हैं। कुछ दिन और जाने दो। एक साल के बाद वह जो चाहेगी वही कर देंगे। पढ़ना चाहती तो वहाँ भेज-दूँगा। चाहेगी तो उसका पुनर्विवाह भी कर सकते हैं। पर वह मुझे या तुम्हारी बच्ची को खा नहीं सकती। बेफिक्र रहो। लोग बकते हैं, बकने दो। दुनिया में हर किसी को प्रसन्न रखने की कोशिश करनेवाला किसी को भी प्रसन्न नहीं रख सकता।

मालती बोली—मैं यह नहीं कहती कि उसे आज ही कहीं भेज दों। पर पन्द्रह दिन बाद मुझे माँ माँ के घर जाना पड़ेगा। मेरी भतीजी का ब्याह है। तो क्या कल्याणी यहाँ अकेली रहेगी?

जयकृष्ण—अकेली क्यों रहेगी, उसे भी साथ ले जाना!

मालती—साथ कैसे ले जाऊँगी? सुगन-साइत के दिन लड़की पर इसकी छाया पड़ी तो? लोग तो बड़ी-बूढ़ी विधवा को भी छाया से हलदी-चढ़ी लड़की को बचाते हैं! फिर जान न पहिचान ऐसी स्त्री को जबरदस्ती उनका मेहमान क्यों बनाऊ? उन्हें अच्छा न लगे तो?

जयकृष्ण खीझकर बोले-तो फिर कल्याणी यहीं रहेगी। बुधिया की माँ को दिनभर रहने को कह देना। उसे कुछ और पैसे दे दिये जायेंगे।

न चाहते हुए भी आखिर एक दिन कल्याणी को घर में अकेली छोड़कर, मालती को जाना ही पड़ा। जाते समय बुधिया की माँ को उसने बहुत अच्छी तरह समझा दिया था कि बाबूजी को खाना वही परसेगी। कल्याणी से भी कह दिया था कि वह बाबूजी से जैसा परदा करती है, वैसे ही करती रहे और बुधिया की माँ रात-दिन यहीं रहेगी। मालती चली गयी।

अब जयकृष्ण प्राय: देर से जाते और जल्दी लौट आते। कभी-कभी वे दफ्तर जाते ही नहीं—यह बात ध्यान देकर कल्याणी ने देखी। बुधिया की माँ, जो चौकींदारी पर नियुक्त थी, कुछ समझ ही न सकी। वह पहले ही दिन खाना परोसने गई थी। जयकृष्ण की एक डाँट लगते ही लौटकर बोली—बहू, तुम्हीं परोसो, मुझसे न बनेगा। बाबूजी खुंसात हैं।

कल्याणी को खाना परसकर खिलाना ही तो पड़ा है। यही तो जयकृष्ण चाहते थे। खाना खाते-खाते जयकृष्ण बोले—तुमने अपने भविष्य के विषय में क्या निश्चित किया है? कुछ कहोगी?

कल्याणी संकोच के साथ बोली—मैं क्या निश्चय करने लायक हूँ? मुझे

दुनिया का अनुभव ही क्या है। गाँव में विधवा मौसी के साथ रहती थी। एक दिन वहीं सुना कि मेरा विवाह होनेवाला है, नहीं जानती थी। फिर आप लोग ब्याहने गये और जो कुछ हुआ सब आपके सामने। तब से आपके ही आश्रय में हूँ। आपको छोड़कर; आपके इस घर को छोड़कर कहीं कोई मेरा अपना नहीं है। सुना है, विधवा मौसी भी अब संसार में नहीं है। फिर मैं क्या निश्चय करूँ, आप ही कहिये।

जयकृष्ण बोले—शादी होनी दोनों बराबर है। पति की तुमने अच्छी तरह शक्ल भी शायद न देखी हो। क्या पुनर्विवाह करना चाहोगी?

कल्याणी—पुनिर्विवाह? विवाह से सुख मिलनेवाला होता तो मेरे पति उसी दिन रेल से कटकर न मर जाते। कहकर उसने ठंडी साँस ली।

जयकृष्ण ने कहा—तुम्हारा यह खयाल गलत है, कल्याणी! जो कुछ होनहार होता है, होकर ही रहता है। इसमें न तुम्हारा दोष है, न तुम्हारे भाग्य का। मेरा तो विश्वास है कि जिस ईश्वर ने तुम्हें इतना रूप दिया है, वह सुख भी देगा। हाँ, माँग स्वयं निश्चित करना है। तुम चाहो तो मैं तुम्हें पढ़ने के लिए किसी पाठशाला में भेज सकता हूँ।

कल्याणी को हँसी आ गई। बोली—अब मैं बूढ़ी होने जा रही हूँ। छोटी-छोटी लड़कियों के साथ बैठकर कैसे पढूँगी? और पढ़ना आयेगा भी मुझे? मैं तो निरी मूर्ख हूँ।

यह हँसी न थी, बिजली कौंध गई थी। जयकृष्ण ने कल्याणी को आज तक कभी हँसते न देखा था। वे सिर से पैर तक सिरह उठे। बहुत सम्हलकर बोले—कोशिश करने से सब कुछ आता है, कल्याणी फिर भी तुम खूब सोच-विचारकर मुझसे शाम को अपना निश्चय कहना।

शाम को भोजन के बाद, रात को बहुत देर तक कल्याणी और जयकृष्ण बातें करते रहे। पहरे पर नियुक्त बुढ़िया पड़ी हुई खर्राटे भर रही थी।

कल्याणी ने कहा—पति को मैं प्रेम कर ही न सकी क्योंकि संयोग और वियोग में केवल दो ही दिन का तो अन्तर था। हाँ, दयाभाव से ही प्रेरित होकर उन्होंने मेरा पाणिग्रहण किया था, इसलिए उन पर मेरी अपार श्रद्धा पहले ही से थी। वह अब भी है। किन्तु प्रेम से तो मेरा प्रथम परिचय उसी दिन हुआ, जिस दिन आप सीढ़ियों पर चुपचाप खड़े थे। आप विश्वास मानिये कि आपको मैं जितने श्रद्धाभाव से देखती हूँ, उतना ही आपसे प्रेम भी करने लगी हूँ। फिर भी आपको साथ मेरा पुनिर्विवाह असम्भव है।

'क्यों कल्याणी, तुम्हें उसमें आपत्ति क्या है?' भर्राई हुई आवाज में जयकृष्ण ने पूछा और कल्याण के हाथ अपने हाथों में ले लिये।

कल्याणी ने तुरंत अपने हाथ छुड़ा लिये और संदिग्ध दृष्टि से जयकृष्ण की ओर देखा। जयकृष्ण को अपनी भूल मालूम हो गई। दोनों कानों में हाथ लगाकर बोले, 'भूल स्वीकार करता हूँ, अब कभी न होगी।' फिर कुछ रुककर कहा—कल्याणी तुम मुझसे कभी डरना मत। तुम्हारी इच्छा के विरुद्ध मैं तुम्हें कभी न छूऊँगा। पर यह बताओ कि जब पुनर्विवाह करने में तुम्हें कोई आपत्ति नहीं है, और तुम मुझे प्रेम भी करती हो, तब तुम्हारा पुनर्विवाह मेरे साथ क्यों असम्भव है?

'असम्भव इसलिए है कि आप विवाहित हैं।' कल्याणी ने निश्चय के स्वर में कहा।

जयकृष्ण ने कहा—पर हिन्दू शास्त्र के अनुसार एक पुरुष कई विवाह कर सकता है फिर तुम वह सौभाग्य मुझे ही क्यों नहीं दान करतीं जो किसी दूसरे को मिलनेवाला है।

'छिः-छिः', कल्याणी बोली, 'आप क्या समझते हैं कि मैं किसी ओर से विवाह करूँगी? यह कभी न होगा। मैंने एक बार जिससे प्रेम किया है, उसी से प्रेम करती हुई मिट जाऊँगी। हिन्दू नारी प्रेम करना जानती है। वह प्रेम का प्रतिदान नहीं चाहती! मैंने प्रेम किया है, करती रहूँगी। यह बात दूसरी है कि प्रेम की प्रतिमा तक मेरी पहुँच न हो सके। और यह तो अपना-अपना भाग्य है।' कहती हुई, एक दीर्घ निःश्वास के साथ, कल्याणी ने जयकृष्ण की ओर देखा।

जयकृष्ण ने कहा—कल्याणी! तुम अपना-ही-अपना देखोगी या मेरा भी कुछ खयाल करोगी। मैं पागल हो जाऊँगा। तुम्हाने बिना अब तो मुझसे एक पल भी नहीं काटा जाता। किन्तु फिर भी तुम निश्चित रहना। मैं तुम्हें कभी हाथ न लगाऊँगा, जब तक तुम्हारी आज्ञा न होगी। आधी रात को भी तुम मेरे पास उतना ही सुरक्षित रह सकती हो, जैसे सगे भाई के पास, क्योंकि मैं अधम नहीं हूँ। तुमसे प्रेम करता हूँ। तुम्हें पाने का इच्छुक हूँ, पर सत्य मार्ग से ही, कुमार्ग से नहीं।

कल्याणी बोली—न मैं अपना कुछ देखती हूँ न आपका। सच यह है कि मैं मालती जीजी के सौभाग्य पर कुठाराघात न कर सकूँगी। उन्होंने मुझे आश्रय दिया है। कुसकय में। जो कुछ बन सकेगा उनका भला करूँगी। उनकी बुराई मुझसे न हो सकेगी। उनके भले के लिए मुझे अपना बलिदान भी करना पड़े तो सहर्ष कर दूँगी। मगर उनकी ज़िन्दगी में काँटा बनकर रहूँगी।

'पर मेरा जीवन कटकमय बना दोगी', कहते हुए जयकृष्ण ने ठंडी साँस ली और सतृष्ण नेत्रों से कल्याणी की ओर देखा।

कल्याणी ने कहा—यह सब मानसिक विकार है, कुछ दिनों में अपने आप दूर हो जायगा। आप समझते हैं मुझ कम कष्ट हो रहा है। मैं नारी होकर भी सब-कुछ

सहने को तैयार हूँ। आप तो पुरुष हैं। कठिनाइयों से लड़ने के ही लिए आपका जीवन है। मैंने मालती जीजी को पत्र लिख दिया है। वे आती ही होंगी। उनके आते ही मैं आपसे विदा ले लूँगी। विदा से पहले एक भिक्षा माँगती हूँ—केवल आपके चरणों की धूलि। और मैं कुछ नहीं चाहती। आप मेरे देवता हैं!

जयकृष्ण के पैरों के नीचे से जैसे धरती खिसक गई हो। घबराकर बोले —तुमने मालती को पत्र कब लिखा और क्या लिखा? लिखने से पहले मुझसे पूछा क्यों नहीं?

कल्याणी—मैंने और कुछ नहीं लिखा यही लिखा है कि उपमा के बिना बहुत बुरा लगता है। तुम जल्दी-से-जल्दी चली जाओ। और लिखती भी क्या? किन्तु आपके साथ मेरा अकेला रहना उचित नहीं। हम दोनों एक-दूसरे से प्रेम करते हैं। न जाने किस दिन क्या हो जाय। और मैं नहीं चाहती कि हमारे बीच में कोई भी ऐसी बात हो जिसे कलंक का स्वरूप दिया जा सके।

'जो कुछ तुमने किया, ठीक ही किया कल्याणी! सो जाओ, रात बहुत जा चुकी है।' और उठते हुए श्रीकृष्ण ने झुककर जयकृष्ण के पैरों को माथे से लगा लिया। जयकृष्ण बहुत उद्विग्न थे। कल्याणी ने ऊपर जाकर दरवाजे बन्द कर लिये। जयकृष्ण खाट पर पड़े करवटें बदलते रहे। उन्हें नींद न आई।

दूसरे ही दिन मालती दोपहर की ट्रेन से आ पहुँची। दफ्तर से लौटते ही जयकृष्ण ने देखा—उपमा खेल रही है। रात-भर सो न सकने के कारण उनका चेहरा उतरा हुआ था। मालती ने देखते ही पूछा—क्या तबियत खराब थी? कैसे हो गये?

जयकृष्ण ने कहा—कुछ नहीं, आज सिर में बहुत दर्द है।

अज्ञात आशंका से मालती सिहर उठी—कल्याणी तो अभी है न इस घर में? उसने पूछा—तुम तो अपनी बात के आगे किसी को भी सुनते ही नहीं। कितनी बार कहा, उसे कहीं भेज दो पर जब तुम मानो तब न। इस तरह तुम्हारे सिर में दर्द-वर्द होता है, तो मैं घबरा जाती हूँ। सभी लोग कहते हैं कि वह अभागिनी है।

जयकृष्ण को दूसरा ही भय था। वे सी सोच रहे थे कि कौन जाने कल्याणी है भी कि नहीं। उसने कहा था कि मालती के आते ही वह विदा ले लेगी। वह विदा का अवसर कहीं आ तो नहीं गया। जयकृष्ण का हृदय धड़क रहा था। उन्होंने कहा—मैंने कल्याणी को एक पुत्रीशाला में पढ़ने के लिए भेजने का निश्चय किया है! यह बात उसे भी मंजूर होगी। ज़रा उसे बुलाओ तो।

मालती की इस बात से बड़ी शन्ति मिली। कल्याणी यहाँ से चली भर जाय। कहीं भी जाय इसकी उसे चिन्ता न थी। उसने घंटी बजाई। पर कोई ऊपर से न आया। तब उपमा को बुलाकर कहा—जा ऊपर से अपनी चाची को तो बुला ला।

उपमा ने कहा कि चाची ऊपर नहीं है। और तब घबराकर मालती ने ऊपर-नीचे सभी कमरे खोज डाले, पर कल्याणी का पता नहीं था। जयकृष्ण पागल की तरह दौड़कर ऊपर से गये। कल्याणी के बिस्तर पर उसके गहनों की पेटी रखी थी और उसके नीचे एक पत्र में लिखा था—

'जाती हूँ। अपनी उपस्थिति से आप लोगों को जो कष्ट दिया हो, या मुझसे जो अपराध हुए हों, उनके लिए क्षमा कीजिएगा। मेरी खोज न कीजिएगा, व्यर्थ होगी। मेरे ये गहने उपमा के लिये हैं।

अभागिनी कल्याणी।'

कैलाशी नानी

पता नहीं, मेरी कैलाशी नान अब इस संसार में हैं भी कि नहीं। परन्तु उनकी स्मृति इतनी ताजी है कि आज भी कैलाशी नानी वही अपनी मैली-सी घुटने के ऊपर तक की धोती और धोती और फटी हुई मिर्जई पहिने, बगल में रोटी और नमक की पोटला सम्हाले, और हाथों में गयों के हाँकने का ठंडा लिये न जाने कितनी बार आँखों के सामने घूमती हुई दिख जाती है। वह गँवार अनपढ़ स्त्री, जिसे अक्षर का भी ज्ञान न था सहज ही भुला देने की वस्तु न थी। मेरी नानी न होकर भी वह मेरी नानी थीं। मेरे मामा के गाँव में, मामा के घर से चार-पाँच घर हटाकर, उनका छोटा-सा झोपड़ा था, लिपा-पुता साफ। उसे झोपड़े में न तो कोई दरवाजा था, जो कभी बन्द हो सके और न कोई दूसरा ही सामान। बरतनों के नाम से कुछ मिट्टी के ठोकरे थे और बिस्तर की जगह थोड़ा पुआल पड़ा था। यह मेरी कैलाशी नानी की गृहस्थी थी। पड़ोसी ही उनके परिवारवाले थे और गाँव के बच्चे उनके परमेश्वर।

हाँ, तो मेरी कैलाशी नानी, उस गाँव के रहनेवालों के जानवर चराने हार ले जाया करती थीं। उस गाँव में करीब चालीस घर थे और घर पीछे एक सेर अनाज उन्हें चराई में मिल जाय करताय था। यही कैलाशी नानी की जीविका थी। इसी में कैलाशी नानी का दान-पुण्य हो जाया करता थाय और इसी नाज को बदलकर उन्हें रोज़ के व्यवहार के लिए नमक, तेज, मिर्च, मसाला भी लेना पड़ता था। पैसे तो गाँववालों को वैसे ही बड़ी कठिनाई से देखने को मिलते हैं। कैलाशी नानी की तरह गरीबनी को पैसों का दर्शन दुर्लभ होना ही चाहिए।

इस प्रकार का जीवन बितारक भी कैलाशी नानी दुःखी न थीं। वे सदा प्रसन्न और हँसती रहतीं, दूसरों की सेवा के लिए तत्पर रहतीं। आधी रात को भी बुला लो, तो वह तुम्हारा हर तरह का काम कर देंगी, फिर भी तुमसे किसी प्रकार की आशा न रखेंगी।

शुरू जाड़े के दिन थे। एक दिन मामा के गाँव से एक आदमी संदेशा लेकर आया कि मामा ने माँ और सब बच्चों को बुलवाया है। और फिर हम सब भाई-

बहिनों ने, जब तक माँ ने मामा के घर चलने की तैयारी न की, उन्हें तंग कर डाला। सबसे बड़ा भाई मैट्रिक में था। उसकी पढ़ाई का हर्ज होगा, इसलिए उसे छोड़कर बाकी हम चार भाई-बहिनों को ले आखिर एक दिन माँ मामा के घर आ गई। माँ के साथ आनेवाले सब भाई-बहिनों में मैं सबसे बड़ी थी। मेरी उमर दस-ग्यारह के बीच में ही थी। हम सब भाई-बहिनों को मामा के घर और तो कुछ अच्छा न लगता, पर मामा के घर से सौ फुटा हटकर जो नदी बहती थी, उसमें नहाने और कैलाशी नानी के साथ ढोर चराने के लिए जाने में बड़ा आनन्द आता था। जहाँ कैलाशी नानी के साथ ढोर चराने के लिए जाने में बड़ा आनन्द आता था। जहाँ कैलाशी नानी ढोरों के ले जाती थीं, वहाँ दूर तक जहाँ तक दृष्टि पहुँच पाती थी, सब हरा ही हरा दीख पड़ता था। दूर-दूर पर दो-तीन आम, ढाक और पीपल के पेड़ थे, जिनकी घनी छाया में हम लोग दुपहरी बिताते थे। गाँव के छोटे बच्चों का झुंड कैलाशी नानी के नेतृत्व में ढोर चराने निकलता और फिर वहाँ केवल ढोर ही न चराये जाते थे। वहाँ कहानियाँ कही जातीं, पहेलियाँ होतीं, और कभी-कभी रामलीला भी होती। और रामलीला तभी संभव होती, जब राम बनने के लिए मैं और सीता बनने के लिए मेरी छोटी बहिन साथ रहती। मतलब यह कि गाँव में रहकर जितनी बातें संभव थीं वहाँ हम लोग सभी करते। हम सभी भाई-बहिनों को इस ग्रामीण जीवन में बड़ा सुख मिलता। एक भाई बहुत छोटा था। वह तो माँ के ही साथ रहता, किन्तु हम तीन, मैं और मुझसें छोटा भाई जो आठ साल का था और उससे छोटी बहिन जो छः साल की थी, प्रायः रोज कैलाशी नानी के साथ जंगल में भाग जाते।

मुझे याद है कि हम लोग घर के अच्छे-से-अच्छे भोजन को यह कहकर छोड़ देते थे कि अच्छा नहीं बना और सच ही वह अच्छा न लगता था। किन्तु कैलाशी नानी की जंगल में सूखी रोटियाँ नमक या कभी-कभी चटनी के साथ खाने में जितना स्वाद आता था, उतना स्वाद कभी किसी भोजन में नहीं आया। रोटियाँ भी गेहूँ की नहीं; न जाने कितने तरह के नाज मिलाकर बनाई जाती थीं। कैलाशी नानी को हर घर से एक ही नाज तो मिलता था; कहीं गेहूँ कहीं जब। ज्वार, मक्का, उड़द, मूँग, अरहर सब मिलाकर इकट्ठा कर देतीं और रोज, आवश्यकतानुसार किसी की चक्की से पीस लातीं और दूसरे दिन के लिए रोटियाँ सेंक रखतीं। यही उनका प्रतिदिन का आहार था। यही रोटियाँ वे सबको खिलाती थीं और हम लोग बड़े स्वाद से खाते थे। कभी-कभी गाँव के दूसरे बच्चे नदी में धोती फैलाकर मछली पकड़कर भूनते। उस दिन कैलाशी नानी रोटी भी न खातीं। सत्तू खाकर ही रह जातीं।

इस प्रकार एक दिन हम लोग कैलाशी नानी के साथ हार पर गये थे। उस दिन कैलाशी नानी ने राजा-रानी की कहानी सुनाई थी। राजा की एक राजकुमारी थी,

बड़ी सुन्दर बड़ी नेक! किन्तु एक दिन जब वह नदी पर नहा रही थी तब परियों के देश के राजा का राजकुमार आया और राजकुमारी को घोड़े पर बैठकर ले भागा। कहानी सुनने के बाद, कलेवा से पहिले, हम लोग बड़ी देर तक नहाते थे और तैरते थे। पानी बहुत गहरा न था पर बड़ा साफ था। नदी में नहाने का ही प्रलोभन हमें रोज यहाँ घसीट लाता।

हाँ, तो उस दिन नहाते-नहाते मुझे यही डर लग रहा था कि कहीं परियों के देश का राजकुमार न आ जाए। वहाँ राजकुमार तो न आया, परन्तु जब नहा-धोकर लौटी, तो देखा कि कैलाशी नानी के पास कोई बैठा है। कपड़े ज़रा साफ-सुथरे थे। में डरी कि कहीं यही तो वह राजकुमार नहीं है। फिर घबराकर दूर तक नजर दौड़ाकर देखा, कहीं भी कोई घोड़ा न दिखा। मैं बेफिक्र हो गई कि यह राजकुमार नहीं है। वह होता तो घोड़ा जरूर होता।

बाद में कैलाशी नानी से मालूम हुआ कि वह गाँव का जमींदार है और कैलाशी नानी को हर महीने ढेर चरवाई में पाँच सेर अनाज़ देता है। वह वहीं हम लोगों के पास ही पीपल के पेड़ की जड़ पर बैठ गया और हम सब भाई-बहिनों के बारे में कैलाशी नानी से बातचीत करने लगा।

जब उसे यह मालूम हुआ कि अभी तक मेरी शादी नहीं हुई, तो उसे बड़ा आश्चर्य हुआ। क्योंकि गाँव में तो उस सयम लड़की के पैदा होते ही ब्याह की बातचीत हो जाती। और तीन-चार साल की होते-होते तो ब्याह भी हो जाता। उसने स्वर भी जरा धीमा करके कैलाशी नानी से पूछा—क्या कुल में दाग है जो इतनी बड़ी लड़की अभी तक कुँवारी है?

कैलाशी नानी ने कहा—नहीं भैया, कुल में दाग-वाग कुछ नहीं है। बड़े आदमी हैं। लड़के-लड़के सभी मदरसे में पढ़ते हैं। यही बिटिया रामायण बाँच लेती है। अँग्रेजी पढ़ती है। जब पढ़े लेगी तब कोई बड़ा आदमी देखकर शादी-ब्याह करेंगे।

वह जमींदार कितनी देर तक बैठा रहा, घूर-घूरकर मेरी ओर देखता रहा। मेरी समझ में नहीं आ रहा था कि आखिर यह आदमी मेरी ओर इस प्रकार क्यों देख रहा है। और जब तक वह रहा मुझे वहाँ अच्छा न लगा।

दूसरे दिन जब कैलाशी नानी ढोर ढीलने आई, तब तक छोटी बहिन और भाई सोकर उठे थे। अतएव उस दिन मैं अकेली ही कैलाशी नानी के साथ भाग गई। कलेवा करने के पहले फिर हम सब नहाने गये और जब नहा रहे थे तभी वह जमींदार फिर आया और उसी प्रकार घूर-घूरकर देखता हुआ, कैलाशी नानी के पास चला गया। कैलाशी नानी पेड़ के नीचे झाड़-बुहारकर हम लोगों के भोजन की तैयार कर रही

थीं। जमींदार बड़ी देर तक न जाने क्या कैलाशी नानकी को समझाता रहा और हम लोग बड़ी देर तक नहाते रहे। मैंने देखा—हाथ जोड़कर कैलाशी नानी ने किसी बात को अस्वीकार किया और जमींदार ने कुछ न सुनकर, कैलाशी नानी के पल्ले में कुछ जबरदस्ती बाँध दिया और तेजी से दूसरी तरफ चला गया।

हम लोग भी रोटी खाने आये और आज कैलाशी नानी रोज की तरह खुश न थीं। उनके चेहरे पर एक तरह की उदासी थी जो कि छिपाये न छिपती थी। उन्होंने हमें खिलाया-पिलाया और फिर कहानी सुनाने बैठीं किन्तु कहानी सुनाने में उनका मन न लगा। ढोर हाँकने और दिन जैसे मैं भी सब बच्चों के साथ भाग जाती थी, उस तरह आज कैलाशी नानी ने न आने दिया। अपने पास ही बैठा रखा और एकध बार तो जब मैं जाने के लिए जिद करने लगीं, तो डाँट भी दिया। मैं समझ न पाई कि आखिर आज ये ऐसा क्यों करती हैं। पर माँ ने सिखाया था कि बड़ों की बात में सदा 'क्यों' और किसलिए' नहीं करना चाहिए, चुपचाप मान लेना चाहिए। यही सोच-समझकर उस दिन चुपचाप कैलाशी नानी के पास बैठी रही, पर अच्छा न लगा। उस दिन कैलाशी नानी कहानी भी तो ढंग से न कह सकी थीं। कहते-कहते रुक जातीं और कुछ सोचने लगतीं। खैर अच्छा ही हुआ कि उस दिन और दिनों की अपेक्षा हम लोग जल्दी ही हार से लौट आये।

शाम हो चुकी थी। माँ तुलसी के पास दिया जला रही थीं। कैलाशी नानी छिपाती हुई-सी माँ के पास आईं और इशारे से बुलाकर एक अलग कोठरी में ले गईं। उन्होंने माँ से कहा कि वे जल्दी-से-जल्दी सब बच्चों समेत घर वापिस चली जायें! कारण यह था कि जमींदार माँ की दोनों लड़कियाँ को यानी मुझे और मेरी छोटी बहिन, दोनों को उड़ा लेना चाहता है। जमींदार और प्रेम मामा से बहत दिनों से बैर चला आता था। शायद उसी बैर का बदला वह इस प्रकार लेना चाहता है। जमींदार ने कैलाशी नानी से कहा था कि वह मुझे और मेरी बहिन दोनों को हार ले जायें। हम दोनों सिर खोले तो फिरा ही करती थीं। बस, मौका पाते ही वह हम लोगों को, मिठाई खिलाने के बहाने, अपने पास बैठाकर हम दोनों की माँगों में सिन्दूर भर देगा। फिर हम दोनों बहिनें उसकी ब्याही हुई स्त्री के बराबर हो जायेंगी। मामा जानकर भी कुछ न कर सकेंगे। इसी काम में वह कैलाशी नानी से सहायता चाहता था। इसके लिए दस रुपये तो उसने आज ही कैलाशी नानी के पल्ले में बाँध दिये थे और चालीस रुपये वह काम पूरा हो जाने पर और देगा। कैलाशी नानी का इतना ही

काम था कि वे जरा-सी सहायता दे दें। बस, इतने में जमींदार का काम बनता था और कैलाशी नानी को पचास चाँदी के चकमते हुए रुपये मिलते थे।

कैलाशी नानी ने शपथ लेते हुए वे दस रुपये कमर से निकालकर माँ को दिखलाये और बोलीं—बिटिया, झूठ नहीं कहती। मेरे पास तो दस पैसे भी नहीं फिर ये दस कलदार कहाँ से आये? ये उसी अधर्मी ने बाँध दिये हैं। तुम मेरी बात मानो! बिटियों को लेकर चली जाओ। जिस गाँव का जमींदार इतना अधर्मी है, वहाँ फिर न आना। बिटियों की शादी-ब्याह करके, ससुराल भेजकर आना।

कैलाशी नानी ने यह भी कहा कि माँ जाते ही वे इन रुपयों को जमींदर के आगे फेंक देंगे। यह अधर्म का पैसा वे कभी स्वीकार न करेंगी।

मुझे याद आया कि एक दिन मैं एक इकन्नी लेकर हार चली गई थी। कैलाशी नानी ने जब देखा कि मेरे पास इकन्नी है, तब मुझसे लेकर बहुत सम्हालकर, पल्ले में कई गाँठ लगाकर बाँध लिया और शाम को लौटकर जब आई तो माँ को इकन्नी देकर बोलीं—पैसा-कौड़ी बच्चों को न दिया करो। कहीं गिर जाता तो नुकसान न हो जाता? फिर थोड़ा भी नहीं—एक आना! एकदम से!!

और माँ ने जब वह इकन्नी उन्हीं को वापिस कर दी, तब कैलाशी नानी के चेहरे से यह भाव टपक रहा था—जैसे उन्हें कहीं का खजाना मिल गया हो। कई बार तो इकन्नी को उलट-पुलटकर देखने के बाद कैलाशी नानी ने बहुत सम्महाल कर उसे कमर में खोंस लिया था और माँ को न जाने कितना असीसती हुई घर गईं थीं।

वहीं कैलाशी नानी आज कमर में दस कलदार बाँधे थीं। कल ज़रा सी बात के लिए चालीस रुपये और मिलने वाले हैं। पर कैलाशी नानी अधर्म का पैसा नहीं लेना चाहतीं—नहीं लेंगी। वह कल माँ को घर भिजवाये बिना, ढोर लेकर हार भी न जायँगी। और तब जमींदार चाहे तो महीने का पाँच सेर नाज भी बन्द कर दे; कैलाशी डरती नहीं। गाँव भी तो उसी का है चाहे तो निकाल दे। कैलाश कहीं भी जाकर ढोर चरा पेट पाल लेगी पर सोने की ईंट दिखाकर भी, कोई कैलाशी नानी से अधर्म का काम नहीं करवा सकताा। कोई जबरन माँग में सिन्दूर भरकर उनकी लड़कियों को अपने घर रख लेगा, माँ को इन बातों पर विश्वास नहीं था क्योंकि मेरे पिता वकील थे। वे जमीदार को इस मामले में जेलखाने की हवा खिला सकते थे। फिर भी माँ कैलाशी नानी के आग्रह को न टाल सकीं। दूसरे ही दिन हम सब बच्चों के साथ घर चली आईं।

तब से आज तक युग बीत गये, पर कैलाशी नानी का कोई समाचार नहीं मिला।

हींगवाला

'अम्मा...ऽ...ऽ...हींग लेगा', कहता हुआ एक खान, लगभग पैंतीस साल का, आँगन में आकर रुक गया। पीठ पर बँधे हुए पीपे को खोलकर उसने नीचे धर दिया और मौलश्री के नीचे बने हुए चबूतरे पर बैठ गया।

भीतर बरामदे से एक नौ-दस बरस के बालक ने बाहर निकलकर उत्तर दिया—अभी कुछ नहीं लेना है, जाओ!

पर खान इतने में भला क्यों जाने लगा? वह जरा और आराम से बैठ गया और अपने साफे के छोर से हवा करता हुआ बोला—अम्माँ, हींग ले लो। अम्माँ हम अपने देश कू जाता है। बहत दिनों में लौटेगा।

सावित्री इस हम-उम्र बेटे की बात शायद ही कभी टाल सकी हो। रसोईघर से हाथ धोकर वह बाहर आई, बोली—हींग तो बहुत-सी रखी है खान। अभी पन्द्रह दिन तो हुए नहीं, तुमसे हींग ली थी।

खान ने जैसे सावित्री की बात सुनी ही न हो। उसी स्वर में फिर बोला—हेरा हींग है माँ, हम तुम्हारे हाथ की बोहनी माँगता है। एक ही तोला ले लो, पर लो जरूर। हम देकर जायगा। इतना कहकर खान ने हींग के छोटे-बड़े कई डिब्बे खोलकर रख दिए। सावित्री उन डिब्बों की तरफ देख भी न पाई थी कि उसने फौरन एक डिब्बा सावित्री के सामने सरकाते हुए कहा—तुम और कुछ मत देखो माँ, यह हींग एक नम्बर है। हम तुम्हें धोका नहीं देगा माँ।

सावित्री बोली—पर मैं इतनी हींग करूँगी क्या? ढेर-सी रखी है।

खान-कुछ भी ले लो अम्माँ। हम देने के लिए आया है। घर है, पड़ी रहेगी। फिर आज अपने देश कु जाता है। खुदा जाने कब लौटेगा। और खान बिना उत्तर की प्रतीक्षा किए हींग तौलने लगा। इस पर सावित्री के बच्चे बहुत नाराज हुए। सभी बोल उठे—मत लेना माँ, तुम कभी न जाना। जबरदस्ती तौले जा रहा है। जब खान ने हींग तौलकर पुड़िया बनाकर सावित्री के सामने रख दी तब सबसे छोटे बच्चे ने पुड़िया उठाकर खान के पास फेंकते हुए कहा, 'ले जाओ, हमें नहीं लेना है। चला

माँ भीतर चलो।'

सावित्री ने किसी की बात का उत्तर न दे हींग की पुड़िया उठा ली और पूछा—कितने पैसे हुए खान।

'सवा छः आने पैसे अम्माँ', खान ने उत्तर दिया।

सावित्री ने पाँच पैसे तोले के भाव से सवा छः आने पैसे लाकर खाने को दे दिए। खान सलाम करे चला गया पर सावित्री के बच्चों को माँ की यह बात अच्छी न लगी। वे तीनों बहत नाराज थे। उन्हें यही लग रहा था कि माँ ने खान को इतने पैसे दे दिये हैं, अभी हम माँगें तो कभी न दें। सबसे छोटा बच्चा जिसकी उम्र छः साल के लगभग थी बोला—भैया! माँगो तो भला माँ से पैसे, फिर हम लोग मलाई का बरफ खायेंगे?

बड़े लड़के ने कहा—माँ तुमने खान को वैसे ही छः आने पैसे दे दिये हैं। हींग की कुछ जरूरत नहीं थी। इसके आगे कुछ कहने का साहस न हुआ पर छोटे के कोनों में तो मलाई के बरफवाले की आवाज गूँज रही थी—'मलाई का बरफ', 'ठंडा बरफ'...

वह माँ से बिगड़कर बोला—दो माँ, छः आने पैसे हमको भी दो। हम बिना लिये न रहेंगे!

लड़की, जिसकी उम्र आठ साल की थी, बड़े गम्भीर स्वर में बोली—तुम माँ से पैसा न माँगो। वे तुम्हें न देंगी। उनका बेटा तो वही खान है, हम नहीं हैं।

सावित्री को बच्चों की इन बातों से हँसी आ रही थी, किन्तु उसने अपनी हँसी दबारक बनावटी क्रोध में कहा—चलो चलो, बड़ी रातें बनाने लग गये हो, खाना तैयार है खाओ।

छोटा बोला—पहले पैसे दो। तुमने खाने को दिये हैं।

सावित्री ने कहा—खान ने पैसों के बदले में हींग दी है, तुम क्या दोगे।

छोटा—मिट्टी देंगे।

सावित्री हँस पड़ी—अच्छा चलो पहिले खाना खाओ फिर मैं रुपया तुड़ाकर तीनों को छः-छः आने दूँगी।

खाना खाते-खाते हिसाब लगा—एक रुपये में सोलह आने, छः आने रतन लेगा, छः आने मुन्नी लेगी, छोटे के लिए चार ही आने बचेंगे। छोटा बिगड़ पड़ा—कभी नहीं, मैं छः आने लूँगा। आर दोनों में मारपीट हो चुकी होती यदि मुन्नी चार आने पैसे स्वयं लेना न स्वीकार कर लेती।

कई महीने बीत गये। सावित्री की हींग सब खतम हो गई। इसी बीच होली आई। होली के अवसर पर हिंदू-मुसलमानों में बड़े भयंकर रूप से दंगा हो गया।

बहुत से हिन्दू और मुसलमान मारे गये। मुसलमान मरनेवालों में दो खान भी थे। इससे खान लोगों ने बड़ा उपद्रव मचाय परन्तु सब जगह नहीं। जिस मुहल्ले में खान मारे गये थे वहाँ पर खानों के उपद्रव ने भयंकर रूप धारण कर लिया था। उन्होंने कई हिन्दुओं की दुकानें लूट लीं, घरों में आग लगा दी और न जाने क्या-क्या किया। 144 के साथ-साथ करफ्यू आर्डर भी लगाया गया। परिणाम यह हुआ कि हिंदुओं की होली न जल पाई। वे हिन्दू के प्राणों के ग्राहक हो रहे थे। शहर भर में आतंक छाया हुआ था। कौन किस पर किस समय घात कर दे, कुछ ठिकाना न था। ऊपर से देखने में सब जगह शांति दिखाई देती थी; परन्तु अन्दर-ही-अन्दर एक भयंकर अग्नि सुलग रही थी। दो खान मारे गये हैं। सावित्री कभी-कभी सोचती, हींगवाला खान तो नहीं मार डाला गया। फिर सोचती, मार डाला गया हो तो मरने दो; दूसरे हींगवाले भी तो होंगे। परन्तु न जाने क्यों उस हींगवाले खान की याद उसे प्रायः आ जाया करती।

एक दिन सबेरे-सबेरे सावित्री उसी मौलश्री के पेड़ के नीचे चबूतरे पर बैठी कुछ बीन रही थी। स्कूल की छुट्टी थी। तीनों बच्चें आसपास खेल रहे थे। सावित्री ने सुना, उसके पति किसी से कड़े स्वर में कह रहे हैं—क्या काम है? भीतर मत जाओ! यहाँ आओ।

उत्तर मिला—हींग-हैं-हींग, हेरा हींग, और खान तब तक आँगन में सावित्री के सामने पहुँच चुका था।

खान को देखते ही सावित्री ने कहा—बहुत दिनों में आये खान; हींग तो कब तक खत्म हो गयी।

खान—देश कूं गया था अम्माँ; पस्सू [परसों] तो लौटा ही हूँ।

सावित्री—यहाँ तो हिन्दू-मुसलमान में बहुत जोरों का दंगा हो गया है।

खान—सुना, समझ नहीं है लड़नेवालों में।

सावित्री—खान! दंगे की बात सुनकर भी तुम हमारे घर चले आये। तुम्हें डर नहीं लगा?

दोनों कानों पर हाथ रखते हुए बोला—ऐसी बात मत कहो अम्माँ। बेटे को भी क्या कभी माँ से डर हुआ है जो मुझे होता। और इसके बाद ही उसने अपना डिब्बा खोला और एक छटाँक हींग तौलकर सावित्री को दो। चिल्लर दोनों में से किसी के पास न थी। खान फिर पैसा आकर ले जायगा। सावित्री को सलाम करके वह चला गया।

दशहरा हिन्दुओं का बड़ा त्योहार होता है। होली पर दंगा हो ही चुका था। अभी किसी प्रकार के दंगों की आशंक न थी। शहर में सब जगह पूर्ण शांति थी। हिन्दू

होली न जला सके थे इसलिए भरे तो बैठे ही थे। दशहरा वे दूने उत्साह के साथ मनाने की तैयारी में थे। हिन्दुओं में खूब उत्साह था।

चार बजे शाम को काली का जुलूस निकलनेवाला था। पुलिस का काफी प्रबन्ध था। किसी प्रकार के दंगे की आशंका न होते हुए भी सावधान रहने की जरूरत थी। सावित्री के बच्चों ने कहा कि हम भी काली का जुलसू देखने जायँगे। सावित्री के पति शहर से बाहर गये थे। सावित्री स्वभाव से ही कुछ भीरु थी, फिर भला बच्चों को जुलूस कैसे भेज दे जबकि पति भी घर में नहीं है। उसने बच्चों को पैसों का, खिलौने का, सिनेमा का, न जाने कितने प्रलोभन दिये, पर बच्चे ने माने सो न माने।

नौकर श्यामू स्वयं जुलूस देखने को बहुत उत्सुक हो रहा था। उसने भी कहा—भेज दो न माँजी, मैं अभी तो दिखाकर लिये आता हूँ। मुहल्ले के और भी तो लोग गये हैं। और कई कल्पित नाम श्यामू गिना गया। अब बच्चों ने और भी जोर पकड़ा, उनका एक समर्थक भी तो बढ़ गया था न? लाचार, इच्छा न होते हुए भी सावित्री को काली का जुलूस देखने के लिए बच्चों को भेजना ही पड़ा। परन्तु उसने बार-बार श्यामू को ताकीद कर दी कि दिन रहते ही वह बच्चों को लेकर लौट आवे।

बच्चे तो खुशी-खुशी काली का जुलूस देखने गये। और इधर बच्चो को भेजने के साथ ही सावित्री के प्राण जैसे मुरझा से गये। अब वह थी और उसका साल भर का गोदी का बच्चा। बच्चों ने भेजने के साथ ही सावित्री उनके लौटने की प्रतीक्षा भी करने लगी किन्तु देखते-देखते ही दिन ढल चला, अँधेरा भी बढ़ने लगा पर सावित्री के बच्चे न लौटे। अब सावित्री को न भीतर चैन थी न बाहर। वह घबराई हुई बच्चों को भेज देने की अपनी मूर्खता प पछताती हुई कभी भीतर जाती, कभी बाहर आती। इतने में ही उसे कुछ आदमी सड़क पर भागते हुए जान पड़े। वह दौड़कर बाहर गयी। उन आदमियों से पूछा—ऐसे भागे क्यों जा रहे हो? काली का जुलूस तो निकल गया न।

एक आदमी 'दंगा हो गया माँजी !... दंगा, बड़ा भारी दंगा !!' कहता हुआ आगे बढ़ गया। सावित्री के हाथ-पैर जैसे ठंडे पड़ गये। इसी समय कुछ लोग और तेजी से जाते हुए दिखे। सावित्री ने उन्हें भी रोका। उन लोगों ने कहा—दंगा हो गया है। मसजिद के पास पुलिस ने गोली चला दी है ! लाशों के मारे सड़क बन्द हो गई है !! हजारों आदमी मर गये।

अब सावित्री क्या करे? उन्हीं में से एक से कहा—भाई मेरे बच्चों की खबर ला दो। दो लड़के हैं एक लड़की; मैं तुम्हें मुँहमाँगा इनाम दूँगी।

एक देहाती ने जवाब दिया—का हम तुम्हारे बच्चन का पहिचानित हैं माँजी? फिर जान से पियार कुछी नहिं होत। जहाँ इतनी गोली चलि रही हैं, घोड़ा दौड़त हैं, को मरन को जाय। इनाम देव चाहे खजाना उलट देव, कोउ न जाई।

और वे चले गये।

सावित्री सोचने लगी—सच तो है, इतनी भीड़ में भला वे देहाती मेरे बच्चों को खोजते भी कैसे। उनसे बच्चों की खबर लाने के लिए कहना ही भूल थी। पर करे भी तो क्या करे? साल भर के गोद के बच्चे को न तो वह छोड़कर ही जा सकती थी और न लेकर ही। मुहल्ला-पड़ोस में भी ऐसे कोई नहीं जिसे वह भेज दे। उसे रह-रहकर अपने पर क्रोध आ रहा था। आखिर उसने बच्चों को भेजा ही क्यों? वे तो बच्चो ठहरे, जिद तो करते ही, पर भेजना न भेजना तो उसी के हाथ की बात थी। अगर वह न भेजती तो क्या बच्चे जबरदस्ती चले जाते? और वह श्यामू? जब देखो तभी अपनी टाँग अड़ा देता है। 'अभी दिखाकर लाता हूँ। माँजी' और उसका 'अभी' अभी तक हुआ ही नहीं।

सावित्री पागल-सी हो गई। उसे रह-रहकर लाशों के बीच अपने बच्चे भी तड़पते दिखाई पड़ते। बच्चों की मंगल कामना के लिए उसने सभी देवी-देवता मना डाले। शेरगुल बढ़कर श्यांत हो गया। रात के साथ-साथ नीरवता बढ़ चली पर उसके बच्चे लौटकर न आये। अब शायद उसके बच्चे लौटकर न आयेंगे। सावित्री हताश होकर सोये हुए बच्चे के पैताने जाकर गिर-सी पड़ी और फूट-फूटकर रोने लगी।

इसी समय उसे ऐसा जान पड़ा जैसे कोई गाड़ी आकर उसके दरवाजे पर रुकी हो और उसे ही वही चिरपरिचित स्वर सुनायी पड़ा, 'अम्माँ'। सावित्री दौड़कर बाहर गयी। उसने देखा, उसके तीनों बच्चे खान के साथ सकुशल लौट आये हैं।

खान ने सावित्री को देखते ही कहा—बखत अच्छा नहीं अम्माँ। बच्चों को ऐसी भीड़भाड़ में बाहर न भेजा करो।

फिर सावित्री को खान से ही मालूम हूआ कि दंगा जरूर हो गया था। झूठे फायर भी पुलिस को करने पड़े। पर मरा कोई नहीं। कुछ लोग घायल जरूर हुए हैं। पर पुलिस की गोली से नहीं, पत्थरों से। अब सब जगह शान्ति है।

बच्चे दौड़कर सावित्री से लिपट गये। छोटे ने कहा—अम्माँ, खान बहुत अच्छा है। दंगा होते ही श्यामू तो हमें छोड़कर भाग गया। खान ने ही हमें बचाया, नहीं हमें भी चोट आती।

सावित्री ने पूछा—अच्छा अब तो खान से हींग लेने दोगे?

बच्चों ने एक स्वर से कहा—हाँ, हाँ, जरूर लेने देंगे। खान तो हमारा दोस्त है।

खान ने डपटकर कहा — नहीं, दोस्त नहीं। हम तुम्हारा भाई है, भाई।

राही

—तेरा नाम क्या है ?

— राही।

—तुझे किस अपराध में सजा हुई ?

—चोरी ? क्या चुराया था ?

—नाज की गठरी।

— कितना नाज था ?

—होगा पाँच-छः सेर।

— और सजा कितने दिन की है ?

—साल भर की।

—तो तूने चोरी क्यों की ? मजदूरी करता तब भी तो दिन भर में तीन-चार आने पैसे मिल जाते।

—हमें मजदूरी नहीं मिलती सरकार ! हमारी जाति माँगरोरी है। हम केवल माँगते-खाते हैं।

—और भीख न मिले तो ?

—तो फिर चोरी करते हैं। उस दिन घर में खाने को नहीं था। बच्चे भूख से तड़प रहे थे। बाजार में बहुत देर तक माँगा। बोझा ढोनें के लिए टोकना लेकर भी बैठी रही। पर कुछ न मिला। सामने किसी का बच्चा रो रहा था, उसे देखकर मुझे अपने बच्चों की याद आ गई। वहीं पर किसी की नाज की गठरी रखी थी। उसे लेकर भागी ही थी कि पुलिसवाले ने पकड़ लिया।

अनीता ने एक ठंडी साँस ली। बोली—फिर तूने कहा नहीं कि बच्चे भूखें थे, इसलिए चोरी की। सम्भव है इस बात से मजिस्ट्रेट कम सजा देता।

—हम गरीबों की कोई नहीं सुनता, सरकार ! बच्चे आये थे कचहरी में। मैंने सब-कुछ कहा, पर किसी ने नहीं सुना। राही ने कहा।

—अब तेरे बच्चे किसके पास हैं ? उनका बाप है ? अनीता ने पूछा।

राही की आँखों में आँसू आ गये। वह बोली—उनका बाप मर गया, सरकार! जेल में उसे मारा था और वहीं अस्पताल में वह मर गया। अब बच्चों का कोई नहीं है।

'तो तेरे बच्चों का बाप भी जेल ही में मरा। वह क्यों जेल आया था?' अनीता ने प्रश्न किया।

— उसे तो बिना कुसूर के ही पकड़ लिया था, सरकार, राही ने कहा—ताड़ी पीने को गया था। दो-चार दोस्त-भाई उसके साथ थे। मेरे घरवाले का एक वक्त पुलिसवाले से झगड़ा हो गया था, उसी का बदला उसने लिया। 109 में उसका चालान करके साल भर की सजा दिलवा दी। वहीं वह मर गया।

अनीता ने एक दीर्घ निःश्वास के साथ कहा—अच्छा जा, अपना काम कर। राही चली गई।

अनीता सत्याग्रह करके जेल आई थी। पहिले उसे 'बी' क्लास दिया था। फिर उसके घरवालों ने लिखा-पढ़ी करके उसे 'ए' क्लास दिलवा दिया।

अनीता के सामने आज एक प्रश्न था। वह सोच रही थी, कि देश की दरिद्रता और इन निरीह गरीबों के कष्टों को दूर करने का कोई उपाय नहीं है? हम सभी परमात्मा की सन्तान हैं। एक ही देश की निवासी। कम-से-कम हम सबको खाने-पहिनने का तो समान अधिकार है ही? फिर यह क्या बात है कि कुछ लोग तो बहुत आराम से रहते हें और कुछ लोग पेट के अन्न के लिए चोरी करते है? उसके बाद विचाररक की अदूरदर्शिता के कारण या सरकारी वकील के चातुर्यपूर्ण जिरह के कारण छोटे-छोटे बच्चों की मातायें जेल भेज दी जाती हैं। उनके बच्चे भूखों मरने के लिए छोड़ दिये जाते हैं। एक ओर तो यह कैदी है, जो जेल आकर सचमुच जेल जीवन के कष्ट उठाती है और दूसरी ओर हैं हम लोग जो अपनी देशभक्ति और त्याग का ढिंढोरा पीटते हुए जेल आते हैं। हमें आमतौर से दूसरे कैदियों के मुकाबिलों में अच्छा बर्ताव मिलता है, फिर भी हमें सन्तोष नहीं होता। हम जेल आकर 'ए' और 'बी' क्लास के लिए झगड़ते हैं। जेल आकर ही हम कौन-सा बड़ा त्याग कर देते है? जेल में हमें कौन-सा कष्ट रहता है? सिवा इसके कि हमारे माथे पर नेतृत्व की सील लग जाती है। हम बड़े अभिमान से कहते हैं, 'यह हमारी चौथी जेल-यात्रा है, यह हमारी पाँचवीं जेल-यात्रा है', और अपनी जेल-यात्रा के किस्से बार-बार सुना-सुनाकर आत्मगौरव अनुभव करते हैं; तात्पर्य है कि हम जितने बार जेल जा चुके होते हैं उतनी ही सीढ़ी हम देशभक्ति और त्याग में दूसरों से ऊपर उठते जाते हैं और इसके बल पर जेल से छूटने के बाद, कांग्रेस को राजकीय सत्ता मिलते ही, हम मिनिस्टर, स्थानीय संस्थाओं के मेम्बर और क्या-क्या हो जाते हैं।

अनीता सोच रही थी—कल तक जो खद्द भी न पहिनते थे, बात-बात पर

कांग्रेस का मजाक उड़ाते थे, कांग्रेस के हाथों में थोड़ी शक्ति आते ही वे कांग्रेस भक्त बन गये। खद्द पहिनने लगे। यहाँ तक कि जेल में भी दिखाई पड़ने लगे। वास्तव में यह देशभक्ति है या सत्ताभक्ति!

अनीता के विचारों का ताँता लगा हुआ था। वह दार्शनिक हो रही थी। उसे अनुभव हुआ जैसे कोई भीतर-ही-भीतर उसे काट रहा हो। अनीता की विचारावलि अनीता को ही खाये जा रही थी। उसे बार-बार यह लग रहा था कि उसकी देशभक्ति सच्ची देशभक्ति नहीं वरन् उसका मजाक है। उसे आत्मग्लानि हुई और साथ-ही-साथ आत्मानुभूति भी। अनीता की आत्मा बोल उठी—वास्तव में सच्ची देशभक्ति तो इन गरीबों के कष्ट-निवारण में है। ये कोई दूसरे नहीं, हमारी ही भारतमाता की संताने हैं। इन हजारों, लाखों भूखे-नंगे भाई-बहिनों की यदि हम कुछ भी सेवा कर सकें, थोड़ा भी कष्ट-निवारण कर सकें तो सचमुच हमने अपने देश की कुछ सेवा की। हमारा वास्तविक देश तो देहातों में ही है। किसानों की दुर्दशा से हम सभी थोड़े-बहुत परिचित हैं, पर इन गरीबों के पास न घर है, न द्वार। अशिक्षा और अज्ञान का इतना गहरा पर्दा इनकी आँखों पर है कि होश सँभालते ही माता पुत्री की और सास बहू को चोरी की शिक्षा देती है। और उनका यह विश्वास है कि चोरी करना और भीख माँगना ही उनका काम है। इससे अच्छा जीवन बिताने की वह कल्पना ही नहीं कर सकते। आज यहाँ डेरा डाल के रहे तो कल दूसरी जगह चोरी की। बचे तो बचे, नहीं तो फिर साल-दो साल के लिए जेल। क्या मानव जीवन का यही लक्ष्य है? लक्ष्य है भी अथवा नहीं? यदि नहीं है तो विचारादर्श की उच्च सतह पर टिके हुए हमारे जन-नायकों और युग-पुरुषों की हमें क्या आवश्यकता? इतिहास, धर्म-दर्शन, ज्ञान-विज्ञान का कोई अर्थ नहीं होता? पर जीवन का लक्ष्य है, अवश्य है। संसार की मृगमरीचिका में हम लक्ष्य को भूल जाते हैं। सतह के ऊपर तक पहुँच पानेवाली कुछेक महान आत्माओं को छोड़कर सारा जन-समुदाय संसार में अपने को खोया हुआ पाता है, कर्तव्याकर्तव्य का उसे ध्यान नहीं, सत्यासत्य की समझ नहीं, अन्यथा मानवोत्थान से बढ़कर कौन-सा मानव धर्म है? पतित मानवता को जीवन-दान देने की अपेक्षा के कल्याण की साधना जीवन की साधना होनी चाहिए। सत्याग्रही की यही प्रथम प्रतिज्ञा क्यों न हो? देशभक्त का यही मापदण्ड क्यों न बने? अनीता दिन भर इन्हीं विचारों में डूब रही। शाम को भी वह इसी प्रकार कुछ सोचते-सोचते सो गई।

रात में उसने सपना देखा कि जेल से छूटकर वह इन्हीं माँगरोरी लोगों के गाँव में पहुँच गई है। वहाँ उसने एक छोटा-सा आश्रम खोल दिया है। उसी आश्रम में एक तरफ छोटे-छोटे बच्चे पढ़ते हैं और स्त्रियाँ सूत कातती हैं। दूसरी तरफ़ मर्द

कपड़ा बुनते हैं और रूई धुनकते हैं। शाम को रोज उन्हें धार्मिक पुस्तकें पढ़कर सुनाई देती हैं और देश में कहाँ क्या हो रहा है यह सरल भाषा में समझाया जाता है। वही भीख माँगने और चोरी करने वाले आदर्श ग्रामवासी हो चले हैं। रहने के लिए उन्होंने छोटे-छोटे घर बना लिये हैं। राही के अनाथ बच्चों को अनीता अपने साथ रखने लगी है। अनीता यही सुख-स्वप्न देख रही थी। रात में देर से सोई थी। सुबह सात बजे तक उसकी नींद न खुल पाई। अचानक स्त्री जेलर ने आकर उसे जगा दिया और बोली—आप घर जाने के लिए तैयार हो जाइये। आपके पिता बीमार हैं। आप बिना शर्त छोड़ी जा रही हैं।

अनीता अपने स्वप्न को सच्चाई में परिवर्तित करने की एक मधुर कल्पना ले घर चली गई।

गुलाब सिंह

दिन और तारीख की जरूरत नहीं। जब हम अमर-अनन्त को कहानी कहने चले हैं, तब एक दिन और एक ही तारीख पकड़कर क्यों चलें?

उसके घर में पिता था, माँ थी, बहन थी। वह सब घर का दुलारा था।

एक दिन की बात है, वह बीमार पड़ा। माँ ने उसका खाना बिल्कुल रोक दिया था। पर उसका बार-बार कुछ खाने को माँगना छोटी-सी बहन से न सहा गया। बहन का जी न माना। वह चुपके से गुड़ और चने चुरा लाई, और खिला तो चली भैया को। यह बात और है कि उसके बाद भैया का बुखार बढ़ गया। पर वह तो खिला ही चुकी थी। अपने भाई के थोड़े से भी संतोष के लिए वह माँ-बाप का गुस्सा सहने को तैयार थी। पर भाई ने भी वह गुड़-चने की बात किसी को न बताई, और बहन बताती ही क्यों? खैर किसी तरह रोग बढ़ते-बढ़ते खत्म हो गया। रोग गया और बहन की प्रेम की वह बात सदा के लिए भाई के मन पर छा गई।

ऐसी एक नहीं अनेक बातें, बहन की, माँ की, पिता की उसके मन पर छपी थीं। वह कभी उनसे लड़ता-झगड़ता भी, पर आँखों के आँसू और मन के रंग उसके अंतस् पर छपी तसवीरों को न धो सके, न धुँधला सके।

एक दिन ऐसी हवा बही कि मुरझाये हुए मनों में भी नयी जान आ गई। एक हवा ऐसी होती है जो मुरझाये हुए पौधों में ताजगी ला देती है, और एक हवा ऐसी होती है जो मुर्दा-मन मनुष्यों में नयी उमंग भर देती है। यह उमंगों वाली हवा थी। बड़ा भारी जुलूस निकला, कौमी झंडे का जुलूस था वह। पर बादशाह का हुकुम था कि जुलूस न निकले, झंडा न निकले। शहर में आतंक छा गया। बड़ा जालिम था वह बादशाह!

'बड़ा आया बादशाह! क्यों न निकले जुलूस? क्यों न निकले झंडा?' भाई से बहन ने कहा।

बहन क्या कहती है, उसने सुन लिया। बहन फिर बोली, 'कौन है यह बादशाह?'

भैया ने कहा, 'उँह होगा कोई!' फिर पूछा, 'क्यों न निकले जुलूस? क्यों न

निकले झंडा?'

भाई कटुता के स्वर में बोला—हमारा देश बादशाह का गुलाम जो है!

उत्तर था—तो जुलूस निकले, झंडा निकले।

यह उत्तर था या निश्चय?

झंडे की तैयारी होने लगी। बहन ने अपनी पुरानी ओढ़नी फाड़कर झंडे का कपड़ा बना दिया। भाई ने अपने खेलने के डंडे में उसे बाँधा। रंग भी लाल-पीले चढ़ गये।

अब भाई झंड लेकर चला।

'अरे भाई कहाँ जाते हो, हम भी साथ चलेंगे।' बहन का आग्रह था।

— पर बहन बड़ी दूर जाना है, तुम थक जाओगी।'

—नहीं भैया।

—नहीं बाई।

—जुलूस कौन बनावेगा? तुम झंडा उठाना, हम जुलूस बनाकर चलेंगे पीछे-पीछे।

—नहीं रानी, तुम जुलूस नहीं, तुम एक काम करो, हमको रोली कार तिलक और आक्षत देकर विदा करो, जैसे कोई राजकुमारी राजकुमार भाई को विदा करती है।

—राजकुमारी?

—हाँ, राजकुमारी।

बहन ने खुशीसे किलकार के साथ ताली दो और दौड़कर एक थाली में थोड़ी-सी रोली, थोड़े-से चावल सजा लाई, एक दीया और भी जलाकर रख आई। भाई की आरती उतारनी थी। बहन को आरती उतारना बहुत भाता था। मुँह के आस-पास घूमती हुई थाली के दीयों के लौएँ चाँद-सूरज का-सा प्रभामंडल बना देती हैं। देवताओं के मुँह के आस-पास उसने चित्रों में प्रभा-मंडल देखा था। वैसा ही गोल-गोल उजाले का घेरा वह अपने भाई के मुँह के आस-पास चमकता हुआ देखना चाहती थी।

बहन ने मुस्कुराते हुए, पर गम्भीरता के भाई के माथे पर रोली का तिलक लगाया, चावल बिखराये, आरती की, और बीड़ा पान का खाने को दिया। वह छोटा-सा बीड़ा भी बनाकर ले आई थी। पगली ने सुन रखा था कि राजकुमारियाँ वीर की विदाई पर पान का बीड़ा भी देती हैं।

भाई ने बहन के पैर छुए और विदा ली। बहन ने भाई के सिर पर हाथ फेरे और बलैया लीं।

अब वह झंडा लेकर चला।

बहन दरवाजे पर खड़ी रह गई। कहानियों की राजकुमारियाँ इसी तरह विदा करती थीं और देखती खड़ रह जाती थीं।

दूर तक भाई के लहराते हुए झंडे को जाते हुए देखती रही वह।

बहुत दूर जाने पर बादशाह के सिपाहियों ने झंडेवाले को रोका। वह न रुका, नहीं रुका और बादशाह के सिपाहियों ने गोली चला दी। वह गिरा। झंडा उसके हाथ में था।

गोलियाँ चल जाने पर किसकी हिम्मत कि सड़क पर जाता और घायल को सँभालता ? पर बहन ने उसको गिरते देख लिया था। न जाने क्यों उसका दिल पहले से ही कुछ धकधक कर रहा था। वह दौड़ पड़ी, अकेली दौड़ती जा पहुँची। भाई खून के लथ-पथ पड़ा था। पुकारा—भैया !

भाई के प्राण मानो यह अमृतवाणी सुनकर लौट पड़े। बोला—तू आई, यह झंडा ले।

बहन ने झंडा ले लिया। पर भाई चला गया। बहन रोई पर झंडा हाथ में लिये रही। बादशाह के सिपाही मानो गढ़ जीतकर चले गये थे। अब बहुत से लोग आये। अरथी उठी। सामने भाई की बहन वही झंडा लिये चल रही थी।

बादशाह का हुकुम था जुलूस नहीं निकलेगा, कौमी झंडा नहीं निकलेगा, पर जुलुस निकला, झंडा भी निकला।

यह कहानी कहाँ की है ? किसकी है ? हम क्यों बतावें ! यह फ्रांस की राज्य-क्रांति की हो जाती है। यह रूस की राज्य-क्रांति की हो सकती है। यह हिन्दुस्तान की सन् 42 की क्रांति की भी हो सकती है, क्योंकि यह घटना चिरंतन है, अनन्त है। यह जैसे पेरिस में, मास्को में, वैसे जबलपुर में हो सकती है।

जबलपुर में ? तो क्या उस वीर बालक का नाम था गुलाबसिंह ? हो सकता है !

दो साथी

आनन्द और विनय दोनों बचपन के साथी थे। प्रायमरी पाठशाला से लेकर हाईस्कूल तक दोनों ने साथ-साथ पढ़ा था। अब साथ-ही-साथ दोनों कालेजों में आये थे। दोनों में गाढ़ी मैत्री थी। परन्तु साथ-ही-साथ विचार विभिन्नता भी काफी मात्रा में थी। दोनों का स्वभाव बिलकुल भिन्न था—आनन्द पूर्व तो विनय पश्चिम।

आनन्द अपने नाम के अनुरूप ही आनंदप्रिय था। स्वभाव से वह उदार, शाहखर्च, प्रेमी, मिलनसार और कुछ-कुछ अभिमानी थी। रुपयों का उसके पास कोई मूल्य नहीं था। जिस दिन उसके पास मनीआर्डर आता उस दिन से लगातार वह तब खर्च करता जब तक उसके रुपये चुक न जाते। वह बराबर दोस्तों की खातिर-तवाजो करता और इसमें बहुत-सा रुपया व्यर्थ उठ जाता। उसे इसकी याद ही न रहती कि कॉलेज की फीस भी देनी है अथवा और भी दूसरे खर्च हैं जो महीने भर तक लगे रहेंगे। दूसरे विद्यार्थी से दूने रुपये आने पर भी हर महीने होटलवाले और पानवाले की उधारी चढ़ी रहती थी। उसके साथ उठने-बैठने लकड़ों में से एक भी ऐसा न था जिस पर आनन्द ने कुछ न कुछ, कभी न कभी खर्च न किया हो।

इसके विपरीत विनय मितभाषी, संयमी, कमखर्च और सीधे स्वभाव का था। वह बोलता कम, लेकिन अनुभव अधिक करता था। फूँक-फूँक कर पैर रखने की उसकी आदत थी। उसके पास इने-गिने पैसे आते थे जिनसे उसे पूरा खर्च चलाना पड़ता था। किसी का एक पैसा भी उस पर उधार न था। हजार तकलीफ में होने पर वह एक पैसा तक उधार न लता था। उसके मित्रों की संख्या भी सीमित थी।

बी० ए०पास होने पर दोनों को भविष्य को चिन्ता थी। अंत में दो वर्ष तक और साथ रहने इस आशा के सहारे एक दिन दोनों ने लॉ कालेज में नाम लिखाया।

लॉ कॉलेज के प्रोफेसर डे की लड़की मैटिक की परीक्षा तैयारी कर रही थी। गणित में वह कुछ कमजोर थी। एक ट्यूटर की आवश्यकता थी। विनय गणित का एक मेधावी विद्यार्थी रह चुका था अतएव उसे यह ट्यूशन मिल गयी। कुछ सयम

बाद उसे दो विद्यार्थी गणित पढ़ाने को और मिल गये। उसे चालीस रुपये माहवार मिलने लगे।

प्रोफेसर डे की पत्नी क्रिश्चियन थीं। पति-पत्नी दोनों ने अपना धर्म परिवर्तन न किया था। प्रोफेसर डे बंगाली हिन्दू ही रहे। वे मूर्ति-पूजा करके रोज नियम से कृष्ण की उपासना करते और उनकी पत्नी इतवार को गिरजे जाती थीं। उनकी लड़की मीरा का झुकाव हिन्दू-धर्म की ओर था। माँ उसे मेरी और पिता मीरा कहते थे। मीरा पिता की तरह मूर्ति उपासना करती और और उसके दो छोटे भाई माँ के साथ गिरते जाते थे। मीरा का झुकाव हिन्दू धर्म की ओर देखकर उसकी माँ प्राय: कुपित रहती थीं। उसे गँवार, बेवकूफ इत्यादि सम्बोधन से पुकारा करतीं। माँ-बेटी दोनों में बहुत अन्तर था। माँ साया पहनती तो बेटी साड़ी। माँ के बाल अँग्रेजी ढंग से कटे थे। मीरा के बाल लम्बे-लम्बे, लहराया करते थे। मीरा को पिता से ही सम्पूर्ण आदर, दुलार और प्यार मिलता था। माँ उसे बिलकुल न चाहती थी। मीरा जब कभी बाहर निकलती थी तो पिता के साथ। माँ के बाप वह कहीं भी जाती। पूर्ण रूप से वह हिन्दू थी।

मीरा अपने मास्टर से गणित के अलावा उनके धर्म, संस्कृति और आचार-विचार की बहुत-सी बातें पूछती और उन्हीं के अनुसार अपने दैनिक जीवन को बनाकर आदर्श हिन्दू-रमणी कहलाने का मधुर स्वप्न देखा करती थी। ईसाई माँ की बेटी होकर भी हिन्दू-धर्म के प्रति मीरा की आसक्ति और श्रद्धा देखकर विनय किस दिन से उसे चाहने लगा, किस दिन चुपके-ही-चुपके इस भोली-भाली नन्हीं-सी पवित्रात्मा ने विनय के हृदय में अपने लिए स्थान बना लिया। विनय ने यह कभी न जाना और न जानने का उसने प्रयत्न किया। गुरु और शिष्या के भाव से ही वे एक दूसरे को देखते थे। किन्तु इस जिज्ञासु बालिका के प्रति विनय के हृदय में जो आदर और स्नेह के भाव अंकुरित हो गये थे उन्हें वह छिपा न सकता था। प्राय: आनन्द से एकान्त में बात करतेय समय इस परिवर की चर्चा हो उठती और उस बातचीत के अंदर से चतुर आनन्द यह तथ्य निकाल लेता कि अपनी शिष्या के प्रति विनय कितने ऊँचे और प्रेम के भाव रखता है।

धीरे-धीरे आनन्द के हृदय में इस लड़की को देखने की प्रबल उत्कंठा जाग पड़ी। पहिले तो उसने इस उत्कंठा को दबाने का प्रयत्न किया फिर उसने सोचा कि एक बार देखने या मिलने में कोई पाप तो है नहीं। उसने अपनी इच्छा विनय पर प्रकट की। दोनों मित्रों की राय थी कि देखने लायक वस्तु को देखने में कोई हर्ज नहीं, हर्ज न देखने में ही है।

शाम को जब विनय पढ़ाने जा रहा था, तब आनन्द उसके साथ था। प्रोफेसर डे

कहीं गये हुए थे। बाहरी बरामदे में मिसेज डे से इन लोगों की मुलाकात हुई। विनय परिचय करा रहा था। उसी समय मीरा भी वहाँ पहुँची। कुछ गर्व के साथ उसने कहा —आप श्री मीरा देवी है जिन्हें मैं गणित पढ़ाता हूँ।

मीरा चुप खड़ी रही। तीसरे व्यक्ति के सामने बात करने में संकोच हो रहा था। मिसेज डे ने पुत्री की ओर देखते हुए भर्त्सना के स्वर में कहा —

मेरी, मिस्टर आनन्द से शेक-हैंड करो। साधारण शिष्टाचार का भी तुम्हें ज्ञान नहीं है।

एक क्षण माता की ओर देखकर मीरा ने अपने दोनों हाथ जोड़कर आनन्द से कहा —नमस्ते!

'नमस्ते', उत्तर मिला।

क्षण भर मीरा ने आनन्द को देखा और अपनी अध्ययनशाला की ओर चल पड़ी।

विनय के चले जाने के पश्चात् आनन्द और मिसेज डे में वार्तालाप होने लगा। एक घंटे के बाद मीरा को पढ़कर विनय बरामदे में आया तो उसने देखा आनन्द और मिसेज डे इस प्रकार घुल-मिलकर बातें कर रहे थे, मानों बरसों से एक दूसरे से परिचित हैं। वैसे आनन्द का स्वभाव कुछ ऐसा था कि वह लोगों से बड़ी जल्दी-हिल-मिल जाता था। विशेषकर स्त्रियाँ तो उसके प्रभाव में बहुत जल्दी आ जाती थीं। वह स्त्रियों के प्रति इतना आदर, इतनी श्रद्धा और इतना सम्मान प्रदर्शित करता कि पहली मुलाकात में ही हर एक मिलने-जुलनेवाली स्त्री उसे आदर्श पुरुष की श्रेणी में स्थान दे देती थी। इन पिछले छः महीनों में विनय और मिसेज डे में सिवाय 'नमस्ते' के और किसी शब्द काह विनियम न हुआ था, पर आनन्द ने एक ही दिन में अपना प्रभाव इतना अधिक कर लिया कि जब दोनों उठकर चलने लगे तब मिसेज डे ने उसे दूसरे दिन आमंत्रित किया। आनन्द ने गर्व-भरी आँखों से विनय को देखा। विनय मुस्कुरा दिया। कुछ दूर तक आने के बाद आनन्द विनय से बोला—मूर्खराज! छः महीने तक आकर भी तुम मास्टर के मास्टर ही रहे और बंदे ने एक ही दिन में मित्रता का नाता जोड़ लिया।

—बधाई देता हूँ तुम्हें। पर मैं मास्टर की सीमा से आगे बढ़ना ही नहीं चाहता। विनय ने हँसकर कहा।

—सीमा के आगे बढ़ने के लिए जौहर चाहिए, जौहर! क्या समझे!

—उस जौहर की न मुझे आवश्यकता है और न कभी आ ही सकेगा। दृढ़ निश्चय से हँसते हुए विनय ने उत्तर दिया।

मीरा मैट्रिक पास हो गई। अब पिता की इच्छानुसार विनय से संस्कृत पढ़ने लगी। आनन्द भी डे-परिवार का एक व्यक्ति-सा हो गया है। विनय का अधिक समय इस परिवार के साथ बीतता है। परिवार के छोटे से लेकर बड़े तक का वह प्रेम-पात्र हो गया है। बिना पढ़ाये भी प्रोफेसर डे के यहाँ विनय का अधिकांश समय बीतता है। मिस्टर डे का विनय पर बहुत स्नेह है। वे उसे अपने पास बुलाकर उससे बातें करते हैं और कभी-कभी उनके हृदय का गहरा विषाद और असन्तोष एक दीर्घ निःश्वास के साथ बाहर निकल पड़ने को मचल उठता है। मीरा की प्रशंसा बहुत करते हैं और साथ ही उसके भविष्य की चिन्ता में एक गहरी साँस भी छूट जाती है।

बात-ही-बात में एक दिन उन्होंने मीरा के विवाह के बारे में कहा—तुम जानते हो विनय, मीरा की माँ क्रिश्चियन है किन्तु मेरी लड़की मीरा नहीं। मैं मीरा का विवाह हिन्दू युवक से करना चाहता हूँ। लड़का पढ़ा-लिखा, ऊँचे विचारवाला, स्वस्थ और सुन्दर हो। धन की मुझे परवाह नहीं। मेरे पास यथेष्ट सम्पत्ति है जिसमें से आधी, मैं अपनी लड़की को दूँगा।

प्रोफेसर डे की आंतरिक इच्छा विनय से ही मीरा का विवाह करने की थी। इस प्रकार परोक्ष रूप से प्रस्ताव करके उन्होंने विनय के हृदय की थाह लेनी चाही। विनय असंमजस में पड़ गया। उसने सरलतापूर्वक विश्वास दिलाते हुए कहा—आप चिन्ता न कीजिए। मीरा के लिए मैं दो-तीन दिन में ही आपकी इच्छानुसार सुयोग्य वर ढूँढ़ बतलाऊँगा।

विनय विचारों में डूबता-उतराता चला जा रहा था। उसने निश्चय किया—वह स्वयं मीरा से विवाह कर लेगा। वह मीरा को अच्छी तरह जानता था और उसे यह भी भान होता था कि वह मीरा दोनों एक-दूसरे के अधिकाधिक निकट आते जा रहे हैं। उसने सोचा—मुझे मीरा के समान अच्छी लड़की शायद हो मिले। रही बूढ़ी माँ की बात सो मैं उन्हें सब समझा दूँगा। निश्चय पक्का हो गया। रात को आनन्द देर से लौटा। विनय सो गया था। उस दिन सबेरे से ही कुछ ऐसी बातचीत हो गई कि दोनों अलग-अलग हुए तो शाम को मिले, वो भी मिसेज डे के मकान पर।

जब विनय मीरा को पढ़ाने पहुँचा तब उसकी मानसिक अवस्था ठीक न थी। वह आज मीरा को दूसरें ही भाव से देख रहा था। प्रायः वह सोच में डूबा-सा रहता और मीरा के कोई प्रश्न पूछने पर चौंक-सा जाता था। पुस्तक उठाते समय अचानक मीरा का हाथ उसके हाथ्‍न से छू गया। विनय सिहर उठा। मीरा ने जाना आज मास्टर साहब का पढ़ाने में मन नहीं लग रहा है। वह बोली—मास्टर साहब, आज आप किस गहरी चिन्ता में है। रहने दीजिए कल पढ़ाइयेगा। पुस्तकें समेट उसने एक तरफ रख दीं।

'ठीक कहती हो मीरा। सचमुच आज मेरा जी पढ़ाने में नहीं लग रहा है। कल पढ़ाऊँगा। प्रोफेसर साहब हैं क्या?' विनय ने पकड़े जाते देखकर कहा।

मीरा ने भीतर से आकर पान रखते हुए कहा—पिता जी कहीं गये हैं। अभी आते ही होंगे।

विनय एक बार साहस करके, मीरा से विवाह के बारे में सम्मति लेना चाहता था किन्तु साहस न कर सका। उसने अनायास ही मीरा से प्रश्न किया

— अच्छा मीरा, तुमने भविष्य में अपने लिये क्या निश्चय किया?

— अभी मैं क्या निश्चय करूँगी। पिताजी तो हैं। परंतु फिर भी इतना निश्चय है कि मेरी जीवन-यात्रा एक हिन्दू नारी के उच्चतम आदर्शों को लेकर ही प्रारम्भ होगी।

विनय ने सन्तोष की एक साँस ली। प्रोफेसर साहब आये नहीं। देर काफी हो गई थी, अतएव वह चल पड़ा। फाटक पर ही आनन्द से उसकी मुलाकात हुई। विनय ने उसे अन्दर जाने से रोककर यह कहते हुए कि उसे किसी गूढ़ विषय पर आनन्द से परामर्श करना है घसीटकर अपने साथ ले लिया।

दोनों अपने कमरे में जा बैठे। विनय ने कल से लेकर आज तक की सब घटनाएँ आनन्द को सुना दीं और साथ ही मीरा से विवाह करने का अपना निश्चय भी। सारी बात हो जाने पर भी आनन्द के मुख से एक भी उत्साहवर्धक शब्द न सुनकर विनय को कम आश्चर्य नहीं हुआ। उसने आनन्द की ओर देखा। उसका चेहरा स्याह पड़ा जा रहा था। विनय घबराकर बोला—क्या बात है आनन्द, साफ-साफ कहो। तुम्हें यह बात पसन्द नहीं है तो मैं विवाह न करूँगा। उन्हें दूसरा वर खोज दूँगा।

आनन्द उत्तर ने दे सका। खाट पर चुपचाप लेट गया। विनय स्टोव जलाकर चाय तैयार करने लगा। चाय पीने के बाद, कुछ स्वस्थ होकर, आनन्द बोला — तुम्हें इस सफलता के लिए बधाई देता हूँ विनय! पर एक बात है। तुमने तो कर्त्तव्यवश मीरा से विवाह करने का निश्चय किया है, किन्तु मुझे मालूम होता है कि मैं मीरा के बिना जी ही नहीं सकूँगा। मैं जो उस परिवार के साथ इतना समय व्यतीत करता हूँ, वह मिसेट डे और उनके बच्चों के लिए नहीं। मीरा का आकर्षण मुझे वहाँ रोज़ खींच ले जाता है।

—किन्तु तुमने मुझसे यह तो कभी न कहा।

—कैसे कहता, अपनी दुर्बलता प्रकट करने में तो कभी-कभी संकोच होता है।

—फिर तुम क्या चाहतेय थे? आखिर मीरा को कैसे प्राप्त करते? विनय ने

प्रश्न किया।

—पहले तो उसके माता-पिता के सम्मुख विवाह का प्रस्ताव रखता। यदि वे नहीं मानते तो मीरा का जबरन अपने साथ भाग चलने के लिए तैयार करता।

'क्या तुम आशा करते हो कि मीरा तुम्हारे साथ भाग जाने को तैयार होगी। कभी उससे प्रेम दर्शाया है!' विनय ने जरा तेज होते हुए पूछा।

—प्रेम दर्शाने के लिए कभी अवसर ही न मिला। पर जब इन बातों को जाने दो। मीरा के साथ तुम सुखी रहो विनय! यही मेरी कामना है।

'पर...पर तुम्हें दु:खी बनाकर मैं सुखी न रह सकूँगा! तुम्हारा सुख मेरा सुख है। तुम्हारा दु:ख मेरा दु:ख है।' विनय ने अधीर होते हुए कहा।

'अब उपाय ही क्या है?' आनन्द कह उठा।

'घबराओ नहीं आनन्द! उपाय है। मीरा के पिता से अभी मैंने कुछ नहीं कहा है। उन्हें तुम्हारा नाम सुझा दूँगा', कहते हुए विनय ने गरही साँ ली और पलँग पर लेट गया।

सबेरे से विनय ने जिस सोने के संसार की रचना की थी, वह एक हल्के से हवा के झोंके से गिरकर मिट्टी में मिल गया। दोनों बड़ी देर तक चुपचाप पड़े रहे। अचानक आनन्द उठ बैठा और बोला—नहीं विनय यह नहीं होगा। यदि तुम मीरा को सचमुच प्यार करते हो तो मैं तुम्हारे सुख के रास्ते में काँटा न बनूँगा।

विनय गम्भीरता से बोला—मीरा को मैं प्यार करता हूँ या नहीं, सवाल यह नहीं है। सच बात यह है कि तुम्हें दु:खी नहीं देख सकता। मुझमें कष्ट सहने की क्षमता है, तुममें नहीं।

अन्त में यही निश्चय हुआ कि विनय आनन्द का नाम प्रोफेसर डे को सुझावेगा। इसके बाद आनन्द तो हल्की तबियत से सो गया, विनय रात भर तड़पता रहा। सुबह याच के समय दोनों फिर साथ बैठे। विनय के चेहरे पर मुसकुराहट थी। उसने आनन्द से कहा—आनन्द! तुम्हारे लिये मैं मीरा को त्याग करके भी मैं मीरा को सहज ही भुला न सकूँगा, इसलिए उचित यह है कि तुम्हारे विवाह के पहिले मैं यहाँ से कहीं चला जाऊँ! जाने से पहिले मैं मीरा को कुछ उपहार-स्वरूप दे जाऊँगा, उसमें तो तुम्हें कोई ऐतराज नहीं होना चाहिए। कुछ ठहरकर उसने फिर कहा—एक बात और आनन्द! इसे भूलना मत! देखो मीरा को कभी किसी प्रकार का कष्ट न देना। अगर मुझे मालूम हुआ, कि तुमने उसे कभी किसी तरह का भी कष्ट दिय है तो मित्रता भूल जाऊँगा। तुम से उसका बदला लिये बिना न रहूँगा। इसे मजाक न समझना। बहुत सोच-समझकर कह रहा हूँ।

'किन्तु विनय, तुम्हें खोकर क्या मीरा के साथ मैं सुखी रह सकूँगा। तुम्हारा

अभाव तो मुझे कदम-कदम पर खटकेगा।' आनन्द के स्वर में भर्राहट थी, पीड़ा का आभास था।

'कॉलेज के जीवन के बाद तो हमें अलग होना ही पड़ता। इसके लिए हृदय को दुर्बल न बनाओ। पर एक बार तुम कहो कि मीरा को कभी कष्ट न दोगे', विनय का गला भरा आ रहा था।

'विनय! मैं मीरा को कभी किसी प्रकार का कष्ट न होने दूँगा।' आनन्द आगे कुछ न कह न सका। आँखें भर आयी थीं।

शाम को जाकर विनय ने प्रोफेसर डे से मीरा के लिए आनन्द का नाम सुझाया। प्रोफेसर डे के चेहरे पर प्रसन्नता न दिख सकी जिसकी आशा विनय को थी। साथ ही विनय ने कहा—मैं किसी आवश्यक कार्य से बाहर जा रहा हूँ। जल्दी ही लौटकर आ जाऊँगा। विनय वहाँ से उठकर मीरा के पास गया।

मीरा पढ़ने की प्रतीक्षा में बैठी थी। विनय ने अपने को सँभालते हुए कहा, 'मीरा, मैं आज भी तुम्हें न पढ़ा सकूँगा। मैं जरूरी काम से बाहर जा रहा हूँ। कब लौटूँगा कह नहीं सकता। मैं तुम्हारे लिए कुछ पुस्तकें लाया हूँ। इन्हें ध्यान से पढ़ना और समझना।' आवाज में एक दर्द था, एक अनुग्रह था। मीरा के सामने किताबों का ढेर लगाकर, एक अँगूठी मीरा की अँगुली में पहिनाते हुए कहा, 'इसे कभी अँगुली से अलग न करना। मैं कहीं भी रहूँ, इससे मेरी आत्मा को सन्तोष होगा।' उत्तर की प्रतीक्षा किये बिना ही वह तेजी से कमरे के बाहर हो गया।

मीरा उठकर आई। वह कुछ पूछना चाहती थी पर तब एक साइकिल उठा कर विनय बहुत दूर तक जा चुका था। लौटकर मीरा ने देखा —अँगूठी पर मीरा खुद हुआ था और किताबों पर सुन्दर-सुन्दर अक्षरों में विनय की कलम से उसका नाम लिखा था। किताबें ऊँचे दरजे के भारतीय साहित्य और हिन्दू धर्म से सम्बन्ध रखने वाली थी। विनय का आज का व्यवहार भोली और मीरा समझ न सकी। यदि एक बार भी वह विनय की ओर आँख उठाकर देखतो तो उसके हृदय का प्रचंड विषाद मीरा की समझ में आ जाता। पर मीरा में इतनी समझ कहाँ थी? मीरा इसी चिन्ता में उदास बैठी थी कि आनन्द आ गया। मीरा का जी कुछ हल्का हुआ। उसने सोचा इनसे विनय के बारे में कुछ जान सकूँगी। आते ही पूछा—क्या आप लोग घर जा रहे हैं?

'नहीं, ऐसी तो कोई बात अभी नहीं है।' कहते हुए आनन्द अपनी जगह पर बैठ गया। किसने कहा तुमसे?' उसने मीरा से प्रश्न किया।

मीरा बेचारी क्या कहती? चुप रह गई। कुछ क्षण बाद बोली—परीक्षा हो

गयी, इसलिए पूछा था।

'हम लोग कब जायेंगे यह तो विनय तय करेगा।' आनन्द ने कहा—और जाने से पहिले तुमसे कह जायेंगे। इतना कह वह कुछ मुस्कुराया।

मीरा आगे कुछ न कह सकी।

मिसेज डे ने चाय के लिए सबको बुला लिया। उस दिन आनन्द ने बहुत देर तक मिसेज़ डे के बँगले पर विनय की प्रतीक्ष की। प्रोफेसर साहब के आने पर ही उसे मालूम हुआ कि विनय आकर चला गया। घबराकर आनन्द अपने निवास की ओर तेजी से बढ़ा। उसे सन्देह होने लगा कि शायद वह विनय से अब न मिल पायेगा। सन्देह सच निकला। कमरा खाली था। मेज पर एक लिफाफा पड़ा था। झपटकर आनन्द ने उसे उठा लिया। देखा, लिखावट विनय की थी। साँस रोककर उसने पढ़ना शुरू किया—

भाई आनन्द,

जा रहा हूँ। जाते समय तुमसे न मिल सका। इससे मुझे दुःख है। मेरी चिंता न करना। मैं सदा तुम्हारा मित्र हूँ और रहूँगा। मीरा की रक्षा भी भली-भाँति करना। उसे किसी प्रकार का कष्ट न होने देना।

तुम्हारा अपना
विनय

पत्र समाप्त होते ही आनन्द को ऐसा लगा कि वह खड़ा न रह सकेगा। वह खाट पर गिर पड़ा और बालकों की भाँति फूट-फूटकर रोने लगा। न जाने कितनी देर तक रोता रहा। बार-बार उसके मस्तिष्क में यही प्रश्न उठता रहा—मीरा के लिए उसे कितना गहरा मूल्य चुकाना पड़ा है। उसका बचपन का साथी, छात्र जीवन की अंतिम घड़ियों का साथी, उसका बाल-बन्धु विनय आज उसे अकेला छोड़कर कहीं चला गया है। आज ही समझ पाया कि वह विनय को कितना प्यार करता था। न जाने किस अशुभ घड़ी में वह प्रोफेसर डे के घर गया था। वहाँ मीरा रूप दीवाल आकर दोनों मित्रों ने के बीच में खड़ी हो गयी। वे इस प्रकार एक अनिश्चित अनजाने समय के लिए अलग हो गये। अगर उसे अभी विनय मिल जाय तो वह विनय से कहे—छोड़ो यह सब। मीरा का अब ध्यान भी न करेंगे हम लोग, अब तक जैसे रहते थे वैसे ही रहेंगे। मीरा क्या, संसार की कोई भी शक्ति हम दोनों को अलग न कर सकेगी; किन्तु ये विचार केवल विचार ही रह गये। जिस समय दुखित होकर आनन्द इस प्रकार रो रहा था उस समय विनय का विषाद से ओत-प्रोत शरीर रेल पर बैठा हवा के साथ उड़ा जा रहा था। कहाँ जायगा, क्या करेगा—विनय कुछ न जानता था! वह तो केवल आनंद से दूर, मीरा से दूर किसी अनिश्चित स्थान में जा

रहा था। जब तक वह अपने हृदय की सारी दुर्बलताओं की धोकर बहा न देगा, तक तक विनय न तो मीरा से मिलेगा न आनन्द से। आनन्द उसका मित्र है, मीरा आनन्द की पत्नी। विनय दोनों की मंगल-कामना करता है।

मीरा और आनन्द के विवाह को आज पाँच साल हो गये। मीरा अब दो सन्तानों की माँ है। पहिला लड़का साढ़े तीन साल का और दूसरा डेढ़ साल का है। पिछले साल से इस छोटे से परिवार पर बड़ा हो भीषण आर्थिक संकट उपस्थित हो गया है। विवाह के समय आनन्द को दहेज के तौर पर दस हजार रुपये प्रोफेसर डे से मिले थे। साथ ही रहने के लिए एक बँगला भी। किन्तु पास में रुपया होने और कोई रोक-टोक न होने के कारण फिजूलखर्ची होने लगी। आनन्द की आदतें और भी बिगड़ गई। परिणाम यह हुआ कि पाँच साल में पाँच रुपये भी शेष न रह सके। ईसाई माँ की बेटी से विवाह करने के कारण परिवार वालों ने आनन्द का बहिष्कार कर दिया था। इधर दो साल हुए प्रोफेसर डे ने भी इस संसार को छोड़ दिया। मिसेज डे ने एंग्लोइंडियन से पुनर्विवाह कर लिया। इसलिए आनन्द को आर्थिक सहायता कहीं से भी न मिल सकती थी। मीरा के ज़ेवर, कीमती उपहारों को बेच-बेचकर किसी प्रकार घर का काम चल रहा था।

पहिले प्रोफेसर डे के और मीरा के बहुत आग्रह करने पर भी आनंद वकालत करने को तैयार न हुआ था। अब मुश्किल थी फीस की। एक सौ पचास रुपये कहाँ से लाये। नौकरी के लिए भी बहुत कोशिश की पर कहीं ऐसी नौकरी न मिली, जिसे वह अपनी मर्यादा के योग्य समझता।

इस बीच उसमें दुर्व्यसन भी बढ़ चले थे। उसे शराब से वैसे भी घृणा न थी पर अब ज्यों-ज्यों दुर्दिन आते गये त्यों-त्यों मद्य प्रेम बढ़ता गया। आर्थिक कठिनाइयों के साथ उसकी शराब की मात्रा भी बढ़ती गई। पहिले वह रात को ही पीता था अब तो चौबीस घंटे में से एक घंटा भी ऐसा न था जो शराब पीने के लिए उपयुक्त न हो। हालत यहाँ तक बिगड़ी कि घर में स्त्री-बच्चों के भोजन की व्यवस्था के पहिले उसे बोतल की चाह लगी रहती थी। कभी-कभी दिन और रात वह न जाने कहाँ बिता देता और घर आने पर मीरा से रुपयों की फ़रमाइश करता। बात फ़रमाइश पर ही समाप्त न हो जाती, मार-पीट, गाली-गलौज तक नौबत पहँचती। लज्जा के मारे मीरा कुछ बोलती न थी। जब तक गहने या कोई बेचनेवाला सामान उसके पास रहा तब तक देती रही। पर अब तो कुछ भी शेष न बचा था। यहाँ तक कि उसने अपनी कुछ कीमती साड़ियाँ भी आनन्द को उठाकर दे दीं। किन्तु पीने के बाद तो आनन्द की तृष्णा और भी बढ़ जाती थी। न तो उसमें विवेक रह जाता था न बुद्धि। नशे में

वह भूल जाता था कि मीरा कहाँ से पैसा ला सकती है। पैसों के लिए वह उसे डाँटता, उससे लड़ता और कभी-कभी बड़ी निर्दयता से मारता भी था। यह बात न थी कि नशा उतरने पर उसे अपने इस नीच कृत्यों पर ग्लानि न होती हो। नशे में जो आनन्द ज्वालामुखी बन जाता था। वही नशा उतरने पर मीरा से क्षमा माँगता, शराब न पीने का वादा करता और अपने वादे पर दो-चार दिन कायम भी रहता। परन्तु हाथ में कुछ पैसा आया और आनन्द फिर शराब का साथी और बाद में पशु से गयात-बीता हो जाता था।

इधर कई दिनों से मीरा की अँगूठी पर, जो विनय ने उपहारस्वरूप दी थी, झगड़ा चल रहा था। आनन्द अँगूठी बेचना चाहता था और मीरा उसे देना न चाहती थी। मीरा के जीवन की कटुता को बढ़ाने में मिसेज डे का पुनर्विवाह एक नये अध्याय के रूप में खुल गया था। उसे बात-बात पर आनन्द ताने देता कि आखिर वह अपनी माँ की बेटी है। उन्होंने प्रोफेसर डे को मारकर दूसरी शादी कर ली, तुम भी मुझे मारकर वही करोगी। इसलिए अँगूठी पर तुम्हारा इतना मोह है, उसे देता नहीं। मीरा ने जबान पर ताला डाल रखा था, हृदय पत्थर पर बना रखा था। सब-कुछ सुनती, सब-कुछ सहती पर जबान न देती। इसी अँगूठी के पीछे एक दिन आनन्द झगड़कर चला गया। दो दिन तक घर के छोटे-छोटे बच्चों को भूख से रोते-बिलखते देखकर किस माँ का हृदय चूर-चूर न होने लगेगा। मकान में नीचे कुछ किरायेदार रहते थे। महीना पूरा होने को था। मीरा ने सोचा कि कुछ रुपया किराये के माँग लूँ, पर जब खबर भेजी गई तो पता चला किराया आनन्द पहिले ही ले चुके हैं।

विनय एक कालेज में गणित का प्रोफेसर हो गया था। इधर कई दिनों से उसकी अन्तरात्मा, अपने मित्र आनन्द और मीरा से मिलने के लिए अकुला रही थी। वह अपनी दुर्बलताओं पर विजय पा चुका था अतएव वह बिछड़े हुओं से मिलने चल पड़ा। मोटर से ही यात्रा करने का निश्चय किया। विवाह से पहले जो बँगला प्रोफेसर डे मीरा को देनेवाले थे वहाँ पहुँच गया। लोगों से उसे पता ज्ञात हो गया। उसने सोचा कि बिना सूचना दिये चुपके-चुपके जाकर उन्हें आश्चर्य में डाल दूँगा। चोरों की तरह जीने से चढ़कर जब विनय ऊपर पहुँचा तो देखा कि छज्जे पर दोनों बच्चें बैठे हैं। देहली पर जीने की तरफ पीठ किये मीरा बैठी है। सामने थोड़े से भुने चने पड़े हैं। उन्हें छील-छीलकर बच्चों को खिला रही है। विनय स्तब्ध-सा खड़ा रह गया। यह वही मीरा है और यह मेरे आनन्द का निवासस्थान है। फिर उसने सोचा—मैंने गलती तो नहीं की। इतने में ही मीरा ने जो पीछे देखा तो खड़ी हो गई।

स्वाभाविक हँसी के साथ बोली—मास्टर साहब! आप हैं। आइये, बहुत दिनों के बाद हम लोगों की याद आयी।

कुरसी पर बैठते-बैठते विनय ने पूछा—आनन्द कहाँ है?

मीरा क्या जवाब दे। उसका चेहर उतर-सा गया। अपनी फटी धोती सँभालती हुई बोली, 'बाहर गये हैं। अभी आते होंगे।' ठरहकर उसने कहा—हाँ! देखिए, मैंने आपकी अँगूठी कभी अँगुली से नहीं निकाली, फिर भी आप हम लोगों को भूल गये।

विनय ने पूछा, 'ये बच्चे तुम्हारे है?' उसने सरसरी तौर से मकान के चारों ओर नजर डाली। मकान का पुरान वैभव जहाँ-जहाँ अब मरणोन्मुख अवस्था में दृष्टिगोचर हो रहा था। भीषण दरिद्रता इन सबका उपहास करती हुई अट्टहास कर रही थी। इसी समय छोटे बच्चे के सामने का छिला हुआ चना खत्म हो गया और वह भूख के मारे चिल्लाने लगा। मीरा चने छीन-छीलकर खिलाने लगी। बच्चे ने चने फेंक दिये और दूध माँगा। मीरा आश्वासन दे सकी, दूध नहीं। बच्चा मचल पड़ा। बड़े लड़के ने उसे समझाते हुए कहा—माँ को तंग न करो, दूध नहीं है।

विनय परिस्थिति समझ चुका था और जब उसने यह करुण दृश्य देखा तो 'अभी आध घंटे में आता हूँ' कहकर वह तेजी से सीढ़ी उतर बाजार की ओर बढ़ गया।

विनय के जाने के कुछ समय पश्चात् ही आनन्द आया शराब में घूमता हुआ, उन्मत्त। उसने मीरा से खाना माँगा। बेचारी मीरा क्या देती! घर में कुछ था ही नहीं। विवेक तो दूर ही रहा पर बुद्धि भी नशे में चूर हो जाती है। आनन्द से आव देखा न ताव, पास ही रखी कैंची उठाकर मीरा को मारी। कैंची मीरा के सिर में जोर से लगी। खून की धार बह चली। आनन्द खाट पर गिर बड़बड़ाने लगा—दरिद्री घर की है न! चने की खाने को देती है! मैं घोड़ा हूँ जो चने खाऊँगा। उन्मत्त आनन्द क्या जाने कि चने भी मीरा ने अपने दो लालों को भूख शांत करने के लिए उधार लिये थे।

विनय ने आकर दूसरा दृश्य देखा, खून से सनी मीरा बड़े का हाथ पकड़े और छोटे को गोद में लिए एक तरफ खड़ी है। आनन्द आँखें बन्द किये खाट पर पड़ा बड़बड़ा रहा है।

मिठाई और फलों की टोकनी विनय ने फर्श पर रखी। आवाज सुनकर आनन्द ने आँखें खोलीं। विनय को देखते ही वह फट पड़ा—आह! तुम हो विनय! तुम्हीं ने इसका दिमाग बिगाड़ रखा है! चोरी से मिलने आते हो! शरम लगती है मेरे सामने आने में।

विनय ने देखा—आनन्द होश में नहीं है। आँखें आग उगल रही है। वह सामने

से हट गया। आनन्द ने बाज की तरह झपटकर विनय का गला पकड़ लिया और गुस्से में बोला—उसकी तो खोपड़ी फोड़ दी है। अब तुम्हें भी मजा चखाये देता हूँ।

विनय ने किसी तरह अपने को उसके पंजे से छुड़ाया और दरवाजे के पास खड़ा हो गया, 'आनन्द! बात तो सुनो!' उसने भारी आवाज में कहा।

घायल शेर की भाँति आनन्द बोला—बात पीछे होगी; पहिले यह लो खाने भर को, कहकर उसकी ओर झपटा। विनय सामने से हट गया। आनन्द आवेग और नशे में अपने को न सँभाल सका। छज्जे से नीचे वह सड़क पर जा गिरा। उसका सिर फट गया।

बेहोश आनन्द को उठाकर विनय और कुछ पड़ोसी ऊपर ले आये। छः घण्टेय के उपचार के बाद आनन्द होश में आया। नशा काफूर हो चला था। विनय को देखकर उसके चेहरे पर एक मुस्कुराहट आ गयी।

'विनय! क्षमा करो! गरीब मीरा को मैंने बहुत सताया।' आनंद ने मीरा की ओर देखा। उसकी आँखें क्षमा की प्रार्थना कर रही थीं। विनय कुछ न कह सका। आँखें भर आईं। आनन्द ने अपने पुराने प्रेम में घुलकर कहा—छिः विनय! रोओ मत। मेरा तो अन्त ऐसा ही होनेवाला था। शराब ने मुझे कहीं का न रखा। सब कुछ समझता हुआ भी मैं शराब पीना न छोड़ सका। विनय थोड़ी ब्राण्डी पिलाओ। मेरी शक्ति जीर्ण होती जा रही है। मुझे तुमसे बहत बातें कहनी हैं।

मीरा ने आनन्द को थोड़ी-सी ब्राण्डी पिलायी। आनन्द ने मीरा का हाथ पकड़ लिया। मीरा जमीन में गड़-सी गयी। उसने कहना शुरू किया—विनय! भाई! एक बार तुमने मुझसे कहा था कि मीरा को कोई कष्ट न होने वाले परन्तु मैं तुम्हारे अनुरोध की रक्षा न कर सका। आज मैं तुम्हें अपने दोनों बच्चे और मीरा को सौंपता हूँ। इन्होंने जीवन में कष्ट का अनुभव किया है। इन्हें किसी प्रकार का कष्ट अब न होने देना। विश्वास दिलाओ। मैं शान्ति से मर सकूँगा। उसकी शक्ति क्षीण हो रही थी। हाथ-पैर-ठंडे पड़ते जा रहे थे। वह स्थिर दृष्टि से विनय की ओर देख रहा था।

विनय अपने को न सँभाल सका। आनन्द की छाती से चिपटकर रो पड़ा, 'आनन्द तुम मुझे छोड़कर क्यों जा रहे हो। मैं तुम्हारे बिना न जी सकूँगा।', उसने सिसकते हुए कहा। आनन्द की आँखें छलछला रही थीं।

'जीना पड़ेगा तुम्हें विनय! मेरे बच्चों के लिए... मेरी मीरा...' आनन्द आगे कुछ न कह सका। पथरायी हुई आँखों से गंगा बह गयी।

बिआहा

जबलपुर से आजमगढ़, ड्योढ़े दर्जे का जनाना डब्बा और पूरे डब्बे में अकेली मैं। डाकगाड़ी हवा में उड़ती चली जा रही थी, और मेरे दिमाग में रह-रहकर एक ही बात चक्कर काट रही थी कि जब-जब मैं बच्ची को लेकर चलती हूँ डब्बे में तिल रखने की जगह नहीं होती और आज जब मैं बिलकुल अकेली हूँ तो डब्बे भर में यात्रा करनेवाली एक भी स्त्री नहीं। साथ में न तो कोई पुस्तक थी और न अखबार। मुझे अकेलापन अखरने लगा। बच्ची साथ होती तो वह इस बेंच से उस बेंच, इस खिड़की से उस खिड़की—डब्बे भर में दौड़ लगाती और उसे सँभाल रखने में मैं इतनी व्यस्त रहती कि न तो पुस्तक का ही अभाव खटकता और न किसी सहयात्री का।

जबलपुर से चलकर गाड़ी कटनी रुकी, दूसरे डिब्बे में कई यात्री चढ़ और कई उतरे; पर इस जनाने इण्टर में कोई परिवर्तन न हुआ। मैं जबलपुर से जैसे अकेली चली थी वैसे ही कटनी से भी चली। डाकगाड़ी फिर हवा से बातें करने लगी।

सतना आया, ट्रेन की गति कुछ धीमी पड़ी और मैं उठकर खिड़की के पास बैठ गया। देखा, एक छोटा-सा बच्चा—लड़की या लड़का—प्लेटफार्म पर दौड़ा चला आ रहा है। उसके हाथों में एक छोटी-सी पतली की थाली थी। थाली में एक छोटी-सी कटोरी, एक गिलास, सब को आरती उतारने की मुद्रा में पकड़े वह दौड़ रहा था। ट्रेन रुकी और वह बच्चा भी रुक गया, ठीक मेरे डब्बे के सामने; तभी मैंने देखा कि कान्स्टेबिल और दो-तीन स्टेशन के कर्मचारी आपस में उस बच्चे के ही विषय में कुछ कह रहे हैं। बच्चा उन्हीं के पास खड़ा था। जाने क्या-सोच-विचारकर वह कान्स्टेबिल बच्चे को लाया और दरवाजा खोलकर डब्बे में बैठाल दिया। बच्चे को बैठालने के बाद वह मुझसे विनय-भरे स्वर में बोला—बहन, आप जरा इस लड़की को इलाहाबाद में उतार देना। आज कई दिनों से यह हर गाड़ी पर दौड़ती आती है, कहती है कि इलाहाबाद जाऊँगी।

मैंने पूछा—पर यह बच्ची है किसकी?

'यह तो मैं भी नहीं जानता', कान्स्टेबिल ने कहा, पर इसे इलाहाबाद जाना जरूरी है, कई दिनों से कह रही है और गाड़ी के पास दौड़कर आती है।'

मैं और कुछ पूछूँ कि सीटी हो गयी और ट्रेन चल दी। मैंने सोचा कि यह भी एक मुसिबल ही है। ट्रेन इलाहाबाद ग्यारह बजे के करीब पहुँचती है। आज एक घण्टे पीछे जा रही है तो बारह के पहिले क्या पहुँचेगी? और इलाहाबाद पहुँचते-पहुँचते यह सो गयी तो? क्या इसे कोई लेने आयेगा? कोई न आया तो इसे किसे सौंपूँगी एक साथ ही बहुत से प्रश्न मेरे मन में उठे, पर ट्रेन चल चुकी थी और मेरे प्रश्नों का उत्तर देनेवाला कोई न था।

अब मैंने मुड़कर उस बच्ची की ओर देखा। वह बेंच पर न बैठकर नीचे एक कोने में सिमटकर बैठी थी। सामने थाली थी और थाली में वही कटोरी और गिलास। देखने में पाँच-छः साल से अधिक की न जान पड़ती थी; मुमकिन है इससे कुछ ज्यादा भी हो, पर थी बिल्कुल ही बच्ची। कमर से नीचे आधी जाँघ तक एक मटमैला-सा कपड़ा लपेटे थी और कपड़ों के नाम से कुछ भी नहीं था। सिर के बाल लड़ाकों की तरह मशीन से कटे हुए थे। चेहरे पर विषाद की गहरी छाप थी और आँखों में एक प्रकार की करुणा-मिश्रित गम्भीरता—मानो इस छोटे से जीवन में ही उन आँखों ने इतना कुछ देख लिया है कि अब कुछ देखना शेष नहीं रह गया। बच्चे स्वभाव से ही चंचल होते हैं पर इस बच्ची की चंचलता जैसे उसके दुःखों के भार से दब-सी गयी थी। मेरी बच्ची और इस बच्ची में कितना अन्तर था? यह गढ़ी हुई मूर्ति की तरह शान्त और स्थिर बैठी थी। डाकगाड़ी उसी पूर्ण वेग के साथ दौड़ रही थी। पेड़, नदी, नाले, झाड़ियाँ, हरे भरे खेत, मैदान और पहाड़ सभी विपरीत दिशा में भागते हुए दिखाई देते थे, पर वह एक तपस्वी की तरह शान्त और मौन बैठी थी? मैं उठकर उसके पास गयी, उसके करीब ही बैठकर पूछा—तुम्हारा नाम क्या है?

'रामप्यारी', मेरी तरफ बिना देखे ही उसने जवाब दिया।

—और तुम जा कहाँ रही हो?

'इलाहाबाद', फिर वही संक्षिप्त-सा उत्तर मिला।

'इलाहाबाद? इलाहाबाद में किसके पास जाओगी'? मैंने फिर पूछा।

और इस बात सिर उठाकर मेरी तरफ देखते हुए उसने कहा—अपने बिआहा के पास जाइत लाग है।

कितने आश्वासन और विश्वास के साथ उसने कहा बिआहा के पास! तो इसकी शादी भी हो चुकी। इतनी कम उमर और बिल्कुल अकेली! मैंने फिर पूछा—तुम्हारे माँ-बाप कहाँ हैं?

'मरिगे', उसी विकार रहित स्वर से उत्तर मिला।

—मरे कितने दिन हुए? और भी तुम्हारा कोई है?

—ढेर दिन भा अस्पताल माँ बीमार रहने अउर हुँवहिं मरि गयेन! हमार बिआहा इलाहाबाद माँ है।

—और यह कटोरी-थाली-गिलास कहाँ से लायी हो?

—अपने घर से लायेन है, बिआहा के जाइत लाग है। उन्हीं के घर लै जाबै।

आह। मैंने सोचा यह बेचारी बच्ची जिसके माँ-बाप के मरने पर 'बिआहा' ने एक बार खोज-खबर तक न ली, उसी 'बिआहे' को स्वयं पैतृक सम्पत्ति लेकर खोजने निकली है; कितने आश्वासन और विश्वास के साथ जा रही है!

मैंने फिर पूछा—इलाहाबाद में तुम्हारा बिआहा कहाँ रहता है?

उसने फिर वही सादा-सा उत्तर दिया—वह तो इलाहाबाद को भी अपने गाँव सरीखा समझती थी जहाँ इने-गिने दस-पाँच घर होंगे और तुरन्त ही नहीं तो घण्टे आध घण्टे में बिआहे का घर खोज लेगी।

मैंने फिर पूछा—इसके पहिले भी कभी बिआहे के घर गयी थी?

उसने आश्चर्य-मिश्रित कातरता के साथ मेरी ओर देखा, फिर बोली—चलाव भये बिना बिआहा के घरे कोऊ नहीं जात तो हम कैसन के जाइत।

अब उसके आगे प्रश्न करना अत्याचार होता। इस अदम्य और अटल विश्वास पर आघात करने का मुझे साहस न हुआ।

गाड़ी उसी तेजी के साथ चली जा रही थी। ठण्डी हवा तीर की तरह भीतर आकर शरीर को कँपाने लगी। मैंने अपनी लम्बी बाँह का ब्लाउज निकाल कर पहिना और शाल ओढ़ ली। और उसी समय मेरी दृष्टि उस रामप्यारी पर पड़ी जो कमर तक का छोटा-सा कपड़ा पहने खुली बैठी थी, पत्थर की प्रतिमा की तरह—जिसे सर्दी, गर्मी सब समान है।

मैंने सोचा, क्या इसे सर्दी न लग रही होगी? मेरी बच्ची साथ होती तो उसका कोई कपड़ा इसे पहने को दे देती। अब इसे दूँ भी तो क्या दूँ? मेरे शरीर पर का ब्लाउज और शाल मुझे काटने-से लगे। मैं केवल दो दिनों के लिए जा रही थी इसलिए कपड़े भी इने-गिने थे। अन्त में बहुत सोच-विचार के बाद मैंने तय किया कि बिछाने की चादर के बिना काम चल सकता है, और उसे निकालकर मैंने उसे बच्ची को अच्छी तरह से उढ़ा दिया। वह कुछ बोली नहीं, विस्मय के साथ मेरी ओर देखती भर रही।

शाम बढ़ चली थी। कुछ भूख-सी मालूम होने लगी। अब खाना भी हम दोनों ने एक साथ खाया। मैंने एक अपूर्व सन्तोष का अनुभव किया—ऐसा सन्तोष जिसमें

एक आभार छिपा था।

इस लड़की ने मेरे मातृत्व को क्रियाशील होने का अवसर दिया।

खाना खाने के बाद कुछ देर के लिए लेट जाने की आदत है और मैं लेट गयी कुछ उनींदी-सी। इतने में गाड़ी फिर रुकी। यह मानिकपुर था। चित्रकूट दर्शन करके लौटनेवाली स्त्रियों का एक झुण्ड एक साथ ही डब्ब में भर गया। मैंने पैर समेटकर दो स्त्रियों को बैठने की जगह पैताने कर दी; पर उठी नहीं, लेटी रही। पहले तो वह आपस में ही बातचीत करती रहीं, फिर उनका ध्यान उस लड़की की ओर गया और पूछताछ शुरू हो गयी।

मेरे पास बैठनेवाली ने मुझसे पूछा—क्यों बहनजी, यह बच्ची आपकी साथ जा रही है? और मैं 'नहीं' कहके फिर सो रही।

अब सीधे उसे से प्रश्न होने लगे। क्या पूछा गया मैं सब तो नहीं सुन सकी, पर रामप्यारी को यह कहते सुना, इलाहाबाद अपने बिआहा के पास जाइत लाग है, और फिर उन स्त्रियों की हँसी सुनी।

मुझे फिर नींद आ चली थी, मैं सो गयी।

थोड़ी देरे बाद बहुत शोरगुल सुनकर मैं उठ बैठी। देखा तो सामने ही पटिए पर बड़े-बड़े अक्षरें में लिखा था 'इलाहाबाद जंक्शन'। सजग होकर मैंने उस कोने को देखा जहाँ रामप्यारी बैठी थी, पर वह वहाँ नहीं थी। मेरी चादर समेटकर मेरे पैताने रखकर रामप्यारी अपने बिआहे को ढूँढ़ने चली गयी।

सामने प्लेटफार्म पर, जहाँ चित्रकूट के दर्शन का पुण्य लाभ करके लौटनेवाली स्त्रियों का समूह खड़ा था, जिनसे बिना टिकिट के यात्रा करने के कारण टिकिट जाँचनेवाली महिला डबल किराये के लिए उलझ रही थी, मैंने देखा रामप्यारी कटोरी, गिलास और थाली की आरती उतारने की मुद्रा में पकड़े खड़े है। उन स्त्रियों के साथ वह भी रोक ली गयी थी। उन स्त्रियों के यह कहने पर कि वह लड़की उनके साथ नहीं है टिकिट जाँचनेवाली महिला ने रामप्यारी से पूछा—छोकरी, तू कहाँ जायगी? कहाँ से आयी है? और रामप्यारी का उत्तर था 'घर ते आइत लाग है, अपने बिआहा के घर जाब', और वह आगे बढ़ गयी।

मैं देखती रह गयी। जंक्शन का कोलाहल उसी प्रकार हो रहा था, पर मेरे कानों में रामप्यारी का स्वर 'बिआहा के घर' ही गूँज रहा था।

क्या वह रामप्यारी का ही स्वर था? वह छोटी-सी बच्ची क्या जाने बिआहे को? ऐसा लगा कि युग-युग से कोई अज्ञात वाणी जिसे सीता और सावित्री कहते हैं, उस बच्ची के कंठ से प्रतिध्वनित हो रही थी।

मैं सोच रही थी कि मैं सांसरिक बन्धनों से और अभी तो आजमगढ़ के कवि

सम्मेलन से न बँधी होती तो रामप्यारी के पीछे-पीछे जाती, देखती वह अपने बिआहा को कैसे खोजती है। आह! यह अन्वेषण कितना सुन्दर होता!

पर अब तो रह-रहकर एक ही प्रश्न उठ रहा था, जो अभी भी अनुत्तरित ही है, उसका 'बिआहा' उसे मिला भी या नहीं?

प्रोफेसर मित्रा

प्रोफेसर मित्रा चालीस की देहली के करीब पहुँच चुके थे, किन्तु थे अभी तक अविवाहित। यह बात नहीं थी कि वे विवाह करना ही न चाहते थे, पर वे जैसी आदर्श पत्नी की खोज में थे, वैसी उन्हें अभी तक कहीं न मिलती थी। प्रोफेसर मित्रा स्वभाव से ही उदार और सुशील थे। रंग साँवला, कद ऊँचा और चेहरा सुडौल था। वे बहुत कम बोलते थे। स्वभाव के कुछ झक्की थे, पर थे आदमी अच्छे। कभी घंटों मेज पर हाथ की कुहनियाँ टिकाये, गालों पर हाथ रखे वे विचारमग्न बैठे रहते थे और कभी बातचीत करते-करते कुछ खयाल आ जात तो वे बिना कुछ बोले ही बातचीत समाप्त करने के लिए उठ खड़े हो जाते थे। परन्तु लड़के उन्हें चाहते थे और उनका आदर भी करते थे। वे फिलॉसफी के प्रोफेसर थे।'

सेकेण्ड इयर के एक लड़के कांतिकिरण को वे बहुत चाहते थे। कान्तिकिरण एक निर्धन परिवार का लड़का था। उसकी फीस और पढ़ाई का कुल खर्च प्रोफेसर मित्रा अपने पास से देते थे, कान्तिकिरण सच्चरित्र, सुशील, तीक्ष्णबुद्धि और मेधावी था। यही कारण था कि आर्थिक सहायता करने के अतिरिक्त प्रोफेसर मित्रा उससे स्नेह भी करने लगे। प्रोफेसर मित्रा अविवाहित थे ही, शहर से ज़रा हटकर उनका एक बड़ा-सा बँगला था जिसमें रहनेवाला उनके अतिरिक्त और कोई न था। उन्होने एक दिन कान्तिकिरण तब से उन्हीं के बँगले पर रहने लगा। इस प्रकार प्रोफेसर मित्रा ने अपने सूने जीवन में एक साथी का निर्माण कर लिया!

गर्मी की लम्बी छुट्टियों के बाद जब कालेज खुला तो नई भरती होनेवाली लड़कियों में, कान्तिकिरण की भाँति, एक लड़की मृणाल पर भी प्रोफेसर मित्रा की अनुकम्पा विशेष रूप से हो गयी। यह मृणाल कौन थीा, कोई नहीं जानता था। मैट्रिक उसने कलकत्ता से ही पास किया था। अपनी विधवा माँ के साथ कुछ ही दिन यहाँ आयी थी। मृणाल की माँ निर्धन थी, यहीं के लड़कियों के मिडिल स्कूल में वह उपपाठिका होकर आयी थी। मृणाल की माँ और प्रोफेसर मित्रा से कब पहिचान हुई, यह कोई नहीं जानता; किन्तु मृणाल के भी पढ़ने का सारा खर्च

प्रोफेसर मित्रा ने अपने ऊपर ले लिया। यही नहीं कि प्रोफेसर मित्रा केवल कान्तिकिरण और मृणाल को ही आर्थिक सहायता देते हों, वे और भी बहुत से गरीब लड़कों की सहायता करते थे। बैंक में उनका कोई हिसाब न था। हर महीने की तनख्वाह उनके आवश्यक खर्च को निकालकर इसी प्रकार निर्धन विद्यार्थियों की सहायता में उठ जाती थी। वे प्राय: कहा करते थे—हर महीने मुझे इतने रुपये मिलते हैं, मैं उन्हें इस प्रकार न बाँट दूँ तो क्या करूँ? न स्त्री न बच्चे; रुपयों का संग्रह करके मैं करूँगा क्या?

मृणाल की माँ को महीने में कुल तीस रुपये मिलते थे, जो दोनों माँ-बेटी के लिए सम्मान के साथ रहने के लिए भी पर्याप्त नहीं थे। परन्तु प्रोफेसर मित्रा की सहृदयता ने उन्हें कभी किसी प्रकार के कष्ट का अनुभव न होने दिया। सजातीय होने के कारण उनकी घनिष्ठता बहुत बढ़ गई। सप्ताह में एक बार प्रोफेसर मित्रा मृणाल की माँ से मिलने जाते और मृणाल तो प्राय: रोज ही एक-दो घण्टे प्रोफेसर मित्रा के यहाँ बिताती थी। मृणाल लॉजिक की, जिसे प्रोफेसर मित्रा ही पढ़ाते थे, बड़ी अच्छी छात्रा थी। प्रोफेसर मित्रा उससे बहुत खुश रहते थे।

मृणाल अपनी माँ की पहली सन्तान थी। माँ-बेटी का रिश्ता जाने बिना प्राय: लोग उन्हें बड़ी-छोटी बहिन समझते थे। मृणाल के जन्म के कुछ ही समय बाद मृणाल के पिता का देहान्त हो गया था। तब से इसी प्रकार नौकरी और ट्यूशन करके मृणाल की माँ उसे इतनी बड़ी कर पायी है। अब उसे सबसे बड़ी चिन्ता मृणाल के विवाह की थी। जिस लड़की को उसने कष्ट से पढ़ा-लिखाकर, पाल-पोसकर, इतना बड़ा किया है, उसे किसी सुयोग्य वर के हाथों सौंपकर ही वह निश्चिन्त हो सकती है। वह पढ़ा-लिखा कुलीश वंश का और खाते-पीते घर का हो जिसमें उसकी मृणाल सुखी रहे, यही मृणाल की माँ की कामना थी। निर्धनता निर्धनता के दलदल में वह जान-बूझकर अपनी बेटी को नहीं फँसाना चाहती, इसीलिए तो मृणाल अठारह वर्ष को हो जाने पर भी अविवाहित थी।

मृणाल की माँ को जब मालूम हुआ कि प्रोफेसर मित्रा अविवाहित हैं, तो वह सोचने लगी कि मृणाल और प्रोफेसर मित्रा की जोड़ी तो बुरी नहीं रहेगी। प्रोफेसर मित्रा की उम्र वैसे कुछ ज्यादा भी नहीं है। इसके अतिरिक्त मेरी मृणाल रानी बनकर भी तो रहेगी।

एक दिन मृणाल की माँ ने निश्चय किया, वह प्रोफेसर मित्रा से उनके अविवाहित रहने का कारण पूछेगी। उस दिन शाम को जब प्रोफेसर मित्रा आये तो उसने साहस करके यह सवाल उठाया—मित्रा साहब, मैंने सुना है कि आपने अभी तक विवाह नहीं किया है। यदि आपको कोई अड़चन न हो तो क्या मैं जान सकती हूँ कि इस

संन्यास का क्या कारण है?

प्रोफेसर मित्रा के सामने ऐसा सवाल भी इस घर में उनसे कभी होगा, वह जानते थे। बोले—मैंने आज तक विवाह की ओर ध्यान ही नहीं दिया। क्यों नहीं दिया—कह नहीं सकता।

—अब तक नहीं दिया तो अब तो ध्यान देना चाहिए। शाम को लौटकर जाते हैं तो क्या वीरान-सा घर आपको अच्छा लगता है?

प्रोफेसर मित्रा हँसकर बोले—नहीं, घर तो वीरान नहीं रहता। कान्तिकिरण रहता है। अकसर मृणाल आ जाती है। फिर नौकर-चाकर भी तो रहते ही हैं।

मृणाल की माँ तनिक हँसकर बोली—नौकर-चाकरों से कहीं घर आबाद हुआ है। और कान्तिकिरण क्या? उसकी पढ़ाई खत्म हुई, दो महीने बाद अपने घर चला जायगा।

मित्रा साहब हँसकर बोले—मृणाल तो रहेगी।

मृणाल की माँ जरा गम्भीर होकर बोलीं—हाँ, मृणाल तो रहेगी पर ऐसे रहने से क्या होता है? मैं मृणाल के ही लिए कह रही हूँ। अब मृणाल के साथ गृहस्थी बसाओ। मैं भी उसके हाथ पीले करके निश्चिन्त हो जाऊँ।

प्रोफेसर मित्रा चौंक पड़े, मृणाल के साथ गृहस्थी बसाऊँ? मृणाल—मृणाल तो बच्ची है। मैंने उसे सहायता दी है तो क्या उसका पुरस्कार मुझे लेना पड़ेगा?... प्रकट में बोले—छोटा था, तभी माताजी नहीं रहीं। बीस साल का भी न हो पाया था कि पिताजी भी संसा छोड़कर चले गये। कोई सुननेवाला था ही नहीं! न तो विवाह के विषय में कभी सोचा, न सोचने का समय मिला। आज अठारह साल से यों ही एकाकी जीवन बिता रहा हूँ। जीवन में किसी भी प्रकार का अंसतोष नहीं है। अब इस उम्र में शादी करूँ। अब तो बूढ़े होने में अधिक देर नहीं है।

मृणाल की माँ बोली—यही तो शादी की उम्र है। बचपन की शादी किस काम की? और हाँ, मित्रा साहब! तुमने मुझे 'माँ' कहकर सम्मान दिया है। अब उस सम्मान की रक्षा भी तुम्हीं को करनी पड़ेगी। मेरी मृणाल को तुम देखते आ रहे हो—बुरी लड़की नहीं है। चाल-ढाल, बात व्यवहार, रूप-रंग में किसी सुन्दर-से-सुन्दर के सामने खड़ाकर दो—कुछ ज्यादा ही रहेगी, कम नहीं। यदि तुम उससे विवाह करने का आश्वासन दे दो तो मेरी बड़ी चिन्ता दूर हो जाय।

प्रोफेसर मित्रा गहरी चिन्ता में डूब गये। कल्पना की आँखों में बालिका मृणाल को गृहिणी मृणाल के रूप में उन्होंने अपने घर में घूमती हुई देखा। नौकरों से वह ढंग से काम ले रहे हैं, घर में कोई अव्यवस्था नहीं, सभी काम सुचारु रूप से हो रहे हैं। प्रोफेसर मित्रा को अब घर के किसी भी काम की ओर ध्यान देने की जरूरत नहीं

रहती।

इसी समय मृणाल की माँ की बात से वह चौंक-से उठे। मृणाल की माँ कर रही थीं—मित्रा साहब, चिन्ता न करो। मेरी मृणाल को स्वीकार कर लो। वह तुम्हारे घर का स्वर्ग बना देगी।

मित्रा साहब ने कहा—आप मुझे कुछ दिन सोचने का समय दीजिये। बहुत जल्दी मैं आपको जवाब दूँगा। और वे अपने बँगले की ओर चले। आधे से अधिक प्रोफेसर मित्रा इस विवाह के पक्ष में हो चुके। घर आये, देखा—ड्राइङ्गरूम में मृणाल कान्तिकिरण से कुछ बातें कर रही है। जाने क्यों उन्हें यह अच्छा न लगा। आज यह पहिला ही अवसर न था कि उन्होंने कान्तिकिरण और मृणाल की बातें करते देखा हो। बहुत बार देखा था; परन्तु इस ओर उन्होंने कभी ध्यान ही न दिया था। आज उन्हें दोनों की बातें करते देखकर दुःख-सा हुआ। उनके चेहरे पर कुछ मलिनता आ गयी।

मृणाल उन्हें देखती हुईय बोली, 'प्रोफेसर साहब, मैं बड़ी देर से आपकी प्रतीक्षा कर रही हूँ। मुझे आपसे पूछना है।' और कुर्सी खिसकाकर वह प्रोफेसर साहब के बहुत करीब बैठ गयी। प्रोफेसर साहब की जी आज पढ़ाने में नहीं लग रहा था, यह मृणाल ने ध्यान से देखा। वह बोली—आपकी तबीयत कुछ खराब जान पड़ती है। आप उदास हैं। रहने दीजिए, मैं कल पढ़ लूँगी। आप आराम कीजिए।

प्रोफेसर मित्रा मृणाल को अपने पास से इतनी जल्द से जाने देना चाहते थे। मृणाल का वे पहिले ही बहुत ज्यादा चाहते थे। फिर आज उनकी माँ ने विवाह का प्रसंग छेड़कर मृणाल के प्रति उनकी सारी भावनाओं को जाग्रत कर दिया। वे बोले—पढ़ो मत। कुछ देर पास बैठो, मृणाल!

मृणाल बैठ गयी। मित्रा ने कई बार सुन्दर मुख और अल्हड़ यौवन को ध्यान से देखा! उन्होंने निश्चय किया कि विवाह करूँगा। मैं जिस आदर्श रमणी को खोज रहा था, वह मृणाल ही है। उनके कल्पना-जगत में मृणाल उनकी गृहिणी, बँगले की अधीश्वरी, उनके बच्चों की माँ, सब कुछ बन गयी।

इधर मृणाली को बैठे-बैठे बीस मिनट हो गये! उसने पूछा—जाऊँ? रात बहुत हो जायगी तो माँ बहुत घबरायेंगी।

प्रोफेसर मित्रा चौंक पड़े। बोले—हाँ मृणाल, राम बहुत हो गयी। चलो तुम्हें छोड़ आता हूँ।

'आप क्यों तकलीफ करते हैं? ड्राइवर से कह दीजिए', मृणाल ने कहा।

पर अफसोस साहब न माने। वे बोले—नहीं, चलो मैं ही छोड़ आऊँगा। और वे मृणाल को लेकर चले।

ड्राइवर तो था भी नहीं, ऐसी हालत में प्राय: कान्तिकिरण ही उसे छोड़ने जाया करता था।

इस वार्ता में भी ड्राइवर की जगह मृणाल का मतलब कान्तिकिरण से ही था।

प्रोफेसर साहब मृणाल को छोड़कर आये। उस दिन रात भर वे न सो सके। विवाह की चिन्ता में उन्हें सारी रात नींद न आयी। दूसरे ही दिन उन्होंने बैंक-अकाउण्ट खोलने का भी निश्चय किया। घर-गृहस्थी का सब-कुछ तो अब उन्हें संग्रह करना ही पड़ेगा। अब लापरवाही से काम नहीं चलेगा। सुबह उठते ही उन्होंने कान्तिकिरण को बुलवाया। मालूम हुआ कि कान्तिकिरण आज सबेरे से ही कहीं चला गया है। कान्तिकिरण के द्वारा वे एक बहुत बढ़िया पलँग का आर्डर देने वाले थे। मृणाल के लायक उनकी समझ में उनके घर में कोई भी सामान नहीं था। सभी सामान ठीक और अच्छा बनवाकर रखना पड़ेगा। अकेले आदमी की बात और होती है और गृहस्थ की और। इसी चिन्ता में सुबह का भी सारा समय बीत गया। कालेज जाने का समय हो गया। उन्होंने भोजन किया। शोफर से कार निकलवायी। उन्होंने सोचा कि पहिले मृणाल के घर जाकर उसकी माँ को विवाह के विषय में अपनी स्वीकृति की सूचना दे दीं, और फिर कालेज जायें। विवाह करना ही है तो फिर देर करने से फ़ायदा? वे कार स्टार्ट कर ही रहे थे कि एक साइकिल-सवार आ उपस्थित हुआ और उसने एक लिफाफा प्रोफेसर साहब को दिया। पत्र में लिखा था—

माननीय प्रोफेसर साहब,

हम दोनों याने मैं और मृणाल अन्तर्जातीय विवाह के नियमों के अनुसार आज विवाह-सूत्र में बँधने जा रहे हैं। विवाह की रजिस्ट्री के लिए हमें आज कचहरी जाना पड़ेगा। अतएव आज हम दोनों कालेज न आ सकेंगे, क्षामा कीजिएगा।

हम हैं, आपके आशीर्वाद के अभिलाषी —

कान्तिकिरण, मृणाल।

पत्र पढ़कर एक फीकी हँसी के साथ प्रोफेसर मित्रा ने अपनी कार कालेज की ओर बढ़ा दी।

सुभागी

अगर किसी को बेमौसम को बहुत-सी चीजें देखना हो तो वह कुछ दिन आकर जबलपुर में रहे। और फिर मौसम की बहार देखें। बेमौसम का पानी तो जबलपुर में बहुत ही ज्यादा बरसाता है।

माघ महीने की एक रात की बात है। सर्दी बहुत जोर की थी, और साथ-ही-साथ थी खूब तेज हवा, जो तीर की तरह हृदय को बेधती हुई जान पड़ती थी। बादल तो इधर कई दिनों से थे। थोड़ी-बहुत बूँदाबाँदी भी हो जाया करती थी। किन्तु आज शाम को तेज़ तूफानी हवा के साथ जो पानी बरसा था, वह बरसात के दिनों की याद दिला रहा था। इस समय पानी तो बंद था परन्तु बिजली का कड़कना, बादलों का गरजना और हवा का तूफान तेज़ी पर था जैसे शाम को था। इस समय वही मौसम था जिसमें मैं बहुत घबराती हूँ। ऐसे आँधी, पानी और तूफान में मुझे डर भी बहुत लगता है। कोई विश्वास न करेगा, पर मैं सच कहती हूँ जब ऐसा अंधड़ उठता है, और मेरे बच्चे घर से बाहर रहते हैं तब मेरे मन में यही आशंका बनी रहती है कि कहीं ऐसा न हो कि इस आँधी में मेरा कोई बच्चा उड़ जाय—ऐसा हो नहीं सकता, यह मैं अच्छी तरह जानती हूँ परन्तु फिर भी मैं घबराती हूँ, कोई काम नहीं कर सकती, कुछ लिख-पढ़ नहीं सकती, यहाँ तक कि एक जगह बैठी भी नहीं रह सकती। एक अजीब तरह की बेचैनी बनी रहती है और जब तक बच्चे लौटकर नहीं आते वह शान्त नहीं होती।

हाँ, तो मै माघ महीने की एक तूफानी रात की बात कह रही थी। शाम से ही आँधी-पानी का ज़ोर था। मेरी आँखों की नींद और बच्चों की याद, दोनों में होड़ तो रोज ही लगी रहती थी और प्रायः यही होता भी था कि नींद के सामने बच्चों की याद ही विजया हुआ करती थी। ऐसे मौसम में तो मुझे वैसे ही नींद कम आती है फिर जब बच्चों की याद आ रही हो तो नींद भला कैसे आ सकती है। जब बादल ज़ोर से गरजते और बिजली कड़कतीय तो मेरी आँखों के सामने महीनों पहले का एक दृश्य आ जाता—बरामदे में एक तरफ मेरा पलंग और उसी से सटी हुई मेरे नन्हें की

खाट। जहाँ बादल गरजे, बिजली चमकी और मेरे नन्हें ने पुकारा—अम्माँ बादल तो बहुत ज़ोर से गरजते हैं। मुझे डर लगता है। माँ! तुम अपना हाथ मेरी खाट पर रख दो, तो मैं सो जाऊँ।

मेरा नन्हाँ आज इस समय भी वहीं कहीं सोया होगा। बादलों की तड़प से उसकी नींद आज भी खुल गई होगी और वह डरा भी होगा! उसे रात में शायद याद न रही और उसने 'माँ' कहके पुकारा भी होगा। परन्तु एक ही शहर में रहकर उसमें और उसकी माँ में कितना अधिक अंतर है। मेरे हृदय में प्रबल-वेग के साथ एक तूफ़ान सा उठा। मैं फिर बैठ न सकी। उठकर टहलने लगी। इसी समय मुझे बाहर बरामदे में किसी मनुष्य की छाया-सी दिखी। मैं कुछ घबराई और डरी। फिर तुरन्त ही ध्यान में आया कि यह तो जेल है। यहाँ चोर कहाँ से आ सकेगा। सींकचों के पास जाकर पूछा—कौन है बाहर?

'मैं हूँ बहिनजी।' उत्तर मिला।

मैंने देखा बाहर बरामदे की जाली से सटी हुई सुभागी खड़ी है। मैं उसके बहुत पास चली गई और मुझे ऐसा जान पड़ा कि सुभागी रो रही है। मैंने कहा— सुभागी! इतनी रात को तुम सर्दी में क्यों अकेली खड़ी हो? कोई तकलीफ तो नहीं है?

तकलीफ क्या होगी बहिनजी!...' सुभागी बोली। उसका स्वर काँप रहा था। ऐसा लगता था कि अपने अंतर से उठते हुए किसी प्रबल आवेग को वह दबा रही है।

'नींद नहीं आती है। आप भी तो नहीं सो रहे है। यही मैं दिख रही थी।' सुभागी ने अपने वाक्य को पूरा किया।

मैंने कहा—मेरे न सोने का कारण है सुभागी। मैं छोटे बच्चों को छोड़कर आया हूँ। उनके पिता भी जेल में हैं और मैं भी हूँ। मुझे उनकी याद में रात-रात भर नींद नहीं आती। पर तुम क्यों नहीं सोई, सुभागी!

'मेरा भी एक बच्चा है बहिनजी', सुभाग ने कहा और एक गहरी साँस के साथ चुप हो गयी।

मैंने कहा—तुम्हारा भी बच्चा है? पर कोई-न-कोई तो होगा न उसे देखनेवाला। मेरें बच्चे तो अकेले हैं इसलिए मुझे इतनी फिकर रहती है।

'उसे देखनेवाले भगवान को छोड़कर और कोई नहीं है बहिनजी, कोई हिता ही तो इतनी बेचैनी न रहती।' सुभागी ने कहा और उसकी आँखें सजल हो उठीं।

मैंने पूछा—बच्चे का पिता कहाँ है?

'जेल में' सुभागी ने संक्षिप्त-सा उत्तर दिया और चुप हो गई।

मुझे सुभागी पर कुछ क्रोध-सा आ चला था। सोच रही थी कि जब उसका पति

जेल में था ही तो आखिर यह क्यों बच्चे को बिल्कुल अकेला छोड़कर चली आयी। बच्चे के प्रति भी इसका कुछ कर्तव्य है। माना कि इस प्रवाह में बह गयी। पर तब क्या बच्चे को बिल्कुल भूल गयी थी और अब रात खड़े-खड़े बिताया करती है।

मैंने रूखे स्वर में पूछा—जब तुम्हारा पति जेल में था और तुम्हारे बच्चे को देखनेवाला कोई न था तब तुम्हें जेल आने की क्या पड़ी थी। तुम्हारे एक के आने न आने से क्या फरक पड़ जाता!

'मैं अपने मन से नहीं आयी। मुझे तो जबरन पकड़ लाये हैं।' सुभागी ने बतलाया।

मैंने उसकी ओर ध्यान से देखकर पूछा—तुम क्या बहुत दिनों से कांग्रेस का काम करती हो?

सुभागी बोली—नहीं बहिनजी, मैंने कभी कांग्रेस का काम नहीं किया और मैं इन बातों को समझती भी नहीं।

मेरा आश्चर्य अब बढ़ चला। मैंने पूछा—फिर तुम्हें पकड़ा कैसे है?

सुभागी ने कहा—कैसे पकड़ा? क्या कहूँ बहिनजी! बात यह थी कि मेरे पति थानेदार से एक बार किसी बात पर कहा-सुनी हो गई थी। तब से वह अदावत मानता था और इसी से आन्दोलन के उठते ही उसने उन्हें पकड़वा दिया। अब घर में भी मैं अकेली और वही नौ साल का मेरा बच्चा। थानेदार अचारण का अच्छा नहीं है। उन्हें जेल भेजकर वह मेरे पास आया, कहने लगा—तुम्हारे आदमी को पकड़ ले जाने का मुझे दुःख है, पर हमको तो हुक्म की तामीली करनी ही पड़ती है। जैसा ऊपर से हुक्म आया, किया। पर सुभागी, तुम किसी तरह तकलीफ़ न उठाना। रुपया-पैसे से मैं तुम्हारी मदद करता रहूँगा। जब तुम्हें कुछ जरूरत हो घर पर आ जाना या कहलवा भेजना। मैं खुद चला जाऊँगा।

'बहिनजी' उसकी इस बात का अर्थ मैं समझती थी। मैंने कहा, अब आबरू न बचेगी। यह किसी समय भी आकर मेरा पानी उतार सकता है। अपने पास-पड़ोसवालों से सलाह की। सबने कहा कि मेरा कहना तो ठीक है परन्तु सब-कुछ जानकर भी वह लोग थानेदार के विरुद्ध एक शब्द न कहेंगे और मेरी कुछ सहायता न करेंगे क्योंकि थानेदार किसी को भी संदेह पर ही पकड़कर जेल भेज सकता है। उसे अधिकार है। फिर बिना मतलब क्यों कोई जेल जाय। और सबकी राय हुई कि मैं गाँव छोड़कर दूसरी जगह चली जाऊँ।

'शाम को थानेदार का आदमी मुझे बुलाने आया। मैंने कहा—मैं नहीं जाऊँगी। मुझे कुछ नहीं चाहिए।' इस पर वह बहुत चिढ़ गया। उसने मुझे धमकी दिलवायी कि यदि मैं उसकी बात न मानूँगी तो मुझे पछताना पड़ेगा। मैं सब बात के लिए तैयार

थी। पर आबरू नहीं बेचना चाहती थी। उसी रात मैं बच्चे को लेकर गाँव छोड़कर चली आयी। और बहिनजी! सबेरे यहाँ के स्टेशन पर उतरते ही पकड़ ली गयी। कुछ परचे न जने कहाँ से मेरी पोटली में रख दिये गये थे। उनका कहना था कि मैं उन परचों को बाँटती फिरती थी। मेरा रम्मू रोने लगा। मैंने कहा, 'इसे अकेला कहाँ छोड़ूँगी। इसे भी मेरे साथ ले चलो।' पर वह मेरी कब सुनते थे। रोते हुए बच्चे को जबरदस्ती मुझसे अलग करके लारी पर बिठा के लाये और बन्द कर दिया। तब से दो महीने हो गये। बच्चे की कोई खबर नहीं है। जब पानी बरसता है, बादल गरजते हैं, तब जी और भी व्याकुल हो उठता है। कहाँ सोया होगा, क्या खाया-पिया होगा उसने। मेरा कोई रिश्तेदार भी नहीं है और गाँववाले तो थानेदार के डर के मारे उसे अपनी छाया भी न छून देंगे।

'उसके बाद बहिनजी, एक दिन दफ्तर में मजिस्ट्रेट ने बुलवाया। वहाँ वही थानेदार भी था। मुझसे कहा कि तुम यह कर दो—आगे से कोई भी कांग्रेस का काम न करोगी और थानेदार साहब के कहने में रहोगी तो तुम्हें छोड़ देते है। मैंने कहा— मुझे यह छूटना है। बहिनजी! वैसे तो मैं कभी कांग्रेस का काम नहीं करती पर यह तो माफी माँगना हो जाता न? और इससे कांग्रेस की बदनामी होती, फिर छूटकर भी तो उसी पिशाच थानेदार के चंगुल में फँस जाती। इसलिए यह कहे कि मुझे नहीं छूटना है, चली आयी। पर बच्चे की ममता है। रात-दिन अंदर एक आग-सी लगी रहती है। उसका मुँह से कुछ पता मिल जाता—पर पता कहाँ से मिलेगा। यह तो जेल है। वह कहाँ गया होगा।' और सुभागी का भरा हुआ हृदय जैसे फूट पड़ने के लिए आतुर हो उठा! वह फिर रो पड़ी।

मेरे पास सुभागी को सांत्वना देने के लिए शब्द न थे। उसका दुःख कितना तीव्र है। उसकी कहानी कितनी करुण है। उसे क्या कह के समझाऊँ। बच्चों के लिए हृदय कितना व्याकुल रहता है यह मैं जानती हूँ। फिर भला सुभागी को जिसका बच्चा स्टेशन पर जबरदस्ती उससे अलग कर दिया जाता है, मैं क्या कह के समझाती; यह सोच ही रही थी कि मेरी बच्ची ने जागरक मुझे पुकारा और बिना कुछ कहे कि मैं उठकर अन्दर बच्ची के पास चली गयी।

उसी प्रात:काल ग्यारह बजे में टाँके पर नहाने गयी। नहाकर कपड़े धो रही थी कि तभी सुभागी भी आयी। वही मुरझाया-सा चेहरा और बुझी-बुझी सी आँखें। मेरा हृदय सुभागी के दुःख से दबा-सा जा रहा था। मैं उसकी तरफ देख भी न सकी कि इतने ही मैं जमादारिन ने लाकर मुझे एक पत्र दिया। पत्र मेरे बच्चों का था। और कपड़ा धोना भूलकर मैं पत्र पढ़ने लगी। पत्र समाप्त करते-करते मेरे एक बच्चे ने लिखा था—'अम्माँ'। हम लोग छोटे-छोटे हैं तो हमने एक छोटा-सा नौकर भी

रखा है और तुम्हें जानकर आश्चर्य होगा कि इस लड़के के माता-पिता भी इसी आन्दोलन में पकड़े जाकर जेल-जीवन बिता रहे हैं। इसका नाम रम्मू है। अच्छा-सा लड़का है माँ। और हम लोग उससे नौकरों सरीखा बर्ताव भी नहीं करते। उसे पढ़ाते-लिखाते भी हैं। पिता की गिरफ्तारी के बाद माँ के साथ शहर नौकरी करने आया था। स्टेशन पर ही उसकी माँ पकड़ ली गयी। तब से कई जगह नौकरी करने के बाद अब हमारे घर आया है। और उसे यहाँ अच्छा लगता है। कहता है कि अपने माता-पिता के छूटने तक वह हम लोगों के ही पास रहेगा। क्या कोई इस तरह के लड़के की माँ तुम्हारे जेल में है, माँ?' पास ही नहाती हुई सुभागी से मैंने पूछा—तुम्हारे लड़के का नाम क्या है, सुभागी?

'नाम तो उसका रामलाल है, पर रम्मू-रम्मू कह के पुकारते हैं सब लोग', सुभागी ने बतलाया।

हर्षातिरेक से मेरी आँखें सजल हो गई। मैंने कहा—सुभागी! अपने बच्चे का समाचार सुन लो, और बच्चों की चिट्ठी का वह अंश, जिसमें उन्होंने अपने छोटे से नौकर के विषय में लिखा था, पढ़कर सुना दिया।

सुभागी को जैसे खोया हुआ खजाना मिल गया हो; उसने मेरे पैर छू लिये!

दुराचारी

पंडित रामसेवक के हाथ से सुमरनी छूटकर गिर पड़ी। वह झल्लाये-से उठकर पूजा की कोठरी से बाहर बरामदे में चले आये। बरामदे से गाना और भी साफ-साफ सुनायी पड़ने लगा! मुंशी दयाशंकर के तिमंजिले पर से कोई कोकिल-कंठी गा उठी—

नीर भरन कैसे जाऊँ

सचमुच गीत बहुत ही मधुर और गाने का ढंग अत्यंत आकर्षक था। पंडित रामसेवक लाख प्रयत्न करके भी माला जपने में सफल न हो सके। जर बराम नाम का गढ़ इस गीत के सामने टूटकर गिर ही पड़ा तब पंडितजी सुमरनी एक तरफ़ रखकर बरामदे में एक स्टूल खींचकर बैठ गए। दयाशंकर की कोठी की तरफ मुँह करके वे संगीत का सुख लेने लगे। गायिका गा रही थी।

डगर चलत मोसे रार करत है,
बहियाँ पकर मोरी ढीठ कन्हाई

पंडितजी संगीत इतने तन्मय होकर सुन रहे थे कि वे अपने पड़ोसियों का आना भी न जान सके। उनकी तन्द्रा तब टूटी जब उनके पड़ोसी किशन ने कंधे पर हाथ धरते हुए पूछा—पूजा हो गयी पंडितजी?

पंडितजी खिसियाये-से बोले—कहाँ की पूजा, कहाँ का पाठ भाई! जब से यह पड़ोसी आया है तब से सुबह गाना, शाम को गाना, दुपहर को गाना—गाना छोड़कर जैसे उसे और काम ही नहीं है। रेडियों-तो-रेडियों। अब यह एक नया तूफान और खड़ा किया है।

जीवन बोला—भाई कुछ भी हो, बुरा चाहे भला, पर मुहल्ले में जान-सी आ गयी और सच बात तो यह है कि गाना मुझे बुरा नहीं लगता पंडितजी। कह के वह मुस्कुराया।

पंडितजी तिलमिला से उठ। बोले—तुम्हें क्यों न अच्छा न लगे। मुंशी दयाशंकर की कोठी पर तुम्हारी शाम को जो कट जाया करता है। बड़े आदमियों के साथ

उठते-बैठते हो और पान-सिगरेट ऊपर से मुफ़्त का। पर यहाँ तो इस गाने-बजाने के मारे पूजा-पाठ, धरम-करम सब डूबा जा रहा है।

डाक्टर कामता प्रसाद बोले—अरे भाई, माना कि गाना-बजाना बुरा नहीं है। पर सब बात समय पर अच्छी लगती है। हर घड़ी के गाने-बजाने से तो, भाई, मुहल्ला सचमुच बरबाद हुआ जा रहा है और बच्चे बिगड़े जा रहे हैं।

किशन बोला—किसके बच्चे बिगड़े जा रहे हैं डाक्टर साहब! कोई उदाहरण तो दीजिए?

डाक्टर साहब खीझ उठे, बोले—लो अब तुम मुझे क्रास-एग्ज़ामिन करने लगे। यह जो आज तिमंजिले पर पह एक वेश्या बुलाकर गवा रहा है तो क्या बच्चे देखते नहीं? और उन पर इसका कुछ बुरा असर पड़ता ही नहीं?

पंडितजी जोर से बोले—पड़ता क्यों नहीं, जरूर बुरा असर पड़ता है। सच कहता हूँ तेरा बस चले तो दुराचारी को गोली से उड़ा दूँ।

डाक्टर साहब बोले—मेरे भी मन में यही आता है पर क्या करूँ। अरे भाई! रुपया-पैसा है तो ज़मीन-जायदाद खरीद लो, मन्दिर बनवा दो, धर्मशाला बनवा दो, कुछ, धरम के नाम पर खरच करो। यह क्या कि सारा पैसा बस नाच-गाने में फूँक दिया जाय। फिर स्वर को धीमा करके बोले—और भाई! शाम को आठ बजे के बाद तो वह सदा शराब के नशे में रहता है। ऐसा दुराचारी तो कहीं देखा नहीं। उसकी तो छाया भी छूना पाप है। धरम-करम से दूर सदा पाप में डूबा रहता है।

पंडितजी ने जीवन की ओर देखा, फिर बोले—न भाई ऐसी बात जीवन भैया के सामने न कहो। जीवन भैया की शाम तो प्रायः वहीं कटती है और कौन जाने घूँट-दो घूँट चढ़ा भी जाते हों तो कुछ आश्चर्य नहीं। संगति की असर तो पड़ता ही है!

बात अधूरी ही रह गयी। इसी समय फटे चीथड़ों में लिपटी हुई एक स्त्री, अत्यंत दुर्बल, किसी प्रकार से अपने तन को ढँके एक बीमार बच्चे को कंधे से लगाये, वहाँ आ पहुँची। बच्चे को वहीं सुलाकर, वह दोनों हाथ जोड़कर, धरती पर माथा टेककर बोली—पंडितजी गोड़ लई परी। ताला खोलवाय देई। बेटउना दिक्कियाना है। हियाँ परदेश मा हम कहाँ जाई। काल्ह परौं तक कोठिरिया के केरवा ज़रूर दै देब, आज कतहूँ नहीं पायेन।[1]

पंडितजी उसे झिड़कते हुए बोले—जब तक किराया नहीं लायेगी, ताला नहीं खुलेगा। आज-कल करते-करते पन्द्रह दिन तो हो गये; जा निकल, नहीं तो ठोकर मारकर निकलवा दूँगा।

स्त्री फिर गिड़गिड़ायी—बेटउना जड़ाय के मर जाई मालिक, जब ओढै बिछावै के बितरै बन्द होइगा है, दया करी मालिक, जानौ आपैके जिआए जियत लाग हम।[2]

पंडितजी ने उसे एक जोर की झिड़की दी, बोले —जा अभी निकल जा। तेरा और तेरे मेरे बच्चे का मैंने ठेका नही लिया है; मरे चाहे जिये। जब तक किराया नहीं लाती कम्पाउन्ड के भीतर पैर मत रखना।

स्त्री रोती हुई अपने बीमार बच्चे को उठाकर बाहर चली गयी। न जाने क्या सोचकरह जीवन भी उस स्त्री के पीछे-पीछे उठकर चला गया। शायद एक गरीबनी के प्रति इतनी कठोरता उससे सही नहीं गयी।

जीवन के जाते ही पंडितजी किशन और डाक्टर साहब की तरफ मुखातिब होकर बोले—बादशाह है साली। जब इन इनके साथ इस तरह से पेश न आओ किराया देते ही नहीं। यह नहीं कि इनके पास है नहीं, है पर देने की नियत नहीं है। रोज चाय पीती है। दूध-शक्कर के लिए पैसे आ जाते हैं। पर किराये के लिए सदा यही रोना रहता है।

किशन के अन्दर जैसे कुछ दुःख-सा रहा था। वह कुछ, बोला नहीं।

डाक्टर साहब, 'हाँ रीवाँवाले बदमाश ही हैं,' कहकर चुप रह गये। वे भी मकान मालिक थे। किराया वसूली में उन्हें भी अड़चने आती थीं और प्रायः यही ही के रहता था। जब मजदूर अपना ताला बन्द करने मजदूरी करके मजदूरी करने जाते तब उन गरीब मजदूरों के कमजोर तालों पर इन मकान मालिकों के मजबूत ताले पड़ जाते। और जब तक वह मजदूर, फिर वह स्त्री हो चाहे पुरुष, किराये की रकम न ला के दे दे, मकान मालिक का ताला नहीं खुलता था। फिर वह रकम चाहे वह चोरी करके लावे चाहे अपने को बेचकर। यदि किसी प्रकार भी किराये की रकम नहीं जुटा पाता था। चाहे बरसात हो, चाहे सर्दी उस गरीब को आसमान की छाया के नीचे की रहना पड़ता था।

किशन और डाक्टर साहब उठकर जाने को ही थे कि एक और दुबला-पतला बूढ़ा व्यक्ति तिलक लगाये लाठी के सहारे खड़ा हो गया। डाक्टर साहब और किशन के सामने कहने में कुछ संकोच का अनुभव करते हुए भी न जाने क्या सोचकर बोला — मालिक; आज बड़ी आफत में पड़ गया हूँ। दस रुपयों की बहुत जरूरत है। बहू को बाल-बच्चा हुआ था। बुखार आ गया था। अब हवा लग गयी है तो वह अर्रबर्र बकती है, बहुत गाफिल है। मेम आयी थी देखने, दस रुपये की दवा गयी है। आज का काम चला दो मालिक, आप ही का भरोसा है।

पंडितजी ने बूढ़े की ओर घूरकर देखा, बोले—कोई जेवर लाये हो दीनू पंडित! या वैसे ही रुपया लेने आये हो। अभी तो पहले के रुपये ही पड़े हैं। एक धेला ब्याह तक नहीं मिला है।

दीनू, सिटपिटा-सा गया, बोला—जेवर-एवर हम गरीबों के पास कहाँ है

मालिक। आप सहारा न देंगे न देंगे तो वह मर जायगी। आप ही उसे जिलाइये। जिन्दगी भर आपकी गुलामी करूँगा, मालिक!

पंडितजी झिड़कते हुए बोले—जेवर नहीं था तो फिर क्यों हाथ झुलाते हुए चले आये। जाओ रास्ता नापो और यह सुन लो, पिछला रुपया मय ब्याज के सात दिन के अन्दर नहीं चुका दिया तो अदालत के जरिए वसूल करूँगा, समझे!

बूढ़ा दीनू हताश होकर चला गया। पंडितजी खीजकर बोले—सुबह से शाम तक यह साले रुपया ही माँगने आते हैं। लौटाने की बखत जान पर आती है।

किशन और डाक्टर साहब नमस्ते करके चले गये। उनक मन में क्या था कौन जाने?

इस घटना के कई दिन बाद पंडितजी खेज पर जा रहे थे। रास्ते में उन्हें मिल गये जीवन और किशन। पंडितजी ने पूछा—कहीं गये थे क्यों जीवन भैया। दिखे नहीं इधर कई दिनों से। किशन तुम भी नहीं आये। रामायण-भागवत रोज शाम को हुआ करती है। तुम लोगों के बिना सूना-सूना करता है भाई! आ जाया करो। धर्म की वार्ता से इतनी दूर क्यों रहते हो। असर पड़ने लगा क्या पड़ोसी का?

किशन चुप रहा, पर जीवन बोल उठा—पंडितजी रामायण-भागवत और पूजा-पाठ से फायदा ही क्या अगर हम आदमी को आदमी न समझ सकें! मैं तो रामायण-भागवत का पाठ करता नहीं, पर आदमी को आदमी समझता हूँ। भगवान मंदिरों में नहीं हम आप और ग़रीबों और ग़रीबों में ही हैं। पर किराये के लिए उस दिन जैसा जो कुछ आपने उस गरीब स्त्री के साथ किया वह उचित न था।

पंडितजी हँस पड़े, बोले—जीवन, यहीं तुम भूल करते हो। अगर मैं कहूँ कि उस घटना के घंटे भर बाद ही उस स्त्री ने किराये के रुपये लाकर दे दिये तब तो तुम विश्वास करोगे न, कि वह झूठ बोलती थी और उसके साथ वही बर्ताव होना चाहिए था जो मैंने किया था।

किशन बोला—वह स्त्री और दीनू पंडित आपके रुपये दे गया, क्यों?

पंडितजी सर्गव बोले—दे कैसे न जाते। मैंने अदालत की जो धमकी दे दी थी। यह सब साले इसी के लायक हैं।

जीवन बोला—पर पंडितजी, इन दोनों आफत के मारे गरीबों को उसी दुराचारी दयाशंकर से ही मैंने रुपये दिलवा दिये थे और तब कहीं वह कष्ट से छुटकारा पा सके। नहे तो अब तक धन्यो के बच्चे का और दीनू की बहू का न जाने क्या हाल हुआ होता। शायद दीनू तो अदालत के चक्कर काटता होता और धन्यो बच्चे को दफ़ना चुकी होती। परन्तु एक दुराचारी ने उन्हें उबार लिया। मेरी राय में तो आप सरीखे सदाचारियों से यह दुराचारी कहीं अच्छा।

मंगला

आज मंगला चली गयी। मेरा घर सूना हो गया है। ठीक उसी तरह जैसे बच्चों के उड़ जाने के बाद पक्षी का घोंसला जो जाता है। चिड़ियाँ बच्चे तो पालती हैं। सर्दी-गर्मी और बरसात हर मौसम में बच्चे के लिए दाना-पानी इकट्ठा करती हैं। तिल-तिलकर अपने को मिटाती और बच्चे को बनाती हैं। बच्चों की उन्नति में खुश होती हैं, उन्हें उड़ाना सिखाती हैं। परन्तु ज्योंही डैने मजबूत होते हैं, बच्चे माँ का सहारा छोड़कर घोंसले से कुछ दूर तक अकेले भी उड़ते हैं। इस डाल से उस डाल पर, इस पेड़ से उस पेड़ पर। और इस प्रकार एक दिन उड़ते-उड़ते बच्चे उड़ जाते हैं। कहाँ? कौन बताये! सूने घोंसले में चिड़ियाँ कैसे रहें। घोंसले के एक-एक तिनके में बच्चों की याद समायी रहती हैं जो एक दिन चिड़ियों को घोंसला छोड़ देने के लिए मजबूर कर देती है। और चिड़ियाँ! बेचारी चिड़ियाँ, अपने बच्चों को ढूँढ़ने के लिए खुद भी किसी ओर उड़ जाती हैं। रह जाता सूना प्राणहीन घोंसला; उसे बच्चों के साथ-साथ चिड़ियाँ की भी याद आती है और प्रतीक्षा करते-करते कभी, किसी हवा के झोंके से समझौता कर, तिनके-तिनके अलग होकर, अलग-अलग दिशा में वह भी अपनी चिड़िया और अपने बच्चों की खोज में उड़ जाता है। न जाने कब से यह क्रम चल रहा है और अनन्त काल तक चलता रहेगा। सह चिड़ियों के बच्चे उड़ जायँगे और सब चिड़ियाँ उन्हें खोजने के लिए, उनके बाद घोंसला सूना करके उड़ जाया करेंगी। पर बेटी को विदा करके माँ क्या करे? वह तो बेटी के साथ ससुराल नहीं की जा सकती और न ही घर ही छोड़ सकती है। जिस घर की एक-एक चीज में मंगला की याद समायी है, एक-एक फूल-पत्ती में वह दिखती है, उसी घर में, आज मंगला नहीं और मैं हूँ। और फिर मंगला जैसी लड़की! अनके बार मेरे मुँह से निकला है—ईश्वर हर एक माँ-बाप को मंगला जैसी लड़की दे। वह तो केवल मेरी लड़की न थी, मेरी सब कुछ वही थी। मेरी माँ, मेरी गुरु, मेरी मित्र और इसके बाद भी मेरी बच्ची। आज भी वह उतनी ही बच्ची है परन्तु उसके साथ-साथ ज्ञान और शिक्षा के ऊँचे स्तर पर पहुँचकर भी अभिमान उसे छू नहीं गया है। वह अपनी

परीक्षा के दिनों में भी घर का मेरा प्राय: सभी काम करने के बाद पढ़ने बैठती थी। और आज मेरी मंगला चली गई है। ईश्वर उसे खुश रखे!

मुझे ऐसा लगता है—और बार-बार मन में एक तूफ़ान-सा उठता है कि यह जो मंगला का बिछोह इतना खल रहा है, तो क्यों? इस बिछोह का सृजन तो मैंने अपने ही हाथों से किया है। मंगला तो विवाह की इच्छुक न थी। और वह बार-बार मुझसे यही कहती रही, अपनी गोद से तुम मुझे अलग न करो अम्माँ! तुमने मुझे पढ़ा-लिखा के इतनी बड़ी बनाया है। तुमने अभी तक मेरे लिए कष्ट उठाया है; अब अपनी सेवा करने का अवसर दो। और मैं—मैं मंगला के विवाह के लिए बड़ी उत्सुक थी। अपनी बेटी को योग्य साथी के साथ निश्चिन्त होना चाहती थी।

उस दिन जब बी०ए० का रिजल्ट निकला और मंगला पास हो गयी अच्छे डिवीज़न और अच्छे नम्बरों के साथ तो मुझे कितनी प्रसन्नता हुई उस दिन। मंगला, एक मजदूरनी की बेटी, स्वयं भी अपनी माँ के साथ मजदूरनी की तरह काम करने में कभी संकोच न करती थी, फर्स्ट डिवीज़न लेकर पास हुई। मैंने उसी खुशी में एक दिन मंगला से कहा—बेटी, अब तुम बी० ए० पास हो गईं। अब मैं तुम्हारी शादी करना चाहती हूँ। कोई योग्य साथी तुम्हारे लिए खोज सकूँ, तो मैं बिलकुल निश्चिन्त हो जाऊँ। संतान के प्रति माँ-बाप की जो जिम्मेदारी होती है वह पूरी हो जावे।

उस दिन मंगला ने इस बात को मजाक समझा। किन्तु इस चर्चा को गम्भीर होते देखकर वह मुझसे बोली—अम्माँ, तुम मेरे विवाह की चिन्ता मत करो। मैं विवाह नहीं करना चाहती। यह तो जरूरी नहीं है कि सभी लड़कियाँ शादी करें। मैं तो तुम्हारे ही साथ रहकर तुम्हारी ही सेवा करना चाहती हूँ। अभी तक तुमने कष्ट उठाया है, अब मैं तुम्हारे लिए कुछ करूँगी, तुम्हें आराम से रखूँगी। जब मैं कुछ करने-धरने लायक हुई, तब मैं विवाह करके कहीं चली जाना नहीं चाहती।

एक माँ अपने बच्चे से इससे अधिक क्या कुछ और चाहती है? सच, मेरा मातृत्व सफल हो गया। मैं एक योग्य सन्तान की माँ हूँ, इससे मुझे बड़ा सन्तोष मिला। इस बेटी से अलग होकर मुझसे भी न रहा जायगा, यह मैं जानती थी। पर इसी बीच सुदर्शन से भी कई बार मिल चुकी थी और सच तो यह है कि में सुदर्शन को भी प्यार करने लगी थी। सुदर्शन मेरी मंगला के लिए जितना अच्छा साथी बन सकेगा,, उतना अच्छा लड़का शायद ही मैं कहीं खोज सकूँ। इसीलिए चाहती थी, मंगला यह विवाह स्वीकार कर ले। मैंने मंगला से कहा—बेटी! मेरा विश्वास है कि शादी तो तुम्हें करनी चाहिए। मैं सदा जीती न रहूँगी और तुम्हें एक साथी का अभाव खटकेगा—और सच तो है बेटी कि मैं तुम्हें जहाँ ब्याहने जा रही हूँ, वहाँ तुम कोई बन्धन न रहेगा। तुम जब चाहोगी तभी मेरे पास आ सकोगी। यहाँ रहना या

ससुराल जाना तुम्हारी इच्छा पर रहेगा!

बेटी ने लापरवाही से हँसकर जवाब दिया था—यह सब अम्माँ, विवाह से पहले की बातें हैं। विवाह के बाद पुरुष, पत्नी को अपनी सम्पत्ति समझने लगता है। पति चाहे जितना पढ़ा-लिखा विद्वान हो, पब्लिक प्लेटफार्म पर खड़ा होकर स्त्री के समान अधिकर और स्वतंत्रता देने के विषय में चाहे जितनी लम्बी-लम्बी स्पीचें झाड़े पर घर के अन्दर पैर रखते ही पुरुष, पुरुष हो जाता है। स्त्री यदि उसकी इच्छाओ को अपनी इच्छा न बना ले, उसके इशारे पर आँख, कान बन्द करके न चले, तो खैर नहीं। पास-पड़ोस के घरों में इन शिक्षित परिवारों में भी जो कुछ होता है, वह जानती हो। यह सब जान-बूझकर भी तुम क्यों चाहती हो माँ, कि मैं विवाह कर लूँ? फिर तुम मेरे स्वभाव को भी जानती हो। मैं किसी के इशारे पर आँख-कान बन्द करके नहीं चल सकती। मैं किसी की इच्छा को अपनी इच्छा नहीं बना सकती और सच बात यह है कि तुम्हें छोड़कर मुझसे कहीं जाया न जायगा। तुम जिसके साथ मुझे ब्याहोगी वह मुझे अपने साथ जरूर ले जाना चाहेगा, अभी चाहे कुछ भी कहे।

मैंने कहा—यह मैं समझती हूँ बेटी। पर सुदर्शन ऐसा नहीं करेगा। वह बहुत ही भला और नेक लड़का है। उसने मुझसे वादा किया है कि वह तुम्हारी इच्छा पर कभी अपनी इच्छाओं को न लादेगा।

मंगला कुछ गंभीर होकर बोली—जो तुम चाहो माँ! वह करो। मैने जैसे सदा तुम्हारी बात मानी है, उसी तरह तुम्हारी इस बात को भी मान लूँगी। परन्तु, मैं खुद तो शादी बिल्कुल नहीं करना चाहती। और मंगला चली गयी। मेरे लिए एक प्यारा चाय तैयार करने।

मैं बड़ी देर तक मंगला की बातों पर विचार करती रही और मेरी आँखों के सामने अतीत के, न जाने कितने सुखद और दुखद चित्र खिंच गये। सोचा, नहीं मंगला की इच्छा के विरुद्ध उसका विवाह न करूँगी। कल मैं सुदर्शन से साफ-साफ कह दूँगी। वह धनी है, शिक्षित है, सुन्दर है, विनयी है। इसके लिए लड़कियों की कमी न रहेगी। बहुत-सी लड़कियाँ मिलेंगी। मेरी मंगला मेरी रहेगी।

दूसरे दिन वादे के अनुसार सुदर्शन आया। मैंने उसे प्यार से बैठाला। उसे देखते ही मेरा विवाह न करने का निश्चय कुछ हिल-सा-गया। परन्तु मैं सम्हली। मैंने कहा—सुदर्शन, जैसा जुम जानते हो, विवाह मैं खुद तो करना चाहती हूँ पर मंगला विवाह के लिए तैयार नहीं है। मुझे छोड़कर जाने की कल्पना से भी वह सिहर उठती है और विवाह क बाद ससुराल उसे जाना ही पड़ेगा। यही कारण है वह विवाह नहीं करना चाहती।

सुदर्शन का चेहरा उतर गया। वह बोला—ऐसी बात तो नहीं है कि विवाह के बाद उन्हें आपको छोड़कर जाना ही पड़ेगा। जाना न जाना तो उनकी इच्छा पर रहेगा। और वैसे तो विवाह के बाद भी वह चाहें तो आपके ही पास रह सकती हैं। मुझे कोई शिकायत न होगी।

मैंने पूछा—तुम्हारी माँ को भी कुछ न लगेगा। वह भी रहने देंगी?

सुदर्शन बोला—अम्माँ मेरे किसी मामले में दखल नहीं देतीं।

मैंने कहा—सुदर्शन! यह सब बातें में मंगला से कह चुकी हूँ। वह कहती है कि विवाह के पहले दूसरे स्वर से बोलते हैं और विवाह के बाद उनका स्वर बदल जाता है।

सुदर्शन कुछ हताश-सा होकर बोला—वैसे आप लोग मुझ पर विश्वास ही करें तो कोई चारा नहीं है, पर मैं कहता हूँ कि मैं जो कुछ कहता हूँ उस पर अमल करूँगा। आप यदि मेरी परीक्षा लेना चाहें तो मैं बीस साल तक केवल इसी आशा पर रह सकता हूँ कि मंगला मुझसे विवाह करेगी परन्तु यदि यह विवाह न हुआ, तो मैं दु:खी जरूर हो जाऊँगा। दु:खी होने पर भी मुझसे कोई अपकार न होगा। मैं रास्ते से अलग हो जाऊँगा।

और मेरा माँ का हृदय जो ठहरा, मैं द्रवित हो उठी। मैंने कहा—अब तुम्हें कुछ और कहने की जरूरत नहीं है। मैं प्रयत्न करूँगी। तुम दु:खी न होगे और तुम्हें बसी साल तक ठहने भी न दूँगी।

सुदर्शन चला गया। दूसरी सुबह मंगला न चाय पीते-पीते मैंने कहा—मंगला बेटी, में चाहती हूँ कि तुम यह विवाह स्वीकार कर लो। मेरा यह थका तन और थका मन न जाने किस घड़ी बुझ जाय। तुम किसी योग्य साथी के साथ रहोगी तो मैं शांति से मर भी सकूँगी; तो मरने के बाद भी शांति न पा सकूँगी।

और मंगला, मेरी मंगला ने कहा—जिसमें तुम्हें शांति मिले माँ, उसी में मेरा सुख है। तुम जो चाहो करो।

फिर इस प्रकार विवाह तय हुआ और हो गया। विवाह के समय मंगला सुसराल से दो-चार दिनों में ही लौट आयी थी और वह दो-चार दिन काम की अधिकता तथा मेहमानों की भीड़-भाड़ में कैसे निकल गये कुछ जान नहीं पड़े! पर आज तो यह सूना-सूना घर काट खाने को मुँह बाये खड़ा है! हर पेड़, पत्ती और फूल, जिधर आँख उठाती हूँ, हर जगह मंगला ही मंगला! मंगला के अतिरिक्त और कुछ सोचती ही नहीं!

सोचती हूँ यदि मैं भी चिड़िया होती तो अपनी मंगला की खोज में किसी तरफ उड़ जाती।

जम्बक की डिबिया

इस जम्बक की डिबिया से मैंने मनुष का खून जो कर डाला है, इसलिए में इससे डरता हूँ। मैं जानता हूँ यही जम्बक की डिबिया मेरी मौत का कारण होगी—प्रोफेसर साहब ने कहा और कुर्सी पर टिक गये। उसके बाद हम सभी लोगों ने उनसे पूछा—जम्बक़ की डिबिया से मनुष्य की हत्या आखिर हो ही कैसे सकती है?

सिगरेट बुझाकर ऐश-ट्रे पर फेंकते हुए प्रोफेसर साहब ने कहा—बात उन दिनों की है जब मैं बी० ए० फाइनल में पढ़ता था। केठानी हमारे घर का पुराना नौकर था, बड़ा मेहनती, बड़ा ईमानदार। महीनों हमारी माँ जब घर से बाहर रहतीं, वह सारे घर की देखभाल रखता। एक तिनका भी कभी इधर से उधर न हुआ था। एक बार यही बरसात के दिन थे। मेरी छोटी बहिन के बदन पर कुछ लाल-लाल दाने से उठ आये और उसके लिए मैं जम्बक की एक डिबिया खरीद लाया। मेरी माँ मशीन के सामने बैठी कपड़े सी रही थीं। आपपास बहुत से कपड़े फैले पड़े थे। वहीं मैंने वह डिब्बी खोली। बहिन के दानों पर जहाँ तहाँ लगाया और डिब्बा बंद करके माँ के हाथ में दे दीं। पास ही केठानी खड़ा-खड़ा धुले हुए कपडों की तह लगा रहा था। जब मैं बहिन के दानो पर जम्बक लगा चुका तब केठानी ने उत्सुकता से पूछा—"काय भैया! ई से ई सब अच्छी हुई जइहै?"

मैंने कहा—हाँ खाज, फोड़ा, फुन्सी, जले-कटे सब जगह यह दवा काम आती है। इसके बाद केठानी अपने काम में लग गया और मैं बाहर चला गया।

शाम को जब मैं घूमकर लौटा तो देखा घर में एक अजीब प्रकार की चहल-पहल है। माँ कह रही थीं—बिना देखे किसी को कैसे कुछ कहा जा सकता है। कहाँ गयी? कौन जाने।

बड़ी बहिन कह रही थीं—उसे छोड़कर और ले ही कौन सकता है। कल उसकी भावज आयी थी न। उसके लड़के के सिर में भी बहुत सी फुड़ियाँ थीं।

पिताजी कह रहे थे—कहीं महाराजिन न ले गई। अखिल उससे कह रहा था—यह गोरे होने की दवा है। लड़के भी तो तुम्हारे सीधे नहीं हैं।

पास ही बैठा अखिल पढ़ रहा था। पिताजी की बात में दिलचस्पी लेते हुए वह बोला—बापू, महाराजिन तो सदा गोरे होने की ही फिकर में रहती हैं। फिर मुझसे पूछा कि यह क्या है, सो हमने कह दिया कि गोरे होने की दवा है।

केठानी अपनी कोठरी में रोटी बना रहा था। उसे बुलाकर पूछा गया तो उसने कहा—जब भैया लगाई हती आपने तो तबै देखी रही, फिर हम नहीं देखन सरकार।

मुझे क्रोध आ गया, बोला—तो डिबिया पंख लगाकर उड़ गयी? केठानी ने मेरी तरफ देखा, बोला—भैया...। मैंने कहा—चुप हो! मैं कुछ नहीं सुनना चाहता। सुबह मैं डिब्बी लाया और इस समय गायब हो गयी। यह सब तुम्हीं लोगों की बदमाशी है।

केठानी कुछ न बोला। चुपचाप वहीं खड़ा रहा और मैं कमरे में चला गया। मैंने सुना—वह माँ से कह रहा था—मालकिन चल के मोर कोठरी खोली देख लेई—मैं का करिहौं दवाई लई जाइके? फिर जउन चीज लागी मैं माँग न लइहौं सरकार से?

मैं कोट उतार रहा था। न जाने मुझे क्यों क्रोध आ गया और मैं कमरे से निकल आया बोला—चले जाओ अपना हिसाब लेकर—हमें तुम्हारी जरूरत नहीं है—आखिर माँ ने बहुत समझाया पर हम सब भाई-बहिन न माने और माँ ने केठानी को बहुत रोकना चाहा और वह यही कहता रहा—जब तक भैया माफ न कर देंगे, अपने मुँह से मुझसे रहने को न कहेंगे, मैं न रहूँगा।

और न मैंने केठानी से रहने को कहा और न वह रहा, हमारे घर की नौकरी छोड़कर वह चला गया। पर घर के सब लोगों को वह प्यार करता था। वह गया जरूर पर वह तन से गया मन से नहीं। माँ को भी उसका अभाव बहुत खटका और मुझे तो सबसे ज्यादा उसका अभाव खटका। वह मेरे कमरे की सफ़ाई रखता था, सजाकर रखता था और फूलों का गुलदस्ता नियम से बनाकर रखता था। मेरी जरूरतें वह बिना बताये समझता था और पूरी करके रखता था, पर जिद्दी स्वभाव के कारण चाहते हुए भी मैं माँ से यह न कह सका कि केठानी को फिर से बुला लो जोकि मैं हृदय से चाहता था। एक दिन माँ ने कहा कि केठानी रायसाहब के बँगले पर गारा-मिट्‌टी का काम करता है। मैंने सुना, मेरे हृदय में ठेस सी लगी। बूढ़ा आदमी, डगमग पैर, भला वह गारा-मिट्‌टी का काम कैसे कर सकेगा? फिर भी चाहा कि यदि माँ कहें कि केठानी को बुलाये लेती हूँ तो मैं इस बार जरूर कह दूँगा कि अच्छा बुला लो पर इस बार माँ ने केवल उसके गारा-मिट्‌टी ढोने की खबर भर दी और केठानी को फिर से नौकर रखने का प्रस्ताव न किया। एक दिन मैं कालेज जा रहा था। देखा केठानी सिर पर गारे का तसला रखे चाली पर से कारीगरों को दे रहा है।

चालीस फुट ऊपर चाली पर चढ़ा वह बूढ़ा केठानी, खड़ा काम कर रहा था। मेरी अन्तरात्मा ने मुझे काटा। यह सब मेरे कारण है और मैंने निश्चय कर लिया कि शाम को लौटकर माँ से कहूँगा कि अब केठानी को बुला लो। वह बहुत बूढ़ा और कमजोर हो चुका है। इतनी कड़ी सजा उसे न मिलनी चाहिए। दिन भर मुझे उसका खयाल बना रहा। शाम ज़रा जल्दी लौटा। रास्ते पर ही रायसाहब का घर था। मजदूरों में एक विशेष प्रकार की हलचल थी। सुना कि एक मजदूर चाली पर से गिरकर मर गया। पास जाकर देखा वह केठानी था। मेरा हृदय एक आदमी की हत्या के बोझ से बोझिल हो उठा। घर आकर माँ से सब कुछ कहा—'माँ उसके कफ़न के लिए कोई नया कपड़ा निकाल दो!'' माँ अपने सीने के कपड़ों की पोटली उठा लायीं। नया कपड़ा निकालने के लिए उन्होंने ज्योंही पोटली खोली जम्बक की डिबिया खट से गिर पड़ी।

तीन बच्चे

मेरे बच्चों में से प्रत्येक ने अपने लिए एक-एक बगीचा लगाया था। बगीचा क्या फूलों की छोटी-छोटी क्यारियाँ थीं। एक दिन सबेरे हम लोगों ने देखा कि उन क्यारियों में फूल खिल आये हैं।

बच्चे ही तो ठहरे। हरएक को अपनी-अपनी क्यारी के फूल अधिक सुन्दर जान पड़े—और इसी बात पर उन लोगों में लड़ाई छिड़ गयी। हरएक का कहना था कि उसकी क्यारी के फूल सबसे सुन्दर हैं।

बात बढ़ते-बढ़ते फूलों से हटक दूसरे ही क्षेत्र में जा पहुँची। एक हिटलर बना, तो दूसरा मुसोलिन और तीसरा स्टालिन। और मुझे इन तीनों की माँ बनने का सौभाग्य एक साथ प्राप्त हो गया।

संग्राम में विषैले वाक्यों की प्रयोग होते सुनकर, मुझे चौके का काम छोड़कर, बगीचे की ओर जाना पड़ा। मुझे देखते ही सब एक साथ, अपने-अपने पक्ष का समर्थन कर, न्याय की दुहाई देने लगे। न्याय का कार्य उतना आसान न था, जितना कि एक अदालत के जज का होता है। जज के पथ-प्रदर्शन के लिए कानून होते हैं और नज़ीरें भी। चाहे लकीर की फकीरी में अन्याय ही क्यों न हो जाय, पर उसका मार्ग स्पष्ट रहता है। मेरे सामने न नज़ीर थी न क़ानून—फिर भी मुझे यह लड़ाई समाप्त करनी थी—और न्यायपूर्वक।

मैं सोच ही रही थी कि निर्णय करने के लिए जूरी क्यों न नियत कर लिए जायें कि इतने में ही बच्चों के काकाजी आते दिखायी देते। चीखना-चिल्लाना तो दूर, उन्हें किसी का पंचम स्वर के ऊपर बोलना पसन्द नहीं है। बच्चों को लड़ते देखकर बोले—अच्छा यह लड़ाई किसलिए है ? यदि तुम लोग लड़े-भिड़े तो मैं तुम्हारी माँ को सत्याग्रह न करने दूँगा।

मेरे हिटलर-मुसोलिनी शांत हो गये। माँ के बिना जिन्हें स्कूल जाने तक में कष्ट होता है, माँ के बिना जिनका काम नहीं हो सकता वहीं मेरे बच्चे चाहते थे कि मैं सत्याग्रह करूँ और जेल जाऊँ।

अब मैंने उनसे पूछा कि कोई शिकायत तो नहीं है, तो सब एक स्वर में बोल उठे—नहीं माँ, सभी क्यारियों के फूल सुन्दर हैं। तुम सत्याग्रह करो और जल्दी जल जाओ।

हम सब भीतर जाने को थे ही कि बाहर से गाने की आवाज़ आयी—गाना कोरस में था और स्वर था बच्चों का-सा।

भगवान दया करना इतनी,
मोरी नैया को पार लगा देना।

और अब तो हम सब दरवाज़े की ओर दौड़ पड़े। इसी समय दूसरा पद सुनाई पड़ा—

मैं तो डूबत हूँ मँझधार पड़ी,
मोरी बैंया पकड़के उठा लेना।

बाहर आकर देखा—तीन बच्चे थे, दो लड़कियाँ और एक लड़का। बड़ी लड़की होगी दस बरस की; छोटी आठ और सात के बीच में थी और लड़का, वह बड़ी की ही गोद में था—कोई तीन साल का। हम लोगों को देखते ही उन लोगों ने गाना बन्द कर दिया। लड़के को गोद से उतारकर, बड़ी ने जमीन से माथा टेककर हमें प्रणाम किया। उसकी देखा-देखी छोटी लड़की और लड़के ने भी जमीन से माथा टेका और तीनों ने अपने चीथड़ों में छिपे हुए पेट को दिखाकर यह बताया कि वे भूखे हैं। बड़ी के हाथ में एक झोली थी और छोटी के हाथ में टीन का डिब्बा। उन्होंने एक बार झोली की ओर देखा जो बिल्कुल खाली जान पड़ती थी फिर हमारी और याचना की दृष्टि से देखने लगे। मैंने उनसे कहा—तुम गाती तो बहुत अच्छा हो और भी कोई गाना जानती हो!

बड़ी के बोलने के पहिले ही छोटी बोल उठी—हमें भजन भी आते हैं, बड़ी मालकिन!—और आदेश पाये बिना ही वे दोनों गाने लगीं—

'कमर कस ले रे बिलोची, तेरे संग चलूँगी।
तेरे संग चलूँगी रे तेरे संग चलूँगी॥'
कमर कस ले...
मेरे साथ चलेगी तो तेरी अम्माँ लड़ेगी...।'

हम लोगों की हँसी अब दबाये न दबी। अम्माँ के लड़ने की बात सुनते ही वह फूट पड़ी। वे सभी शर्माकर चुप हो गये। उनकी दृष्टि से ऐसा जान पड़ता था कि वे किसी अज्ञात भूल से दुःखी हो गये। मैंने हँसी रोककर आश्वासन के रूप में कहा—बहुत अच्छा गया। मेरी बात सुनते ही वे फिर बैठकर लगे जमीन से माथा टेकने। मैंने पूछा—तुम्हें क्या चाहिए, पका हुआ खाना या कच्चा?

बड़ी ने फिर जमीन से माथा टेककर कहा—कुछ भी खाने को चाहिए बड़ी मालकिन। कल से कुछ नहीं खाय है। मैंने बच्चों से कहा कि इन्हें दो-दो पूरियाँ लाकर दे दो, और मैं अन्दर चली गयी।

बच्चों ने उन्हें कितनी पूरियाँ दीं, यह तो मैं नहीं कह सकती, पर जब चौके में जाकर देखा तो न डिब्बे में एक भी पूरी थी और न कटोरे में तरकारी।

दूसरे दिन हम लोग सबह की चाय पीकर उठने ही वाले थे वे बाल गवैये फिर आ पहुँचे। हमें, कोमल सवर में सुनायी पड़ा —

'साँवरियाँ हमें भूल गयो, सखि, साँवरियाँ।
बिंदराबन की कुञ्जगलिन में बाज रही है बासुरिया॥
हमें भूल गयो, सखि साँवरिया॥'

मैंने अपने बच्चों से कहा—कल तुमने इन्हें खूब पूरियाँ खिलायी थीं न। अब वे सब फिर आ गये। जैसे उनके लिए यहाँ रोज पूरियाँ धरी हैं!

—धरी तो हैं माँ! एक साथ ही बच्चों के मुँह सचे निकला और सबके हाथ एक साथ ही पूरी के डब्बे की ओर बढ़े।

मैंने उन्हें रोकते हुए कहा—ठहरो, ठहरो। रोज-रोज इन्हें पूरियाँ खिलाआगे तो दरवाजा ही न छोड़ेंगे। उन्हें चावल या आटा देकर जाने को कह दो।

एक बच्चा बोल उठा—बेचारे छोटे-छोटे बच्चे; न जाने उनक माँ भी है या नहीं। वे भला कहाँ पकायेंगे?

दूसरा ताने के स्वर में बोला—इससे अच्छा तो उन्हें कुछ भी न दिया जाय।

सबसे छोटा बोला—तुम भी माँ होकर ऐसा क्यों कहती हो माँ। उन बेचारों को भी भूख लगी होगी। हमारे हिस्से की ही दे दो।

लड़की सब में समझदार थी। उसकी दृष्टि यही चाह रही थी कि माँ का इशारा भर मिले और पूरियों का डिब्बा ले जाकर वह पूरियाँ उन बच्चों को खिला दे।

मैंने उदासीनता से कहा—पूरियाँ ही दे दो, पर शाम को फिर तुम्हारे लिए नाश्ता बनाना पड़ेगा।

'माँ, शाम को नाश्ता नहीं करेंगे', एक स्वर में एक साथ बच्चों ने कहा और हाथ में पूरियाँ लिए हुए दरवाज़े की ओर दौड़े।

चौके का काम निपटाकर मैं बाहर गयी। देखा वे तीनो बड़े मजे से पूरियाँ खा रहे थे और मेरे बच्चे भी बड़े उत्साह से उन्हें परस रहे थे। जब वे खा-पीकर उठे तो मैंने कहा—देखो भाई! तुमने पूरियाँ खा लीं। अब बिना गाना सुनाये न जाने पाओगे। उन्होंने कृतज्ञतापूर्वक माथा जमीन पर टेककर गाना शुरू किया—

'अब न रहूँगी कान्हा, तोरी नगरिया।

हाट-बाट मेरी गैल न छोड़े,

पनघट पर मोरी फोरे गागरिया।

अब न रहूँगी...।'

गाना गा चुकने के बाद उन्होंने ज़मीन पर माथा टेका, जैसे हमें आशीर्वाद देकर जाने के लिए उद्यत हों, पर मैंने उन्हें रोककर पूछा—क्या तुम तीनों भाई-बहिन हो?

—हाँ, बड़ी मालकिन—बड़ी लड़की ने कहा।

मैंने पूछा—तुम्हारा नाम क्या है? अपना नाम उसने 'ईठी', छोटी बहिन का नाम सीठी' और भाई का नाम 'प्रेमा' बतलाया।

ईठी, सीठी, प्रेमा उनका नाम दुहराते हुए मैंने पूछा—क्या तुम्हारे माँ-बाप कोई नहीं हैं। तुम कल भी अकेले आये थे, आज भी!

छोटी लड़की बड़ी तत्परता से बोल उठी—माँ भी है और बाप भी है, बड़ी मालकिन—हमारे सब कोई है।

कहाँ है तुम्हारे माँ-बाप जो तुम्हें इस तरह अकेले फिरने को भेज देते हैं?

—बाप अमरावती में है और माँ...

— अमरावती में तुम्हारा बाप क्या करता है! मेरा छोटा लड़का बीच में ही पूछ बैठा।

—जेल में है छोटे बाबू—बड़ी लड़की ने उत्तर दिया।

— जेल में है! मैंने कुछ अनास्था से पूछा—जेल क्यों हुई उसे?

लड़की बोली—वह दारू जो पीता था। और दारू पीकर चुप भी नहीं रहता थ। दंगा करता था, माँ को मारता था, गाली बकता था और इसलिए वो...(लड़की आँख उठाकर देखते हुए बोली) बड़ी मालकिन पुलिसवालों ने उसे पकड़ा; और सब लोग कहते हैं पुलिसवालों ने ठीक किया।

—और तुम्हारी माँ, वह अब कहाँ है? मैंने पूछा।

लड़की बोली —माँ?...वह भी तो जेल में है। और उसी के साथ हमारा सबसे छोटा भाई भी है। वह तो (अपने भाई की ओर उँगली से दिखाकर लड़की ने कहा) प्रेमा से छोटा है। वह रोता नहीं, इससे अच्छा है।

बेचारे बच्चे—मेरे मुँह से निकल पड़ा—माँ-बाप दोनों जेल में और ये अनाथ सड़क पर भीख माँगते फिरते हैं।

मैंने फिर पूछा—तुम्हारी माँ ने क्या किया था?

लड़की बोली—हमारी माँ ने पुलिसवालो को मारा था—जिसने हमारे बाप को पकड़ा न था, उसी को। और फिर वे माँ को भी पकड़ ले गये। माँ के बिना

हमको बुरा लगता है पर यह प्रेमा तो रात-दिन रोता ही रहता है।

मैंने लड़के की ओर देखा—बेचारा छोटा-सा बच्चा; मुश्किल से तीन बरस का, फटे चीथड़े में लिपटा हुआ; सिर में महीनों तेल का नाम नहीं; रूखे, बिखरे बाल, न जाने कब से नहाया नहीं था, शरीर पर एक मैल की तह-सी जम गयी थी; गाल पर आँसुओं के निशान जमे हुए थे, आँसुओं के साथ-साथ उस स्थान को मैल जो धुल गयी थी। मुझे उस बच्चे पर बड़ी दया आयी।

मैंने उस लड़की से पूछा—तुम लोग अपनी माँ से जेल में मिलने नहीं जातीं?

छोटी बोल उठी—जाती हैं बड़ी मालकिन।

बड़ी ने कहा — तीन महीने में एक बार मुलाकात होती है। एक बार मुलाकात करने गये थे, दूसरी बार तीन महीने के बाद जब हम लोग गये तो मालूम हुआ कि माँ को यहाँ के जेल में भेज दिया है। तो हम लोग सब, काली माँ के साथ यहाँ चले आये। काली माँ भी भीख माँगती है।

—तुम लोग रात को कहाँ रहती हो? सोती कहाँ हो? तुम्हें डर नहीं लगता? —मैंने पूछा।

बड़ी लड़की ने कहा—जेल के पास एक नाला है। हम लोग रात को वहीं पुल के नीचे माँ की बातें करते-करते सो जाते हैं। कभी-कभी काली माँ भी आ जाती है पर वह रोज नहीं आती।

— माँ की सजा कितने दिन की है?

—दो साल की—बड़ी लड़की ने कहा—हम रोज जेल को देखते हैं। हमारी माँ वहीं तो है। जब माँ छूटेगी हम उसको साथ लेकर देश जायँगे।—एक प्रकार की खुशी से बालिका पुलकित हो उठी। अपनी माँ को जैसे लेकर वह सचमुच देश जाने की तैयारी कर रही है।

मैंने लड़की से पूछा—तुम लोग नहाती हो कभी? संकोच से बड़ी लड़की चुप रही। छोटी ने कहा—हमारे पास दूसरे कपड़े नहीं है न।

मेरा इशारा पाते ही मेरे बच्चों ने अपने पुराने कपड़ों में से बहुत-से कपड़े ला दिये।

मेरा चित्त उदास हो गया। मैं कमरे में बैठकर कुछ सोचने लगी और वे बच्चे कपड़े लेकर खुशी-खुशी चले गये। कुछ दूर से गाने की आवाज आयी —

''मैं तो डूबत हूँ मँझाधार पड़ी,
मोरी बैंया पकड़ के उठा लेना।''

बहुत से सुन्दर पद पढ़े, लिखे और सुने थे। पर स्वर और आत्मा का ऐसा संयोग तो कहीं नहीं देखा था, शब्द और वस्तु का ऐसा मेल तो कभी चित्रित नहीं

हुआ।

मैं उन्हें बुलाने के लिए झपटी पर तब से वे दूर निकल गये थे।

इस घटना के दूसरे ही दिन, मैं भी युद्ध-विरोधी सत्याग्रह करके, जेल की अतिथि बनी, मेरे और बच्चों ने तो हँसी-खुशी बिदायी दी पर सबसे छोटी मिनू, बहुत छोटी होने के कारण, मुझे छोड़कर घर में न रह सकी। अतएव वह मेरे साथ हो गयी।

उस समय जबलपुर जेल में कोई अन्य राजबन्दिनी न थी। अकेले होने के कारण मैं अस्पताल में रखी गयी। मेरी सेवा के लिए दो साधारण स्त्री कैदिनें रात में मेरे साथ रहती थीं। दिन में सब लोग एक साथ रह सकते थे। कैदखाने की दुनिया भी एक विचित्र वस्तु है।

यह कौन है? चोर!

यह? यह चरस बेचती थी और इसने अपने नवजात शिशु की हत्या करने की चेष्टा की थी। पर माँ होकर वह हत्या कर सकती थी—इसका मुझे विश्वास न हुआ।

और यह लड़की? यह तो अभी बहुत कम उमर है, इसने क्या किया था? इसने अपने पति और सास को जहर दिया था। मैं काँप उठी! विधाता! क्या सचमुच स्त्रियाँ हैं? तुम्हारी ही आज्ञा से इनका सृजन हुआ होगा?

किन्तु, इसी समय जैसे कोई अन्दर से बोल उठा—यह तस्वीर का एक ही पहलू है—इसकी दूसरी ओर भी देखो! सम्भव है वे निर्दोष हों, सम्भव है वे देवियाँ हों?

मेरी सिवा के लिए जो स्त्रियाँ तैनात थीं, उनमें से एक अल्हड़ थी, जिसे कुछ काम-काज़ न आता था पर दूसरी समझदार थी। वह प्रोढ़ा थी। उसकी गोद में भी एक बच्चा था। वह बड़ी फिक्र से सब काम करती थी। वह अधिकतर चुप रहती थी,जैसे सदा मन ही मन कुछ सोचा करती हो। मिनू को तो उसने इस प्रकार हिला लिया था जैसे वह उसी की बच्ची हो। उसका खुद का बच्चा पाँव-पाँव चलता और मिनू चलती उसकी गोदी में। वह पानी भरती तो मिनू उसके साथ होती, दाल दलती ता मिनू उसके साथ और बरतन मलती तो मिनू भी उसके साथ छोटी-छोटी कटोरियाँ और गिलास मलती दीख पड़ती। अन्त को बात इतनी बढ़ी कि वह मिनू को अपनी पीठ से बाँधकर झाड़ू देने लगी। उसका नाम था लखिया।

लखिया और मिनू के इस स्नेह सम्बन्ध थे, लखिया के बच्चे को जो अभाव ज्ञात हुआ उसकी पूर्ति मैं उसे मिनू के फल और मिठाइयाँ दे-देकर करने लगी। वह प्राय: मेरे ही पास खेला करता। फल और मिठाइयाँ खाने से इस बच्चे को और पानी

भरने, बरतन मलने तथा बग़ीचा सींचने से मिनू को थोड़े ही दिनों में स्वास्थ्य लाभ होता दिखायी देता।

मैं बहुत सोचती थी कि यह लखिया कौन है ? यह जेल क्यों आयी ? एक दिन अचानक मैंने प्रश्न किया—जिसका उत्तर मिला—जिसका उत्तर मिला — "ओह यह बड़ी खतरनाक औरत है इसने पुलिस को मारा है—पुलिस को। पर हमने उसका दिमाग़ ठीक कर दिया है। आपको कोई तकलीफ़ तो नहीं देता ?"

अचानक मुझे उन बच्चों की याद आ गयी। उसकी माँ भी तो पुलिस को मारने के कारण जेल भेजी गयी थी और उसके साथ भी तो एक छोटा बच्चा था। पूछना मैंने कई बार चाहा पर लखिया की गम्भीर और उदास मुद्रा देखकर हिम्मत मेरी एक बार भी न हुई।

एक दिन रात को खूब पानी बरसा। खूब दहाड़-दहाड़कर बादल गरजे और कड़क-कड़ककर बिजली चमकी। मुझे अपने बच्चों की याद आ गयी। छोटा लड़का डरा होगा। दूसरे पलँग पर सोने पर भी वह बादलों के गरजते ही मेरे पास आकर सो जाता था। इसके साथ मुझे उन तीनों बच्चों की भी याद आयी जो बिचारे पुल के नीचे सोते थे। कहीं...आगे सोचने की मेरी हिम्मत न पड़ी। मैंने प्रार्थना की, हे ईश्वर सब माताओं के बच्चों को अच्छी तरह रख और सबके बाद मेरे बच्चों की भी रक्षा कर।

जेल में मेरे पास अखबार आया करते थे। जेल की सभी कैदी स्त्रियाँ लड़ाई की ख़बरें सुनने को उत्सुक रहा करती थीं। उन्हें विश्वास था कि एक दिन ऐसा होगा जब जेल के फाटक टूट जायेंगे और अवधि से पहिले ही उनका छुटकारा हो जायेगा। मैं भी उन्हें योरप की लड़ाई और भारत के सत्याग्रह की ख़बरें सुना दिया करती थी।

उस दिन शाम को अखबार आया, और पढ़ते-पढ़ते मेरा जी धक् से रह गया! जबलपुर की ही खबर थी—

'कल रात एकाएक पानी बरसा और खूब बरसा। जेल के पास के नाले में तीन ग़रीब बच्चे बह गये। उन तीनों की लाशें मिली हैं। बहुत खोज करने पर भी उनकी शिनाख्त नहीं हो सकी। दो लड़कियाँ हैं और एक लड़का। ऐसा सुना गया है कि वे गाना गाकर भीख माँगा करते थे।'

मेरे घर पर आकर गानेवाले उन तीन बच्चों का चित्र हठात् मेरी आँखों के सामने खिंच गया और ऐसा जान पड़ा जैसे दूर से कोई गा रहा है—

'मैं तो डूबत हूँ मँझधार पड़ी,

मोरी बैयाँ पकड़के उठा लेना।'

अख़बार रखकर मैं आँसू रोकने का प्रयत्न करने लगी। अचानक मेरे मुँह से निकल गया—'बेचारे बच्चे।'

लखिया पास ही बैठी मेरे लिए चाय तैयार कर रही थी। उसने पूछा—क्या खबर है, बाई साहब! अरे, उदास क्यों हो गयीं? बच्चों की याद आ रही है?

मैं उसे कुछ भी उत्तर न दे सकी। वह फिर बोली—थोड़े ही दिन तो और हैं बाई साहब! कट ही जायँगे। फिर बच्चे अपने बाप के साथ तो हैं; फिकर क्यों करती हो?

उसकी ओर देखने की मेरी हिम्मत नहीं थी पर मुझे ऐसा जान पड़ा जैसे उसने बात खत्म होते न होते एक गहरी साँस ली और आँखों के आँसू पोंछ लिए। मैंने अपने सब शक्ति संचित करके उससे पूछा—लिखया, तेरे और बच्चे हैं, या यही एक है?

आँखों में आँसू और ओठों पर एक क्षीण मुस्कुराहट के साथ वह बोली—एक ही क्यों बाई साहब, (मेरी बच्ची की ओर इशारा करके) यह बिटिया भी तो है।

मैंने कहा—ये तो जेल के भीतर हैं। जेल के बाहर कितने हैं?

लखिया एक गहरी साँस लेकर बोली—जेल के बाहर बाई साहब, वो तो भगवान् के है; अपने कैसे कहूँ?

और इसके बाद वह अख़बार की ख़बर पूछती ही रह गयी पर मैं उसे कुछ भी न बतला सकी।

बड़े घर की बात

फूलशय्या के ही दिन फूल और मनोहर में तनातनी हो गयी। फूल स्वभाव से ही कम बोलने वाली और लजोली थी। उधर मनोहर ऐंग्लो-इण्डियन छोकरियों के साथ सिनेमा थिएटर देख चुके थे, उनकी उच्छृंखलता ओर उद्दण्डता के आदी थे। वे सपना देख रहे थे कि उनके कमरे में पैर रखते ही नववधू मुस्कराती हुई 'हल्लो डार्लिंग' कहकर उन्हें बिठायेगी, उनसे घुल-घुलकर प्रेम की बातें करेगी और उन्हें जबरन अपने पास बिठा रखेगी, वे उठना चाहेंगे तो वह उठने न देगी, लच्छेदार बातों से उन्हें उलझा रखेगी, घड़ी के जाते हुए समय को 'एनिमी' (दुश्मन) कहकर अफसोस करेगी। ये आशाएँ उन्होंने नववधू से इसलिए की थीं कि वह मैट्रिक पास थी और उसने अपने छोटे से जीवन के अधिकांश दिन बोर्डिङ्ग हाउस में ही बिताये थे।

जिस समय मनोहर फूलों का हार गले में डाले, इतर में बसे बसाये, अपने कमरे में आये, नववधू फूल लैंप के पास खड़ी चुपचाप एक पुस्तक के पन्ने उलट रही थी। किसी अज्ञात आशंका से वह रह-रहकर काँप सी उठती थी। उसके पति होते हुए भी मनोहर आज तो उसके लिए पर-पुरुष ही थे। उनसे कैसे बोलूँगी, क्या कहूँगी, कहीं कोई बेवकूफी न हो जाय। फूल मन ही मन बहुत घबरा रही थी। अचानक किसी के हल्के पैरों की आहट होते ही वह पुस्तक छोड़कर एक कोने में सिमटकर खड़ी हो गयी। मनोहर बाबू अपना यह अपमान न सह सके। क्या स्कूल और घर में यही शिक्षा मिली है कि आये हुए पति की तरफ़ पीठ करके खड़ी हो जाओ।

फूल सिहर उठी किन्तु कुछ बोली नहीं। मनोहर का पारा और गरम हो गया। कठोर स्वर में बोले—मैंने तो समझा था पढ़ी-लिखी है तो कुछ अक़्ल भी होगी लेकिन वही गँवार की गँवार।

इस पर भी जब फूल कुछ न बोली—तो वह झल्लाये हुए उठे और फूल का घूँघट जोर से पीछे से खींच लिया। रेशमी साड़ी थी। मुँह के साथ उसका सिर भी खुल गया, पल्ला पीठ पर आ रहा। फूल बोली तो कुछ भी नहीं मगर फौरन ही

अपना सिर ढँककर कमरे से बाहर हो गयी। मनोहर गुस्से से 'शकल चुड़ैलों की नखरे परियों के' कहते-कहते सीढ़ियों से नीचे उतर गये, फूल चुपचाप आँसू बहाती हुई खड़ी रही। अचानक मनोहर को बाहर जाते देख उनकी बहिन यशोदा ने आकर पूछा—क्या हुआ भौजी? भय्या क्यों चला गया?

फूल ने कोई उत्तर न दिया। वह अपनी ननद से जो उसकी सास की जगह पर थी कुछ सहानुभूति की आशा रखती थी, मगर यहाँ उल्टा ही हुआ। यशोदा ने फूल को झकझोरकर कहा बोलती क्यों नहीं चंडालिन? दो बात भय्या से कर लेती तो क्या तेरी जबान घिस जाती! एक वह थी जिसने उसके जी को जला-जलाकर उसे आधा कर दिया। अब तू आयी है तो तेरे ये लच्छन! आदमी का मिजाज भी देखना पड़ता है। जिसमें खुश रहें वही करना चाहिए, पर आजकल की छोकरियों का मिजाज भी तो सातवें आसमान पर रहता है।

फूल आँसू बहाती रही। ननद की बातों का भी उसने कोई जवाब न दिया।

इस घटना के बाद कई दिन बीत गये, मनोहर ने पत्नी की तरफ़ आँख उठाकर भी नहीं देखा। वे अपने रागा-रंग में मस्त थे, विवाह तो उनकी बहिन ने जबरदस्ती करवाया था। पहली स्त्री से एक बच्चा था। बच्च जब तक जीता रहा तब तक तो विवाह की जरूरत न जान पड़ी लेकिन एक दिन जब वह बच्चा भी माँ का अनुगामी हुआ तो इतनी बड़ी जायदाद का कोई वारिस तो होना चाहिए, इस खयाल से यशोदा ने भाई के सामने रो-धोकर उन्हें जबरदस्ती विवाह के लिए मजबूर किया। यशोदा विधवा थी। यह सब जायदाद भी उसे की थी। मनोहर को छः महीने की उमर से पाला था, मनोहर ही उसका पुत्र या भाई सब कुछ था किन्तु दोनों भाई-बहन एक से रूखे स्वभाव के, तुनकमिज़ाजा, बाहर अच्छे और भीतर खट्टे थे। मनोहर की पहली स्त्री कुमुद ने भी जिस दिन से इस देहली के भीतर पैर रखा था, एक दिन भी बिना रोये रोटी ने खायी थी और इसी प्रकार छः महीने से बच्चे को छोड़कर एक दिन वह ज़हर खाकर अपनी जीवन-लीला समाप्त करके चली गयी। बड़े घर की बात बाहर कहाँ जाती है। हार्टफेल हो जाने से मृत्यु हो गयी कहकर मामला रफ़ा-दफ़ा कर दिया गया।

फूले ने भी ये सब बातें सुन लीं, मगर अब क्या हो सकता है। उसने सोचा, खैर जैसा जो कुछ है मुझे तो निभाना ही है, अब तो यही मेरे परमेश्वर, मेरे आराध्य और देवता हैं, किसी तरह उन्हें मनाना चाहिए। मुँह से तो कुछ बोलते हुए उसे लज्जा आती थी और बोलने का कोई अवसर भी न मिलता था, इसलिए उसने सोचा, एक पत्र लिखूँ, देवता सीधे हो जायँ। वह काग़ज, कलम लेकर बैठी। बहुत सोचने-समझने के बाद उसने एक पत्र लिखा —

मेरे देवता,

कई दिनों से सोच रही हूँ कि आपको पत्र लिखूँ, परन्तु लिखूँ, कैसे लिखूँ मेरी समझ में नहीं आता। माना कि मैं अपराधिनी हूँ फिर भी क्या आप मुझे क्षमा नहीं कर सकते? भूल तो मनुष्य से हो ही जाती है। मुझसे भूल हुई और बड़ी भारी भूल हुई, मैंने आपके कोमल हृदय को दुखाया, आपका अपमान किया, आपकी पूजा में त्रुटि की, देवता का सम्मान न कर सकी, न जाने किस अहंकार में, किस मद में बावली हो गयी। किन्तु आप तो क्षमा कर सकते हैं। मुझे अपने चरणों की सेवा का अवसर दीजिए। मेरी त्रुटियों को भूल जाइये, मैं आपके चरणों पर सिर झुका आपसे यही वरदान माँगती हूँ मेरे स्वामी!

आपकी

अपराधिन फूल

पत्र समाप्त कर ज्योंही फूल ने पीछे देखा मनोहर खड़े थे। फिर उसी लज्जा और संकोच ने मामला बिगाड़ा। झट से पत्र के टुकड़े-टुकड़े कर फूल दूसरी तरफ़ खड़ी हो गयी। मनोहर की त्योरियाँय चढ़ गयीं। उनके सिर से पैर तक आग सी लग गयी। फूल के पास पहुँचकर उसे घसीटकर उन्होंने उसका मुँह सामने कर दिया, बोले—किसे पत्र लिख रही थीं, सच कहो!

फूल का सारा शरीर काँप रहा था, वह कुछ भी न बोल सकी।

मनोहर ने उसके कान ऐंठते हुए कहा—बोलो, नहीं तो अभी तुम्हारी हड्डी-पसली तोड़ दूँगा।

फूल को भी क्रोध आ गया। उसकी मुद्रा कठोर हो गयी, बोली—मैं नहीं बतला सकूँगी, जो कुछ आपको करना हो, कर लीजिए।

फूल का यह कहना था कि बस मनोहर उसकी पीट चले। फूल ने जबान न हिलायी मगर वह जब तक बेहोश न हो गयी मनोहर उसे मारते ही रहे।

दूसरे दिन अचानक मुहल्ले भर में यह हवा फैल गयी कि मनोहर की दूसरी स्त्री का भी हार्टफेल हो गया। अर्थी के साथ बहुत से लोग थे जो असली वाक़ये से वाक़िफ थे मगर शहर के इतने बड़े और पायेदार आदमी के खिलाफ़ ज़बान खोलने की किसे हिम्मत थी। ऊँह मर गयी तो मर भी जाने दो, स्त्री ही तो थी। कल तीसरी आ जायगी।

कान के बुंदे

कीमत पर विचार करने का समय न था अतएव वे सिटी कोतवाल से मिलकर जिसे उनकी बड़ी घनिष्ठता थी हीरालाल को अपनी जमानत पर छुड़ा लाये। बुन्दों के साथ ही 9 रु० देकर वकील साहब ने हीरालाल को कचहरी भेजा और स्वयं भी कचहरी गये। किन्तु दिन भर उनके मस्तिष्क में यह बात फिरती रही कि 2000 रु० कीमते के बुन्दे आखिर इसकी स्त्री के पास कहाँ से आये। इन बुन्दों के साथ कौन-सा, कैसा रहस्य छिपा है, वकील साहब एक बार जानने के लिए उत्कंठित से हो उठे।

हिरासत से बारह आते ही हीरालाल ने झुककर वकील साहब के पैर छू लिए। अभी तक वह वकील साहब को केवल अपनी नौकरी के ही कारण न छोड़ सकता था किन्तु आज से तो वह उनका भक्त भी हो गया और उसने मन ही मन निश्चय किया कि वह चाहे उनके साथ रहकर मुझे अनेक विपत्तियाँ ही क्यों न उठानी पड़े। परन्तु अब इस देवता आदमी का साथ आजन्म न छोड़ूँगा।

शाम को बुन्दों को लिए हुए वह वकील साहब के एहसाने के भार से दबा हुआ घर लौटा। जेब से बुन्दे निकालकर पत्नी के सामने धर दिये, कमला ने उत्सुकतापूर्वक पूछा—क्यों क्या पसन्द नहीं आये?

हीरालाल बोला—वाह, पसन्द क्यों नहीं आये इतने अच्छे बुन्दे और पसन्द नहीं आते? बनने को भी दे दिये गये।

कमला बोली—बुन्दे बनने को दिये? पर मैं तो यह कहना भूल ही गयी थी यह यहाँ के नहीं मद्रास के बने है। जब मैं बहुत छोटी थी तब हम लोग बाबू के साथ मद्रास गये थे वही माँ के लिए बाबू ने इसे खरीदा था।

हीरालाल—शायद यही बात हुई होगी? जब सुनारों ने बनाने से इनकार कर दिया होगा तभी वकील साहब ने लौटाया होगा। हीरालाल ने बुन्दों की कीमत, अपने पकड़े जाने और वकील साहब से उसे किस तरह छुड़ाया उसकी बाबत अपनी स्त्री से कुछ भी न कहा।

शहर में प्लेग का प्रकोप हुआ। सब लोग शहर छोड़-छोड़कर बाहर झोपड़े बनाकर या बँगलों पर रहने के लिए निकल आये। वकील साहब ने अपने बँगले में नौकरों की एक केाठरी में हीरालाल को रहने की जगह दे दी।

एक ही अहाते में रहते हुए सम्भवतः दो-तीन महीने बीत गये किन्तु वकील साहब की पत्नी हीरादेवी और कमला से किसी प्रकार की जान-पहचान न हो सकी।

हीरादेवी ने उच्चकोटि की शिक्षा पायी थी। वह संस्कृत में काव्यतीर्थ और अंग्रेजी में बी० ए० थीं। साधारण सुन्दर थीं पर स्वभाव जरा रूखा था। वे मौके-मौके पर ही हँसती थीं। साधारण लोगों से वह बातचीत भी कुछ कम करती थीं। वह अपने धन, विद्या और एक ही प्रतिष्ठित परिवार की कन्या होने का गर्व था। अपने आश्रित एक मुंशी की स्त्री से बातचीत करने में वह समय का दुरुपयोग समझती थीं। इसलिए उन्होंने कमला को कभी न बुलवाया। इधर कमला इसके बिल्कुल प्रतिकूल थी। वह अनिन्दनीय सुन्दरी थी। खूब गोरा रंग, आकर्षक आँखें, पतले-पतले लाल ओंठ, जिन पर सदा हँसी खेलती रहती। वह बड़े ही नम्र और मिलनसार भी थी। पढ़ी-लिखी बहुत साधारण थी। हिन्दी की पुस्तकों के अतिरिक्त चिट्ठी-पत्री लिख-पढ़ लेती थी। अंग्रेजी के कई-कोई अक्षर पहिचान लेती थी। फिर भी उसे व्यवहार ज्ञान था, गृहकार्य के कुशल थे। साधारण से साधरण कपड़ों को भी ढंग से पहिनना जानती थी। साधारण कपड़ों को ही वह इस ढंग से पहिनती थी कि वह उसके शरीर पर मूल्यवान जान पड़ते। 20 साल की उमर होने पर भी 14 साल की किशोरी जान पड़ती। उसके स्वभाव में एक प्रकार को लापरवाही और अल्हड़पन था जो इस बात का साक्षी था कि इसने भी अपने जीवन में कभी अच्छे दिन देखे हैं।

जिस दिन से कमला को मालूम हुआ कि हीरादेवी ने उसके इयंरिग मँगवाये और पसन्द किये हैं उनसे मिलने के लिए कमला की उत्सुकता और भी बढ़ गयी। एक दिन दोपहर को वह हीरादेवी से मिलने गयी जिसकी सूचना हीरालाल ने अपनी मालकिन को पहिले से ही दे रखी थी। बरामदे में एक चटाई पड़ी थी कमला उसी पर बैठ गयी। साधारण आवभगत के बाद हीरादेवी पास ही पड़ी हुई कुरसी पर बैठकर एक मासिक पत्रिका के पन्ने उलटने लगीं। बीच-बीच में वह कमला की बातों का उत्तर भी देती जाती थीं। उन्होंने अपने किसी भी व्यवहार से यह प्रकट न होने दिया किया कि कमला ने आने से उन्हें किसी तरह की प्रसन्नता हुई प्रत्युत् उन्होंने यही प्रकट किया उसके आने से उनके काम में कुछ विघ्न ही पड़ा। उनके मुँह के भाव से कुछ ऐसा प्रकट हो रहा था कि जैसे उन्हें कमला के रूप में लावण्य

से ईर्षा हो रही हो। कमला एक साधारण जामदानी की कढ़ी हुई गुलाबी रंग की साड़ी और वैसा ही ब्लाउज पहने थी। हाथों में तीन-तीन काँच की चूड़ियाँ और कानों में वही हीरे के इयरिंग चमक रहे थे। वह इस आशा में थी कि हीरादेवी यदि कुछ भी उसके बुन्दों के विषय में पूछेंगी तो वह बातों ही बातों में उन्हें बतला देगी कि यद्यपि इस समय दिनों के फेर से वह उनके मुंशी की स्त्री है किन्तु वह भी किसी समय बड़े घर की लड़की थी और उसने भी अच्छे दिन देखे हैं। उसके पास एक नहीं अनेक जेवर थे इन बुन्दों की तरह किन्तु हीरादेवी ने उसके साथ बातचीत करने में जो उदासीनता दिखलायी उससे कमला के आत्म-सम्मान को धक्का लगा, वह यहाँ आके पछ्ता रही थी। वह उठकर घर जाने की आज्ञा लेने ही वाली थी कि इसी समय हीरादेवी किसी कार्यवश कुछ कुछ देर के लिए भीतर चली गयीं। कमला को रुक जाना पड़ा वह वहीं चटाई पर बैठी उसी मासिक पत्रिका के पन्ने उलटने लगी। ठीक इसी समय साहब ने घर में प्रवेश किया। कमला वकील साहब को पहचानती थी किन्तु वकील साहब उसे न जानते थे। कमला उठकर खड़ी हो गयी वह कहीं छिप जाने का स्थान ढूँढ़ने लगी।

इधर वकल साह को एक सभ्रान्त महिला को इस तरह बरामदे में चटाई पर बैठालना कुछ अपमानजनक मालूम हुआ। पहिले तो वह उलटे पाँव बाहर लौट जाने वाले थे परन्तु फिर न जाने क्या सोचकर उन्होंने कमला को संबोधन करके कहा — आप यहाँ बाहर क्यों बैठी हैं? आइये ड्राइंगरूम में बैठिए मैं उन्हें बुला देता हूँ। कमला कुछ न बोली चित्रछाया की तरह वकील साहब के पीछे-पीछे जाकर ड्राइंगरूम में बैठ गयी। सच बात तो यह थी कि हीरादेवी की तरफ से इतना निरादर और वकील साहब के द्वारा इतना आदर, दोनों के व्यवहार में इतना अन्तर देखकर कमला कुछ विस्मित सी हो गयी। वकील साहब ने अन्दर जाकर पत्नी से कहा और फिर बाहर आकर बैठ गये।

हीरादेवी ने समझा कि कोई मिलने आया है इसलिए वह अपने कपड़े बदलने लगीं। कपड़े बदलकर रसोइये को चाय तैयार करने के लिए कहकर वह ड्राइंगरूम में आयी किन्तु वहाँ किसी और को नहीं कमला को ही पति के साथ खुले मुँह मखमला कोच पर बैठे देखकर हीरादेवी के शरीर में आग सी लग गयी। वह कुछ बोलीं नहीं रूखे भाव से आकर वहीं दूसरी कोच पर बैठ गयीं। उनके आते ही कमला उठकर खड़ा हो गयी और उनकी और लक्ष्य करके कहा—अब आज्ञा दीजिए मैं घर जाऊँ? हीरादेवी कुछ बोलने के पहिले ही वकील साहब बोल उठे बैठिए चाय तैयार हो गयी है। चाय ले के जाइये। एक तीव्र दृष्टि से पति की ओर देखकर हीरादेवी ने कमला से कहा—हाँ! चाय पी के ही जाना, तैयार तो हो गयी

है। पर कमला रुकी नहीं।

कमला की सुन्दरता की छाप वकील साहब के हृदय पर प्रथम दृष्टि में ही पड़ गयी इसलिए वह सब की नजर बचाकर कभी-कभी कमला के मुँह की ओर देख लिया करते थे, किसी बुरे भाव से नहीं। वह सौंदर्योपासक थे। प्रत्येक सुन्दर वस्तु को देखना उनकी दृष्टि में आवश्यक था। शिष्टाचार के तौर पर कमला के जाते समय हीरादेवी ने उसे कभी-कभी आते रहने के लिए कहा। कमला इस कृपा के लिए उन्हें धन्यवाद देकर अपने घर गयी।

कमला के जाते ही पत्नी पर तिरस्कारसूचक दृष्टि डालकर वकील साहब ने पूछा—यह कौन थी? वहाँ चटाई डालकर बैठा दिया वह इतना बड़ा ड्राइंगरूम किसलिए है?

हीरादेवी भी उसी भाव से तीव्र स्वर में बोलीं—तो तुम क्या चाहत हो कि मैं नौकरों-चाकरों को भी अपने साथ ही कुर्सी पर बैठाला करूँ। यह तो तुम्हीं से होगा, मैंने तो यह नहीं सीखा। फिर भी अब वाद-विवाद करने का क्या तात्पर्य है जब तुमने उसे बुलाकर अपने पास कुर्सी पर बैठा ही लिया था।

वकील साहब ने उत्सुकता से पूछा—नौकर-चाकर? नौकर-चाकर से तुम्हारा क्या तात्पर्य है?

हीरादेवी ने रुखायी से कहा—तो वह मुंशी की ही तो स्त्री थी न? नौकर-चाकर नहीं तो क्या वह मेरी हमजोली है।

वकील साहब कुद नम्र होकर बोले—मुंशी की ही स्त्री सही। हीरालाल मेरा मुन्शी है। उसकी स्त्री तो नहीं है? उसके साथ तुम्हें नौकरों का-सा बर्ताव कदापि न करना चाहिए। जो सम्मान करना जानता है वह सम्मान पाता भी है। फिर गरीबों का सम्मान तो धनिकों से अधिक करना चाहिए। यदि तुम उसे अपने साथ पहिले से ही ड्राइंरूम में लेकर बैठतीं तो तुम्हारे सम्मान में कुछ भी अन्तर न आता किन्तु वह तुम्हारे विषय में बहुत ऊँचे विचार लेकर जाती।

हीरादेवी अब झुँझला उठीं—क्यों तंग किये डालते हो, मुझसे नहीं पड़ा तो तुमने तो कर ही दिया फिर अब अफसोस किस बात का है? और इतने पर भी सन्तोष न हो, अब भी जाके उसके आँसू पोछ आओ मुझे कोई शिकायत न होगी। कहकर हीरादेवी उठकर दूसरे कमरे में चली गयीं।

मेज पर चाय ठंडी हो रही है, उस तरफ न वकील साहब का ध्यान था और न हीरादेवी का। हीरादेवी के जाते ही वकील साहब थके हुए से एक कोच पर लेट गये। वह पत्नी के बात-बात पर वाद-विवाद और तर्क से थक गये थे। विवाह से पहिले जब उन्हें मालूम हुआ कि उनकी भावी पत्नी ग्रेजुएट है, संस्कृत में काव्यतीर्थ

है तो उन्हें न जाने कितनी प्रसन्नता हुई थी। अपने कल्पना जगत में उन्होंने अपने एक छोटे से संसार को देखा जिसमें पति-पत्नी दोनों सुसंस्कृत, ऊँचे विचारवाले, शांतिप्रिय और सरल हैं। जिनके सहयोग से गृहस्थी नन्दनवन, हो जाती है। इसी सुस्वप्न को देखते-देखते वे विवाह के बन्धन में बँध गये और उन्होंने अपने भाग्य को सरहाना की, मित्रों ने बधाई के पुल बाँध दिये। नववधू अधिक सुन्दरी न थी पर कितनी सुशिक्षिता थी इसका वकील साहब को गर्व था। किन्तु आज उनका गर्व धूल हो चुका था। रह-रह के उन्हें ऐसा जान पड़ता था जैसे उन्होंने कोई बहुत बड़ी भूल कर डाली है जिसका कोई प्रतिकार नहीं। पत्नी के उद्दंड स्वभाव से वे बहुत असन्तुष्ट थे। हीरादेवी में उन्हें स्त्रियोचित गुण ढूँढ़े न मिलते थे। पत्नी से अधिक संकोच और शील की मात्रा ही स्वभाव में थी जिसके कारण वह पत्नी से कभी कुछ कह-सुन न सकते थे और कहते भी तो कैसे? हीरादेवी आखिर उनसे किस बात में कम थीं? वे वकील थे हीरादेवी भी कुछ दिनों तक पटना के गर्ल्स स्कूल में लेडी प्रिन्सिपल रह चुकी थीं। वकील साहब बी० ए० एल० बी० थे तो हीरादेवी बी० ए० बी० टी० थीं विद्या, डिगरी या रुपया कमाने की कला, वकील साहब से हीरादेवी किसी बात में तो तिलभर कम न थीं फिर उनसे वह किस बात में दबतीं? और दबतीं भी वैसे? उन्होंने स्त्रियों के समानाधिकार पर बड़े-बड़े लेख लिखे थे और तर्कशास्त्र के द्वारा यह सिद्ध कर दिया थाय कि स्त्री और पुरुष का प्रत्येक बात में समान अधिकार है। किन्तु वकील साहब से पूछता इस समान अधिकार का परिणाम उनके हक में कैसा सिद्ध हुआ तो वे जानते ही न थे कि गार्हस्थ्य सुख कैसा होता है। वे तरस रहे थे। हीरादेवी ने उनके लिए एक मित्र की तरह थीं बाकी घर का सारा काम तो नौकर करते थे। हीरादेवी भी ग्रेजुएट थीं, वे इन छोटी-छोटी बातें में अपने अमूल्य समय को नष्ट न कर सकती थीं और न कभी वकील साहब की ही हिम्मत पड़ती कि उनसे किसी काम के लिए कहते। सौ की जगह दो सौ खर्च होता था किन्तु फिर भी एक दिन भी उन्हें अच्छा भोजन न मिलता था। वैसे तो सामने थाली में कई चीजें होतीं किन्तु सब बेस्वाद, नीरस रहतीं; जैसे-तैसे पेट भरते थे।

हीरादेवी पहिली ही बार गर्भवती हुई थीं। प्रसव के लिए उन्होंने अपनी माता के पास ही जाना उचित समझा। वकील साहब ने इसे ज्यादा ठीक समझा क्योंकि यहाँ इनके घर दूसरी कोई स्त्री थी ही नहीं। अतएव गर्भ के छठवे मास में ही हीरादेवी अपनी माँ के घर चली गयीं।

एक दिन कचहरी से लौटकर वकील साहब चाय के लिए बैठे ही थे कि हीरालाल एक थाली में कुछ मिठाइयाँ जो एक सुन्दर बेलबूटेदार रुमाल से ढकी थीं

लेकर आया, बोला घर में बनाया था तो मैंने कहा—थोड़ा सा आपके लिए भी ले चलूँ, बहूँ जी तो हई नहीं, अब आपके लिए कौन बनाता होगा? वकील साब ने मन ही मन सोचा कि ये थीं ही कब बना के खिला देती थीं। प्रकट में बोले क्यों तकलीफ की हीरालाल, महराज तो बना ही दिया करताा है, जो कुछ मैं चाहता हूँ। हीरालाल ने धीरे से थाली को मेज पर रखकर रुमाल हटा लिया फिर बोला वकील साहब यह पकौड़ियाँ खाइये अभी बन रही है, बिल्कुल गरम हैं और चाय के साथ आपको अच्छी भी लगेंगी। वकील साहब पकौड़ियों के शौकीन थे, तश्तरी की सब पकौड़ी साफ कर गये। हीरालाल शरमाया, शायद वह बहुत कम लाया था। खाने के बाद बोले—दरअसल हीरालाल बहुत अच्छी पकौड़ियाँ बनी है, बाकी मिठाइयाँ भी बहुत अच्छी है। क्या तुम्हारे घर की बनी हैं? हीरालाल प्रसन्न होके बोला—हाँ सरकार हम लोग ता बाजार की मिठाई खाते ही नहीं, वह तो सब अपने हाथ से बना लेती हैं, सस्ती की सस्ती पड़ती हैं, और बाजार से अच्छी भी रहती हैं।

वकील साहब बोले—मालूम होता है कि भोजन बनाने में बड़ी चतुर हैं पर वह तो मिर्जापुर तरफ की हैं। देहात की लड़कियों को तो मैंने भोजन की कला में निपुण कहीं नहीं देखा।

हीरालाल बोला—दिनों का ही फेर समझिये वकील साहब, यह मुंशी नवलकिशोर राय की लड़की है। एक ही रात डाकुओं ने ऐसा जबरदस्त डाका डाला कि इनका सब कुछ लूट ले गये। इन्हें अपनी माँ के साथ जाकर मामा के घर मिर्जापुर में रहना पड़ा। देहात में रहीं तो क्या हुआ, इनकी माँ बहुत चतुर थीं उन्होंने ही इन्हें सब कुछ सिखाया। उन कान के बुंदों के अतिरिक्त एक मोतियों का चन्द्रहार भी उसके पास है। वकील साहब, मैं क्या बताऊँ उसके हाथ में ही जैसे जादू है। मामूली दाल-भात-रोटी बनाती है पर इतना स्वादिष्ट कि क्या बताऊँ।

वकील साहब आश्चर्य से बोले—अच्छा यह मुन्शी नवलकिशोर की कन्या हैं। वह तो इलाहाबाद के बड़े भारी वकीलों में से थे। तभी यह इतनी चतुर हैं।

हीरालाल ने प्रसन्नता का भाव जाहिर करते हुए कहा—वकील साहब गुस्ताखी माफ हो, एक अर्ज करता हूँ, आप कल सबेरे मेरे झोपड़े में ही भोजन कीजिए, हम गरीबों के भोजन का स्वाद भी लीजिए। वकील साहब को अपने मुंशी के यहाँ जाकर भोजन करना ज़रा उचित मालूम न हुआ। बोले क्यों तकल्लुफ करते ही हीरालाल? यह जो इतनी चीजें लाये जो यही मेरे कल तक के लिए काफी हैं फिर क्यों तकलीफ करते हो।

हीरालाल बोला—इसमें तकलीफ की क्या बात है वकील साहब। उसका स्वभाव तो ऐसा है कि अगर दस खानेवाले आ जायें तो उसे दूनी खुशी होती है,

सुस्ती तो उसमें नाम की नहीं है और खानेवालों को खिला-पिला के चाहे उसके खाने के लिए एक कौर भी न बचे उसे बड़ा सन्तोष होता है।

वकील साहब बोले—अच्छा भोजन तो तुम्हारे घर का मैं स्वीकार कर लेता हूँ पर मैं वहाँ खाने न जाऊँगा तुम खाना यहीं ला देना। हीरालाल खुशी-खुशी अपने घर गया, वकील साहब कपड़े पहिन के क्लब गये।

क्लब से उस दिन वकील साहब जल्दी ही लौट आये। उनका जी वहाँ भी न लगा, एक अजीब तरह की परेशानी उन्हें तंग किए डालती थी। भोजन के लिए महराज पूछने आया। कई बार के पूछने पर जैसे सोते-सोते चौंककर उन्होंने जवाब दिया—नहीं।—महराज इस नहीं का अर्थ कुछ भी न लगा सका। दुबारा फिर पूछा—साहब भोजन लाऊँ क्या? वकील साहब झल्ला उठे, बोले—अभी कहा था न मत लाओ। क्या एक बार के कहने से नहीं समझ सकते? महराज चुपचाप चला गया। उस दिन किसी की हिम्मत वकील साहब से बोलने की न पड़ सकी। किन्तु नौ बजे रात को फिर हीरालाल दरवाजा खटखटाता हुआ पहुँचा। वकील साहब इतनी रात को उसके आने का कारण समझ गये। फिर भी और दिनों की तरह वे उसे झिड़क न सके प्रत्युत् आदर के साथ बैठाला और नम्रता से बोले—क्या है हीरालाल? मालूम होता है कि आज पीने के लिए नहीं है कुछ।—हीरालाल हँसकर पड़ा और बोला—सरकार जब तक आपके पास हूँ मुझे क्या तकलीफ हो सकती है। जब मेरे पास न रहेगा आपके पास जाऊँगा।—अच्छा यह बात है कहते हुए वकील साहब ने दो रुपये जेब से निकालकर फेंक दिये। आज पहली बार हीरालाल को बिना किसी प्रकार की झिकझिक किये ही पीने के लिए इतनी आसानी से रुपया मिल गया। रुपया तो वह सदा ही ले जाया करता था किन्तु घन्टों माथापच्ची के बाद। वकील साहब के इतने शीघ्र रुपया निकालकर देने का अर्थ उसने लगाया उस दिन की अत्यधिक आमदनी। रुपया उठाते-उठाते बोला— मालूम होता है कि आज खूब आमदनी हुई है। वकील साहब रुपये हो तो दो-तीन और न दे दो, घर में खर्च के लिए बिल्कुल नहीं है। वकील साहब बोले—अच्छा, तुम्हें दो दे दिये तो तुम लालच में पड़ गये। हीरालाल नम्रता से बोला—नहीं, वकील साहब घर में तंगी न होती तो मैं कभी न माँगता, आप तो मुझे जानते हैं बस मुझे पीने भर को मिलता जाय फिर कुछ न चाहिए। आज तो उसने कहा कि रुपया चाहिए इसलिए आपसे कहा नहीं तो क्या कभी कहता? आज की, वकील साहब की आमदनी कुल पाँच रुपये ही थी उन्होंने बाकी के भी तीन रुपये निकालकर हीरालाल के हवाले कर दिये। देते-देते उन्होंने ताकीद कर दी कि देखो सबके सब मत पी जाना, घर में खर्च के लिए देना।

हीरालाल बोला—-नहीं वकील साहब क्या पागल हूँ ? मैं परिवार घर में देकर फिर पीने जाऊँगा। हीरालाल चला गया। वकील साहब फिर पलँग पर लेटे, उन्हें नींद न आयी। उन्होंने अपने और हीरालाल के जीवन की तुलना की। चतुर सुशील स्त्री पाकर वह कितना सुखी है ? उसका गृहस्थ जीवन कितना आकर्षक है, वह है मामूली मुंशी। स्त्री साधारण पढ़ी-लिखी ग्रामीण बालिका है फिर भी गृहस्थी को स्वर्ग बना रखा है। एक मैं हूँ शहर के बड़े वकीलों में, पाँच-सात सौ मासिक तो कमा ही लेता हूँ। बँगला है, मोटर है, सुन्दर बगीचा है, स्त्री संस्कृत और अंग्रेजी में ग्रजुएट। लोग तो यही समझते होंगे न कि मैं कितना सुखी हूँ मित्र लोग आकर मेरी किस्मत की सरहाना कर जाते हैं। किन्तु मेरी किस्मत कैसी है ? मेरे सिवाय और कौन जान सकता है, बिना सुशील पत्नी के सब सुख होते हुए भी सुखी न रह सकता। सच्चे गृहस्थी के सुख के सामने सारे सांसरिक सुख हेय है। वह गृहस्थ सुख मेरी किस्मत में है ही नहीं। काश ! मैं भी किसी मामूली पढ़ी-लिखी सत्री से विवाह करता और वह सुशील होती तो कितना जीवन सुखी न होता। और यदि सुशील न भी होती तो कम से कम बात-बात में उसका तर्कशास्त्र तो न चलता। हर बात में वह अपनी विद्वत्ता की छाप तो न जमाने लगती। किन्तु यहाँ तो बात ही और है। हीरा अपने सामने मुझे कुछ समझती ही नहीं। दूसरों के सामने उसे कुछ कहते मैं डरता हूँ, न जाने कैसा उच्छृंखल उत्तर दे दे ? फिर मुझे उनके सामने लज्जित होना पड़े। इसी प्रकार जितना ही मैं उससे दबता हूँ वह मुझे दबाती जाती है। मैं स्त्री को समान अधिकार देने का विरोधी नहीं हूँ किन्तु वे इतना समझती कहाँ है वे अधिकार पाते ही उसका दुरुपयोग करने लगती हैं। स्त्रियों के लिए कोमलता, लज्जाशीलता और नम्रता बहुत आवश्यक हैं। पर यह बातें हीरा में कहाँ है ? किन्तु इसमें हीरा क्या दोष ? दोष तो उसकी शिक्षा का है। फिर मैं शिक्षा को भी दोष कैसे दूँ ? उसी की छोटी बहिन मीरा भी तो एम० ए० में पढ़ रही है, किन्तु इतनी सुशील, लज्जाशील है कि सीधी तरह आँख उठाकर बात नहीं कर सकती। कुछ नहीं, सब मेरी किस्मत का दोष है। मेरी किस्मत में गृहस्थ सुख नहीं था फिर मुझे सुशीला पत्नी कैसे मिलती ? उन्होंने कमला और हीरा की आपस में तुलना की। कमला उन्हें साक्षात लक्ष्मी से सी और हीरा अहंकार और अभिमान की प्रतिमा सी जान पड़ी। पहिले हो दिन, पहिली दृष्टि में कमला के रूप पर मुग्ध हो गये थे। आज वह उसके गुणों की भूरि-भूरि प्रशंसा कर रहे थे किन्तु इतना वह जानते थे कि जीवन में अनेक बार-बार ऐसे अवसर आते हैं जब इन्द्रिय मनुष्य को अपना दास बना लेती हैं। जानता हुआ भी मनुष्य अनजान बन जाता है, समझदार भी नासमझ हो जाता है। इसलिए वह कमला के रूप और गुणों पर मुग्ध होते हुए भी उससे दूर-दूर रहना चाहते थे। वे उस पवित्र

फूल को जिसका सौरभ उन्हें बहुत प्रिय था छूकर अपवित्र न करना चाहते थे। इसलिए वह पास भी आने में डरते थे। सम्भव है पास पहुँचकर वे छू लेने के लोभ को संवरण न कर सकें तो फिर उसका परिणाम क्या होगा। उसके भयंकर दुष्परिणाम का काला चित्र वकील साहब की आँखों के सामने खिंच गया। वे घबराकर उठे। पास ही मेज पर रखा हुआ हीरा का चित्र उठाकर देखने लगे। किन्तु उस चित्र में, कई बार देखने पर भी उन्हें कमला ही दिखी। वे घबराकर इधर-उधर करवटें बदलते रहे। अन्त में यह निश्चय करके कि मैं सबेरे हीरालाल के यहाँ के भोजन के लिए अस्वीकृति भेज दूँगा, न जाने कब उन्हें नींद आयी!

सबेरे जब वकील साहब सोकर उठे तो दिन चढ़ आया था। हीरालाल अपने कई मुअक्किलों के साथ वकील साहब की इन्तजारी मैं बैठा था। वकील साहब उठे। कहाँ तो सोने से पहिले उन्होंने यह निश्चय किया था कि हीरालाल के घर के भोजन को अस्वीकार केर देंगे, चाय पीते-पीते महाराज से बोले कि मैं आज यहाँ खाना न खाऊँगा, मेरे लिए न बनाना। और खाना बनाना ही किसके लिए था, महाराज को बिना माँगे ही छुट्टी मिली।

इधर भोजन क समय जब हीरालाल वकील साहब से भोजन के लिए पूछने आया, वकील साहब ने कहा चलो वहीं चलके खा लेता हूँ तुम भी घर रहोगे। बार-बार दौड़ने से बचोगे। हीरालाल और चाहता ही क्या था? वकील साह को लेकर अपने घर पहुँचा। वकील साहब घर की सफाई देखकर दंग रह गये। छोटे-छोटे दो कमरे कमला ने ढंग से सजा रखे थे। इतनी सफाई थी कि वह उसका चतुरता से चकित हो गये। उन्हें स्वप्न में भी यह आशा न थी उनके नौकरों के रहने की कोठरी नन्दन-कानन बन रही है। जो घर कमला सी चतुर गृहणी के आलोक से आलोकित हो रहा हो, उसकी तुलना नन्दन-कानन भी क्या करेगा? वकील साहब दूसरी कोठरी में बैठे थे। बीच में दरवाजे पर एक फटी हुई सारी का ही सिला हुआ हलके हरे रंग का पर्दा पड़ा हुआ था। परदे के पीछे से वकील साहब को बार-बार कमला के पैरों की पाजेब की मधुर ध्वनि सुन पड़ती थी जिससे रह-रह के उनका मन चंचल हो जाता था। जिन पैरों के पाजेब की मधुर ध्वनि वकील साहब के हृदय को दोलायमान किये डालती थी उन पैरों को एक बार चूम लेने के लिए उनपका मन आतुर हो उठा। हीरालाल ने आसन बिछा के पानी रखा। कमला थाली परस के लायी। आज उसने बहुत मामूली हल्के नीले रंग की साड़ी पहिन रखी थी। नीले रंग में उसका रूप और भी निखरा पड़ता था। खाना बहुत सादा था दाल, चावल, रोटी और दो तरह की मामूली तरकारी थी। किन्तु सादा भोजन होने पर भी बहुत स्वादिष्ट और रुचिकर था। मिर्च-मसाला बहुत कम था फिर भी जाने क्या था कि वकील

साहब रोज से कहीं ज्यादा खा गये। खाते-खाते बोले—हीरालाल, मुझे खाना इसी प्रकार को अच्छा लगता है किन्तु महराज तो जरूरत से ज्यादा मिर्च मसाला भर देता है। परिणाम यह होता है मैं कभी पेट भर भोजन नहीं कर पाता। तुम अपनी स्त्री से कहो कि वह महराज को भी खाना बनाना सिखा दे। कमला ने धीरे से कुछ कहा। हीरालाल हँसता हुआ बोला—वकील साहब वह कहती हैं कि आप यहीं क्यों न खा लिया करें। वकील साहब हँसकर बोले सो यहाँ किस्मत में नहीं है। सब को थोड़े ही ऐसा खाना नसीब होता है। कहते-कहते वकील साहब चले गये। कचहरी को देरी हो रही थी। हीरालाल भी जल्दी-जल्दी भोजन करके भागा। आज वह भी वकील साहब की कार पर ही बैठकर कचहरी गया। प्रशंसा झूठी हो चाहे किन्तु है ऐसी चीज जिसे सुनकर प्रसन्न हो जाना मनुष्य का स्वभाव है। अपनी प्रशंसा के इतने बँधते पुल सुनकर कमला पुलकित न हुई हो सो बात नहीं। अब वह चीजें दून उत्साह के साथ बनाती और नित्य ही कोई न कोई नयी वस्तु बनाकर वकील साहब के लिए भेजती। उसके हृदय में और कोई भाव न थे किन्तु प्रशंसा पाने की लालसा जरूर रहती थी। किन्तु वकील साहब इसका दूसरा ही अर्थ लगाते। वे बार-बार सोचते कि जिस प्रकार मेरे हृदय में उसके लिए प्रेम का सूत्रपात हुआ। उसी प्रकार कमला के हृदय में भी तो नहीं है? वे सदा इसी चिन्ता में व्यस्त रहते। किन्तु प्रेम प्रकट करने का उन्हें कभी साहस न होता, इसके अतिरिक्त वे विश्वास की जगह अविश्वास को स्थान दे के पतित न होना चाहते थे। वे अपनी इन्द्रियों का दमन करके अपनी सच्चरित्रता पर धब्बा न लगने देना चाहते थे। किन्तु होनहार किसके टाले टली है।

इस बार जब वे हीरालाल की तनखा देने लगे तो 10 रु० के स्थान पर 15 रु० दिये और कहा—हीरालाल मेरी आमदनी बढ़ गयी है इसलिए तुम्हारी तनखा भी बढ़ा दी है। इस महीने से तुम्हें 15 रु० मिला करेंगे। हीरालाल को मुँहमाँगी मुराद मिली। खुशी-खुशी घर आया। पत्नी के हाथ पर रुपये रखता हुआ बोला—कमला तुम सचमुच ही में लक्ष्मी हो। जिस दिन से तुम आयी हो मुझे लाभ हुआ है। वकील साहब मुझसे कभी सीधे बात तक न किया करते थे अब दोस्तों का-सा बर्ताव रखते हैं। कहाँ तो सदा निकाल देने की धमकी दिया करते थे, कहाँ इस महीने से 15 रु० तनखा कर दी। अब तुम कहो तुम लक्ष्मी हो या नहीं? तनखा बढ़ने खुशी में मैं उन्हें कल की दावत दे आता हूँ। जरा इस बार गहरा माल बने। 5 रु० पर ऊपरवाले खर्च कर दो, परमात्मा बहुत देगा।

वकील साहब दूसरे दिन हीरालाल के यहाँ खाने आये। आज कमला ने कई तरह की

भोजन साम्रगी तैयार की थी। हीरालाल थाली परसवा के वकील साहब के सामने रख ही रहा था कि बाहर से कुछ मुअक्किलों ने आवाज़ दी। हीरालाल कमला से कहके कि तुम्हीं वकील साहब को खिला दो मैं जरा मुअक्किलों को सँभाल लूँ, नहीं तो बहक जायँगे, बाहर चला गया। सामने ही दूसरे वकील का घर था। उसे डर था कि कहीं मुअक्किल दूसरे वकील के घर चले जायँ। हीरालाल मुअक्किल से बातचीत कर रहा था। कमला वकील साहब को खाना खिला रही थी। बिलकुल एकान्त, और सामने वही वस्तु जिसके वे भक्त थे। वकील साहब कुछ हतज्ञान और चंचल से हो गये। वे बोल —खाना इतना अच्छा बना है कि जी चाहता है कि बनानेवाले का हाथ चूम लूँ। कमला कुछ न बोली। उसे यह एकान्त अच्छा न लग रहा था। उसे वकील साहब के चेहरे पर की लाली और आँखों में उन्मत्तता साफ दिख रही थी। हाथ धुलाने के बाद जब कमला टावेल देनी लगी वकील साहब टावेल लेकर कमाल की ओर झुके। कमला हाँ-हाँ क्या करते हैं आप, कहकर पीछे सरकी। पीछे दीवाल होने के कारण ज्यादा न हट सकी। वकील साहब ने जरा ज्यादा झुककर कमला के होठो पर अपने होठों को जड़ दिया। न चाहती हुई भीय कमला इसका विरोध न कर सकी। कुछ क्षण तक कमला के अधरामृत का पान कर बिना कुछ कहे ही वकील साहब बाहर चले आये। वकील साहब के आने के बाद हीरालाल भी खाना खाने गया। आज फिर वकील साहब के साथ हीरालाल को कचहरी जाना पड़ा। हीरालाल के कचहरी जाने पर कमला वकील साहब के कृत्य पर बार-बार विचार करती रही। रह-रह के उनके और साथ ही अपने पतन पर दु:ख हो रहा था। किन्तु उसने तो कभी सोचा भी न था कि यह मामला इस हद तक पहुँच सकता है।

शाम हुई, आज वकील साहब क्लब न जा सके, उनका चित्त कुछ उदास सा था। आज हीरालाल को कोई आमदनी भी न हुई थी। वह भी पीने के लिए व्याकुल सा था। वह फिर वकील साहब के पास आया। वकील साहब को समझने में देरी न लगी, 1 रु० निकाल के उसके हाथ में रख दिया। हीरालाल कलारी की तरफ भागा। वकील साहब धीरे-धीरे हीरालाल के घर की ओर गये? जूतों की आवाज सुनकर हीरालाल के धोखे में कमला ने उठकर दरवाजा खोल दिया। सामने वकील साहब को खड़ा देखकर वह बहुत घबरायी। अब न दरवाजा बन्द करते बनता था न खोलते। वह कुछ क्षण तक दरवाजा पकड़े खड़ी रही फिर बोली—क्या चाहिए आपको? वकील साहब रुँधे हुए कण्ठ से कम्पित स्वर में बोले—तुमसे माफी माँगने आया हूँ। कमला जरा भीतर बैठ जाने दो फिर कहता हूँ। कमला जरा भीतर बैठ जाने दो फिर कहता हूँ। कमला दरवाजे से सरक गयी। वकील साहब आकर

भीतर कुर्सी पर बैठ गये। मुझे अपनी कृत्य पर बड़ा दुःख है। कमला तुम मुझसे नाराज तो नहीं हो?

कमला कातर स्वर में बोली—मैं नाराज़ होऊँ या खुश, अब पूछकर क्या होगा? यह तो आपकी पहिले ही पूछना चाहिए था पर फिर भी मैं आपसे पूछती हूँ आखिर हठ से क्या लाभ है? मेरी और आपकी दोनों की जिन्दगी बरबाद हो जायगी। वैसे आपको तो विशेष क्षति न होगी किन्तु मैं कहीं की न रहूँगी। वकील साहब ने भर्राए हुए स्वर में कहा, कमला, मैं तो पागल हो रहा हूँ मेरी दवा तुम्हें छोड़कर कोई नहीं कर सकता। वैसे आज जो कुछ भूल हो गयी उसे तुम क्षमा करो। तुम्हारी इच्छा के विरुद्ध मैं तुम्हें कभी हाथ भी न लगाऊँगा। रही तुम्हारे जीवन बरबाद होने की बात मैं तुम्हें विश्वास दिलाता हूँ कि मैं हीरालाल को कभी किसी हालत में अलग न करूँगा और तुम्हारा, तुम्हारा जीवन मेरे जीते जी कभी बरबाद नहीं हो सकता। कमला ने दीन भाव से पूछा—फिर भी यह कहाँ तक उचित है कि जो आदमी आपका विश्वास करे उसी के साथ अविश्वास करें। कभी इन्हें (हीरालाल को) जरा भी शक हुआ तो मेरे और आपके विषय में क्या सोचेंगे? वकील साहब बोले—कमला शक होने ही कैसे पायेगा? कहते हुए उठकर पास ही खड़ी हुई कमला का उन्होंने गाढ़ा आलिंगन कर लिया। और उसी शाम को उनका पतन हो गया। इस बात से कमला को जो कुछ दुःख था वह तो था ही किन्तु साथ ही वकील साहब भी अपने कृत्य से संतुष्ट न थे। न जाने कितने दिन और कितनी रातें उन्होंने बेचैनी से बितायीं किन्तु उनका कार्यक्रम ज्यों का त्यों चलता रहा। रोज शाम को हीरालाल जब कलारी जाता उसी समय वकील साहब अपनी मधुशाला में पहुँचते। यह क्रम महीनों चलता रहा किन्तु हीरालाल कुछ भी न जान सका। धीरे-धीरे कमला को गर्भ के लक्षण प्रकट हुए। विवाह को नौ साल हो चुके थे। इतने दिन बाद ही सही, हीरालाल ने उम्मीद छोड़ सी दी थी, किन्तु अब से जब उसे मालूम हुआ कि कमला गर्भवती है तो उसे बेहद खुशी है तो उसे बेहद खुशी हुई। उसने मन ही मन सोचा वकील साहब के यहाँ लड़का हुआ तो ईश्वर ने भेज दिया। इसमें क्या रहस्य है बिचारा हीरालाल न जानता था।

एक दिन हीरालाल भोजन कर चुकने के बाद रुपया लेकर कलारी की तरफ चला। रास्ते में उसका एक लेनदार मिल गया जिसके हीरालाल से 10 रु० करीब आते थे। उसने हीरालाल को देखते ही दस तो सीधी-सीधी सुनायी और रुपया छीन लिया। अब कलारी तक जाके हीरालाल करता तो क्या करता? लाचार घर की तरफ लौट पड़ा। घर जाकर अपने घर में उसने वकील साहब को बैठा पाया। अपने घर में

वकील साहब को देखकर हीरालाल को और हीरालाल को अचानक उस समय पहुँचा देखकर वकील साहब, दोनों ही को आश्चर्य हुआ। किन्तु वकील साहब चतुर थे बोले—क्यों हीरालाल हमेशा तो मुझे भोजन के लिए पूछा करते थे आज जब मुझे घर में ढंग का खाना न मिला तो पहले ही से खा-पीके बैठ गये। हीरालाल बोला —अरे तो और बन जायगा वकील साहब। उसने पत्नी को वकील साहब के लिए कुछ बनाने का इशारा किया। वकील साहब रोकते हुए बोले — नहीं, नहीं अब क्यों तकलीफ देते हो? मैं जानता हूँ तुम लोगों ने खाया-पिया न होता तो मैं भी कुछ खा लेता। फिर कुछ हँसकर बोले—और तुम्हारा क्या हाल है? मालूम होता है आज चढ़ाई नहीं! हीरालाल के हृदय में कुछ आशा का संचार हुआ। इस समय मदिरा से अधिक आकर्षक कोई दूसरी चीज दुनिया में उसकी दृष्टि में न थी। बोला चढ़ाता कैसे वकील साहब, एक साला लेनदार मिल गया रुपया ही छीन लिया फिर मैं कलारी तक नहीं गया, जाके भी क्या करता वहाँ कहीं दूसरी को पीते देखकर और जी खराब होता। आपके पास हों तो सरकार जिला लो नहीं तो बिना खूराक के मर जाऊँगा। जेब से 5 रु० का नोट निकालते हुए वकील साहब बोले—मेरे पास छुट्टा रुपया नहीं है और तुम्हें रुपया देते हुए डर लगता है। नशे के झोंक में न जाने कितने का पी जाओ। हीरालाल बोला—नहीं सरकार ऐसा भी कहीं हुआ है। मैं तो उतना ही पीता हूँ, मेरी तो खुराक ही उतनी ही है बस 1 रु० 8 आ० की। हीरालाल नोट लेके जाते-जाते कमला से बोला—वकील साहब को कुछ बनाके खिला देना जरूर। वकील साहब बोले—पहले अपनी फिकर कर लो फिर हमारी बाद में करना। हीरालाल हँसता हुआ चला गया। हीरालाल जब आँख से ओझल हुआ तो कमला का आलिगन करते हुए वकील साहब बोले—तुम इस शराबी को दास हो कमला? यदि बदलने का कानून होता है तो मैं हीरा को देके तुम्हें ले लेता। हीरा हीरालाल के साथ खुश रहती चाहे न रहती पर हमारे तुम्हारे सरीखा सुखी तो दुनिया में कहीं ढूँढ़ने से भी न मिलता, न कमला? कमला ने कुछ उत्तर न दिया विदाई की अंतिम छाप कमला के होठों पर लगाकर वकील साहब अपने घर आये। कमला को गर्भ का पाँचवा महीना चल रहा था।

हीरालाल खूब पी के लौटा। लौटकर साढ़े तीन रुपये कमला के सामने फेंक दिए फिर वह खाट पर बेहोश गिर पड़ा। आज उसने दूनी चढ़ा ली थी।

धीरे-धीरे हीरालाल को अपनी स्त्री और वकील साहब के चरित्र के विषय में कुछ-कुछ सन्देह होने लगा किन्तु कुछ भी कहने की उसकी हिम्मत न पड़ती। जब तक वह अपनी आँखे से कुछ न देख ले कैसे कहे? लेकिन इस विचारमात्र से ही उसका हृदय बड़ा विचलित हुआ। वह अब ज्यादा पीने लगा किन्तु इस पर भी उसे

शन्ति न मिलती। वह बड़ा व्यथित और घबराया सा रहता। एक दिन वह कमला से बोला कमला जाने क्यों मुझे तुम्हारा वकील साहब के साथ इतना मिलना-जुलना पसन्द नहीं आता। कमला ने कहा—मैं तो उनके घर मिलने जाती नहीं तुम उन्हें मना कर दो, मैं उनसे कभी न मिलूँगी। हीरालाल निरुत्तर हो गया। वकील साहब को रोकने का उसमें साहस ही न था। उसने सोचा मकान ही बदल लूँ तो अच्छा रहेगा। वह मकान की तलाश में चला। रुपया लेकर कलारी की तरफ जाने के इरादे से निकला। किन्तु कुछ ही दूर जाने पर उसे कुछ मुअक्किल मिल गये वह उन्हें लेकर लौट पड़ा। बँगले पर आने पर मालूम हुआ वकील साहब क्लब गये हैं। मुअक्किलों से बातचीत करके 5 रु० फीस में पेशगी लेकर हीरालाल उन्हें सबेरे आने की ताकीद कर अपने घर की तरफ चला। वह रबरसोल जूते पहने था इसलिए जूतों की आवाज न हुई। बाहर बरामदे में पहुँचकर उसने देखा कि सामने का दरवाजा बन्द है। अन्दर से वकील साहब और कमला के हँसने की आवाज आ रही थी। वह चुपचाप कुछ क्षण तक खड़ा रहा। उसने सुना कमला कह रही थी लड़की हो या लड़का, है तो तुम्हारा ही, उसकी पूरी जिम्मेदारी तुम्हीं पर रहेगी। मैं यह न देख सकूँगी कि तुम्हारा एक बच्चा मोटर पर बैठकर स्कूल जाय और दूसरा पैर घसीटता हुआ जाय। वकील साहब बोले—पगली हुई हो तुम्हें भी मैं यहाँ न रहने दूँगा। मैं तुमको लेके भाग जाऊँगा। वकालत, मकान, बगीचा सब हीरा और हीरालाल के लिए छोड़ जाऊँगा। मेरे पास बस तुम रहो मैं दुनिया की सारी सम्पत्ति को ठुकरा दूँगा। मोटर मैं अपने बच्चे के लिए रखूँगा कहीं भी रहूँगा कमा खाऊँगा। हो न तैयार इस बात के लिए? कमला हँस पड़ी। हीरालाल अधिक न सुन सकार। सन्ताप से वह पागल सा हो रहा था। उसने जोर से एक ठोकर दरवाजे पर लगा दी। दरवाजा अन्दर से बन्द था। वह वहाँ क्षण भर भी न ठहर सका। तेजी के साथ अहाते से बाहर निकल गया। अंधकार में किधर अदृश्य हो गया, कोई न जान सका।

इस घटना को हुए कई मास बीस गये, अब कमला और वकील साहब के सम्बन्ध की चर्चा घर-घर में थी। सन्देह तो लोग पहले से ही करते थे किन्तु हीरालाल के इस प्रकार अचानक लापता हो जाने से सन्देह करने में कोई सन्देह का कारण न रह गया था। हीरादेवी को एक सखी ने कुछ गोलमाल करके हीरादेवी को भी लिखा। साथ ही यह भी लिखा कि वह फौरन चली आवे। इसके एक ही दिन पहले हीरादेवी को पति का पत्र मिला था जिसमें लिखा था कि यहाँ कई तरह की मौसिमी बीमारियाँ फैली हैं ऐसे समय में तुम बच्चे को लेकर यहाँ मत आना। मैं स्वयं ही तुम्हें लेने आऊँगा। अब हीरादेवी पति के असली मतलब को समझी। उनके सिर से पैर तक

आग लग गयी। उसी दिन रात की ट्रेन से वह रवाना हो गयीं। उनके पहुँचने से 15 दिन पहले बँगले में ही एक कमरे में कमला को कन्या हुई थी। हीरादेवी के इस प्रकार अचानक पहुँचने की वकील साहब को संभावना न थी। वह किंकर्तव्यविमूढ़ से हो गये। उनकी समझ ही में न आया कि क्या करें? पहुँचने के कुछ ही घंटे बाद हीरादेवी ने देखते ही देखते कमला को बच्ची समेत बँगले से बाहर निकला दिया। बँगले से निकलते समय कमला वकील साहब के दफ्तमर की तरफ मुड़कर बोली —मुझे उन कोठरी में से एक में रहने दो, मैं इतना नन्हा सा बच्चा लेकर कहाँ जाऊँ? फिर मुझसे चला भी तो नहीं जाता। वह अपनी बात को पूरी भी न कर पायी थी अचानक हीरादेवी आ गयीं, डाट के बोलीं—सीधी निकल जाओ। मेरी इच्छा के विरुद्ध तुम इस अहाते में पैर भी नहीं रख सकतीं। वकील साहब बुत की नाई बैठे रहे। उनसे कुछ भी न करते बना। उन्हीं की आँख के सामने जिसे उन्होंने इतना आश्वादन दे रखा था वही कमला गिरती-पड़ती किसी प्रकार बँगले के बाहर चली गयी। किसी को उस पर दया न आयी। किसी ने उसे शरण न दी। अपने पाप के फल का हृदय से लगाये सन्ताप के आँसू बहाती हुई कमला निरुद्देश्य भाव से चली जा रही थी।

दो सखियाँ

मालिन क्यारियों को निरा रही थी। ऊपर से रग्धू ने आकर कहा—ऊपर जा, बाई साहब बुला रही है। मालिन घबरायी। सबेरे ही सबेरे बाई साहब ने बुलाया है, कोई अपराध तो नहीं हो गया है। वह हाथ की खुरपी भी रखना भूल गयी। क्षण भर में हाथ में खुरपी लिए बाई साहब के सामने जा खड़ी हुई और पास ही उसकी धोती का पल्ला पकड़े खड़ी रही थी उसकी छोटी-सी बेटी रमिया।

—मालिन रोज-रोज हमारी मुन्नी पढ़ने जाती है और स्कूल में बैठी-बैठी थक जाती है। इधर तुम्हारी रमिया दिन भर घास खोदती है और बगीचे में मजा करती है। अब यह न होगा। रमिया को भी पढ़ने जाना पड़ेगा।

मालकिन का स्वर सुनते ही मालिन का भय जाता रहा। बोली—रमिया तो आपकी ही है, बाई साहब, चाहे पढ़ने भेजो चाहे बगीचे में काम कराओ। पर रमिया पढ़ने जायगी तो मुन्नी रानी का बगीचा न सूख जायगा? उसे कौन सींचेगा?

किसी के बोलने के पहिलें ही मुन्नी बोल उठी—तो फिर हम भी बगीचा सीचेंगे। रमिया पढ़ने न गयी तो हम भी न जायेंगे, चाहे कुछ भी हो।

मालिन ने कहा—पर रमिया के पास पट्टी भी नहीं है, पुस्तके भी नहीं है, कौन देगा मुन्नी रानी?

मुन्नी बोली — पट्टी और पुस्तक का बहाना मत करो मालिन। हम देंगे। पर रमिया पढ़ने नहीं जाती तो हम भी नहीं जाते। यह लो—कहती हुई पट्टी, पुस्तक फेंककर मुन्नी भागी।

माँ ने उसे पकड़क कहा—ठहर जा मुन्नी, रमिया भी जायगी पढ़ने। पर मुन्नी तो किसी-न-किसी बहाने पढ़ने जाना ही न चाहती थी। मालिन के हाथ से खुरपी लेती हुई बोली—माँ रमिया कैसे जायगी पढ़ने? उसके पास साफ कपड़े कहाँ हैं? मैं अब बगीचे में काम करने जाती हूँ।—मुन्नी जीने से नीचे उतरने लगी।

मुन्नी को आखिर पढ़ने के लिए जाना ही पड़ा। साथ में जबरदस्ती रमिया को भी जाना पड़ा। पट्टी, पुस्तक घर से ही ढूँढ़कर दे दी गयी। मुन्नी का ही एक पुराना

फ्राक पहिनकर रमियाय पहिले दिन स्कूली गयी। धीरे-धीरे दोनों में खूब मेल हो गया। अब वे स्कूल जाने से घबराती न थीं। दोनों साथ स्कूल जातीं, साथ लौटतीं और साथ-साथ पढ़तीं। अब मुन्नी को भी कोई शिकायत न थी कि वह मुफ्त में पढ़ने जाती है और रमिया दिन भर मजा करती है।

रमिया के स्कूल जाने से रमिया की माँ की दिक्कतें बढ़ गयीं। वह बगीचे में काम करती रहती और रमिया तब तक दाल-चावल चुना रखती। माँ के घर आने का समय देखकर, चूल्हें में आग भी जला देती। इस प्रकार जरा-सी रमिया अपनी माँ के लिए बहुत बड़ा सहारा थी। साथ ही साथ खर्च भी बढ़ गया। रमिया के स्कूल के लिए साफ कपड़े भी रखने पड़ते थे। बेचारी मालिन को काम का आसरा जो कुछ था, वह तो गया ही साथ ही खर्च भी बढ़ गया। इन दिक्कतों को उसकी दयालु मालकिन ने ताड़ लिया। उसी महीने से उसकी तनख्वाह में एक रुपये की वृद्धि हो गयी औरा बगीचे के काम में सहायता पहुँचाने के लिए मालकिन ने एक छोटा-सा लड़का भी रख लिया। इस प्रकार मालिन की दिक्कतें भी दूर हो गयीं और रमिया का पढ़ना भी जारी रहा।

रमिया का पिता गोपीसिंह, सरदार अमरसिंह के बगीचे में माली का काम करता था। एक बार वह अपने मालिक के साथ शिकार पर गया। वहीं पर वह एक शेर के द्वारा मार डाला गया और तब से माली की जगह उसकी स्त्री को दे दी गयी। रमिया तीन वर्ष की थी उस समय। तब से माँ-बेटी दोनों बगीचें का काम करती थीं और वहीं रहती भी थीं।

दिन जाते देर नहीं लगती। देखते-देखते लड़कियाँ बड़ी हो गयीं। दोनों जिस दिन से साथ-साथ पढ़ने लगीं, उनमें सद्भावों के साथ-साथ गाढ़ी मैत्री भी हो गयी। मुन्नी अपने किसी भी व्यवहार से यह न प्रकट होने देती कि रमिया उसकी आश्रिता मालिन की बेटी है। रात को रामी जरूर माँ के पास सोती थी, बाकी सारे समय मुन्नी उसे नीचे आने ही न देती थी। इसी साल दोनों ने मैट्रिक परीक्षा दी है। मुन्नी के पिता मुन्नी के ब्याह की तैयारी में हैं। पर रामी का माता के सामने एक समस्या थी। वह सोच रही थी—रामी इतना पढ़ गयी है। चाल-ढाल, बात-व्यवहार से वह मुझ अपढ़ की लड़की सी जान ही नहीं पड़ती। मैं इसका विवाह कैसे और कहाँ करूँगी? फिर वह सोचती नहीं विवाह कोई बात नहीं। मेरी रामी स्कूल की मास्टर बनेगी। और तब रामी मुझे यहाँ मालिन का काम न करने देगी। तो क्या में अपने इतने अच्छे मालिक को छोड़कर चली जाऊँगी? यहाँ मेरी जिन्दगी बीती है। यहीं मरूँगी भी।

रामी दिन भर दूसरी चिन्ता में घूमा करती थी। उसे माँ के साथ बगीचे में काम

करने में लज्जा और संकोच मालूम होता था। पर यह भी न सहा जाता था कि उसकी माँ दिन भर मिहनत करे और वह बैठी रहे। माँ को काम करते देख उसे बड़ी वेदना होती पर कोई दूसरा उपाय भी तो न था। उसने सोचा परीक्षाफल के निकलते ही चाहे पास होऊँ, चाहे फेल, मैं कहीं न कहीं नौकरी कर लूँगी। पन्द्रह-बीस रुपये ही मिलेंगे, तो क्या हुआ, माँ को तो दिन भर मजदूरी न करनी पड़ेगी। माँ ने बहुत कष्ट उठाया है। अब वे बूढ़ी हो चलीं। अब उन्हें अधिक दिन कष्ट न सहने दूँगी। और इसी निश्चय के अनुसार उसने कई स्कूलों में प्रार्थनापत्र भी भेज दिये।

मुन्नी की खिचड़ी अलग ही पक रही थी। उसे चिन्ता थी रामी के ब्याह की। वह सोच रही थी हम दोनों साथ-साथ पढ़ीं और बड़ी हुई। साथ ही मैट्रिक की परीक्षा दी और अब विवाह केवल मेरा हो रहा है। रामा का भी तो विवाह होना चाहिए। रामी का विवाह उसकी माँ के किए न होगा। और फिर रामी को पढ़ा-लिखाकर किसी अपढ़ के गले से बाँधना भी कितना बुरा होगा। पिता की लाड़ली मन्नी अपने इन उठते हुए भावों को न दबा सकी। एक दिन पिता से बोली—बाबूजी, रामा को तुम्हीं ने पढ़ाया-लिखाया है। उसके विवाह की फिकर भी तुम्हीं को करनी पड़ेगी। अब उसका विवाह किसी गँवार से तो न हो सकेगा।

पिता ने आश्वासन के स्वर में कहा—इस विवाह के बाद रामी के ही विवाह का नम्बर आवेगा। मैं लड़के की तलाश में हूँ।

मुन्नी का भाई जगतसिंह जो इधर पाँच साल से विदेश में था आज आ रहा है। मुन्नी के पिता लड़के को लेने पहले ही वे बम्बई पहुँच चुके हैं। शाम को गाड़ी आयेगी। मुन्नी और रामी दोनों सखियाँ बड़ी लगन के साथ जगतसिंह का कमरा सजा रही हैं। मुन्नी बड़ी ही प्रसन्नचित और चंचल स्वभाव की लड़की थी। वह स्वयं खुश रहना जानती थी और पास रहनेवालों को भी खुश रहने के लिए विवश किये रहती थी। भाई की मेज पर एक सुन्दर टेबुलक्लाथ बिछाते हुए मुन्नी बोली— देख रामी, मैंने तेरे विवाह के लिए भी पिताजी से कहा है। वह कोई सुन्दर सा तेरे ही सरीखा पढ़ा-लिखा वर खोजकर तेरा भी विवाह कर देंगे। और मुन्नी ने एक हल्की-सी चपत रामी के गालों पर जड़ दी। रामी उदासी में बोली—पर मैं तो विवाह करूँगी ही नहीं।

मुन्नी हँसती हुई बोली—ऐसा तो मत बोल रामी। तू मुझसे डरती नहीं। मैं कहीं मचल गयी तो पिताजी को मेरे विवाह के पहिल तेरा विवाह करना पड़ेगा। स्कूल जाने की बात भूल गयी क्या? और दोनों हँस पड़ीं। अचानक शृंगार मेज के पास बड़े आइने में दोनों को अपना प्रतिबिम्ब दिख पड़ा। मन्नी कुछ देर तक देखती रही, फिर बोली, रामी, मैं तुझसे गोरी हूँ पर सुन्दर तू ही मुझसे ज्यादा है। अच्छा देख, तुझसे

कहे देती हूँ, तू मेरे पति के सामने मत आना। कहीं ऐसा न हो कि वह मुझे छोड़कर तुम्हें पसन्द कर लें।

मुन्नी को एक धक्का देकर रामी बोली—अब तुम मेरा बहुत मजाक तो मत उड़ाओ। कहाँ तुम और कहाँ मैं? बहुत फर्क है। तुम मुझसे गोरी भी हो, सुन्दर भी हो। पर फिर भी तुम घबराना मत। मैं तुम्हारे पति के सामने न आऊँगी। तुम्हारे ऊपर उनका जो प्रेम होगा उससे कण भर भी न लूँगी। अब खुश हुई।

मुन्नी बोली—पर सुन्दर मुझसे ज्यादा तू ही है, मेरा दिल कहता है और यह दर्पण भी कहता है। जी चाहता है इसे तोड़ दूँ।—फिर कुछ ठहरकर बोली—अच्छा भैया को आने दो जिसे सुन्दर कहेंगे, बस वहीं सुन्दर। ठीक है न?

— और फिर चाहे बन्दर को भी सुन्दर कह दें—रामी ने कहा और एक फूलदान में फूल सजाने लगी। दोनों हाथ रामी की पीठ पर धम से पटकते हुए मुन्नी बोली—पर यहाँ बन्दर कौन है तू कि मैं, बोल न?

रामी ने कहा — न तुम, न मैं, पर कहीं वे किसी तीसरे को ही सुन्दरता की उपाधि दें तो?

मुन्नी प्रसन्न है और रामी चिन्तित। उसे ऐसी चिन्ता है, जिसे वह किसी पर प्रकट भी नहीं कर सकती। इस जटिल समझरू को सुलझाने के लिए वह कई दिनों से घोर प्रयत्न करके भी नहीं सुलझा सकी। उसका स्वाभिमान कहता है कि अपनी माँ को लेकर यहाँ से चली जाओ। आज जगतसिंह आ रहे हैं। विवाह में दूर-दूर से न जाने और कितने लोग आयेंगे और सबके सामने रामी की माँ मालिन का काम करे रामी से यह न देखा जायगा। वह अपनी माँ के साथ चुपचाप बिना कुछ कहे-सुने कहीं चली जाना चाहती है, जहाँ उसे कोई न जाने, कोई न देखे। पर माँ से यह प्रस्ताव करने में उसे भय मालूम होता है। कहीं माँ न मानें तो बात भी फैल जायगी और उसके स्वाभिमान को भी धक्का लगेगा। साथ ही उसके इस प्रकार चले जाने से मुन्नी बहुत दुःखी होगी। वह जानती है कि मुन्नी का उस पर निश्छल और अटूट प्रेम है।

रामी बिस्तरे पर औंधी पड़ी थी। उसकी माँ रोटियाँ बनाकर खा रही थी, इतने में ही आ पहुँची मुन्नी। मालिन से बोली, मौसी, कल से तुम बगीचे में काम न करोगी। माँ से मैंने तुम्हें एक महीने की छुट्टी दिलवा दी है। यहाँ ताला लगाकर आज रात से तुम और रामी दोनों को मेरे साथ सोना पड़ेगा। और धीरे से रामी के कान के पास जाकर बोली—मुझे जल्दी चढ़ेगी न? हल्दी चढ़ी लड़की को अकेली नहीं सोने देते, समझी? फिर जोर से बोली—उठ चल, स्टेशन जाना है। जगत भैया को लेने न चलोगी? रामी उठकर मुन्नी के साथ चली गयी। उसकी एक बहुत बड़ी

चिन्ता दूर हो गयी थी किन्तु फिर भी वह स्टेशन न जा सकी। मुन्नी को अकेले ही स्टेशन जाना पड़ा। स्टेशन से जगतसिंह, उनके पिता मुन्नी और बहत से लोग जो जगत को अगवानी के लिए स्टेशन पहुँचे थे, घर आये। बहुत देर तक घर में चहल-पहल मची रही।

जगत कुछ अस्वस्थ था। ससबे विदा लेकर वह सोने के लिए अपने कमरे में आया। कपड़े उतारकर वह लेट गया। वह सचमुच थका हुआ था। किन्तु एक ही मिनट के बाद आँधी के झोंके की तरह दरवाजों को फटाफट खोलती हुई पहुँची मुन्नी। एक हाथ से वह रामी को घसीटती हुई ला रही थी, वह बोली—भैया सोने से पहले तुम्हें एक बात का फैसला करना है। सच-सच कहना! मैं ज्यादा सुन्दर हूँ कि यह? जगत हँस पड़ा, बोला—मुन्नी, तू अभी तक निरा बच्ची ही है। जा मुझे सोने दे। मैं थक गया हूँ। और वह करवट बदलकर सो गया।

—भैया, तुम अभी तक बड़े खराब हो—कहती हुई रूठकर, मुन्नी चली गयी। किन्तु इसके बाद जगत सो न सका। उसके सामने रह-रहकर शरमाई हुई रामी का चित्र आ जाता था। वह यही निर्णय न कर सकता था कि यह लड़की कौन है? विवाह में दूर-दूर क बहुत से सम्बन्धी-रिश्तेदार आये होंगे। मुमकिन है उन्हें में से किसी की लड़की हो। पर इसे तो जगत ने कभी देखा है। चेहरा पहचाना हुआ-सा लगता है। जिस बात का उत्तर वह मुन्त्री को न दे सका था वही उत्तर बराबर उसके दिमाग में चक्कर काट रहा था — कितनी सुन्दर लड़की है! सुन्दर वस्त्राभूषणों का अभाव उसकी सुन्दरता में कमी नहीं ला सका। रंग-बिरंगे कपड़े तथा हीरा-मोती के आभूषणों से उसकी जो सुन्दरता दब जाती, वह उनके अभाव में और उज्ज्वल होकर चमक उठी। क्या सुन्दरी है। अनुपम सुन्दरी है। फिर चाहे जिसकी हो। जगत ने करवट बदली। सामने मुन्नी की तसवीर लगी थी। उसने सोचा मेरी पगली बहिन भी सुन्दर है। पर इस लड़की के चेहरे पर जितना आकर्षण और भोलापन है, इसकी आँखें जितनी सुन्दर है, उतनी मुन्नी की नहीं। मुन्नी मेरी ही बहिन तो है। जैसा मैं हूँ वैसी ही वह भी है।

सुबह छः भी न बज पाये थे कि मुन्नी के ऊधम के मारे जगत को सोना मुश्किल हो गया। जगत उठकर बैठ गया। मुन्नी से बोला—मुन्नी जरा गम्भीर बनो बहिन! अब तेरी शादी होने वाली है। जगत की दृष्टि दरवाजे की ओर गयी। दो सुकुमार पैर दरवाजे की ओट में ठिठक गये थे। मुन्नी ने जैसे जगत की बात सुनी ही न हो बोली —भैया, देखो! रामी अब तुमसे शरमाती है। आती नहीं अन्दर। वह देखो वहाँ खड़ी है। और एक बार भैया तुम्हें याद है न? वह कितनी मचली थी कि तुम्हीं से शादी

करेगी। और फिर जब तुमने कहा कि तुमने इससे शादी कर ली और इसे दो पैसे दे दिये, तब कहीं यह मानो। मुन्नी एक साँस में यह सब कहकर हँस पड़ी। जगत चौंक पड़ा—तो यह रामी है? आओ रामी, अन्दर आओ! वहाँ क्यों खड़ी हो? चाहो तो दो पैसे और ले लो। कहकर वह हँस पड़ा।

रामी लाज और संकोच में सिमटी हुई सी भीतर आयी। पर वह खुलकर जगत से बातचीत न कर सकी। न जाने कहाँ की लज्जा ने उसकी जबान पर ताले डाल दिये। वह चुपचाप खड़ी रही। जगत ने उससे बोलने की कोशिश बहुत की, पर उसका सिर नीचे से ऊपर न उठा।

जगत ने कहा—लो तुम मत बोलो। मैं तो जाता हूँ। मुन्नी की समझ में न आया कि आखिर जगत भैया से रामी इतना क्यों शरमाती है? उसने रूठकर कहा—जा तू बड़ी खराब है रामी! तूने मेरे जगत भैया का अपमान किया है। तू उनसे नहीं बोली। मैं भी तुमसे न बोलूँगी।

रामी ने नम्रता से कहा—नहीं बहिन, मेरी अपमान करने की नियत नहीं थी। तुमने छुटपन की ऐसी बात कह दी जिससे शर्म के मारे मैं मरी जा रही थी फिर कैसे बोलती?—और दोनों सखियों में उसी समय मेल भी हो गया।

उसी दिन लड़कियों का रिजल्ट निकला—दोनों पास थीं। मुन्नी सेकेन्ड डिवीजन में और रामी फर्स्ट में। मुन्नी ने इससे कुछ बुरा न माना। वह रामी के पास जाकर उससे लिपटकर बोली—देख रामी तू सभी बातों में मुझसे बढ़ती जाती है। मैं सेकेन्ड में पास हुई, तू फर्स्ट में। यह ठीक नहीं। तुझे मेरे साथ-साथ चलना चाहिए।

रामी ने कहा—सभी बातों में नहीं बढ़ रही हूँ। विवाह तुम्हारा ही पहले हो रहा है।

—कौन जाने तू इसमें भी मुझसे आगे न बढ़ जाय—कहती हुई मुन्नी भाग गयी क्योंकि बाहर नगर के एक बहुत बड़े कपड़े के व्यापारी अपनी लड़की की शादी का पैगाम जगत के लिए ले आये थे। लड़की इन्टर में इसी साल गयी है। बहुत सुन्दर है। और लखपती की कन्या है। पर जगत से जब पूछा गया तो उत्तर मिला, अभी कोई जल्दी नहीं है। मुन्नी का विवाह हो जाने के बाद इस पर विचार होगा। उधर मुन्नी तो जगत के सिर हा गयी कि भैया शादी जरूर स्वीकार कर लो। फिर तो तुम्हारी ससुराल से मैं रोज नयी-नयी साड़ियाँ लाकर पहनूँगी। फिर रामी, मैं और वह भाभी हम तीन हो जायँगे। कितना मजा होगा!!

जगत अपने पहिले निश्चय पर ही दृढ़ रहा और ब्याह की बात मुन्नी के विवाह तक के लिएय टल गयी। स्वयं सरदार अमरसिंह को भी अभी बेटे के विवाह की कुछ जल्दी न थी। जल्दी थी तो लड़कीवालों को कि ऐसा अच्छा लड़का कहीं हाथ

से निकल जाय।

रामी जगत के कमरे से फूलदान लेकर बाहर आ रही थी कि इतने में वह पहुँच गया। वह कई दिनों से रामी से एकान्त में कुछ बात करना चाहता था। उसने रामी का हाथ पकड़कर अन्दर खींच लिया। बोला—रामी, ठहरो, मुझे तुमसे कुछ बातें करनी है। रामी घबरा गयी। इधर-उधर देखती हुई बोली—आप मेरा हाथ छोड़ दीजिए। कोई देख लेगा।

जगत बोला—पर तुम ठहरोगी, जाओगी तो नहीं?

रामी का स्वर काँप रहा था, वह बोली—ठहरूँगी, पर पहिले आप मेरा हाथ छोड़ दीजिए।

रामी का हाथ छोड़ जगत दरवाजे के पास रास्ता रोककर खड़ा हो गया और बोला—रामी मेरे पास भूमिका बाँधने का समय नहीं है। मैं तुमसे विवाह करना चाहता हूँ। तुम्हें स्वीकार है?

रामी काँप उठी, उसने कहा—पर यह कैसे हो सकता है! मैं मालिन की लड़की हूँ और आप क्षत्रिय!

—फिक्र मत करो मैं केवल तुम्हारी राय जानना चाहता हूँ।

अब रामी कैसे बोले? सिर नीचा करके वह खड़ी रही। पर अनुभवहीन जगत क्या जाने कि यह मौन स्वीकृति का सूचक है। वह अधीर होकर बोले—रामी उत्तर दो, हाँ या ना। मैं तुम्हारे मुँह से सुनना चाहता हूँ। तुम खुशी से स्वीकार कर लोगी तो ठीक है। इनकार करोगी तो मैं तुम पर किसी प्रकार का दबाव न डालूँगा। सच्चे आदमी की तरह मैं तुमसे पूछता हूँ। क्योंकि मैं तुमसे विवाह करना चाहता हूँ, पर तुम्हारी अनुमति से, तुम्हारी इच्छा के विरुद्ध नहीं।

रामी फिर चुप।

जगत से रहा न गया उसने फिर रामी का हाथ पकड़ लिया और बोला—रामी मेरा भविष्य तुम्हारे उत्तर पर निर्भर है। बोलो तुम्हारी इच्छा के खिलाफ मैं तिल भर इधर-उधर न जाऊँगा। बोलो तुम्हें स्वीकार है?

—मैं बहुत पहिले ही स्वीकार कर चुकी हूँ। कहती हुई हाथ पकड़कर रामी भाग गयी। और सीधी जाकर अपनी माँ की खाट पर लेटी रही। उसने मन ही मन कहा — रामी के चण्डी ठाकुर, तुम्हीं रामी को भुला देते तो रामी का दुनिया में कौन रह जाता?

जगत ने अपना निश्चय पिता से कहा। पिता के पास काफी पैसा था। रुपयों का उन्हें लोभ न था। फिर वे स्वयं रामी को बहुत चाहते थे। इस बात पर किसी को कुछ एतराज हुआ तो जगत की माँ को। वे किसी बड़े आदमी से ही सम्बन्ध जोड़ना

चाहती थीं। एक मालिन की लड़की से ब्याह कर, उनके दृष्टिकोण से समाज में उनकी प्रतिष्ठा बढ़ने की जगह कम हो जायगी। पर उनकी कुछ न चली। एक ही मण्डल में एक ही लग्न में रामी का विवाह जगत से और मुन्नी का विवाह शान्तिस्वरूप से हो गया।

देवदासी

सोकर उठते ही सुरेश की दृष्टि सामने वाले मकान पर पड़ी जो महीनों से खाली पड़ा था। उसने देखा एक स्त्री सामने छज्जे पर खड़ी है। सिर के बाल छल्ले-छल्ले बनकर माथे पर बिखरे हुए थे। रंग बहुत गोर न होकर भी साँवला न था। चेहरा बड़ा ही आकर्षक था। स्त्री के चेहरे पर विषाद की एक गहरी छाप स्पष्ट दिखायी दे रही थी। उम्र कुछ अधिक थी, पर सौंदर्य में किसी प्रकार की कमी न आ पायी थी। सुरेश मंत्रमुग्ध की तरह बहुत देर तक उसकी ओर देखता रहा। स्त्री नीचे सड़क की ओर देख रही थी। आँख ऊपर करते ही उसने सुरेश को देखा। दोनों की आँखें मिलीं। सुरेश की आँखों में प्रश्न था और रमणी की आँखों में याचना। तुरन्त ही किसी प्रकार की आवाज सुनकर रमणी भीतर चली गयी। फिर छज्जे के दरवाजे दिन भर बन्द रहे। उसके नये पड़ोसी कौन है यह सुरेश बिलकुल न जान सका। शाम को सुरेश घूमने चला गया। घर लौटा तो साढ़े ग्यारह बज रहे थे। सामनेवाले मकान में अब भी प्रकाश था। सुरशे एक आरामकुर्सी पर लेट-सा गया। एकाएक बड़ी ही मधुर, संगीत की लहर ने आकर उसकी सारी शिथिलता को दूर कर दिया। वह उठकर बाहर आया। छज्जे पर सामनेवाले मकान में कोई गा रही थी।

साँवरिया से लागि रहे दोउ नैन।
साँवरिया से...

गायिका संगीतकला की विशारदा जान पड़ती थी। सुरेश भी तो संगीतप्रेमी था। और केवल संगीतप्रेमी ही नहीं संगीत के विषय में उसे ज्ञान भी काफी था। सुरेश सोचने लगा हो न हो यह वही स्त्री है। पुरष के गले में इतने मिठास आयेगी कहाँ से ? तब तक गायिका ने गीत का अंतरा गाया —

'कहा करूँ कित जाऊँ मोरी सजनी नाहीं परत मोहे चैन।
साँवरिया से लागि रहे दोउ नैन।'

संगीत बन्द हो चुका था। सुरेश कुछ देर तक टहलता रहा। और थोड़ी देर में उसे एक हल्की-सी चीख सुनायी पड़ी। फिर सब कुछ बंद। सुरेश कुछ, न समझ सका

कि मामला क्या है? वह जाकर सो रहा।

दूसरे दिन सबेरे सुरेश देर तक सोता रहा। जब वह सोकर उठा, तब तक छज्जे के सब दरवाजे बन्द हो चुके थे। दोपहर को सुरेश अपने कमरे में खड़ा था। एकाएक सामनेवाले मकान की एक खिड़की का एक काँच निकल गया। सुरेश ने फिर उसी रमणी का मुँह देखा। इन दोनों के बीच काफी अन्तर था। चेहरा भी बहुत साफ न दिखायी पड़ता था। रमणी बहुत देर तक सुरेश की ओर देखती रही, आँखों में याचना थी, चेहरे पर करुणा। सुरशे कुछ समझ न सका कि मामला क्या है, वह बैठ गया। बैठ जाने पर वह स्त्री दिखायी प पड़ती थी। कुछ देर बाद सुरेश ने देखा—काँच फिर उसी तरह जहाँ का तहाँ लगा दिया गया है।

सुरेश के सामने यह स्त्री एक समस्या बनकर प्रकट हो गयी। वह कुछ समझ ही न पा रहा था कि मामला क्या है? रमणी ने तो कुलवधू सो जान पड़ती थी, न निर्लज्ज वेश्या की, वह सुरेश की ओर देखती थी जरूर, पर वासना को लपट उन आँखों में नहीं थी। उन आँखों के विषाद के साथ याचना जरूर साफ-साफ दिखाई पड़ता था कि जैसे वह सुरेश से कुछ कहना चाहती हो, पर अवसर ने मिलने के कारण न कह पाती हो। सारे दिन सुरेश इन्हीं गुत्थियों में उलझा रहा और शाम होते ही घूमने चला गया। सुरेश ने सोचा—दूसरों की चिन्ता में क्यों वह अपना समय खराब करे। उसने अपने जी को बहुत समझाना चाहा किन्तु पहेली के रूप में वह स्त्री बार-बार उसके नेत्रों के सामने आ जाती थी।

सुरेश बहुत रात घर लौटा। सोने की तैयारी कर रहा था कि सामनेवाले छत पर उसे कुछ बातचीत सुनायी पड़ी। रात की नीरवता में सुरेश ने साफ-साफ सुना—कोई कह रहा था—तो तुम सीता सती हो? बस यहीं या उस मन्दिर में भी जहाँ हज़ारों को रिझाने के लिए तुम्हें नाचना और गाना पड़ता था।...

—सीता सती न होकर भी मैं दुराचरिणी नहीं हूँ—सुरेश ने सुना, स्वर रमणी का था—और आपकी बात मुझे किसी तरह भी मंजूर नहीं। यदि आपने मेरे ऊपर अपनी ताकत आजमायी तो मैं चिल्लाऊँगी।

रमणी तेजी के साथ बाहर छज्जे पर निकल आयी। अपनी छत पर खड़ा सुरेश बैठ गया। रमणी के साथ-साथ उससे बातचीत करनेवाला युवक भी बाहर आ गया। स्वर कुछ धीमा करके बोला—प्रतिमा, तुम्हें हम समझाते आ रहे हैं, तुम्हारे साथ किसी प्रकार का जुल्म नहीं करते। हम जानते हैं तुम कुलवधू नहीं हो। नाचने-गाने का तुम्हारा पेशा है। एक नहीं अनेक पुरुषों से तुम्हारा संसर्ग रह चुका होगा फिर हमारे साथ जिसे तुमने अपने मीठे और मधुर व्यवहारों से उन्मत्त बना दिया है,

तुम्हारा व्यवहार ऐसा क्यों है?

प्रतिमा बोली—मीठे और मधुर व्यवहार का यह अर्थ कदापि नहीं होता, नरेन्द्र बाबू, कि हम आपको अपना शरीर अर्पण कर दें। फिर मेरा यह शरीर तो देवता को अर्पित हो चुका है। मैं देवदासी हूँ। मुझसे वह बात न होगी।

नरेन्द्र एक व्यंग की हँसी हँसता हुआ बोला—तो तुम अभी तक सती हो, यही न! और वह पुजारी जिसके पीछे-पीछे तुम...

प्रतिमा बात काटते हुए बोली—बस-बस रहने दीजिए, आप पुजारीजी का नाम न लीजिए। वे मेरे पिता के तुल्य है। वे बहुत सीधे है। अगर वे सीधे न होते, तो आप मुझे वहाँ से धोखा देकर ला भी न सकते थे।

नरेन्द्र का नशा इस समय जोर पर था। वह क्रोध से बोला—मैंने उन्हें धोखा दिया है या तुमने मुझे उल्लू बनाना चाहा है? साफ-साफ कहो, क्या तुम्हारी खुद की इच्छा न थी, मेरे साथ घूमने चलने की?

प्रतिमा—घूमने जाना दूसरी बात है और घूमने के बहाने भाग जाना दूसरी बात है। आपने पुजारीजी से नहीं कहा था कि शाम होने से पहले लौट आयेंगे?

नरेन्द्र—ओहो! इतनी भोली तो न बनो, तुम नहीं जानती थी कि हम लोगों ने घूमने की बात क्यों की है? तुम बड़ी नीच हो। सब कुछ तुम्हारे ही कारण हुआ है और तुम अब मुझे ही बेवकूफ बनाना चाहती हो।

प्रतिमा—यदि मुझे मालूम होता कि घूमने के बहाने आप मुझे भगा ले जाएँगे तो मैं आप लोगों के साथ कभी न आती।

—झूठ बोलते हुए तुम्हें लज्जा नहीं आती? किसी दूसरे से आँख लड़ गयी है, यह क्यों नहीं कहती। बेहया कहीं की! कहकर नरेन्द्र गुस्से से छत पर टहलने लगा।

प्रतिमा ने कहा—आपका व्यवहार मेरे साथ बहुत उद्दंड होता जा रहा है। मैं इसकी आदी नहीं हूँ।

—उद्दंड व्यवहार इसको कहते हैं—कहते हुए नरेन्द्र ने कसकर एक तमाचा प्रतिमा को लगा दिया। प्रतिमा चीख पड़ी। कमरे से नरेन्द्र के साथी अन्य युवक निकल आये। उनमें से एक बोला—यार नरेन्द्र छोड़ो भी! तुम भी इतने पीछे पड़े हो?

नरेन्द्र बोला—पीछे पड़ने की बात नहीं है? तुम जानते हो आज एक महीने से हम लोग इसी के पीछे रुपया-पैसा और समय बरबाद कर रहे हैं। कुछ मेरा अकेला अनुमान भी नहीं, तुम्हारा सभी मित्रों का अनुमान था कि यह हम लोगों के साथ भाग जाना चाहती है। तभी तो हम लोगों ने इसी वहाँ से निकाला। नहीं तो औरतों को भगाना कुछ हमारा पेशा थोड़े ही है।

—अनुमान गलत भी हो सकता है—यह एक तीसरे ने कहा जिसे अनायास ही प्रतिमा से कुछ सहानुभूति हो गई थी।

—तुम लोग बेवकूफ बन सकते हो, पर मैं न बनूँगा। मैं अभी इसे सीधी किये देता दूँ—ऐसा कहते हुए नरेन्द्र ने प्रतिमा के पास आकर कहा—यह रोना किसे सुना रही हो? अब कोई तुम्हारे नखरों को देखकर धोखा नहीं खा सकता। तुम्हारी जात ही ऐसी होती है। उल्लू फाँसकर रखने में तुम लोग अपनी विजय समझते हो। पर हम वह उल्लू नहीं हैं कि फँस जायें। पहले तुम्हें फँसा लेंगे बाद में हम फँसेंगे।

प्रतिमा ने कहा—ठीक है! आपकी कैद मैं हूँ, जो चाहे आप कर सकते हैं। पर मैंने आप लोगों को पढ़ा-लिखा सभ्य पुरुष समझा था। मैं क्या जानती थी कि पुरुष के रूप में आप राक्षस हैं।

—हम राक्षस है?—नरेन्द्र ने दूसरा तमाचा प्रतिका को जड़ दिया—और तुम देवी हो। बदजात कहीं को! मन्दिरा का राई-रत्ती हाल जिसे न मालूम हो, उसके सामने अपन सतीत्व का ढोंग रचना। यहाँ पहले ही सब कुछ जान लिया था, तब पैर आगे बढ़ाया था। हमने कोई कच्ची गोलियाँ नहीं खेली हैं।

अब सुरेश से न रहा गया। उठकर खड़ा हो गया। टार्च फेंकते हुए उसने कहा—आप लोगों की बात करीब आध घंटे से मैं सुन रहा हूँ। इतनी बातें सुनने के बाद इसी परिणाम पर पहुँचा हूँ कि आप लोगों ने इसको कैदकर रखा है। यह आपका कोई नहीं। इसे आप भगा लाये हैं।

नरेन्द्र ने उसी क्रोध के स्वर में कहा—हमारे आपस में झगड़े में पड़नेवाले तुम कौन हो?

सुरेश बोला—मैं एक मनुष्य हूँ जो मनुष्यता का बर्ताव करना चाहता है यदि आप लोगों ने मेरे साथ दूसरी तरह का बर्ताव किया तो फिर पुलिस का आश्रय लेना पड़ेगा।

मामला पुलिस तक गया। वे चारों व्यक्ति जमानत पर छोड़े गये। प्रतिमा को उसकी इच्छानुसार सुरेश के साथ छोड़ दिया गया। सुरेश उसे उसके मन्दिर के पास पहुँचा देना चाहता था परन्तु प्रतिमा उसी रात में बीमार हो गयी और लगातार एक महीने तक बीमार रही। बीमारी से अच्छे होने के बाद अस्पताल से लौटकर प्रतिमा सुरेश की अतिथि हुई।

एक दिन सुरेश बोला—अब आपको मन्दिर पहुँचाना पड़ेगा किन्तु आपने अब तक यह नहीं बताया कि आप इन लोगों के चंगुल में कैसे फँस गयीं।

प्रतिमा बोली—गुजरात के देहाती इलाके में दुर्गादेवी का एक बड़ा प्राचीन

मन्दिर है। मन्दिर से लगी हुई बहुत सी जायदाद है, जिसकी सालाना आमदनी तीस हजार के करीब होती है। उसी मन्दिर की मैं देवदासी हूँ। माता-पिता ने मानता मानी थी कि यदि सन्तान होगी तो कन्या देवता का भेंट चढ़ा देंगे। मैं उनकी दूसरी सन्तान हूँ। पाँच वर्ष की आयु में वे मुझे मन्दिर में छोड़ गये। मन्दिर के बहुत से ट्रस्टी हैं और एक प्रधान पुजारी। और कई पुजारी हैं। प्रधान पुजारी पढ़े-लिखे विद्वान और बहुत नेक है। मन्दिर की आमदनी से बहुत से छात्रों को छात्रवृत्ति मिलती है, बहुत से अनाथ और विधवाओं का पालन होता है। प्रधान पुजारी के कारण मन्दिर में किसी प्रकार का अनाचार नहीं हो पाता । मेरे अतिरिक्त और भी देवदासियाँ है। मन्दिर के ट्रस्टी तथा अन्य लोग देवदासियों के अनाचार करना चाहते हैं पर प्रधान पुजारी के मारे यह नहीं हो पाता था। इसलिए ट्रस्टीगण पुजारीजी से असन्तुष्ट हैं। मुझे पुजारीजी ने छुटपन से ही हिन्दी और संस्कृत की शिक्षा दी है। मैं मन्दिर में नाचने-गाने के बाद उनका लिखने-पढ़ने का भी बहुत सा काम कर देती थी। वे बहुत बूढ़े हो चुके हैं। नरेन्द्र वगैरह छः आदमी का एक दिन हमारे मन्दिर में पहुँचे। ये लोग पढ़े-लिखे सभ्य कहलाते हैं। पुजारीजी ने इनके आदर-स-कार का भार मुझे सौंपा। इसके बाद इन्होंने मन्दिर में कुछ दिन ठहरना चाहा। आने-जाने वालों के लिए ठहरने का प्रबन्ध वहाँ काफी अच्छा है। उसके बाद ये लोग धोखा देकर मुझे ले आये। कई जगह ले गये, कहीं एक दिन ठहरे, कहीं दो दिन। सब जगह मुझसे यही कहते रहे कि पुजारीजी से पूछ लिया है। पर मुझे सन्देह हो गया। यहाँ कई दिन से ठहरे हुए हैं। जो काण्ड हुआ वह आप सब जानते हैं।

सुरेश बोला—पहिले पत्र लिखकर पुजारीजी से मन्दिर की हालचाल पूछ लूँ फिर तुम्हें ले चलूँ। प्रतिमा की भी यही राय रही। सुरेश ने पत्र लिखा और कई दिन बाद उत्तर मिला—मन्दिर की एक प्रधान देवदासी के अचानक गायब हो जाने से मन्दिर में बड़ी गड़बड़ी मच गयी है। ट्रस्टी लोगों ने प्रधान पुजारी को अलग कर दिया है। उनके स्थान पर जो प्रधान पुजारी नियुक्त हुआ है वह बड़ा अनाचारी है। अब मंदिर मंदिर नहीं, अत्याचारियों का अड्डा हो रहा है।

निवेदक

...

पत्र पढ़कर प्रतिमा ने कहा—अब मैं वहाँ जाकर क्या करूँगी।

सुरेश ने कहा—फिर अब क्या करना चाहिए?

हताश सी होकर प्रतिमा बोली—मैं क्या कहूँ। आप ही जानिये।

सुरेश ने कहा—मेरा तो विचार है कि आप विवाह करके किसी भले आदमी की कुलवधू की तरह रहिये।

प्रतिमा चौंक पड़ी—विवाह? मुझसे कौन विवाह करेगा और फिर विवाह की मेरी उम्र भी तो नहीं रही।

सुरेश ने प्रतिमा के जरा पास जाकर प्रेम, श्रद्धा और आदर के भाव से कहा—उम्र की बात मत कहो, प्रतिमा! शेक्सपियर ने जिससे विवाह किया था उसकी उम्र उससे नौ साल अधिक थी। विवाह दो आत्माओं का मिलन है और आत्मा कभी वृद्ध नहीं होती। मैं तुमसे विवाह कर सकता हूँ।

प्रतिमा का चेहरा लज्जा से लाल हो रहा था। उसके मस्तक झुकते-झुकते सुरेश के चरणों पर आ गिरा।

एक्सीडेंट

छः बजने को छः मिनट! कुसुम ने जल्दी से चाय का प्याला रख दिया। वह एक ही घूँट पी पाई थी। आकर देखा, बरसाती में कार खड़ी थी पर ड्राइवर का पता न था। उसने एक-दो बार हार्न दिया। फिर बड़ी तेजी से वह मोटर लेकर चल दी। ड्राइवर एक मिनट के बाद आया। कुछ दूर पर कुसुम की कार उड़ा रही थी।

इधर से कुसुम की कार बहुत तेजी से जा रही थी। उधर से किसी और की गाड़ी ने रास्ता काटा। परिणाम यह हुआ कि चौरास्ते पर बिजली के खम्भे से दोनों गाड़ियाँ टकराई। दोनों ने बचाने का प्रयत्न किया परन्तु निष्फल। कुसुम की कार के सामने का काँच फूट गया और सामने का कुछ हिस्सा भी टूट गया। कार और वह अपना वेग खोकर मुर्दे की तरह पड़ी रह गयी। कुसुम के सिर और माथे पर चोट आयी।

दूसरी कार का एक मडगार्ड भर टूटा था, बाकी सब कुछ ठीक था, उस गाड़ी के दोनों व्यक्ति कार पर से उतरकर खड़े हो गये। एक पुरुष था और दूसरी स्त्री। कुसुम के चेहरे पर क्रोध का भाव था और पुरुष के चेहरे पर कौतहूल के साथ वह भाव था कि वह गलत रास्ते पर थी, उसने बचाना चाहा फिर भी कुसुम ने कार लड़ा दी। कुसुम के सिर के बहते हुए खून को देखकर तुरन्त ही पुरुष ने अपनी रूमाल उसके सिर कसकर बाँध दी। फिर नम्रता से बोला—आप मेरी कार पर बैठ जाइये। डाक्टर के घर से आपके सिर पर पट्टी बँधवाने के बाद आप जहाँ कहेगी वहाँ पहुँचा दूँगा।

—खाक पहुँचा देंगे आप—कुसुम झुँझलाकर बोली—मुझे छः बजे कालेज पहुँच जाना था। वहाँ लोग मेरी प्रतीक्षा में होंगे।

—तो आप ही कुसुम देवी हैं? आपसे मिलकर प्रसन्नता हुई। पुरुष ने कहा।

—जी हाँ मैं कुसुम देवी हूँ। धन्यवाद। और आपकी तारीफ। शिष्टाचार के तौर पर कुसुम ने पूछा।

—मैं हूँ प्राणनाथ सहगल—पुरुष ने उत्तर दिया।

कुसुम जैसे चौंक उठी। प्राणनाथ शराबी प्राणनाथ, दुराचारी प्राणनाथ, कुसुम ने आँखें उठाकर ध्यान से प्राणनाथ की ओर देखा। प्राणनाथ के विषय में तो उसने बहुत कुछ सुना है। यह वही प्राणनाथ है या कोई और।

कुसुम के चेहरे से जैसे प्राणनाथ ने उसके अन्दर के भावों को पढ़ लिया।

वह बोला—इस शहर में प्राणनाथ सहगल नाम का एक ही व्यक्ति है और वह समाज में बहुत बदनाम है। वही मैं हूँ। किन्तु इस समय आपको डाक्टर के घर तक तो मेरे साथ चलना ही होगा। आपका खून बहुत निकल चुका है। चलिए।—और कुसुम उसकी बातों का कोई उत्तर न देकर चुपचाप कारपर जा बैठी। प्राणनाथ ने कुसुम को ले जाकर डाक्टर के यहाँ पट्टी बँधवायी और फिर उसके घर छोड़ दिया। कुसुम उस दिन कालेज न जा सकी।

इस घटना के कुछ दिन बाद एक दिन शाम को कुसुम का भाई जो उससे दो साल बड़ा था, बड़े गुस्से में आया और बोला—कुसुम तुम बड़ी हो और समझदारय भी हो। प्राणनाथ कितना बदनाम है यह तुम जानती हो। उसके साथ कार पर बैठकर तुम्हें कहीं नहीं जाना चाहिए था।

कुसुम ने कहा—पर भइया जिस दिन मेरी मोटर लड़ गयी थी उसी दिन में उसकी कार पर डाक्टर के घर गयी थी। और तो मैं कभी कहीं नहीं गयी। खैर, अब इस बात का ध्यान रखना, उसके भाई ने कहा और बात यहीं खत्म भी हो गयी। पर संयोग की बात! उसके दूसरे ही दिन कुसुम अपनी कुछ सहेलियों के साथ पिकनिक में गयी। लौटते समय दूसरी लड़कियों को उनके मकानों पर उतारकर जब वह वापस आ रही थी तो ठीक प्राणनाथ के बँगले के ही सामने उसकी मोटर का पेट्रोल खत्म हो गया। कुसुम यह न जानती थी कि बँगला किसका है। उसके साथ कोई नौकर भी न था। लाचार उसे उसे बँगलेवालों से सहायता लेनी ही पड़ी। इसी मतलब से वह फाटक के अन्दर गयी। सामने ही वर्दी लगाये एक चपरासी खड़ा था। अन्दर से संगीत की ध्वनि आ रही थी। स्वर किसी स्त्री का था। कुसुम बँगले में इस प्रकार गई जैसे बँगले की स्वामिनी हो। चपरासी को रोकने का साहस न हुआ। संगीत से उसने अनुमान लगाया था कि अन्दर औरतें होंगी। पर अन्दर पहुँचकर उसने जो कुछ देखा उससे वह एकदम सहम सी गयी। बहुत अच्छे ढंग से सजे हुए कमरे में एक तरफ प्राणनाथ बैठा शराब पीता हुआ एक अखबार पर नजर दौड़ा रहा था और दूसरी ओर एक गायिका जो स्पष्ट रूप से गणिका थी, गा रही थी ''कान्हा बाजूबन्द खोल'' कुसुम को देखकर गायिका कुछ सकपकायी। कुसुम ने पहले गायिका फिर प्राणनाथ को देखा और ठिठक गयी। प्राणनाथ ने भी कुसुम को देखा।

वह खड़ा हो गया और बोला—कौन? आप है, कुसुम देवी! आप यहाँ कैसे?—फिर तुरन्त ही उसने गायिका से कहा—बाहर के कमरे में जाकर बैठो। चपरासी से ताँगे के लिए कह दो। आने पर चली जाना। और मनीबैग से दो दस-दस रुपये के नोट निकालकर उसे दे दिये। गानेवाली सलाम करके चली गयी। फिर कुसुम से बोला—आपको आज अचानक अपने घर पर देखकर मुझे हर्ष भी है और दुःख भी है, कुसुम देवी। पर अपने सुख-दुःख की बात एक तरफ रखकर मैं आपके हित के खयाल से कहूँगा कि आप इसके बाद मेरे घर कभी न आइये। समाज की दृष्टि में मैं बहुत बुरा आदमी हूँ और हूँ भी बुरा। प्रमाण तो आपकी आते ही मिल गया है।— वह इतना कह जरा सा हँसा। इस हँसी की तह में जो प्रचंड विषाद छिपा था वह कुसुम से छिपा न रहा। पहली बार कुसुम को लगा जैसे प्राणनाथ सचमुच में बुरा नहीं है। पर वह बुरा बनने का प्रयत्न करता है। लोग उसकी बुराई करते हैं तो उससे उसे जैसे संतोष होता है।

कुसुम बोली—मुझे ऐसा लगता है कि आप स्वभाव से बुरे नहीं हैं, पर जानबूझकर बुरे बनते हैं।—मार्मिक दृष्टि से कुसुम की ओर देखते हुए प्राणनाथ बोला—मैं बुरा हूँ। आप मुझे अच्छा न समझिये। यदि आप मुझे बुरा न समझेंगी तो मुझे दुःख होगा।—जरा ठहरकर—अरे हाँ यह तो बतलाइये कि आपकी क्या खातिर की जाय? चाय लेंगी या शर्बत?

कुसुम ने कहा—मुझे कुछ न चाहिए। अभी पिकनिक से खूब खा-पीकर आ रही हूँ, पर मेरी मोटर को शरबत चाहिए।—प्राणनाथ ने उसी समय उसकी मोटर में पेट्रोल डलवा दिया। कुसुम कुछ कहना चाहती थी फिर संकोचवश बोल न सकी। अन्त में बहुत हिम्मत करके उसने पूछ ही लिया—आप इन गानेवालियों को क्यों बुलाते हैं? क्या रेडियों नहीं है?—रेडियों की ओर उँगली उठाकर प्राणनाथ ने कहा—रेडियो है तो। इन्हें तो मैं सिर्फ बदनाम होने के लिए बुलाता हूँ। और फिर इन गरीब स्त्रियों को बुलाता हूँ जिनका नाचना-गाना ही पेशा है, जिनकी युवावस्था समाप्त हो चुकी है, रूप-रंग बिगड़ गया है और जिन्हे पेट भरने का और कोई चारा नहीं है।

कुसुम ने पूछा—और शराब क्यों पीते हैं?

—अपने आपको मिटाने के लिए। रुपयों का और क्या करूँ। प्राणनाथ ने विरक्त के साथ उत्तर दिया।

—मैं इन दोनों बातों को सही पसन्द करती। आपके पास बहुत रुपया है तो मुझे दे दीजिए। मैं उनका सद्व्यय करूँगी।—अधिकार के स्वर में कुसुम बोली। फिर आप ही आप शरमा गयी। उसे चाहने ने चाहने का अधिकार ही क्या है।

प्राणनाथ हँस पड़ा। वह बोला—आप नहीं चाहतीं तो न होगा, पर आप मेरी चिन्ता क्यों करती हैं ? मैं तो जानबूझकर मिट रहा हूँ और मिटने में ही मुझे सन्तोष है।

—पर इसका कारण क्या है ? आग्रह के साथ कुसुम ने पूछा।

—कारण बहुत बड़ा है। जल्दी में मैं बतला न सकूँगा। आप घर जाइये रात हो रही है। आपके घरवाले चिन्तित होंगे।—कहते हुए स्वयं प्राणनाथ न दरवाजे का परदा हटा दिया। कुसुम बाहर निकली। प्राणनाथ भी आया। कुसुम की कार बरसाती में ही खड़ी थी।

—इस कृपा के लिए धन्यवाद कुसुम देवी।—प्राणनाथ ने कहा।—मैं आपसे फिर मिलूँगी—कहती हुई कुसुम ने मोटर चला दी।

घर पहुँचकर कुसुम कई दिनों तक सोचती रही। उसे प्राणनाथ जितना बदनाम था उतना बुरा न जान पड़ा। बात-व्यवहार में वह बिल्कुल भद्र पुरुष था। उसकी बुराई करनेवालों से प्राणनाथ ही उसे अधिक शिष्ट जान पड़ा। कुसुम सोच रही थी—कोई न कोई बात है, इसके जीवन में कोई ऐसी घटना घटी है जिससे वह बहुत दुखित होकर ही अपने आपको इस प्रकार मिटा रहा है, बदनाम कर रहा है। कुसुम ने सोचा कि उससे पूँछूगी जरूर और एक दिन शाम को कुसुम जब घूमने निकली तो उसकी मोटर अपने आप जैसे प्राणनाथ के बँगले की ओर मुड़ गयी। बाहर चपरासी बैठा था। कुसुम को देखते ही दौड़कर उसने साहब को खबर दी। प्राणनाथ बाहर आ गया। कुसुम को देखते ही ही उसके मुरझाये हुए चेहरे पर कान्ति-सी आ गयी। वह बोला—आइये! अच्छा हुआ आप आ गयीं। आप उस दिन मुझसे दो बातों के न करने का वचन ले गयी थीं। उस दिन से मैंने नहीं कीं। किन्तु उन दो बातों के सहारे मेरी सन्ध्या कट जाती थी। अब तो शाम बहुत लम्बी जान पड़ती है। बैठे-बैठे अपने कृत्यों पर बिसूरने के अतिरिक्त और कुछ नहीं रह पाता। मैं किसी के घर आता-जाता भी नहीं। आपसे उन्हीं दोनों बातों की पुनरावृत्ति की आज्ञा चाहता हूँ।

कुसुम हर्ष से उछल पड़ी। उसने कहा—सच। उस दिन से आपने शराब नहीं छुई और न किसी को बुलाया? धन्यवाद। आपने मेरे अनुरोध की रक्षा की है, अब आप फिकर न कीजिए। आपकी शाम भारी न जायगी। मैं उसे हल्की बनाने का प्रयत्न करूँगी।

—इसके लिए आपको धन्यवाद, पर आप आज भी तो किसी पिकनिक से नहीं आ रही हैं?

—नहीं, चाय पिऊँगी मैं। बनवाइये! —प्राणनाथ ने रसोइये को बुलाकर चाय बनाने को कहा। कुसुम कुछ सोचकर बोली—हाँ मैं आपसे वह कारण पूछना

चाहती हूँ। यदि आपकी कोई विशेष कष्ट न हो तो बतलाइये कि आपने अपने ऊपर इतना अत्याचार क्यों नहीं किया है। बुरे न होकर भी क्यों बुरे बन रहे हैं। दुराचारी न होकर भी क्यों अपने आपको दुराचारी साबित कर रहे हैं।

—इसकी एक कहानी है, कुसुम देवी—एक दीर्घ निःश्वास के साथ प्राणनाथ ने कहा—मैंने एक स्त्री का जीवन बर्बाद किया है और बर्बाद करने के बाद अपनी जिम्मेदारी नहीं समझी। उस पर व्यर्थ का सन्देह किया। उसे सताया। और बड़े ही नाजुक समय में उसकी ओर से इतना उदासीन रहा, उसकी बातों को ठुकराया कि शायद वह गली-गली टुकड़े माँगने तक को विवश हो गयी हो। एक घटना ने मेरे सन्देह को दूर कर दिया। मैंने अपनी गलती समझी और जाना कि वह बिलकुल निर्दोष है। उसके साथ बड़ा अन्याय किया गया है। मैं उससे क्षमा माँगने, उसे लाने के लिए गया किन्तु तब तक उसका वहाँ पता ही नहीं था, कहीं भी पता नहीं लगा। न जाने वह कहाँ गयी। इस खयाल से भी मैं बहुत सी औरतों के यहाँ गया हूँ कि न जाने कहाँ किस अवस्था में मुझे रुक्मिणी मिल जाय। मैं उसका अपराधी हूँ। कम-से-कम उससे क्षमा तो माँग सकूँगा।

कुसुम ने कहा—बस, बहुत हो चुका। आपने अपने ऊपर काफी अत्याचार किया है। अब आप यह न कर सकेंगे। आपने एक स्त्री के साथ अत्याचार किया है। कष्ट मुझे भी हुआ है। पर आप अपने ऊपर जो अत्याचार करते हैं उससे भी मुझे कष्ट होता है। अच्छा, मैं आपको कल अपने घर चाय के लिए निमंत्रित करती हूँ। शाम को पाँच बजे आ जायेंगे या कार भेजनी पड़ेगी।

—वैसे तो मैं आ जाऊँगा पर आपके घरवाले इस बात को पसन्द न करेंगे। मेरा आना उन्हें अच्छा न लगेगा।

—मेरे घर में कोई भी आपके खिलाफ़ नहीं है—कुसुम ने दृढ़ता से कहा—मेरे भैया जरा कुछ ऐसा-वैसा कह रहे थे पर मैंने उन्हें समझा दिया है। सभी आपसे मिलना चाहते हैं। कल आप आयेंगे न?

—जी हाँ, आऊँगा।

—ठीक पाँच बजे।

— ठीक पाँच बजे।

दूसरे दिन कुसुम ने चाय के लिए बड़ी तैयारी की। बहुत तरह की मिठाइयाँ और फल इत्यादि मँगवाये। कुसुम को पहले तो प्राणनाथ पर तरस आता था, अब वह उससे कुछ प्रेम भी करने लगी। उसने अपनी कुछ सहेलियों को भी बुलाया था। कुसुम अपनी सहेलियों से अनेक बार प्राणनाथ की चर्चा सुन चुकी थी। वे सब

प्राणनाथ के नाम के साथ ही घृणा का भाव व्यक्त करती थीं। कुसुम उन्हें दिखला देना चाहती थी कि जिस प्राणनाथ को वे शराबी, बदमाश और वासना की कीट समझती हैं, वास्तव में प्राणनाथ वैसा नहीं है। उसने निश्चय किया कि पहले वह प्राणनाथ का परिचय किसी को न देगी। उसके बारे में सबकी राय जान लेगी, तभी बतलायेगी कि वह आदमी कौन है। उसका भाई घर में नहीं था। बूढ़े पिता बच्चों की इस पार्टी में शमिल होनेवाले न थे। कुसुम ही थी जो कुछ और उसकी माँ और सहेलियाँ थी।

उसकी सहेलियाँ पहले ही आ चुकी थीं। प्राणनाथ ठीक पाँच बजे आया। प्राणनाथ बहुत गोरा और देखने में सुन्दर था। कुछ देर इधर-उधर की बात करने के बाद कुसुम ने अपनी परिचारिका भामा को चाय लाने को कहा। कुसुम देख रही थी कि उसकी सहेलियों में से कोई भी प्राणनाथ से जंगली जानवर या हौवा की तरह नहीं डरती हैं किन्तु खुलकर स्नेह के साथ बातचीत कर रही हैं। एक-दो ने चुपके से पूछा भी कि यह कौन हैं? कुसुम ने कहा, मेरे दूर के रिश्ते के भाई होते हैं। इसी समय भामा चाय लेकर आयी। एक सुन्दर से ट्रे में उसने चायदानी और प्याले वगैरह सजा रखे थे। मेज के बहुत करीब वह पहुँच न पायी थी कि एकाएक उसकी दृष्टि प्राणनाथ पर और प्राणनाथ की दृष्टि भामा पर पड़ी। एक क्षण तक दोनों ने एक-दूसरे को देखा। अचानक भामा जैसे काँप उठी। उसके हाथ में ट्रे छूटकर धरती पर गिर पड़ी। चायदानी उसके पैरों के पास गिरकर फूट गयी। प्याले दूर-दूर तक कमरे में बिखर गये। भामा निर्जीव-सी वहीं धरती पर बैठ गयी।

प्राणनाथ के मुँह से एक चीख के साथ निकल पड़ा 'रुक्मिणी' और वे सब अपनी-अपनी कुरसी छोड़कर निर्जीव-सी पड़ी हुई भामा की परिचर्या में लग गये।

दुनिया

मिसेज़ चोपड़ा की बड़ी-बड़ी आँखे सजल हो गयी। उन्होंने रुंधे हुए गले से कहा —रामेश्वरबाबू, दुनिया इतनी अकृतज्ञ है मुझे ने मालूम था। इसके आगे वह कुछ बोल सकीं। मैंने सांत्वना के स्वर में कहा —खैर, आप इन बातों पर अब कुछ ध्यान न दें। एक सच्चे हितैषी के नाते मैंने आपको केवल सचेत कर दिया है। मैं आपके ही सामने अधिक क्या कहूँ, परन्तु कभी-कभी क्रोध आ जाता है और रोक नहीं रुकता। अभी निमंत्रण की लिस्ट में उन लोगों का भी नाम देखकर मैं अपने क्रोध का संवरण न कर सका और इतनी बातें आपके सामने कह दीं किन्तु फिर भी मैं आपसे अन्तिम निवेदन यही करूँगा कि जिसे आप अपना हितेषी समझती हैं वह आपकी भूल है। वे ही लोग जो आपके सामने बहुत घुलमिलकर सज्जनता का स्वरूप रखकर आपसे बातें करते हैं बाहर न जाने कितनी बुरी बातें बकते हैं।

—अब तो निमंत्रण जा चुके हैं फिर भी आप जो कुछ कहें मैं उलटफेर करने को तैयार हूँ, मिसेज चोपड़ा ने कहा। उनकी आवाज भारी, चेहरा विवर्ण और आँखे लाल थीं। मैंने कहा—अब तो उलटफेर करना ठीक न होगा मिसेज़ चोपड़ा। परन्तु आगे का आप खयाल रखें, इन नररूपी पशुओं से आप जितनी दूर-दूर रहें उतना ही अच्छा है—कह के मैंने अपने घर की राह ली। जाड़े के दिन थे, रात के दस बज रहे थे। अब भी नारायण क्लब में रोशनी थी। मैंने सोचा चल के देखूँ ता सही यह इतनी रात तक क्लब में कौन-कौन महाशय विराजमान है। साइकिल दरवाजे पर टिकाकर मैंने अन्दर कदम रखा ही था कि मिस्टर शुक्ला दौड़कर मुझसे लिपट गये— आइए, आइए, रामेश्वरजी, कहिए सब कुशल है न? आप तो बहुत दिन के बाद दिखे।

मिस्टर रामलाल ने आँख मारते हुए कहा—अरे भाई, आजकल तो ये बड़े घर के मेहमान हैं, हम लोगों के पास तक आने का समय इनके पास कहाँ? जब उधर से छुट्टी मिले तब न।

प्रेमनारायण ने चुटकी ली—भाई किस्मत इसी को कहते हैं। हम लोग चक्कर

ही लगाते रह गये और हज़रत ने वहाँ ऐसा रंग बाँधा कि अब वहाँ किसी दूसरे की पहुँच ही नहीं हो सकती—कहते-कहते उसने मेरी पीठ ठोंकी। किसके विषय में कटूक्तियाँ थीं, मैंने सब समझ लीं, फिर भी कुछ अनजान बनते हुए बोला—तुम लोगों की बातें मेरी समझ में नहीं आईं, पहेली की तरह मत बुझाओ, साफ-साफ कहो न, किस बड़े घर की मेहमानदारी मुझे मिली है।

—सुना है कल मिसेज़ चोपड़ा के लड़के का जन्मदिन है और बड़ा भारी आयोजन किया जा रहा है। सो-पचास आदमियों को चाय-पार्टी के लिए निमंत्रण भी बाँटे गये हैं। सच है न रामेश्वरजी। मिस्टर शुक्ला ने पूछा।

मैंने कहा—सच भी हो सकता है, झूठ भी, मैं ठीक नहीं कह सकता। पर मिसेज़ चोपड़ा के लड़के की वर्षगाँठ और आप लोगों की इन उड़ी-उड़ी बातों पर क्या सम्बन्ध। मैं तो आपकी पहेली का अर्थ पूछ रहा था जो अभी आपने मुझे बुझाई है।

—बनो न दोस्त, अभी वहीं से आ रहे हो और कहते हो मुझे मालूम नहीं है। हम लोग हिस्सा तो लगाने आते नहीं, फिर सच-सच कहने में संकोच करते हो। एक कुटिल हँसी के साथ प्रेमनारायण ने मुझसे कहा। मेरे बदन में आग सी लग गयी और मैंने अपने क्रोध को दबाया। मैंने कहा भला देखूँ तो सही यह लोग किस हद तक जाते हैं।

—क्या आप लोग मिसेज़ चोपड़ा के विषय में कुछ कहना चाहते हैं। मैंने पूछा।

मिस्टर शुक्ला कुछ गंभीर होकर बोले—हाँ भाई रामेश्वर हम नहीं चाहते कि तुम भी उस भूल-भुलइयाँ में भूले-भूले फिरो। मिसेज़ चोपड़ा को कौन नहीं जानता। सारे शहर में तो उसी की चर्चा है भाई। एक नज़र में तो वह लोगों को पागल बना देती है। औरत नहीं जादूगरनी है, पर धिक्कार है मिस्टर चोपड़ा को! क्या उन्हें यह बातें न मालूम होगी?

प्रेमनारायण बोला—अरे मालूम क्यों नहीं है। औरत को कमाई पर ही तो इतना बड़ा मकान खड़ा कर लिया है, नहीं तो साढ़े चार सौ में आजकल होता क्या है। मिसेज़ चोपड़ा को नहीं देखते रेशम छोड़कर दूसरी बात ही नहीं करती। देखा नहीं किस ठाठ से निकलती है। कपड़े सदा कीमती पहनती है, घर में चार-छः, नौकर-चाकर हैं। यह उन्हीं की कमाई है, नहीं तो मिस्टर चोपड़ा के साढ़े चार सौं में पूरा न पड़ता भाई साहब।

रामलाल ने घृणा भरे स्वर में कहा—भाई मुझे तो उसकी शक्ल से नफ़रत है। उसे तो यदि गृहस्थ न कह के वेश्या कहा जाय तो ठीक होगा। पर-पुरुष से ऐसी

बेशरमी से बात करती है, उनके साथ ऐसे खुलेआम फिरा करती है कि कोई वेश्या क्या करेगी। पढ़ी-लिखी औरतें क्या हमने देखी नहीं।

पास की मेज पर बैठे हुए दो सज्जन चाय पी रहे थे। अब तक इधर की बातें चुपचाप सुन रहे थे। शायद बात सहनशक्ति की सीमा से बाहर चली गयी थी; इसलिए एक सज्जन ने कहा—बहुत बढ़-बढ़कर बातें तो न करिये। यदि आप लोग जरा ही पुचकारे जायें तो तो कल से मिसेज़ चोपड़ा की जूतियाँ चाटने को तैयार हो जायें। आप इतना बकते हैं तो कहिये आपके पास प्रमाण है कि मिसेज़ चोपड़ा को चाल-चलन खराब है।

मिस्टर रामलाल के मुँह पर जैसे किसी ने थप्पड़ सा मार दिया। मिस्टर भगवती प्रसाद को देखकर वे जरा सा सकुचाये, बोले—आप क्या जानें, मुझे तो सब मालूम है, यह इतने आदमी जो कहते हैं क्या सब झूठ ही है।

भगवती प्रसाद ने तेज स्वर में कहा—मैं उन्हें आज बीस साल से जानता हूँ। आपका तो परिचय भी उनसे नहीं है पर मैं तो उनके साथ वर्षों रहा हूँ, एक साथ, एक मकान में। हाँ, वह जिस प्रकार वातावरण में पली है वैसा ही उसका स्वभाव भी है। परदा उसने न बचपन से किया है न अब कर सकती है। उसकी नज़रों में स्त्री-पुरुष समान हैं इसलिए वह सबसे खुलक प्रेमपूर्वक मितली है, यही उसके आचरण का दोष है। किसी भी सुधार के काम में पुरुषों से भी सदा दो कदम आगे रहती है यही उसकी कमजोरी है।—कहते-कहते भगवती प्रसाद का चेहरा आरक्त हो गया। सब लोग चकित दृष्टि से उनकी ओर देख रहे थे। हम लोगों को अनुमान भी न था, भगवती प्रसाद की मिसेज़ चोपड़ा से परिचित होंगे क्योंकि हम लोग उन्हें परदेशी समझते थे। वे लाहौर से अभी दो महीना पहले ही यहाँ आये थे। कुछ ठहरकर वे फिर बोले—लेकिन कहने वालों की ज़बान पर लगाम कौन लगाये, चमड़े की ज़बान ठहरी, जिधर चाहा हिला दिया।

सत्येन्द्र बीच में ही बात काटते हुए बोले—पर आप क्यों नाहक इन लोगों के मुँह लगते है, बकते हैं बकने दीजिए। सूरज पर धूल फेंककर कोई उसके प्रकाश को धीमा नहीं कर सकता।

धीरे-धीरे रामलाल, प्रेमनारायण, और मिस्टर शुक्ला खिसक गये। अब वहाँ पर मैं, सत्येन्द्र और भगवती प्रसादजी रह गये। हम लोग भी घर की ओर चले। रास्ते में मुझे संबोधित करके भगवती प्रसाद ने कहा—रामेश्वरजी तुममें इतना साहस नहीं, इनके मुँह पर थप्पड़ न लगा देते। वह तो तुम्हें लांछन लगा रहे थे। मुझे तो ऐसी बातें कहते तो मैं तो बिना मारे न रहता।

मेरे मुँह से कोई बात न निकली। सच बात तो यह थी कि मिसेज़ चोपड़ा मेरे

लिए भी एक पहेली सी थीं। आज साल भर से मैं उनके घर रोज आता रहा हूँ। वह सदा प्रसन्न मुद्रा से मेरा स्वागत करती थीं। उनकी वाणी में वह मिठास थी, चितवन में वह मोहकता थी कि कभी-कभी मैं यह शक करने लगता कि शायद उनका मेरे साथ अनुचित तरह का प्यार है, किन्तु दूसरे ही क्षण में होश में आ जाता जब मैं देखता, ठीक वैसा ही व्यवहार वह दूसरों से भी करती हैं। वह इतनी मिलनासार थीं, स्वभाव में इतनी मधुरता थी कि हर एक मिलनेवाला यही सोचता हुआ जाता कि उसके साथ ही ऐसा व्यवहार किया गया है। और साथ ही दुष्ट प्रकृतिवाले यह भी सोचते है कि वह उन पर आसक्त हैं इसलिए ऐसा मधुर व्यवहार करती हैं।

मिस्टर चोपड़ा लाहौर के रहनेवाले बहुत ही उन्नत विचार से सज्जन पुरुष थे। वे कुछ साल पहले यहाँ इंजीनियर होकर आये थे। बड़े ही नेक, मिलनसार और उदार चरित्र पुरुष थे। स्त्री भी उनकी, उन्हीं के अनुरूप थीं। उन्होंने किसी विद्यालय से कोई डिग्री तो न हासिल की थी फिर भी उनकी शिक्षा बहुत ऊँची, विचार बहुत परिपक्व और आदर्श महान थे। पति-पत्नी दोनों में बहुत प्रेम और विचारों में बड़ी समानता थी। यह एक आदर्श जोड़ी थी। मिसेज़ वीणा चोपड़ा और माता-पिता की अकेली संतान थीं। उनके पिता सुधारक-सभा के प्रेसीडेन्ट थे। वह पुरानी लकीरों के फ़कीर न थे। वीणा अपने पिता के साथ-साथ छुटपन से ही सभा-सोसाइटियों में जाती थी और अक्सर व्याख्यान भी दया करती थी। स्त्री-पुरुष उसके लिए समान थे। वह पुरुषों से भी उसी प्रकार निस्संकोच भाव से मिल सकतीं थी जैसे स्त्रियों से। लेकिन पिछड़े हुए समाज में वीणा का इस प्रकार निस्संकोच भाव से पर-पुरुषों से मिलना, अकेली सभा-सोसाइटियों में चले जाना, किसी दूसरे व्यक्ति के साथ अकेली वापिस आना, पाप हो गया। पहले तो लोग कुछ अधिक न कह सकते थे, किन्तु इधर जब से अछूतोद्धारिणी सभा का निर्वाचन हुआ और शहर में इतने महानुभावों के रहते हुए भी अछूतोद्धारिणी सभा की अध्यक्षा वीणादेवी चुनी गयीं और इस सिलसिले में उन्हें बहुत व्यक्तियों से मिलना-जुलना पड़ा, बहुत जगह आना-जाना पड़ा, कई ऐसे व्यक्तियों से भी संसर्ग रखना पड़ा जिनसे शायद वीणा कभी-कभी मिलना भी न चाहती तो उन लोगों को खुलेआम बकने का मौका मिला। जिन्हें वीणा की चाल-ढाल न पसन्द थी उन्हें वीणा को दिया हुआ सम्मान फूटी आँखों न सुहाता था। एक, दो, तीन, चार, नहीं, वीणा के साथ जिसने भी सहानुभूति प्रदर्शित की, जिस किसी ने उसके साथ घन्टे आध घन्टे बात की वह वीणा का प्रेमी हो गया।

दूसरे दिन मिसेज़ चोपड़ा के यहाँ वर्षगाँठ का समारोह था। चार बजे कुछ स्त्री-पुरुषों का सम्मिलित भोज था। हम लोग सब पहुँचे पर मिसेज़ चोपड़ा न थीं। मालूम

हुआ वे रात से अस्वस्थ हैं इसलिए खुद इस भोज में शामिल नहीं हो सकतीं। बीच में कई सज्जनों ने उनसे मिलकर सहानुभूति और धन्यवाद देना चाहा, पर मिस्टर चोपड़ा ने यह कहकर टाल दिया कि वे इस समय मिल न सकेंगी। आप लोगों को जाने की कृपा के लिए धन्यवाद देती हैं।

सब लोगों के जाने पर मैं, भगवती प्रसाद और सत्येन्द्र ने मिसेज़ चोपड़ा ने ड्राइंगरूम में प्रवेश किया। वह बैठी अपनी बच्चे को कपड़े पहना रही थीं। मुझे देखते ही आदर प्रदर्शित करते हुए उन्होंने अभिवादन किया। भगवती प्रसाद और सत्येन्द्र को उन्होंने कुछ न कहा पर वे लोग बहुत समीप जाकर बैठ गये। अब मैं समझा इनका संबंध कितना घनिष्ठ है।

—क्या सचमुच आपकी तबियत खराब थी। भगवती प्रसाद ने पूछा।

—जी नहीं, पर मैं इन लोगों के पास बैठने में अपना अपमान समझती हूँ। अब तो भूल हो ही गयी, अब आप देखेंगे कि मेरे यहाँ मेरे कुछ इने-गिने मित्रों को छोड़कर कोई दूसरा न आ सकेगा। मिसेज़ चोपड़ा ने गंभीर स्वर में कहा। उनके चेहरे पर कुछ ऐसी शान्ति, ऐसी निष्ठा और ऐसी गंभीरता थी कि हम लोगों को कुछ कहने का साहस न हुआ। वह किसी काम से अन्दर चली गयीं। इसी अर्से में भगवती प्रसाद ने मुझे एक पत्र दिखलाया। पत्र पर सिरनामे की जगह कुछ न था। मजमून इस प्रकार था—

आपसे मिलकर बड़ी प्रसन्नता हुई। हजार मुँह से आपकी प्रशंसा करूँ तो भी नहीं कर सकता। मैं आज आपसे आपके प्रणय की भीख माँगता हूँ। आप तो दात हैं, आपकी दानशीलता प्रसिद्धि पा चुकी है। क्या मुझ भिखारी को भी संतुष्ट करेंगी। यदि आपने कृपा न की तो मैं बेमौत मर जाऊँगा?

अनुचर

नाम किसी था न था। नीचे जो उत्तर भेजा गया था उसकी प्रतिलिपि थी—

मैंने स्वप्न में भी न सोचा था कि आप मनुष्य के रूप में राक्षस हैं। अपने मित्र की स्त्री के प्रति ऐसी कुभावना रखने के बजाय आपको तो चुल्लू भर पानी में डूब मरना चाहिए। कृपा करके अब आप मेरे यहाँ कभी तशरीफ़ न लावें।

पत्र पढ़कर मैंने विस्फारित नेत्रों से भगवती प्रसाद की ओर देखा। उन्होंने पूछा—पहचानते हो न, यह किसकी हस्तलिपि है।

—हाँ, हाँ, अच्छी तरह, मैंने कहा।

—तो फिर ऐसा जूता खाकर वह उसके खिलाफ़ न बकेंगे तो और क्या करेंगे। भगवती प्रसाद ने कहा—और है भी तो वह बिना दिमाग का पहले नम्बर का उल्लू। फिर वह अपने दस-पाँच साथियों के दिमाग में भी उसके प्रति ऐसी कुभावनाएँ भर

दें तो आश्चर्य ही क्या है। किन्तु आप किसी सहृदय व्यक्ति से पूछिए कि उसकी धारणा मिसेज़ चोपड़ा के विषय में क्या है, फिर वह आपको बतलायेगा।

मैंने देखा कि भगवती प्रसाद की बातें अक्षरण: सत्य थीं। अपनी झेंप मिटाने के लिए, अपना खिसियानापन दूर करने के लिए मनुष्य की पाशविक प्रवृत्तियाँ नीचे-से-नीच काम करने में भी नहीं हिचकतीं।

मिसेज़ चोपड़ा ने ड्राइंगरूम में प्रवेश करते हुए कहा—यह किसकी जन्मपत्री देखी जा रही है।

—मिस्टर शुक्ला की। सत्येन्द्र ने हँसते हुए कहा।